Sprache
und
Literatur 27

HERBERT LEHNERT

Thomas Mann
Fiktion, Mythos, Religion

W. KOHLHAMMER VERLAG
STUTTGART BERLIN KÖLN MAINZ

ORIGINALAUSGABE

VORWORT

Eine Gesamtdarstellung von Thomas Manns Leben und Werk hat noch einen weiten Weg vor sich. Das vorliegende Buch möchte einen Komplex von Problemen lösen helfen, der einer solchen Gesamtdarstellung im Wege steht. Es handelt sich um die methodische Frage, wie man die Beziehung zwischen dem Weltverständnis eines Dichters und seinem fiktiven Werk erfassen kann. Eine solche Frage drängt sich gerade im Falle Thomas Manns auf, von dem wir eine Fülle von Äußerungen besitzen, die seine metaphysische, religiöse, politische Auffassung zu bezeichnen suchen und die offensichtlich nicht ausreichen, um sein fiktives Werk zu beschreiben. Andererseits wird Thomas Manns Weltverständnis in seinem Werk reflektiert. Die Beziehung zwischen einem Kunstwerk mit fiktiver Struktur und dem Weltverständnis seines Autors betrachten wir nicht mehr naiv. Wir haben gelernt, daß zwischen Erlebnissen, intellektuellen Einflüssen, metaphysischer Einstellung und dem sprachlichen Kunstwerk keine einfachen Kausalitätsverhältnisse bestehen: die Kenntnis aller Bedingungen resultiert nicht in einer Erklärung des Kunstwerkes. Eine Interpretation jedoch, die metaphysische und biographische Bedingungen ignoriert, ist in Gefahr, nachweisbare Fehltritte zu begehen.

Den Untersuchungen, die ich vorlege, ist nicht nur gemeinsam, daß sie alle Thomas Manns Werk umkreisen; gemeinsam ist ihnen auch, daß sie die Frage nach der Beziehung zwischen dem Weltverständnis des Dichters und der sprachlichen Vergegenwärtigung im Kunstwerk (Stil), nach dem Verhältnis zwischen der wirklichen Welt des Dichters und der fiktiven, die er gestaltet, im Auge behalten.

Der erste Abschnitt des vorliegenden Buches entwickelt eine unkompliziert gehaltene Erzähltheorie am Beispiel der Jugendwerke Thomas Manns. Dabei wird auch etwas Licht auf die schriftstellerische Frühzeit Thomas Manns geworfen. Diese Frühzeit ist für ein Gesamtverständnis des Werkes besonders wichtig, das zeigt sich immer wieder bei der Erforschung der Struktur auch späterer Werke.

Der mittlere Abschnitt besteht aus vier Untersuchungen zum *Tod in Venedig*. Die zweite davon ist die deutsche Neufassung eines Aufsatzes, der im Juni 1964 in englischer Sprache in den *Publications of the Modern Language Association of America* (PMLA) erschien; das kleine dritte Kapitel dieses Abschnittes erschien im Juni 1965 in einer englischen Fassung in der gleichen Zeitschrift. Das vierte Kapitel ist die Neufassung eines englisch im Herbstheft 1964 der *Rice University Studies* erschienenen Aufsatzes. Für die freundliche Erlaubnis zur Wiederverwendung dieser Veröffentlichungen danke ich. Es waren diese Aufsätze, zusammen mit Studien zu den Josephsromanen, die mich dazu brachten, den Zusammenhang von Weltverständnis und Stil der Betrachtung von Thomas Manns Werk zugrundezulegen.

Der Tod in Venedig ist nicht nur ein besonders gelungenes, sondern auch das Werk Thomas Manns, in dem der Mythos zum erstenmal an der Struktur beteiligt wird. Der Mythos ist eine Erzählung von göttlichen Erscheinungen und darum ästhetischer und religiöser Natur. Thomas Mann verwendet mythische Motive, um zwei Stufen von Weltverständnis, das naturalistische, moderne und das mythische, zeitlose, auf fiktiver Ebene zusammenzubringen. Das ist eine fiktive Wiederholung des Verhältnisses zwischen dem Weltverständnis der Wirklichkeit und der Fiktion. Eigenartigerweise ist gerade der mythische Aspekt des *Tod in Venedig* von Thomas Mann selbst nicht kommentiert worden, was lange zu Mißverständnissen über dieses Werk geführt hat, da die Kommentare des Autors oft zu unkritisch benutzt worden sind. Das vierte Kapitel des zweiten Abschnittes befaßt sich mit dieser Frage.

Der letzte Abschnitt behandelt Thomas Manns Ansicht von Martin Luther und damit sein Verhältnis zu der Religionsform seiner Herkunft. Es zeigt sich, daß fiktive Strukturen auf das Bild übergreifen, das Thomas Mann sich von einer historischen Wirklichkeit machte, aber auch, daß er sich noch gegen Ende seines Lebens, während der Vorbereitung auf ein neues Werk, aus der Verstrickung langgewohnter fiktiver Strukturen wieder lösen konnte.

Dieses Buch hätte nicht geschrieben werden können, hätte ich nicht von vielen Seiten Hilfe erhalten. Ich danke dem Thomas Mann Archiv der Eidgenössischen Technischen Hochschule in Zürich für den Zugang zu den Schätzen des Archivs. Der Rice University in Houston, Texas (USA), danke ich für ein Urlaubsjahr und ein Reisestipendium, der Deutschen Forschungsgemeinschaft ebenfalls für eine Reisebeihilfe, die mir längere Aufenthalte in Zürich ermöglichte. Von vielen Seiten habe ich wertvolle Informationen erhalten, von Gelehrten, Sammlern, Freunden Thomas Manns, einige werden in den Anmerkungen genannt. Nicht zuletzt danke ich Frau Katja Mann für die freundliche Erlaubnis, aus ungedruckten Teilen des Nachlasses zu zitieren, und Frau Erika Mann für die Einsicht in einige Briefe.

INHALT

ERSTER ABSCHNITT

Die dynamische Metaphysik und die Ausbildung fiktiver Strukturen

1. Begriffsklärungen

Die Unterscheidung zweier Grundbegriffe wird uns helfen, die sprachlichen Kunstwerke Thomas Manns zu verstehen: »Struktur« und »sprachliche Vergegenwärtigung«. Als Struktur ist ein Orientierungsgefüge zu verstehen, das die sprachliche Vergegenwärtigung lenkt, ein Spielfeld vorbereitet, den Rahmen bereithält, in dem aus Sprache das Werk entstehen kann, ein integriertes Ganzes aus einer Fülle an sich vieldeutiger Einzelheiten. Sprachliche Vergegenwärtigung oder Stil ist die Kunst, den Leser in eine andere Welt zu ziehen, auf die Ebene der Fiktion zu heben, so daß er die nach der Struktur orientierte fiktive Welt annimmt, sich — das ist nicht zu hoch gegriffen — willig verzaubern läßt.

Wenn der Begriff »Struktur« als Orientierungsgefüge eines Werkes gefaßt wird, so ist klar, daß die Metaphysik des Autors mit der Struktur seiner Werke zu tun hat. Den Begriff Metaphysik ziehe ich dem der »Weltanschauung« vor, da sich dieser an Goethe orientiert, was einem modernen Autor nicht gerecht wird. Eine Untersuchung der Werkstrukturen betrifft die Stelle, wo die persönliche Metaphysik des Autors mit der sprachlichen Verwirklichung in seinen Werken zusammentrifft.

Wir haben in der Literaturwissenschaft erfahren, daß weder ihr ausschließlich geisteswissenschaftlicher Aspekt noch der ausschließlich werkanalytische befriedigend ist. Die Gefahr willkürlicher Spekulationen ist in beiden Extremen offenbar. Weder ist ein sprachliches Kunstwerk Träger von Ideen, die herauspräpariert noch wissenschaftlichen Wert hätten, noch sind die Wörter, aus denen es besteht, eindeutige Zeichen, die ohne ein Orientierungssystem verstanden werden können. Will man sich davor hüten, seine eigenen Orientierungen in das Kunstwerk hineinzutragen, muß man sich die Mühe machen, die Orientierungen des Autors zu verstehen, freilich nur, um sich vor Fehlern zu hüten, nicht etwa, um diese Orientierungen auf die Werke direkt zu übertragen. Das gestattet der Begriff der Fiktion nicht, der eine integrierte »andere« Welt aus Sprache bezeichnet.

Die vorliegende Untersuchung will die Metaphysik des frühen Thomas Mann erfassen und vor diesem Hintergrund die Strukturen der frühen Werke betrachten. Von hier aus kann ein Ausblick auf die Werke nach den *Buddenbrooks* gewagt werden. Es kann sich allerdings nur darum handeln, den eben umrissenen Aspekt zu skizzieren. Für eine umfassende Untersuchung des Gesamtwerkes sind noch viele Einzelheiten zu klären, auch liegen noch nicht alle Quellen vor. Eine Werkinterpretation im vollen Sinne müßte nach meinen Begriffen auch die Weise der sprachlichen Vergegenwärtigung umfassen, also aufzeigen, wie im Rahmen der Struktur aus Sprache das Werk entsteht, mit anderen Worten: die Untersuchung des Stils der Betrachtung der Struktur zuordnen.

Ein besonderer Aspekt des Begriffs »Struktur« ist der der Intention. Die Intention ist da, bevor das Werk niedergeschrieben wird, sie ist noch während der Niederschrift wirksam bis zur Vollendung. (Sie kann natürlich geändert werden.) Auch Teile der sprachlichen Vergegenwärtigung können schon vor der Niederschrift intendiert werden. Aber auch sie müssen, um zum Werk organisiert werden zu können, gewissen Leitvorstellungen folgen, ob diese nun vom Dichter klar formuliert werden oder nicht. Nur diese Leitvorstellungen, die künftige Struktur, werden hier als »Intention« bezeichnet. Zu ihrer (stets unvollkommenen) Nachzeichnung dienen biographische Kenntnisse, Pläne und Notizen des Autors, die ebenso wie dessen Selbstinterpretationen und Erinnerungen und alles übrige kritisch zu betrachten sind, literarische Vorbilder, Einflüsse und Quellenkunde. Die Bewertung dieser Details ist möglich aus unserer Kenntnis des fertigen Werkes.

Wenn wir eine sprachliche Aussage verstehen wollen, sind wir immer bestimmt von unserer Kenntnis des metaphysischen Horizontes in den des Autors Auffassung der Welt eingefaßt ist. Es ist schon ein Unterschied, ob ein Dichter des 13. Jahrhunderts von den »heiden« spricht oder ein Romantiker von »Waldeinsamkeit«, obwohl sachlich das gleiche gemeint ist. So kann es große Unterschiede geben in der Weise, wie die Wörter »gut« und »schlecht« in einem sprachlichen Kunstwerk gebraucht werden, und für dieses Beispiel ließen sich Belege bei Zeitgenossen finden.

Es ist klar genug, daß die Leitvorstellungen der Struktur eines Werkes in besonderer Weise von dem metaphysischen Horizont seines Autors abhängen, sind doch in beiden Fällen Orientierungen betroffen; die Struktur ist der fiktive Horizont. Man kann das gut auf dem Hintergrund eines Beispiels erkennen, in dem eine Orientierung nicht als Struktur gesetzt, sondern als Konvention, die Autor und Leser verbindet, hingenommen wird. Soll eine Verkleidungsszene Wendepunkt einer Handlung sein, soll zum Beispiel ein Ritter einen Bauernkittel tragen und darum von niemandem erkannt werden, so wird die Möglichkeit einer solchen Szene von den Vorstellungen »Person« und »Stand« bestimmt, die Autor und Leser teilen. Literarische und soziale Konventionen bestimmen natürlich auch noch moderne Werke bis zu einem gewissen Grade. Aber die Führung von Autor und Leser durch Konventionen nimmt nach der Gegenwart zu ab und die Setzung eines vom Autor dem Leser suggerierten Orientierungssystems (Struktur) bildet sich weiter aus.

Die Struktur eines sprachlichen Kunstwerkes besteht aus Ordnungs-begriffen, die eine Vielfalt von Möglichkeiten sprachlichen Ausdrucks in ein System von Beziehungen bringen, innerhalb dessen eine bedeut-same Mitteilung an den Leser möglich ist. Eine Strukturbeziehung erstreckt sich durch das ganze Werk und orientiert, allein oder im Spiel mit anderen, die Weise der sprachlichen Vergegenwärtigung. Für »Strukturbeziehung« brauchen wir den vereinfachten, bildlichen Aus-druck »Strukturlinie«. Die Strukturlinien sollten so knapp wie möglich und so konkret wie möglich beschrieben werden. »Welterfahrung« ist keine Strukturlinie, aber »A verhält sich freudig aufnehmend zur Welt« könnte die eines einfachen Bildungsromanes sein. Auch der Schluß wird einbezogen werden müssen, wenn er die Orientierung des ganzen Werkes von Anfang an bestimmt. So könnte ein weniger traditioneller Bildungsroman die Strukturlinie haben: B will sich freudig aufnehmend zur Welt verhalten, wird aber durch seine Erfah-rungen zum Pessimisten. Noch einmal: Strukturlinie ist dies nur dann, wenn deutlich ist, daß der künftige Pessimist schon im Anfang eines solchen Werkes spürbar wird. Sonst freilich würde es sich um die Inhaltsangabe einer primitiven Erzählung handeln, die einen Bruch aufweist und nicht strukturell integriert wäre.

Die Struktur setzt die Abschließung von der »Realität«, die schon durch die Sprache selbst bedingt ist, fort im Hinblick auf die künst-lerisch bedeutsame Aussage. Der Begriff »Realität« ist freilich im höchsten Grade fragwürdig, sogar für den Physiker, er soll nur an-zeigen, daß *die* Sprache, dann die bestimmte Sprache (Deutsch, Eng-lisch, Chinesisch), dann die künstlerische Sprache, dann die Sprache dieses Werkes eine Reihe von Abschattungen bewirkt, in denen Ele-mente möglichen Ausdrucks ausgeschaltet werden. Zum Beispiel können zwei gleichzeitige Ereignisse von keiner Sprache so adäquat ausgedrückt werden, wie es in einem mathematischen System möglich ist, das also in einer Beziehung »realeren« Ausdruck ermöglicht, in anderen aber weniger oder überhaupt nicht »real« ist. Vage ist leider der Begriff »bedeutsam«, der aber in diesem Rahmen nicht geklärt werden kann und hier nur als Hinweis darauf dient, daß es keinen Unterschied gibt zwischen einer Mitteilung innerhalb und außerhalb eines sprach-lichen Kunstwerks.

2. Frühlingssturm

Von der Schülerzeitschrift *Frühlingssturm* Thomas Manns sind Bruchstücke erhalten, nämlich das Vorwort aus dem ersten Heft vom Mai 1893, das in zwei Nachdrucken überliefert ist, ein Gedicht aus dem gleichen Heft und das ganze zweite Heft, Juni/Juli 1893, das wir dem Sammeleifer Ida Herz' verdanken und von dem die wesentlichen

Stücke in die Ausgabe der Werke von 1960 aufgenommen wurden.[1] Das Vorwort trägt eine literarische Opposition gegen »Gehirnverstaubtheit und Ignoranz und borniertes, aufgeblasenes Philistertum« zur Schau und vertritt »das Leben ... voll Jugendkraft und Kampfesmut, voll vorurteilsfreien Anschauungen und strahlenden Idealen!« (XI, 545)*. Das ist eine Sprache, wie man sie bei ähnlichen Gelegenheiten findet, man könnte ihr auch in »erwachsenen« Manifesten der Zeit begegnen.

Bemerkenswerter ist, daß in dem Gedicht »Zweimaliger Abschied« neben konventionellen Wendungen das »Meer« beschworen wird, »das still und schwarz und schweigend / im Unbegrenzten sich verlor« (VIII, 1102). Die Assoziation von »Meer« und »Unbegrenztheit« hat beim späteren Thomas Mann symbolischen Charakter. Man wehrt sich zunächst gegen den Gedanken, dem achtzehnjährigen Tunichtgut schon hier die Vorwegnahme ganz wesentlicher Symbole der fiktiven Welt des reifen Dichters zuzubilligen. Aber man kann den Gedanken nicht ganz abweisen. Erstaunlich ist es jedenfalls, wenn wir die Wendung »die Zeit verrann in seligem Vergessen« aus dem gleichen Gedicht hinzunehmen und dann an Aschenbachs Zeitverlust — so daß ihm »in seliger Muße die Tage verrinnen« (VIII, 488; vgl. 494) — sowie an seinen letzten Eindruck denken: Tadzio-Hermes vorm »Nebelhaft-Grenzenlosen« (VIII, 524); »feuchter Nebel« ist auch ein Teil der lyrischen Landschaft des Gedichtes. Von hier aus ist nur ein kleiner Schritt zu dem »Strandspaziergang« im *Zauberberg*, wo eine »Verwischung der zeitlich-räumlichen Distanzen« humorvoll als ausnahmsweise »statthaft«, als »Zauber für Ferienstunden« hingestellt wird, »wir meinen den Spaziergang am Meeresstrande« (III, 755). »Wir wanderten / am Strand des Meers ...« hieß es im frühen Gedicht.

Vier Jahre nach diesen Versen des Achtzehnjährigen trägt der Autor der werdenden *Buddenbrooks* eine Betrachtung über seine Liebe zum Meer in sein Notizbuch ein. Er stellt sie unter den Gesichtspunkt der Einfachheit, die das notwendige Gegengewicht bilden müsse gegen die Kompliziertheit, die den »psychologischen« Schriftsteller verwirre. Die Unternehmungslust und der Lebensmut des Bergsteigers sind dem Liebhaber der See fremd, »... es träumt auf der Weite des Meeres, das mit einem mystischen und lähmenden Fatalismus seine breiten Wogen heranwälzt, ein müder, verschleierter, hoffnungsloser und wissender Blick, der irgendwo einstmals sehr tief in traurigste Wirrnisse sah.«[2] Die Aufzeichnung ist übrigens mit einigen Änderungen in den *Buddenbrooks* eine Äußerung des Senators (I, 672). Das Meersymbol ist Zeichen einer hinter aller Aktivität des Lebens stehenden letzten Wahr-

---

* Verweise im Text beziehen sich, wenn nichts anderes angegeben oder aus dem Zusammenhang klar erkenntlich ist, auf die Ausgabe: Thomas Mann, *Gesammelte Werke in zwölf Bänden*, Frankfurt, 1960.

heit, die durch die Wörter »mystisch« und »Fatalismus« nur vage angedeutet wird, es ist die Bedrohung der Bodenlosigkeit, das »Wissen« um die letzte Fragwürdigkeit aller Orientierungen.[3] Auch in Tonys Mortenerlebnis (I, 142 f.) und in Hannos Ferien (I, 629—639) kommt das Meersymbol vor als Zeichen für vage Freiheit und Zeitverlust.

Eine solche — vermeintliche oder wirkliche, das ist hier nicht zu diskutieren — letzte Wahrheit ist Nihilismus, ein Wort, das frei von aller Verteufelung einfach den Unglauben an genuine oder primäre Orientierungen bezeichnet. Es ist dies eine Auffassung, die sich gegen die Vergötzung sogenannter ewiger oder idealer menschlicher Ordnungen wehrt, ein Vorgang, von dem Bibel und christliche Kirchengeschichte immer neue Beispiele melden. Freilich steht der moderne Nihilismus nicht mehr im Dienst der Verkündigung eines lebendigen Gottes.

Noch einmal: der Begriff dient hier der sachlichen Verständigung und sollte sowohl von seinen Verteufelungen wie von einem gewissen seinsmystischen Schauer befreit werden. Er ist kein Begriff, den Thomas Mann häufig auf sich angewandt hätte, er selber scheint von der Verteufelung des Begriffes beeinflußt worden zu sein. Auch hatte er in der Liebe ein menschliches Gegengewicht gegen mögliche zynische Konsequenzen aus der nihilistischen Grundlage seiner Philosophie, ein Moment, das im Werk auch strukturell bedeutsam wird. Und doch bekennt er sich in der außerordentlich informativen Selbstäußerung »Süßer Schlaf« von 1904 deutlich genug zu seiner Liebe zum Meer, das er mit Unendlichkeit gleichsetzt, und fährt fort: »Ich habe in mir viel Indertum, viel schweres und träges Verlangen nach jener Form oder Unform des Vollkommenen, welche »Nirwana« oder das Nichts benannt ist, und obwohl ich ein Künstler bin, hege ich eine sehr unkünstlerische Neigung zum Ewigen, sich äußernd in einer Abneigung gegen Gliederung und Maß. Was dagegen spricht, glaube mir, ist Korrektur und Zucht...« (XI, 336). Er nennt diese Zucht »Moral« und stellt ihr als »Korrektiv«, um sie also nicht als primäre Orientierung erscheinen zu lassen, ein Unbestimmtes entgegen, das er mit »Weisheit, Religiosität, Vornehmheit« bezeichnet (XI, 338): den religiösen Horizont einer nihilistischen Metaphysik.

Noch ein letztes Wort über das Gedicht aus dem *Frühlingssturm*, obwohl dessen Bedeutung nicht überschätzt werden soll. Es heißt »Zweimaliger Abschied«, und seine Hauptintention ist sentimental; ein endgültiger Abschied von der Geliebten in der lyrischen Meerlandschaft kann von konventionellem Getue beim zweiten Abschied am Bahnhof nicht überdeckt werden. Das »normale« bürgerliche Leben führt zur Lüge, wahr bleibt, was vor dem unbegrenzten Horizont des Meeres laut wurde. Das soll das Gedicht sagen, es sagt es unvollkommen genug. Es bleibt dennoch ein Hinweis, daß hinter dem frühlingsstürmerischen Programm mehr als konventioneller Protest gegen die

Konvention steckt. Vielleicht ist der Begriff »vorurteilsfreie Anschauungen« ernster zu nehmen, als er zuerst erscheint.

Dafür spricht der Aufsatz »Heinrich Heine der Gute«; allein die
Absicht, den offensichtlich geschätzten Heine nicht gegen einen Gegner,
sondern einen Apologeten in Schutz zu nehmen, ist beachtlich. Noch
mehr aber die Begründung. Der Schüler Thomas Mann protestiert
dagegen, Heine mit bürgerlichem Maßstab zu messen. Denn was im
bürgerlichen Sinne guter Mensch heiße, sei nur »aus praktischem
Lebensegoismus und christlicher Moral mit möglichster Inkonsequenz
zusammengestückt« (XI, 711). Diese Entlarvung des verlogenen Bürgers ist nicht allzu ungewöhnlich. Noch weniger, wenn der verlogene
Bürger an »dem sublimen, wirklich guten Idealmenschen« gemessen
wird. Aber unter diesen Resten teils überkommener, teils zeitüblicher
Sozialkritik wird eine Blickrichtung sichtbar, die Thomas Mann ge-
radewegs zu dem Zentrum von Nietzsches Metaphysik führen wird.
Ziehen wir die hochmütig überlegen tuende Attitude des Jünglings von
dem unten zitierten Absatz ab, dann kommen wir schon für den jungen
Thomas Mann zu einer ganz ähnlichen Genese metaphysischer Fragestellungen, wie sie Karl Schlechta für Nietzsche konstatiert: Thomas
Manns nihilistische Grundeinsicht wurde zuerst angeregt durch die
zeitgenössische Wissenschaft.[4] Dabei ist sekundär, wie weit er in naturwissenschaftliche Fragestellungen eingedrungen ist. Auch Nietzsche
kam wohl nicht sehr weit auf diesem Wege. Es genügt, wenn die
wissenschaftliche Fragestellung begriffen wird, die nach einem Wesen
der Welt fragt, das nicht von einem Sinn oder Wert bestimmt ist.

Es ist mir sehr wahrscheinlich, daß im Falle Nietzsches sowohl als
auch dem Thomas Manns im Grunde eine Tradition wirksam wurde,
die gegen sichtbare Festlegungen mißtrauisch machte: die protestantische und die romantische, die ihrerseits lutherischer Herkunft ist.
Dieser Gedanke wird in diesem Buch im Abschnitt »Thomas Manns
Lutherbild« ausgeführt. Er hindert nicht anzunehmen, daß der erste
Anlaß für den Protest gegen falsch aufgefaßte, festlegende Orientierungen aus dem wie immer flüchtigen Wissen um naturwissenschaftliche Fragestellungen stammt. Hier folgt der angekündigte Absatz aus
»Heinrich Heine der Gute«:

Indem ich dies sage, stelle ich mich nicht einmal auf meinen sonstigen philosophischen Standpunkt, von dem aus ich die Wörter »gut« und »schlecht« als
soziale Aushängeschilder ohne jede philosophische Bedeutung und als Begriffe
betrachte, deren theoretischer Wert nicht größer ist als derjenige der Begriffe
»oben« und »unten«. Ein absolutes »gut« oder »schlecht« »wahr« oder
»unwahr«, »schön« oder »häßlich« gibt es eben in der Theorie ebensowenig,
wie es im Raum ein oben und unten gibt. (XI, 711)

Es ist das einerseits eine Binsenweisheit, andererseits tatsächlich
die Grundlage von Nietzsches Lebenswerk, der in immer schrilleren
Tönen seine Mitmenschen aufzufordern suchte, nach dieser Einsicht zu

leben und menschliche Sinngebungen bewußt zu vollziehen, wobei er allerdings so manchen üblen Rat gab. Bis heute weigert sich die Mehrzahl der Menschen, aus der Existenz dieser wissenschaftlich bestimmten Metaphysik für sich Konsequenzen zu ziehen, ob mit Recht oder Unrecht, steht hier nicht zur Diskussion. Für den jungen Thomas Mann gilt jedoch, daß er bereits als Schüler die der wissenschaftlichen Fragestellung zugrunde liegende Metaphysik für sich als gültig anerkannte. Wie das Gedicht »Zweimaliger Abschied« beweist, ist auch das Symbol des Meeres präsent als Möglichkeit, den Verlust des alltäglichen Zeit- und Raumsinns zu erleben, ein Moment, in dem die Konventionen, alle menschlichen Orientierungen dahinfallen und sich als relativ und durchschaubar erweisen. Später tritt für diesen Vorgang unter dem Einfluß Nietzsches das Wort »Psychologie« ein.

Diese »nihilistische« Metaphysik muß nicht zum Zynismus führen. Im Text des frühen Heineaufsatzes erscheint ein Gegengewicht, das auch für den reifen Thomas Mann wichtig werden sollte: die Bewunderung. Diesen Affekt will der jugendliche Autor von Identifikation streng trennen. Heine habe Luther bewundert, sei aber kein Protestant (im Sinne der Festlegung); Heine habe ebenso als Deutscher Napoleon bewundert.[5] Im gleichen Sinne zitiert Thomas Mann einen seiner Lehrer, vermutlich seinen Deutschlehrer Hermann Baethcke, der gesagt habe, Goethes Geist sei zu groß gewesen, um an der Vaterlandsliebe Genüge zu finden. »Also der Mensch muß schon von einer gewißgradigen geistigen Beschränktheit sein, um Patriot sein zu können« (XI, 713). Heine habe diese Beschränktheit nicht, er sei nicht bürgerlich festlegbar, also nicht »gut«, sondern »groß« gewesen. Das ist das Ergebnis des Aufsatzes. »Größe« ist also die Fähigkeit, sich über beschränkte Festlegungen zu erheben, zum Beispiel frei zu bewundern, ohne festlegende Identifikation.

Das ist ein Zug, der für den reifen Thomas Mann bestimmend ist, und auch ihn sollte er bestätigend bei Nietzsche wiederfinden. Der »höhere« Mensch ist einer, der über festlegende Beschränkungen hinausgewachsen ist. Thomas Mann spricht später in diesem Sinne über die »höhere öffentliche Meinung«,[6] »höheres Deutschtum« (XII, 71; XI, 792 u. a.), »höhere Menschlichkeit und Kultur« (IX, 482); Beispiele lassen sich in großer Zahl finden. Der Widerstand gegen den »Zivilisationsliteraten« und gegen den Faschismus hat hier seine Quelle.

Bewunderung wird bei Thomas Mann, wenn sie echt ist, temperiert durch die »psychologische« Aufdeckung allzu-menschlicher Züge, wofür *Lotte in Weimar* ein gutes Beispiel ist. Ein früheres Zeugnis für dieses Bedürfnis ist eine Eintragung in Notizbuch 9 vom Jahre 1906:

Friedrich. Tüchtig heruntergemacht wird er bei Maculay. Dabei lernt man's. Was mein Buch auszeichnen soll, ist eine radikale, ehrliche und naturalistische Psychologie der Größe. Meine Gerechtigkeit u[nd] psychologische Freiheit soll bis zur Gehässigkeit gehen. (*Das* hat Carlyle nicht!) Maria Theresia soll überaus rein, lieblich, sympathisch und verehrungswürdig erscheinen, als rührendes Opfer einer dämonischen Existenz.[7]

Auf diese Weise begegnete er der Gefahr einer Identifizierung. Bei Maria Theresia bestand diese Gefahr für den »nordisch gestimmten« (X, 837) Thomas Mann nicht. Nur durch »psychologische« Verhinderung der Identifizierung, durch waches Mißtrauen gegen die Vergötzung des Vorbildes konnte diese Bewunderung frei bleiben. Es ist genau das gleiche Bedürfnis geblieben, das schon 1893 den Protest gegen die Darstellung eines bürgerlich guten Heine hervortrieb.

Die Illusionen »natürlicher«, im Wesen der Dinge liegender Orientierungen sind beseitigt, aber auf der leeren Tafel sind Orientierungen dennoch möglich. Sie werden frei gewählt, ihre Verbindlichkeit hat eine subjektive Quelle, sie sind beweglich und vertauschbar. Eben das soll mit dem Begriff »dynamische Metaphysik« bezeichnet werden. Die Dynamik entsteht allerdings erst aus der Gegenüberstellung von Begriffspaaren oder auch Gestalten, wie später Tolstoi und Dostojewski, Goethe und Schiller, Luther und Erasmus konfrontiert werden. »Dynamik« wird als »Spiel der Kräfte« verstanden.

Für diese Übung finden wir kein direktes Zeugnis in dem frühen Heine-Artikel. Wohl aber stoßen wir auf eine Anspielung, die uns auf eine frühe Quelle für Thomas Manns dynamische Metaphysik führt. Es ist einmal von Heines Bibelstudium auf Helgoland die Rede (XI, 712). Diese Stelle weist uns auf Heines Schrift *Ludwig Börne*.[8] In dieser Schrift stellt Heine den Typendualismus von Nazarenern und Hellenen auf, den er aber selbst ins Lächerliche zieht, indem er behauptet, es gäbe im Grunde nur zwei Menschensorten, die Mageren und die Fetten. Heine selbst bekennt sich zwar zum Hellenentyp, ohne doch seine Überlegenheit über diese Typen aufzugeben. Die ganze Schrift richtet sich gegen die Zumutung, einen Schriftsteller auf eine Partei festzulegen. Heine will in der Börneschrift dem deutschtümelnden bornierten Demokraten Börne gegenüber die Rolle des ästhetischen Aristokraten spielen, die eingeschobenen »Briefe aus Helgoland« machen aber deutlich, daß er auch die Rolle des Liberalen spielen könnte.

Natürlich dürfte auch Heines Lyrik auf den jungen Thomas Mann gewirkt haben. Einmal wegen des melancholisch-jugendlichen Tones, der sich im *Buch der Lieder* findet, aber auch wegen der berühmten illusionszerstörenden Schlußwendungen mancher Gedichte, die das Gesagte als lyrische Fiktion enthüllen, gewissermaßen auch als Rolle.

Thomas Manns frühe Heine-Bindung nahm genau die Stelle in seiner Bildung ein, die später an Nietzsche fallen sollte. Dafür spricht die »Notiz über Heine« von 1908, wo Thomas Mann die Börne-Schrift anführt: Heines »Psychologie des Nazarener-Typs antizipiert Nietzsche« (X, 839). Ein früheres Zeugnis findet sich auf fiktiver Ebene in

16

der Erzählung »Der Wille zum Glück« aus dem Jahre 1896. Der Grund der Schulkameradschaft des Erzählers mit dem »Helden« wird dort so bezeichnet: »Es war das ›Pathos der Distanz‹ dem größten Teile unserer Mitschüler gegenüber, das jeder kennt, der mit fünfzehn Jahren heimlich Heine liest und in Tertia das Urteil über Welt und Menschen entschlossen fällt« (VIII, 44). Daß autobiographische Züge hier verarbeitet sind, kann man an dem Beispiel zeigen, daß der Held, Paolo, gegen Ende der Schulzeit »zu einem alten Professor in Pension gegeben« wurde, wie Thomas Mann selber. »Pathos der Distanz« ist ein Zitat aus *Jenseits von Gut und Böse*,[9] es dient hier dazu, Heinesehen Ästhetizismus zu bezeichnen und das Überlegenheitsgefühl, das er über die in banaler Alltäglichkeit und ihrer Ordnung Befangenen gewährt.

Freilich kann man schon im Falle Heine nur sehr bedingt von einem »Einfluß« sprechen. Vielmehr lieferte Heines Ästhetizismus, seine Weigerung, feste Positionen einzunehmen, nur Ausdruck und Rechtfertigung für die noch etwas vage Protestsituation des jungen Schriftstellers. An dieser Stelle muß man sich die Situation des jungen Thomas Mann im Rahmen seiner Biographie vor Augen führen.

Der Verfasser von Schauspielen, die er mit seinen Schwestern aufführte, von »Gedichten und müßigen Schreibereien«, war mit fünfzehn Jahren »nichts als ein schlechter Schüler«.[10] Er wußte beim 100jährigen Geschäftsjubiläum der Firma seiner Väter, daß er die in ihn gesetzte Erwartung enttäuschen werde (X, 239). Ein vages Gefühl des Andersseins,[11] der »Hohn über ›das Ganze‹« (XI, 99, 330), ein Gefühl, zu allem anderen, außer schriftstellerischer Arbeit, unfähig zu sein, eine »schwer bestimmbare Überlegenheit« (XI, 330), mag ihn gestützt haben. Seine Schullaufbahn war von indolentem Widerstand gegen die Anordnungen bestimmt, so daß er in den fünf Jahren Aufenthalt auf dem Lübecker Katharineum drei Klassen durchlief.[12]

In dieser Biographie ist das gleiche Motiv wirksam, das die dynamische Metaphysik hervortrieb und den Anschluß an Heine, später an Nietzsche bewirkte. Zwar ist das Gefühl des »Andersseins« bis zu einem gewissen Grade eine normale Pubertätserscheinung. Normal ist auch, daß ein junger Mensch in seiner Lektüre eine Ersatzwelt findet. Aber Thomas Mann muß sein Leben in der Welt der Lektüre, zusammen mit seinem unbestimmten Gefühl, zum Schriftsteller bestimmt zu sein, mit dem Gefühl des Andersseins verbunden und beides zu einer festen Haltung verhärtet haben. Von ihr aus sah er die normalen Bürger, die sich wohlfühlen in ihrer Ordnung, in ihren Laufbahnen, in ihren Wertungen, die zwar illusionär, wenn nicht verlogen sind, aber zu einem normalen, erfolgreichen Leben nötig. Der junge ästhetische Zuschauer des Lebens durchschaute die normalen Orientierungen als nicht genuin, ihren absoluten Geltungsanspruch als illusionär. Er fühlte sich darum von der Welt des bürgerlichen Erfolges ausgeschlossen, denn naive Annahme der geltenden Ordnung hielt er für eine Voraussetzung dieses bürgerlichen Lebens. Im zweiten Notizbuch von 1897, an der schon erwähnten Stelle, wo von seiner Liebe zum Meer die Rede ist, spricht Thomas Mann von einem »Schriftsteller, der von Geburt und Bildung ein ausschließlicher und fanatischer Psychologe ist«, womit er offensichtlich sich selber meint.[13] Der Ausdruck »von Geburt und Bildung« soll anzeigen, daß dieses »Durchschauen« (nichts anderes bedeutet das Wort »Psychologie«) schon seit langem sein Teil war. Eben dieses Durchschauen ist dort dem Meeressymbol zugeordnet; »die unzusammengesetzte, narkotisierende, still und sicher machende Monotonie des Meeres«,[14] ist das Zeichen des Nichts, das natürlich nur den »Psychologen« sicher macht.

3. Einflüsse

Die Betrachtung von »Einflüssen« auf den jungen Thomas Mann hat mehr Wert unter dem Gesichtspunkt der Auswahl seiner Lektüre. Die Frage, warum liest Thomas Mann Nietzsche, ist sinnvoller als die Frage, was hat er von ihm? Jedenfalls kann die zweite Frage erst nach Erwägung der ersten beantwortet werden. Zwischen den Einflüssen und der werdenden Dichterpersönlichkeit Thomas Manns und den Intentionen künftiger Werke besteht kein Kausalitätsverhältnis, sondern eine Korrelation.

Bevor wir den dominierenden Einfluß, den Nietzsches, betrachten, seien eine Reihe kleinerer unter den oben bezeichneten Gesichtspunkt gestellt. Dabei muß betont werden, daß die Anfänge der Lektüre Nietzsches schon sehr früh, spätestens Anfang 1895, anzusetzen sind.[15] Soweit die »kleineren« Einflüsse früher einsetzen, handelt es sich wahrscheinlich nur um wenige Monate, denn erst im Frühjahr 1894 hatte Thomas Mann die Schule und Lübeck verlassen. Sein Abgangszeugnis ist am 16. März 1894 datiert.[16] Heine-Lektüre und Kenntnis Hermann Bahrs sind schon in Lübeck nachweisbar. Auch dürfte Thomas Mann schon in Lübeck mit dem Naturalismus, etwa durch die Zeitschrift *Die Gesellschaft* in Berührung gekommen sein, in der schon im Oktober 1893 das Gedicht »Zweimaliger Abschied« aus dem *Frühlingssturm* nachgedruckt erschien. Das Vorwort des *Frühlingssturms* läßt auch darauf schließen, daß seinem Verfasser ähnlich klingende Programmschriften aus der Zeit des Naturalismus bekannt waren.

Die Skizze »Vision« (VIII, 9 f) aus dem *Frühlingssturm* trägt im Erstdruck die Widmung »Dem genialen Künstler Hermann Bahr«. Was immer der junge Thomas Mann von dem österreichischen Apostel der Moderne kannte, er machte ihm wohl Eindruck wegen seiner entschieden modernen Richtung, die keine Rücksicht auf Traditionen nahm, nicht einmal auf den gerade erst verkündeten Naturalismus.

Der frühe Bahr gibt sich als Marxist und Darwinist, zitiert aber auch Nietzsche und Bourget. Nervöse Reize galten ihm mehr als Naturgesetze. Ein Buch mit Skizzen, *Fin de siècle*, wurde 1890 von der Polizei beschlagnahmt, was natürlich zur Sensation wurde.[17] In Thomas Manns 1920 geschriebenen Artikel »Peter Altenberg« kommt der Satz vor: »Bahrs erste symbolistische Prosa färbte den Stil der Neunzehnjährigen« (X, 423).[18] Im ersten Notizbuch erscheint einmal (wahrscheinlich Ende 1894) ein Motto von Hermann Bahr für eine geplante Novelle »Mitleid« (früher Titel für *Tobias Mindernickel*?): »Erklären läßt sich's freilich nicht, sondern es kommt daher, daß überhaupt das Menschenherz wie eine besoffene Fliege ist.«[19] Man kann sich fragen: ist der junge Thomas Mann von dem lässigen Ton charmiert oder ist das Zitat auch als Bloßstellung geplant gewesen? Der spätere Thomas Mann hat jedenfalls die Bedeutung Bahrs relativiert. In einem Brief an Kurt Martens beurteilt er Bahrs kritische Absichten ganz richtig. Seine Theorien »resultieren immer aus der ewigen Unruhe, modern zu bleiben und den Anschluß an das Allerneueste nicht zu verpassen. Früher stieß er als erster in Deutschland den dernier cri de Paris aus.«[20] Das »früher« bezieht sich auf die in Rede stehende Zeit nach 1890, als Bahr nach Berlin kam. Gewiß, der Brief ist 1910 geschrieben, man kann aber dennoch vermuten, daß Thomas Mann die Grenzen von Bahrs Bedeutung schon früher erkannte.

Auch Heine gegenüber werden seine Äußerungen bald ambivalent. 1908 bescheinigte er Heine die Denkmalswürdigkeit, 1904 hatte er dagegen geschrieben: »Ist man Jude, so wird man heute die Echtheit seiner Wirkungen zu beeinträchtigen fürchten, indem man darauf bestünde, den Hellenen zu spielen.« Wassermann wird dem als positives Beispiel bewußten Judentums entgegengestellt.[21] Die Stelle ist natürlich eine Anspielung auf Heines Börneschrift, dieselbe, die er 1908 rühmend hervorheben wird. Das Vorwort zu »Bilse und ich« ist dagegen 1906 in rühmender Absicht datiert: »München am 50. Todestag Heinrich Heine's« (X, 11). 1918 zitiert er Mörike, der von Heines tiefer Falschheit gesprochen habe (X, 414), und 1929 berichtet er von Gides Lektüre des *Buches der Lieder,* »in dem Alter, da wir alle nicht höher schwuren« (X, 716), eine deutliche Distanzierung von seiner jugendlichen Faszination. Beides, Rühmung und Einschränkung der Vorbildlichkeit, sind ernst gemeint und dürfen sich in der Schwebe halten. So ist es ja auch in dem bekannten ambivalenten Verhältnis Thomas Manns zu Wagner. Es ist schwer zu sagen, wann diese Selbst-Relativierung der »Einflüsse« beginnt, aber manches spricht dafür, daß sie schon früh einsetzt. Sie paßt in das Bild der dynamischen Metaphysik.

Durch seinen Bruder Heinrich, vielleicht auch schon durch Bahr, kam Thomas Mann auf Paul Bourget.[22] Im ersten Notizbuch finden wir eine Lesefrucht:

... Le jeune homme de 1889 wird vor zwei Zeittypen gewarnt, dem homme cynique et volontiers jovial, dont la réligion tient dans un seul mot: jouir, et celui qui a toutes les aristocraties des nerfs toutes celles de l'esprit, et qui est un epicurien intellectuel et raffiné.   Bourget, Disciple [23]

Was ihn an Bourget offenbar anzog, ist hier zu erkennen. Der »moderne Mensch«, das ist in Wahrheit der Menschentypus impressionistischer Fiktion, der »Dilettant«, wird aus einem konservativen, moralischen, kritischen Gesichtspunkt gesehen. In einer Erwähnung von Bourgets *Kosmopolis* aus einer Buchkritik des Jahres 1896 heißt es: »Der alte Katholik und Legitimist, der dem Typus des skeptischen ästhetisierenden Genußmenschen prachtvoll gegenübersteht ...« [24] Das »prachtvolle« Gegenüberstehen, die fiktive Konstellation zieht Thomas Mann an. Außerdem muß aber auch die Beschreibung eines Typs aus dem Blickwinkel der Gegenposition etwas Anziehendes für ihn gehabt haben. Manches in der Wirkung Tolstois auf Thomas Mann dürfte ähnlich gewesen sein.

Nicht alle frühen »Einflüsse« waren konservativer Natur. Die meist zusammen genannten norwegischen Schriftsteller Kielland und Lie, die einen gewissen Einfluß auf die Konzeption der *Buddenbrooks* hatten, waren beide liberal eingestellt, Kielland mit ausgesprochen engagierter Tendenz, Lie mit ruhiger Objektivität. [25] Vielleicht wichtiger ist der Einfluß des Dänen Brandes. Im ersten Notizbuch erscheint einmal ein Zitat aus einer Äußerung Brandes' über *Hamlet*. Erwähnungen von französischen Schriftstellern wie de Vigny, Benjamin Constant, eventuell auch Balzac und Zitate aus ihnen könnten — vielleicht zum Teil — auf Anregungen von Brandes zurückgehen. In einem Artikel aus dem Jahre 1896 beschreibt er Brandes' kritisches Verfahren als ein impressionistisches; er vermöge in die Rolle des kritisierten Dichters hineinzuschlüpfen. [26] Eine 1899 zu datierende Aufzeichnung läßt auf Thomas Manns Absicht schließen, sich eine zweibändige wohlfeile Ausgabe der *Hauptströmungen der Literatur des 19. Jahrhunderts* anzuschaffen. [27] Das schließt vorherige Lektüre nicht aus, die auf Grund der zitierten Zeugnisse als sehr wahrscheinlich gelten kann. Später vermerkt er in den gleichen Notizen: »Zur Revolution: Brandes«. [28] Diese Notiz war für *Buddenbrooks* bestimmt und bezieht sich auf die Darstellung der Revolution von 1848, wohl auf die Vorgänge in Berlin, im sechsten Band der *Hauptströmungen*. In einem Brief an die Kopenhagener Zeitung *Politiken* zu Brandes' Tod (1927) nennt er Brandes den Angehörigen einer Generation, »der wir heute Fünfzigjährigen unsere Bildung verdanken«. [29] Und in der Tat bot das lesbare Werk eines so belesenen Mannes eine Fülle von Stoff für den von der Schule unbefriedigten jungen Schriftsteller. Brandes' Hauptgegenstand war romantische Literatur in Deutschland und Frankreich, die er von einem ausgesprochen fortschrittlichen und liberalen Standpunkt aus betrachtete. Dies war also die umgekehrte

Situation des Falles Bourget. So nennt Thomas Mann in einer späteren Notiz (vermutlich aus dem Jahre 1909) neben Nietzsches Wagner-kritik, aus der man mehr lernen könne als aus den Verhimmelungen, »Brandes über die deutsche Romantik«. Es sei seine (Thomas Manns) Spezialität, aus Pamphleten zu lernen.[30]

Der Vorteil einer Analyse durch den Gegner ist natürlich zunächst, daß sie interessanter ist als eine von einem Anhänger oder »voraus-setzungslose Wissenschaft«. Der Leser übernimmt die Rolle des Zu-schauers, der Sprecher (Bourget, Nietzsche, Brandes) hat die Perspek-tive seiner Rolle, die der Zuschauer kennt. Und diese Rolle befähigt ihn, gewisse Schwächen des Objektes (»Dilettant«, Wagner, Romantik) aufzudecken, ähnlich wie es in manchen Dramen Ibsens geschieht. Die Rollenperspektive erleichtert ungemein, schnell im Bilde zu sein. Die Gefahr bei der Aufnahme dieser Art von Kritik in Konstellationen ist aber, daß, wer dieses Verfahren übt, zu schnell Bescheid zu wissen glaubt. Das System von Beziehungen zwischen Gegensätzen ist schnell hergestellt. Es schafft Ordnung ohne Absolutheitsanspruch. Aber es führt auch zu bequemen Vereinfachungen. Das Verfahren sollte später seinen Reiz und seine Fallen verraten in der Viererkonstellation Goethe-Schiller, Tolstoi-Dostojewski (»Goethe und Tolstoi«) und in der Erasmus-Luther Konstellation, die in dem Abschnitt »Thomas Manns Lutherbild« beschrieben wird. Ein solches Spiel mit Gegen-sätzen ist mit der Herstellung eines Strukturschemas für ein fiktives Werk verwandt. Man sollte sich den Ursprung dieser Schemata vor Augen halten. Sie sind literarischer Herkunft und schaffen eine Orien-tierung auf der Grundlage der prinzipiellen Unmöglichkeit verbind-licher Orientierung. Es handelt sich also um Scheinorientierungen, um Spielfelder, deren Grenzen und Leitlinien ins Wort gebrachte Wirk-lichkeiten ordnen, aufeinander beziehen, die aber selbst nicht aus der Wirklichkeit, aus einer Begegnung mit den Dingen der Welt zu stam-men brauchen.

4. Mitarbeit am »Zwanzigsten Jahrhundert«

Eine Gefahr der dynamischen Metaphysik ist die des gesinnungs-losen Opportunismus, mit anderen Worten, die Möglichkeit, eine Par-tei zu wählen und für sie zu schreiben, ohne recht an ihre Ziele zu glauben. Eigenartigerweise wird eine solche Tätigkeit im allgemeinen Bewußtsein stärker verurteilt als Tendenzschriftstellerei aus Über-zeugung, obwohl der Effekt mindestens der gleiche ist, meistens sind die Lügen des überzeugten Fanatikers schlimmer, auch wird der Über-zeugungsfanatismus im Grunde nur von der halbbewußten Angst vor der Leere des Nihilismus hervorgetrieben, er ist also unredlicher als die Tendenzschriftstellerei selbst des opportunistischen Rollenspielers.

So fragwürdig auch diese ist, sie weiß im Grunde Bescheid: wer die Rolle des Überzeugungsschriftstellers nur spielt, kann besser zur Wahrhaftigkeit zurückfinden. Diese Unterscheidung ist meines Erachtens der Schlüssel für die Episode von Thomas Manns Mitarbeit am *Zwanzigsten Jahrhundert*.

Das Zwanzigste Jahrhundert, das zeitweise von Heinrich Mann redigiert wurde, zeigte nationalistische und antisemitische Tendenzen. Seine Spalten boten dem angehenden Schriftsteller Gelegenheit, sich gedruckt zu sehen, und lieferten damit seiner Angabe, Journalist werden zu wollen (XI, 102), Glaubwürdigkeit. Um diesen Preis mußte sich Thomas Mann in seinen Buchbesprechungen und Tagesberichten der etablierten Tendenz anbequemen. Dieses fragwürdige Verhalten scheint er sich mit einer Theorie unterbaut zu haben, die wir aus einem Artikel über einen Aufsatz »Kritik und Schaffen« erkennen können, der im Oktober 1896 im *Zwanzigsten Jahrhundert* erschien.[31] Man könne heute nicht mehr glauben, »daß ein Künstler, und sei er der größte, absolute Kunstgesetze zu schaffen vermöge«. Der Kritiker sei nicht mehr Richter, sondern Erklärer, der Glaube an ein »Schönes an sich« sei dahingesunken. Diese Ansicht, damals wohl kaum so selbstverständlich, besonders nicht bei der konservativen Leserschaft, entspringt natürlich den nihilistischen Voraussetzungen der dynamischen Metaphysik und wurde ihm damals auch schon von seiner Nietzsche-Lektüre gestützt. Der Künstler schaffe nicht nach den, und er schaffe auch nicht die Kunstgesetze, sondern seine Wirkung sei suggestiv, seine Gabe sei, »seine Persönlichkeit anderen aufzudrängen, seine Gedanken, Gefühle, Stimmungen auf andere zu übertragen«. Er sei darum »einseitig, wie jede starke Persönlichkeit«, der Kritiker vielseitig. Diesem sei es gegeben, impressionistisch in fremde Künstlerpersönlichkeiten aufzugehen, er sei keine Persönlichkeit (wie der schaffende Künstler), sondern »jeden Tag eine neue«. Vielleicht hat Thomas Mann Hermann Bahr vor Augen. Der moderne Kritiker sei Schauspieler — hier überträgt Thomas Mann wohl Nietzsches Kritik an Wagner oder am Künstlertypus auf den gerade benötigten Kritikerbegriff. In der *Fröhlichen Wissenschaft*, die Thomas Mann 1896 kannte, gibt es einen Aphorismus (361) über den Schauspieler als Künstler und Literat und den Juden als geborenen Literaten.

In Thomas Manns Artikel fällt der Name Georg Brandes als Beispiel eines persönlichkeitslosen Kritikers, der aber »begierig in einen neuen Horizont zu treten«, sich unter Umständen selbst auszulöschen vermöge, um »Heine oder Mörike oder Tieck oder ein anderer zu sein«. Als private Persönlichkeit betrachtet, sei Brandes »ein ganz uninteressanter freisinniger Jude«. Hier liegt wohl das Zugeständnis an die Tendenz des Blattes. Andererseits mutet Thomas Mann den Lesern des Blattes Brandes als Beispiel eines Kritikers hohen Ranges zu und versagt sich auch nicht, Heine zu nennen. Am Schluß des

Artikels kommt er, wie im Spiel, auf den fast gleichgültigen Anlaß des Artikels zu sprechen, einen in seinem Anfang dargestellten Streit Alfred Kerrs mit einem Theaterdichter. Vielleicht war es überhaupt seine Aufgabe, Kerr anzugreifen, der sich einer Duell-Forderung entzogen hatte. Wenn dies so gewesen wäre, dann wüßte man auf Grund des Artikels nicht recht, ob der junge Mitarbeiter seine Aufgabe erfüllt hätte oder eher das Gegenteil erreichen wollte.

Auch die Hauptmeinung des Artikels ist kaum sehr ernst zu nehmen. Denn Thomas Mann wußte aus der Lektüre der Wagnerschriften Nietzsches, daß man sehr wohl gerade umgekehrt den Künstler als Schauspieler und einen Kritiker wie Nietzsche als diesem überlegene stärkere Persönlichkeit ansehen könne. Diese Ansicht deutet Thomas Mann im gleichen Artikel einmal an, indem er die Fähigkeit des Kritikers, das naive Werk des Künstlers zu analysieren, in »Überlegenheitsgefühl« auslaufen läßt, so daß »dem ›Willen zur Macht‹ die weitaus größere Genugtuung zu Teil wird.« Diese Formel hat er aus Nietzsches *Jenseits von Gut und Böse*, vielleicht auch aus anderen späten Werken,[32] und er versteht sie als hohen Bewußtheitsgrad. Die Kompilation eines sogenannten Hauptwerkes Nietzsches unter diesem Titel erschien erst fünf Jahre später, 1901.

Der Artikel über »Kritik und Schaffen« erlaubt eine Reihe von Schlüssen, die ich in sieben Punkte zusammenfasse:

1. Die philosophische Voraussetzung der dynamischen Metaphysik: die Unmöglichkeit der allgemeinverbindlichen Orientierung, wird bestätigt.

2. Es ergibt sich in dieser Situation die Möglichkeit des impressionistischen Erfassens künstlerischer Gegenstände in der Weise des Rollenspiels mit der befreienden Möglichkeit des Rollentausches.

3. Eine andere Möglichkeit ist die des künstlerischen Produzierens. Für diese ist eine zwar starke, aber auch beschränktere Persönlichkeitsverfassung nötig.

4. Es ist zwar in dem Artikel nicht ausgesprochen, aber aus der Perspektive späterer Äußerungen Thomas Manns[33] zu schließen, daß er die Punkte 2 und 3 für sich in Anspruch nahm. Das Zusammenspiel von Kunst und Kritik im modernen dichterischen Kunstwerk sah er in der Möglichkeit des Zurücktretens von der fiktiven Struktur des eigenen Werkes. (Freilich zeigte sich später auch eine Ansicht, die das Verhältnis von Beschränkung und umfassender Sicht in Kunst und Kritik umkehrt: Im Gegensatz zur vielfältigen »Musik«, seiner Art von Dichtung, verführe polemische Schriftstellerei zur »Einseitigkeit« [XI, 715]. Das schriftstellerische Vertreten eines Standpunktes und impressionistische, verwandlungsfähige, bewundernde Aufnahme anderer Kunsteindrücke sind etwas Verschiedenes. Es bleibt aber der Wechel von beschränkter und umfassender Ansicht, und dieser Mechanismus ist ein wesentliches Element der dynamischen Metaphysik.)

5. Thomas Manns Zugeständnisse an die Tendenz des Blattes sind nicht ernst zu nehmen, sondern eine Art von zynischem Rollenspiel. Er spielt auch mit den konservativen Lesern des Blattes.

6. Thomas Mann kannte im Oktober 1896 *Jenseits von Gut und Böse,* vielleicht auch andere späte Schriften Nietzsches gut genug, um die Formel »Wille zur Macht« als Ausdruck gesteigerten Bewußtseins zitieren zu können und zwar fünf Jahre bevor diese Formel durch die Kompilation der Nachlaß-Herausgeber zum allgemeinen Schlagwort wurde. Er brauchte die Formel in einem der Philosophie Nietzsches im Grunde gemäßeren Sinne als dessen spätere Apostel.

7. Er verfügt verhältnismäßig frei über die Begriffe Nietzsches.

Die Buchbesprechung »Ein nationaler Dichter«,[34] vier Monate früher als die vorige im Juniheft 1896 erschienen, bezieht sich auf ein Buch von Ernst Weiß, das Reiseeindrücke mit historischen Betrachtungen mischt und dabei zu patriotischen Ergebnissen kommt. Thomas Mann lobt das Buch sehr, er erkennt dem Verfasser sogar den Dichtertitel zu. Das Buch erschien nämlich im Verlag des damaligen Herausgebers der Zeitschrift. Eigenartigerweise nennt der Rezensent am Anfang und am Schluß als Beispiel für das nationale Empfinden, das überall wieder »ein literarischer Geschmack geworden« sei, ausgerechnet den französischen Schriftsteller Paul Bourget, der wie schon einmal erwähnt, in seinem Roman *Kosmopolis* einen alten Katholiken und Legitimisten dem Typus des skeptischen ästhetisierenden Genußmenschen gegenüberstellte. Thomas Mann kennzeichnet dessen Verdammung des Ästhetizimus, der von ihm mit Kosmopolitismus gleichgesetzt wird, auf eine Weise, die dem Leser der *Buddenbrooks* bekannt vorkommen muß: » ... daß diese Entwurzelten, die er haßt, fast immer letzte Ausläufer ihrer Rasse sind, die ererbte Kräfte, geistige und materielle, verzehren, ohne sie zu vermehren, entartete Spätlinge, deren Väter einst wahre Arbeit verrichteten und sie ihren Söhnen überlieferten, damit sie an derselben Stelle ihre eigene Leistung hinzufügten. Auf diese Arbeit ist die Familie gegründet, die Familien machen das Volk und die Völker die Rasse, — die Kosmopoliten aber, losgelöst von allen ihren Traditionen, untüchtig, unfruchtbar, können und wollen nichts als genießen.« Der politischen Tendenz wegen ist diese Stelle angeführt, sie leitet hin zu einer Zusammenfassung der patriotischen Tendenzen des besprochenen Buches.[35] Wahrscheinlich machte es dem jungen Thomas Mann Spaß, die nationalistischen Leser des Blattes vor die Wahl zu stellen, einem modernen Pariser Literaten Beifall zu spenden oder ihren eigenen Prinzipien zu mißtrauen.[36]

Will man die Stelle auf die Intention der *Buddenbrooks* beziehen, und das darf man durchaus, dann muß man gerade die politische Tendenz abziehen. Setzt man »Ästhet« an die Stelle von Kosmopolit, so haben wir schon einen Hinweis auf den Hebel vor uns, der die Familienchronik ins Literarische hinüberschwenken sollte. Natürlich war Thomas Mann die Bourget-Stelle nur deshalb interessant geworden, weil er von einer gewissen Parallele zu seiner eigenen Lage betroffen war. Seine früh vorhandene stumme Weigerung (X, 239), das hundertjährige Familienunternehmen fortzusetzen, die er als unabänderliches Gehemmtsein empfunden hatte, konnte er im Lichte der Bourget-Stelle in einer literarischen Rolle sehen, der des späten Erben und Ästheten, der »von allen Traditionen losgelöst« war. So wurde die Intention der *Buddenbrooks* latent. Sie wurde aktiviert, als er 1897 durch einen Brief Samuel Fischers aufgefordert wurde, einen Roman zu schreiben.[37] Die Gelegenheit zur Anführung dieser Stelle in der Kritik eines nationalistischen Buches ist geradezu herbeigezerrt. Darin kommt wohl neben der Bosheit gegen die Leser, auch gewissermaßen geheim zum Ausdruck, daß er selbst auf die auflösende, ästhetische Seite gehört, allerdings mit Verständnis für die erhaltende Gegenposition, die die Kritik der eigenen Lage ermöglicht.

5. Nietzsche und die dynamische Metaphysik

Die frühesten mir bekannten Zeugnisse über Thomas Manns Nietzsche-Lektüre finden sich im ersten Notizbuch. Die ersten Aufzeichnungen darin stammen noch aus der Schulzeit, also vor Ostern 1894, dann folgen Aufzeichnungen aus München. Seite 50 steht eine Notiz über die Öffnungszeiten der Akademischen Lesehalle. Aus dem erhaltenen Kollegheft wissen wir, daß Thomas Mann im Wintersemester 1894 bis 1895 an der Technischen Hochschule in München Vorlesungen hörte.[38] Nietzschezitate aus *Jenseits von Gut und Böse* finden sich auf den Seiten 51-56 des ersten Notizbuches. Auf Seite 57 findet sich ein Zitat von Benjamin Constant, das genau so am Ende des Aphorismus 2 in *Der Fall Wagner* vorkommt. In Thomas Manns Nietzsche-Ausgabe befindet sich in Band VIII, der den *Fall Wagner* enthält, ein Besitzervermerk Thomas Manns mit der Jahreszahl 1895. Auf Seite 58 im Notizbuch ist ein Siegfried Wagner Konzert vermerkt, »Montag 18. März«. Das muß 1895 sein. Die Nietzschezitate aus *Jenseits von Gut und Böse* und *Der Fall Wagner* sind also mit großer Wahrscheinlichkeit im Februar oder März 1895 eingetragen worden. Das schließt natürlich nicht aus, daß er schon vorher *Jenseits von Gut und Böse* zu lesen begonnen hatte.[39]

Aus der Art der Zitate sollte man nur vorsichtige Schlüsse ziehen. Das Notizbuch diente neben praktischen Zwecken wie Adressen und Geldrechnungen vor allem für Einfälle und Lesefrüchte, die möglicherweise in einem dichterischen Werk Verwendung finden können. Wir können also nicht erwarten, den ganzen Eindruck, den *Jenseits von Gut und Böse* auf Thomas Mann machte, im Notizbuch reflektiert zu finden. Das wird deutlich an dem Benjamin Constant Zitat aus dem

Fall Wagner, denn darin ist von der Liebe als egoistischem Gefühl die Rede, also nicht von einem zentralen Gedanken in Nietzsches Wagnerkritik, die Thomas Mann doch sehr gefesselt hat. Er hielt im Notizbuch nur einen Gedanken fest, der ihm als »psychologischem« Schriftsteller interessant erschien.

Nur unter diesem einschränkenden Gesichtspunkt darf die folgende Beobachtung gewertet werden: Thomas Mann notiert sich eine Einzelheit aus Nietzsches klassischer Bildung: eine griechische Bezeichnung für Schauspieler, französische Zitate, Bosheiten, mit denen Nietzsche auf die Abweisung durch Lou Andreas-Salomé reagierte (was Thomas Mann 1895 natürlich noch nicht wußte), wie »Wenn ein Weib gelehrte Neigungen hat, so ist gewöhnlich etwas an ihrer Geschlechtlichkeit nicht in Ordnung...« *(Jenseits,* Aph. 145), »Man liebt zuletzt seine Begierde und nicht das Begehrte« *(Jenseits,* Aph. 175), »Die Sinnlichkeit übereilt oft das Wachstum der Liebe, so daß die Wurzel schwach bleibt und leicht auszureißen ist.« *(Jenseits,* Aph. 120) Das Zitat ist im Notizbuch angestrichen, wodurch noch einmal der oben angeführte Gesichtspunkt der Auswahl unterstrichen wird. Es handelt sich um mögliche Aussprüche von Figuren wie Doktor Selten in *Gefallen,* der ein »Ironiker« sein soll, »Welterfahrung und -verachtung in jeder seiner wegwerfenden Gesten« (VIII, 11). Diese etwas affektiert anmutende Welthaltung wirkt noch in dem »Ekel« nach, mit dem *Der kleine Herr Friedemann* endet (VIII, 105) und der den *Bajazzo* bestimmt (VIII, 106), jedoch wird in den späteren Erzählungen das Autobiographische allmählich stärker objektiviert. Dem jungen Thomas Mann näher stehen die Erkenntnisse, die den Fremden in *Enttäuschung* zu seiner melancholischen Weltanschauung brachten, es sind desillusionierende Erlebnisse.

Zwei Bände aus Thomas Manns erster Sammlung von Nietzsches Werken (der bei Naumann, später Kröner, erschienenen Großoktavausgabe), die *Morgenröte* (Band IV) und *Die fröhliche Wissenschaft* tragen je einen Besitzervermerk Thomas Manns aus dem Jahre 1896 und weisen viele Benutzungsspuren auf. Sie boten reichlichen Stoff zur Entlarvungspsychologie wie auch zu einer nihilistischen Metaphysik. Auch *Menschliches, Allzumenschliches* dürfte Thomas Mann damals gelesen haben. Noch im ersten Notizbuch finden sich neben den beiden angegebenen Bänden die *Geburt der Tragödie, Unzeitgemäße Betrachtungen* I und *Menschliches, Allzumenschliches* II zur Anschaffung vermerkt, was wohl vermuten läßt, daß er den ersten Band schon kannte oder besaß.

1930 erinnert sich Thomas Mann an seine erste Rezeption Nietzsches. Sie »betraf eine psychologische Reizbarkeit, Hellsichtigkeit und Melancholie, deren Wesen ich mir heute kaum noch recht klarzumachen weiß« (XI, 110). Gewisse Nachwirkungen (oder Wiederholungen) dieser Melancholie lassen sich noch in Briefen des Jahres 1901 erkennen,[41], ebenso untermischt mit Aufschwüngen wie wir es aus einigen Eintragungen des frühen Notizbuches erkennen können. So heißt es im zweiten Notizbuch (1897):

Es genügt manchen Leuten, den Trieb, den Instinkt, die unbewußte Ursache, aus der eine That oder ein Wort hervorgeht, zu sehen, um That und Wort als widerwärtig und beleidigend zu empfinden. Es genügt, einen Menschen zu *verstehen,* um ihn zu hassen und zu verabscheuen. Das Tout comprendre c'est tout pardonner ist diesen Menschen ganz fremd. Es genügt, daß ich mich selbst durchschaue, um mir Unbehagen, ja Ekel zu verursachen. – Goethe sagt, daß er die Welt durch Anticipation gekannt habe und daß sie ihm, als er sie später fand, wie er sie sich gedacht, sie ihm *Ärger* verursachte. Dieser Ärger ist etwas sehr Interessantes. Psychologie kann eine Form von Trübsinn sein...[42]

Hinzugesetzt ist: »Hierzu und zu 9: Das zuversichtliche ›Ich bin auch zornig!‹« Unter Nr. 9 ist eine Szene aufgezeichnet, in der ein Ich-Erzähler sich mit einem giftigen Literaten auseinandersetzt.[43] Nach dieser Szene heißt es unter der Nummer 10: »Eines ist wahr: Psychologie allein würde unheilbar trübsinnig machen. Die Koketterien der litterarischen Ausdrucksform sind es, die uns klar und munter erhalten«.[44] Diese Aufzeichnung ist im *Tonio Kröger* verwendet. Aus seiner Entwicklung zum Schriftsteller wird dort erzählt, Tonio Kröger habe sich ganz der Macht des Geistes und des Wortes ergeben, die ihn gelehrt habe, die großen Wörter zu durchschauen (das Thema der Skizze *Enttäuschung* von 1896), die ihm die Seelen der Menschen und seine eigene gezeigt habe und das Innere der Welt (eine Umschreibung für »Psychologie«). Hinter den »Worten und Taten« sei »Komik und Elend« (also die nihilistische Grundlage der dynamischen Metaphysik). Mit Qual und Hochmut der Erkenntnis, mit der Einsamkeit, abgeschieden von den Harmlosen »versüßte sich ihm auch die Lust am Worte und der Form, denn er pflegte zu sagen (und hatte es auch bereits aufgeschrieben), daß die Kenntnis der Seele allein unfehlbar trübsinnig machen würde, wenn nicht die Vergnügungen des Ausdrucks uns wach und munter erhielten...« (VIII, 290). In *Tonio Kröger* ist auch ein Bekenntnis der Liebe zum Leben ausgesprochen und zwar ausdrücklich nicht in der Form einer trunkenen Philosophie, die Cesare Borgia auf den Schild hebt, also Nietzsches. Vielmehr sei seine Liebe zum Leben eine zum einfachen und banalen Leben (VIII, 302f). Im Hintergrund steht also so etwas wie die Notizbucheintragung »Ich bin auch zornig«. Die Distanzierung von Nietzsches Übersteigerungen dürfte wohl kaum erst in die Zeit der endgültigen Niederschrift des *Tonio Kröger* (1902) zu datieren sein. Aufzeichnungen zu dieser Novelle gibt es übrigens schon aus der Zeit von etwa 1900. In einer davon heißt es, Tonio Kröger werde »von der psychologischen Erkenntnis aufgerieben«.[45] Offensichtlich enthält *Tonio Kröger* viele Züge, die auf der fiktiven Ebene das Gefühl der

Bedrohung durch den Nihilismus gestalten wollen, das der junge Thomas Mann empfand und das durch Nietzsches Entlarvungspsychologie Bestätigung gefunden hatte und verschärft worden war. Dies gilt für einen großen Teil des Jugendwerkes. Auch in des Bajazzos deprimierender Fähigkeit, sich selbst und andere (zum Beispiel seinen Vater: VIII, 108) zu durchschauen, ist Nietzsches »Psychologie« wirksam.[46]

Es ist, wie gezeigt wurde, aus den Aufzeichnungen im Notizbuch nicht unbedingt zu schließen, daß kurzgefaßte Lebensweisheiten unter dem Gesichtspunkt der Entlarvungspsychologie das Hauptinteresse in Thomas Manns früher Nietzsche-Rezeption bildete. *Jenseits von Gut und Böse* hat Thomas Mann zuerst in einer Ausgabe gelesen, die nicht in seiner Bibliothek im Zürcher Archiv steht. Der Band VII seiner ersten Nietzscheausgabe erschien erst 1899 und zeigt verhältnismäßig wenig Benutzungsspuren. Neben den Zitaten im Notizbuch ist das Zitat »Pathos der Distanz« in *Der Wille zum Glück* (VIII. 44)[47] wahrscheinlich aus *Jenseits von Gut und Böse* (wenn nicht aus *Zur Genealogie der Moral*), und zwar aus dem neunten Hauptstück: »Was ist vornehm?« Nietzsches Ansichten über Vornehmheit mußten den nahezu gesellschaftlich Gescheiterten ansprechen. Hier sprach einer, der ebenfalls die vorgeschriebene Laufbahn verlassen und auch ein anderes Wertbewußtsein hatte als die bürgerliche Gesellschaft. Nietzsches Kritik der Philologie und seine Mißachtung des neuen Reiches kamen hinzu. Aber für unseren Zusammenhang wichtiger ist, daß *Jenseits von Gut und Böse* viel von Nietzsches eigener Metaphysik und seiner Kritik der traditionellen enthält. Gleich in der Vorrede ist von der »Grundbedingung des Lebens«, nämlich dem »Perspektivischen« die Rede. Aphorismus 2 spricht von dem Zweifel an den volkstümlichen und metaphysischen Wertschätzungen und Wert-Gegensätzen, wie »gut und böse«, die »vielleicht« nur »vorläufige Perspektiven seien«. Nietzsche empfiehlt dagegen die »Kunst der Nuance« (Aphorismus 31) und kommt bald, ohne »vielleicht«, mit Entschiedenheit auf die *»Irrtümlichkeit der Welt«* als das »Sicherste und Festeste, dessen unser Auge noch habhaft werden kann« zu sprechen (Aph. 34). Natürlich bleibt dieser Grundzug wie in allen übrigen Schriften seit *Menschliches, Allzumenschliches* erhalten. Nietzsches nihilistische Einsichten müssen den jungen Thomas Mann gefesselt haben. Deutliche Spuren der nihilistischen Grundauffassung zeigten sich schon im *Frühlingssturm* und in der Auswahl der frühen »Einflüsse«. Unter den Zitaten aus *Jenseits* im frühen Notizbuch ist eines, das in die nihilistische Richtung weist: »Es gibt gar keine moralischen Phänomene, sondern nur eine moralische Ausdeutung von Phänomenen.«[48]

Auch in der *Morgenröte* und der *Fröhlichen Wissenschaft* gab es genug Gelegenheit für den jungen Thomas Mann, die nihilistische Grundlage seiner Metaphysik bestätigt zu finden, und zwar wohl gerade dann besonders wirksam, wenn diese Metaphysik sozusagen in

»psychologischer« oder in künstlerischer Verkleidung auftrat. So im Aphorismus 424 der *Morgenröte* wo die »Irrtümer«, das sind die bisherigen Wahrheiten, für trostreich erklärt werden, während die neuen Wahrheiten keinen Trost bieten. Sie werden durch die Wissenschaft gefunden, der man »Kälte, Trockenheit und Unmenschlichkeit« vorwerfen kann. Im vorausgehenden Aphorismus 423 wird eine Szene am Meer beschworen, in der im Gegensatz zur goethezeitlichen Naturfrömmigkeit die Natur als stumm dargestellt wird, und Nietzsche fragt, ob der Mensch auch so unmenschlich, über sich selbst erhaben, also gleichgültig werden solle. Einfache Gleichgültigkeit, Verlust des Zeit- und Raumsinnes, Gegensatz zu den komplizierten Ordnungen des bürgerlichen Lebens war der Inhalt der Meeressymbolik bei Thomas Mann. Es ist gut möglich, daß Aphorismus 423 der *Morgenröte* dazu seinen Beitrag leistete. Diese Aphorismen sind angekreuzt, allerdings ist dies in Thomas Manns Ausgabe *der Morgenröte* keine allzu seltene Auszeichnung. Das »psychologische« Interesse überwiegt.

In zwei Fällen versah Thomas Mann Aphorismen der *Morgenröte* mit einem Kreuz und zwei Ausrufezeichen. Der Aphorismus 480 spricht von einem, der »die tiefsten Umwälzungen des Gemüts und der Erkenntnis« wie eine Krankheit hinter sich habe, aber nicht verstanden werde, weil einer kommen könne und sagen, er habe nur seine Krankheit als Argument benutzt »damit er das Übergewicht des Leidenden spüre.« Auch wenn einer seine Fesseln sprenge und sich verletze, sei er vor Spott nicht sicher. Der Aphorismus hat außerdem noch Anstreichungen. Seine Wirkung auf Thomas Mann ist leicht erklärt. Die metaphysische Absicht dieses Aphorismus ist, die »Entlarvungspsychologie« auf den Philosophen des Nihilismus angewendet zu sehen. Nietzsches Metaphysik erscheint sozusagen in »psychologischer« Verpackung. »Umwälzungen des Gemüts« und »Fesseln sprengen« bedeuten natürlich die Lösung von der bisherigen Metaphysik der genuinen primären Orientierungen. Der erste Vorwurf (nur dieser ist von Thomas Mann angestrichen) impliziert die »Psychologie« des Leidenden, ein Komplex, der sich durch Nietzsches ganzes Werk zieht, und von Thomas Mann, wie die Anstreichungen in seiner Ausgabe zeigen, stets mit besonderem Interesse verfolgt worden ist, denn Leiden trennt von der gesunden Normalität. Schließlich beginnt die Dialektik des Aphorismus Gestalt anzunehmen: die Einwände des »Entlarvungspsychologen« erscheinen in direkter Rede. Dies ist noch mehr der Fall in dem ebenfalls mit Kreuz und zwei Ausrufezeichen versehenen Aphorismus 483. Dort beklagt ein Gesprächspartner A die Beschränkung der menschlichen Erkenntnis durch Organe. Es könne Wesen geben, deren Organe »besser« zur Erkenntnis taugen. Thomas Mann vermerkt am Rand: Was heißt auch nur ›besser?‹« Die Randbemerkung nimmt entschieden gegen Möglichkeit und Bedürfnis absoluter Erkenntnis Stellung, im Grunde ganz im Sinne Nietzsches. Wenn

Erkenntnis ohne eine Ordnung durch primäre Orientierungen nur perspektivisch sein kann, dann gibt es keine primäre oder absolute Erkenntnis; deren Abwesenheit zu bedauern, ist dann sinnlos. Nietzsche identifiziert sich ja niemals mit der Meinung eines seiner Aphorismen, noch weniger mit der Meinung eines Gesprächpartners in einem Aphorismus. Dennoch nimmt er die durch A vorgetragene Meinung wohl wichtiger als er es der Richtung seines Denkens nach tun sollte. Denn er läßt A zu einem nihilistischen Schluß kommen: »Was wird am Ende aller ihrer Erkenntnis die Menschheit erkannt haben? – ihre Organe! und das heißt vielleicht: die Unmöglichkeit der Erkenntnis! Jammer und Ekel!« Thomas Mann unterstreicht sowohl das »vielleicht« und setzt ein Fragezeichen an den Rand, als auch »Jammer und Ekel«. Hier vermerkt er: »Worüber? Woran?« Auch diese Randbemerkungen kritisieren, daß die Vorstellung einer absoluten Erkenntnis den Maßstab Nietzsches bildet.

Mir scheinen die Randbemerkungen, der Schrift nach, aus der frühen Zeit zu stammen. Ob sie freilich bei der ersten Lektüre 1896 entstanden sind, steht dahin. Sie beweisen auf jeden Fall, daß Thomas Mann, als er diesen Asphorismus las oder wieder las, erstaunt war, das Bedauern über die Unmöglichkeit primärer Orientierung (der »Erkenntnis«) bei Nietzsche ausgedrückt zu finden.

Dem zweiten Gesprächpartner B scheint Thomas Mann dagegen zugestimmt zu haben: »Das ist ein böser Anfall – *die Vernunft* fällt dich an! Aber morgen wirst du wieder mitten im Erkennen sein und damit auch mitten in der Unvernunft, will sagen: in der *Lust* am Menschlichen. Gehen wir ans Meer! –« Die Vernunft führt zur Desillusion über die Möglichkeit primärer Erkenntnisse, die Unvernunft, das normale Leben innerhalb der sekundären Orientierungen, eine nur metaphysisch, nicht aber praktisch andere Art von Erkennen, kann sehr wohl zur »Lust am Menschlichen« führen. Die letzte Bemerkung »gehen wir ans Meer« hat Thomas Mann unterstrichen und hinzugesetzt: »*Das* ist der künstlerische Positivismus.« Man kann die Randbemerkung nur auf den unterstrichenen Satz beziehen, dann würde sie bedeuten: der Künstler läßt die metaphysischen Dinge auf sich beruhen, solange sie abstrakt bleiben, er schaut sie am liebsten im Gleichnis (Meer) an. Man könnte Thomas Manns Zusatz auch auf die ganze Rede des B beziehen, dann wäre künstlerischer Positivismus die Lust am Menschlichen, obwohl sie als »Unvernunft« durchschaut ist. Das Meer als Symbol des Gleichgültigen der »wahren« Welt bleibt im Hintergrund der »Lust« am Menschlichen anwesend. Wesentliche Unterschiede zwischen diesen Deutungen bestehen nicht, der zweiten Nuance neige ich zu. Sie würde es begünstigen, diesen Aphorismus als eine mögliche Anregung für das Motiv der Liebe zum Banalen zu verstehen, wie wir es als Strukturlinie in den frühen Novellen finden. Am bekanntesten wurde dieses Motiv dann als Strukturlinie des *Tonio*

Kröger. In den gleichen Zusammenhang gehört der Aphorismus 269 in *Jenseits von Gut und Böse,* der dem »Psychologen« eine »Lust am Umgange mit alltäglichen und wohlgeordneten Menschen« zuschreibt.

Der »perspektivische Charakter des Daseins«, die Welt, die »unendliche Interpretationen« in sich schließen könnte *(Die fröhliche Wissenschaft,* Aphorismus 374, von Thomas Mann angekreuzt und mit Ausrufezeichen versehen), bietet die Möglichkeit, »ungefähr *jeder Rolle gewachsen* zu sein« (Aphorismus 356 *Fröhl. Wiss.* von Thomas Mann angekreuzt), »das Ideal des übermütigsten, lebendigsten und weltbejahendsten Menschen, der sich nicht nur mit dem, was war und ist, abgefunden und vertragen gelernt hat, sondern es *so wie es war und ist,* wiederhaben will, in alle Ewigkeit hinaus, unersättlich *da capo* rufend, nicht nur zu sich, sondern zum ganzen Stücke und Schauspiele...« *(Jenseits,* Aph. 56). Diese Gedanken finden sich auch im *Zarathustra* wieder.

Auch ein zuversichtliches Gegengewicht gegen die Melancholie, die mit der nihilistischen Grundlage der dynamischen Metaphysik zusammenhängt, zog Thomas Mann aus Nietzsche. Noch im ersten Notizbuch, vermutlich 1896 aufgezeichnet, findet sich die folgende Eintragung:

Nayrac in Bourgets »Terre promise« freut sich trotz alledem darüber, daß er *gelebt hat,* daß er sein Los, *sei es gut oder schlecht,* im Spiel der Existenz gehabt hat. Ganz meine Ansicht! Eine Rolle zu spielen haben in diesem interessanten Sansara — sei sie auch nicht die dankbarste! Nicht im Nirvana »spazieren geführt« werden, um als Schauspieler mit den Schauspielern zu reden. »War *das* das Leben?« sagt Nietzsche, — »Wohlan! noch einmal.« — Ganz meine Ansicht.[49]

Diese Notiz ist in mehrfacher Hinsicht interessant. Sie zeigt, wie tatsächlich »Einflüsse« aus ganz verschiedenen Sphären nebeneinander bestehen können. Die unmoralisch-moralische Erzählung mit religiösen Motiven, *La terre promise* und »Das trunkene Lied« im vierten Teil des *Zarathustra,* das die krampfhafte Heiterkeit des Eselsfestes abschließt, treffen sich in dem Gedanken des Rollenspiels. »Alles was tief ist, liebt die Maske« meint Nietzsche in *Jenseits von Gut und Böse* (Aph. 40). Die nihilistische Skepsis gegen die Ursprünglichkeit der menschlichen Orientierungen, die melancholische Wirkung der Entlarvungspsychologie erhält ihr Gegengewicht in der bewußten Übernahme einer Rolle. Die Orientierung, die von dieser Rolle ausgeht, ist zwar sekundär, aber besser als eine nur scheinbar primäre Orientierung, die der Nachprüfung nicht standhält. Schauspieler einer Rolle zu sein, war für Nietzsche das wesentliche Kennzeichen des Künstlers, besonders Wagners. Odysseus' Fähigkeit zur Lüge und zur Vorstellung bewundert er in einem Aphorismus der *Morgenröte* (306): »Gab es je so gründliche Schauspieler!« Thomas Mann setzt am Rand hinzu: »Heute viele«. Nietzsches Formulierungen »sein können, *was man will*« und »Scheinen und Sein« sind im Text unterstrichen. In Aphorismus 356 aus *Die fröhliche Wissenschaft* sieht Nietzsche ein solches pluralistisches Rollenspiel, wie es die Athener seit der Perikles-Epoche geübt hätten, als Zukunft Europas, das den festen Bau einer Gesellschaft unmöglich machen werde. Vielleicht war es dieser Aphorismus, vielleicht zusammen mit dem Aphorismus 361 der *Fröhlichen Wissenschaft* und der Wagnerdarstellung in *Der Fall Wagner*, die dem Begriff »Schauspieler« in unserem Notizbuchzitat zugrunde liegen. Alle genannten Aphorismen sind in Thomas Manns Nietzsche-Ausgabe durch Ankreuzung hervorgehoben. Das Bild der Schauspielerrolle zielt auf die Vertauschbarkeit der Orientierungen innerhalb eines künstlich abgesteckten Spielrahmens. Dieser Gedanke der Vertauschbarkeit der Orientierungen auf dem Grunde einer nihilistischen Konzeption macht die dynamische Metaphysik aus. Der Rollencharakter des Daseins kann als Verfall lebenskräftiger Ordnungen beklagt oder auch als illusionsloses Jasagen zu menschlichen Bindungen begrüßt werden. Die erste Auffassung bestimmt die leitende Strukturlinie der *Buddenbrooks,* die zweite Möglichkeit hat Anteil an der Struktur von *Königliche Hoheit.*

Die dynamische Metaphysik Thomas Manns ist eine persönliche Philosophie, die Nahrung fand in Nietzsches Philosophie, allerdings nur so lange als diese nicht selbst primäre Orientierungen (Wille zur Macht, ewige Wiederkunft, Übermensch) verkündete. Thomas Manns bestimmter Aussage, Nietzsches Lehren habe er nicht geglaubt (XI, 109 f), können wir trauen. Nicht nur sprechen alle Zeugnisse dafür, Thomas Manns persönliche Philosophie sprach in ihm gegen die Annahme von Nietzsches gewaltsamen Positionen. Man kann auch vereinfacht sagen: was in dem jungen Thomas Mann dem »wahren« Nietzsche entgegenkam, dem, was er an Nietzsche als wahr empfand, dem Kritiker falscher Orientierungen aus Wahrhaftigkeit, hinderte ihn, den »falschen« Nietzsche ernstzunehmen.

»Ich habe den *Ethiker* in Nietzsche erkannt, als seine allgemeine Wirkung hektische Kraftanbetung war.« Diesen Satz schrieb Thomas Mann während der Arbeit an den *Betrachtungen* in sein Notizbuch.[50] Als er die Stelle im Text des Buches verwendete, bezog er sich ausdrücklich auf seine Jugend und wollte den ethischen Nietzsche zurückführen auf dessen protestantische Herkunft (XII, 146). In der Vorrede der *Betrachtungen eines Unpolitischen* bezeichnet er seine eigene künstlerische Möglichkeit, die das Erlebnis Nietzsche gezeitigt habe, als »Ironie«. Diese läßt er mit Anspielungen auf *Tonio Kröger* als »Selbstverneinung des Geistes« sich an das liebenswürdige ungeistige Leben anschließen, sie sei weit entfernt, sich in den Dienst von »Idealen« zu stellen (XII, 25 f; vgl. XII, 84).

Lebensfreundliche, liebenswürdige Ironie, »Selbstverneinung des Geistes«, das heißt des Menschengeistes im Hochmut, ewige Ordnungen, »Ideale«, Nietzsches »Moral« festlegen zu wollen, ein Ethos der Wahrhaftigkeit, das aus protestantischer Herkunft stammen soll — mit diesen Gedanken der *Betrachtungen* stoßen wir auf den religiösen Horizont der dynamischen Metaphysik Thomas Manns, sowie auf das Motiv der Liebe zum Leben, auf die Gegengewichte gegen zynische und pessimistische Konsequenzen der dynamischen Metaphysik, Begrenzung auch des Nietzsche-Einflusses. Zeugnisse dafür, daß Thomas Mann solche Gegengewichte als Korrektiv bewußt waren, finden sich in den *Betrachtungen* und schon früher in »Süßer Schlaf« (XI, 338). Sie werden unten in Kapitel 11 des Abschnittes »Thomas Manns Lutherbild« behandelt. Frühere Zeugnisse auf fiktiver Ebene sind die Struktur der *Buddenbrooks* und, was das Liebesmotiv betrifft, schon die mehrerer der frühen Erzählungen. Unter den Zitaten aus Nietzsches *Jenseits* im ersten Notizbuch befindet sich ein für Nietzsche untypisches, für die Auswahl Thomas Manns aber typisches Wort: »Was aus Liebe gethan wird, geschieht immer jenseits von Gut und Böse.«[51]

Freilich behindert die fehlende Unterscheidung zwischen humanistischer und christlicher (biblischer, paulinischer, lutherischer) Tradition bei Nietzsche und Thomas Mann die klare Sicht. Wenn Thomas Mann sich auf protestantisches Ethos beruft, so zielt er wohl auf eine religiöse Dimension, ob er sie erreicht, ist freilich meist fraglich. Wenn er Nietzsche als Christen in Anspruch nimmt (IX, 462, 683; X, 364 u. a.), so hat er, wie wohl auch Nietzsche selbst, hauptsächlich die Vorstellungen von Ethos und Vergeistigung im Auge, die mit humanistischer Selbstperfektion (die Vorstellung, die auch dem »Übermenschen« zugrundeliegt) ineinanderlaufen.

In den *Betrachtungen* nimmt Thomas Mann die ethische und ironische Wirkung Nietzsches für sich in Anspruch. Nietzsches Ästhetizismus sei als Selbstverneinung seiner Geistigkeit mit einem Element romantischer Ironie zu verstehen (XII, 538–541), dennoch erkennt er an, daß »unter den geistigen Strömen, die von ihm ausgehen, ein nichts-als-ästhetizistischer ist, daß man in der Tat durch Nietzsche zum Ästheten erzogen werden könnte« (XII, 540). Die Formulierung verrät, daß die Möglichkeit, die er für sich ablehnt, ihm doch nicht so fernstand. Das hatte sich schon in früheren Partien der *Betrachtungen* gezeigt, in denen er Nietzsches Lebensbegriff, wenigstens als Möglichkeit, mit dem Begriff des Schönen gleichzusetzen vorschlägt (XII, 84). Andererseits wollte er selber sich von dem Ästhetizismus des Göttinnen-Zyklus Heinrich Manns distanzieren. Im Grunde wußte er wohl genau, daß die ethisch begründete Ironie gegenüber allen Orientierungen zumindestens eine starke Affinität zum Ästhetischen hat.

Der späte Nietzsche rühmt die positive Wirkung des Zwanges einer »Moral«, also sekundärer Orientierungen, indem er sich ästhetischer Beispiele bedient (*Jenseits*, Aph. 188): der »Tyrannei von Reim und Rhythmus« in ihrem Wert für die Erziehung einer Sprache, »das freie Ordnen, Setzen, Verfügen, Gestalten in den Augenblicken der ›Inspiration‹« und wie der Künstler in solchen Momenten »tausendfältigen Gesetzen gehorcht.« Das »Bedürfnis nach beschränkten Horizonten«, die Freude an einem Spiel auf begrenztem Spielfeld im ironischen und wahrhaftigen Wissen um die Scheinhaftigkeit, um den sekundären Charakter der Beschränkung des Spielfeldes, ist Ästhetizismus oder, wenn dieser Begriff zu negativ klingt, die ästhetische Antwort auf die Herausforderung einer pluralistisch (perspektivisch) gesehenen Welt.[52]

Die Formulierungen von 1924, Nietzsche sei ein »Erkenntnislyriker«, das Phänomen Nietzsche sei die »innere Zusammengehörigkeit von Kritik und Lyrik« oder »die eigentümlichste Zusammengehörigkeit und innere Einheit von Kritik und Musik« (X, 181), sind auf dem Wege zu der eindeutigeren Darstellung des ästhetizistischen Nietzsche im Schopenhauer-Vortrag von 1938 (IX, 572) und vor allem in dem Vortrag von 1947 (»Nietzsches Philosophie im Lichte unserer Erfahrung« IX, 675–712). Während der Arbeit an diesem Vortrag kennzeichnet er Nietzsche brieflich, »daß er . . . jeder Beziehung zur Wirklichkeit entbehrte und im leeren Raum ein mythisches Lebensschauspiel zur Aufführung brachte«.[53] Zieht man den von Ernst Bertram beeinflußten Begriff »mythisch« ab, dann bleibt übrig als wesentliche späte (1946) Kennzeichnung Nietzsches: Schauspiel im leeren Raum, mit anderen Worten: ästhetische Konstellationen auf dem Hintergrund eines nihilistischen Bewußtseins oder in einem Begriff: dynamische Metaphysik.

Die ästhetische Grundlage von Nietzsches Philosophie kommt nirgends klarer zum Ausdruck als in seiner frühen Schrift *Die Geburt der Tragödie aus dem Geiste der Musik*. Hier erscheint der Satz mehrmals, auf den Nietzsche in seiner späteren Einleitung besonders hinweist und den auch Thomas Mann in seiner Nietzscherede von 1947 an wichtiger Stelle (IX, 686) zitiert, daß nur als ästhetisches Phänomen das Dasein der Welt gerechtfertigt sei. Thomas Mann kannte die *Geburt der Tragödie* schon früh. Im ersten Notizbuch ist das Werk zur Anschaffung vorgemerkt.[54] Der Gegensatz des Dionysischen und des Apollinischen auf der gemeinsamen Grundlage der ästhetischen Lebensrechtfertigung (hinter der Schopenhauers Philosophie steht, die auch wesentlich nihilistisch ist) bildet die Konstellation, die den großen Essay Nietzsches beherrscht, man kann nahezu von einer Struktur reden, ähnlich der eines fiktiven Werkes. Thomas Mann hat diesen Gegensatz, so weit ich sehe, zuerst in einer Buchkritik erwähnt, die im Dezember 1895 im *Zwanzigsten Jahrhundert* erschien.[55] In der Nietzscherede von 1947 bezeichnet er Nietzsches Konstellation als ähnlich der des Naiven und Sentimentalischen bei

Schiller (IX, 686). Nietzsches Konstellation war sehr wahrscheinlich die Modellvorstellung, die ihm für sein Verständnis von Schillers Essay vorschwebte. Man weiß nämlich nicht recht, wie man das Naive Schillers mit dem Dionysischen Nietzsches in Einklang bringen soll, mag auch das Element bewußter Distanzierung eine gewisse Ähnlichkeit zwischen Schillers Begriff des Sentimentalischen und dem des Apollinischen bei Nietzsche ermöglichen. Die Konstellation konträrer Elemente, Begriffe oder Gestalten als Orientierungsmöglichkeit hörte nie auf, Thomas Mann zu faszinieren.

Ich beabsichtige hier nicht, Thomas Manns ganzes Verhältnis zu Nietzsche zu behandeln. Es muß deshalb der Hinweis genügen, daß Thomas Mann die nihilistische Grundlage in Nietzsches Philosophie in den Nachlaßbänden seiner Ausgabe weiterverfolgte. Etliche Anstreichungen wesentlicher Stellen finden sich in dem Essay Nietzsches »Über Wahrheit und Lüge im außermoralischen Sinn« im 1903 erschienenen Band X seiner Nietzscheausgabe. Thomas Manns Kritik gegenüber Nietzsches Versuchen, seine eigenen primären Orientierungen den traditionellen zu substituieren, setzt sich fort. Eine spätere Randbemerkung bezieht sich auf folgenden Satz aus dem Nachlaß Nietzsches, der im zweiten Band des sogenannten »Willen zur Macht« erscheint: »›Der Sinn für Wahrheit‹ muß, wenn die Moralität des ›Du sollst nicht lügen‹ abgewiesen ist, sich vor einem anderen Forum legitimieren: — als Mittel der Erhaltung von Mensch [sic], als *Macht-Wille*.«[56] Die Stelle läßt Nietzsches unreflektierte Gleichsetzung von »Moral« im Sinne eines primären und rationalen Orientierungssystems mit religiösen Geboten nach der Art der Zehn Gebote erkennen. Ein religiöses Gebot bezieht sich aber auf Gott, der, wenigstens in der Bibel, eine unberechenbare Größe ist. Ein Gebot ist eine gestiftete Ordnung, die zwar vom Gläubigen als primär empfunden werden kann, aber auf Grund seines Glaubens, nicht als im Wesen der Welt liegend. Die Welt hat keinen Zwang auf Gott ausgeübt, diese und keine anderen Gebote zu geben. Ein im Wesen der Welt liegendes primäres rationales Orientierungssystem ist vielmehr eine humanistische Vorstellung. Christentum ist nicht, wie Nietzsche meinte, Platonismus fürs Volk.[57] Thomas Manns Randbemerkung geht zwar nicht so weit, daß sie den nicht erkannten Unterschied von Humanismus und biblischem Glauben als Quelle von Nietzsches Irrtum aufdeckt. Thomas Mann wehrt sich einfach gegen Nietzsches Vorhaben, den Wahrheitsbegriff zu pervertieren: »Die Wahrheit ist reizvoll ganz ohne Moralismus. Man liebt die Tapferkeit, Kühnheit, Freiheit, nicht aus Moral. Mit Macht hat Wahrheit gar nichts zu tun.«[58] Wahrheit, Tapferkeit, Kühnheit, Freiheit erscheinen Thomas Mann als Kräfte, die aus dem Unbekannten kommen. Man darf wohl in der Randbemerkung den religiösen Horizont erkennen, der wiewohl vage und unbestimmt, zur dynamischen Metaphysik gehört.

6. Schopenhauer und die dynamische Metaphysik

Die Darstellung, die Thomas Mann im Kapitel »Einkehr« der *Betrachtungen* von seiner Schopenhauerlektüre gibt, ist wohlbekannt. Er datiert sie vom Zeitpunkt der Niederschrift dieser Stelle (Ende 1915) sechzehn Jahre zurück, also in das Jahr 1899.[59] Er habe *Die Welt als Wille und Vorstellung* gelesen, als »es galt, Thomas Buddenbrook zu Tode zu bringen« (XII, 72). Auch diese Angabe weist auf das Jahr 1899, denn am 30. 5. 1900 schrieb Thomas Mann »am Schlusse« des Werkes,[60] das nach dem Schopenhauer-Kapitel noch etwa 100 Druckseiten in der jetzigen Ausgabe enthält, so daß man, angesichts der langsamen Arbeitsweise Thomas Manns und wenn man seine Tätigkeit im Langen-Verlag berücksichtigt, ebenfalls auf 1899 als ungefähren Zeitpunkt der Niederschrift des Schopenhauer-Kapitels (Teil 10, Kapitel 5) kommt. Auch im »Lebensabriß« versichert Thomas Mann, Schopenhauer sei ihm »erst nach einiger Bekanntschaft mit Nietzsche« entgegengetreten (XI, 111). Lägen diese bestimmten Äusserungen nicht vor, würde man die Schopenhauer-Lektüre früher anzusetzen haben. Schopenhauer-Zitate kommen schon im ersten Notizbuch vor. Sie können aus sekundärer Quelle stammen. Die Anführung von Nirwana und Sansara in der Eintragung vom Ende des 1. Notizbuches, die auch Bourget und Nietzsche zitiert, würde auf Schopenhauer weisen, der gerade am Ende des Kapitels »Über den Tod und sein Verhältnis zur Unzerstörbarkeit unseres Wesens an sich« in einer Anmerkung neben einer Etymologie des Wortes Nirwana auch die Sansara-Vorstellung erklärt als »die Welt der steten Wiedergeburten, des Gelüstes und Verlangens, der Sinnentäuschung und wandelbaren Formen...«[61] Auch hierfür müssen wir eine andere Quelle annehmen. Da Nietzsche auf die indische Religion in allgemeiner Form häufig zu sprechen kommt, könnte das Thomas Mann angeregt haben, sich zu informieren. Dies, die erwähnten isolierten Zitate, die im »Lebensabriß« berichtete Tatsache, daß die Schopenhauer-Ausgabe schon vor seiner Lektüre »Jahr und Tag... unaufgeschnitten das Bord gehütet« (XI, 111) habe, ferner Nietzsches nicht seltene Diskussion von Schopenhauers Lehren, beweisen, daß Schopenhauers Philosophie Thomas Mann auch schon vor der eigentlichen Lektüre nahe war. Sie weisen ferner daraufhin, daß wir die Schopenhauer-Lektüre als bestätigenden und erweiternden Einfluß auf die dynamische Metaphysik anzusehen haben, nicht als einen begründenden.

Sowohl der Bericht im Kapitel »Einkehr« der *Betrachtungen* wie der im »Lebensabriß« beschreiben die Schopenhauer-Lektüre als eine Art von religiösem Erlebnis; der Niederschlag im fünften Kapitel des zehnten Teiles des *Buddenbrooks* macht diesen religiösen Charakter am stärksten sichtbar.[62] Für Thomas Buddenbrook wird Schopenhauers Todeskapitel zur wenn auch nur augenblicklichen Erfüllung seiner religiösen Bedürfnisse (I, 652 f), »die Mauern seiner Vaterstadt, in denen er sich mit Willen und Bewußtsein eingeschlossen, taten sich auf und erschlossen seinem Blick die Welt, die ganze Welt...« (I, 658). Schopenhauers Gedanke von der Zeitlosigkeit, dem »nunc stans«, der später Thomas Manns Mythos-Vorstellung bestimmen soll,[63] und der schon vor der Schopenhauer-Lektüre Thomas Mann im Symbol des Meeres nahegetreten war, taucht hier auf als mögliche Erlösung von den selbstgewählten sekundären Orientierungen Thomas Buddenbrooks, von seiner Rolle als pedantischer Bürger, deren er nicht mehr Herr wird. Schopenhauers Interpretation des Todes, ein wenig ergänzt durch Nietzsches Lebensbejahung, befreien ihn auf einen Augenblick. Aber dann fällt er in seine alte Kraftlosigkeit zurück aus »Furcht vor einer wunderlichen und lächerlichen Rolle« (I, 659). Das Rollenspiel, die Maske, die der kleine Hanno durchschaut (I, 627), bringen Thomas Buddenbrook nicht Freude, sondern Untergang, weil seine »bürgerlichen Instinkte« (I, 659) zu stark sind. Befreiung erscheint einen Augenblick möglich, indem die »trügerischen Erkenntnisformen des Raumes, der Zeit« (I, 658) mit Schopenhauer ihres metaphysisch primären Charakters entkleidet werden. Thomas Buddenbrook käme dann zurück zu seiner früheren Erkenntnis: »alles ist bloß ein Gleichnis auf Erden« (I, 277), aber die Dekadenzfiktion, die die Struktur des Werkes mitbestimmt, versagt Thomas Buddenbrook »Frische, Humor und guten Mut« (I, 610) dazu. Diese Fiktion, die weiter unten dargestellt werden wird, muß natürlich in Abrechnung gebracht werden, soll der Schopenhauer-Einfluß auf Thomas Mann bestimmt werden. So nahe es auch liegt, auf Grund von Thomas Mann eigenen Äußerungen, Thomas Buddenbrooks Schopenhauer-Erlebnis in die Nähe von seines Autors eigenem zu setzen, das fiktive Zeugnis hat nur bedingten Wert.

Der Schopenhauer-Einfluß ordnet sich der hier gezeichneten philosophischen Grundlage ein. Er unterbaut gedanklich die im Meeressymbol angeschaute Möglichkeit des Zeit- und Raumverlustes, er gibt eine neue Bestätigung für den illusorischen Charakter primärer Ordnungen. Positiv mußte sich noch auswirken, daß Schopenhauer den Künsten und unter diesen Poesie und Musik den höchsten Rang unter den sekundären Ordnungen zubilligte. Als »künstlerische Weltkonzeption« sieht Thomas Mann später in seinem Schopenhauer-Aufsatz diese Philosophie, als »Geistesroman« und Ideensymphonie (IX, 529 f).

Man darf annehmen, daß Schopenhauers Rechtfertigung der Kunst im Gegensatz zu der allgemeinen Nichtigkeit des dem Willen unterworfenen Lebens den jungen Thomas Mann beeindruckt hat. Die Kunst wurde ihm in Schopenhauers Ästhetik als ein Mittel dargestellt, Ideen anzuschauen, eine hinter den Dingen liegende höhere Wirklichkeit, was möglich ist, weil die Kunst sich aus dem Leben zurückzieht und die Objektivationen des Willens, die Dinge der Welt, dem Betrachter rein gegenübergestellt, der selbst durch Ausschaltung des Willens so augenblicksweise zum »reinen Subjekt« wird, von der Unterwerfung unter den Willen befreit, den Gesetzen der Welt entzogen. Der Künstler, das »Genie« wird als ein »heller Spiegel« dargestellt; er ist in dieser Welt aber nicht so recht zufrieden, denn er sucht unaufhörlich, nicht nur nach neuen Gegenständen der Kunst, sondern auch nach ihm ähnlichen Menschen, denen er sich mitteilen kann, »während der gewöhnliche Erdensohn, durch die gewöhnliche Gegenwart ganz ausgefüllt und befriedigt, in ihr aufgeht, und dann auch seines Gleichen überall findend, jene besondere Behaglichkeit im Alltagsleben hat, die dem Genius versagt ist.«[64] Eine solche Auffassung kam Thomas Manns Konzeption des ästhetischen Außenseiters sehr entgegen, die schon in mehreren Erzählungen vor 1899 gestaltet worden war.

Die nihilistische Grundlage, der religiöse Gedanke, die Welt der Vorstellung, Zeit und Raum als Täuschung, die wahre Gegenwart als raum- und zeitlos zu betrachten, die Würde des Künstlers im Gegensatz zur Banalität des Alltagsmenschen, schließlich eine Ästhetik, die auf anschauliche Lebendigkeit Wert legt,[65] all dies erklärt zur Genüge die Anziehungskraft der Philosophie Schopenhauers für Thomas Mann. Sie konnte für ihn wichtig werden, weil er eine Affinität zu einigen ihrer Inhalte bereits hatte. Die Verneinung des Willens zum Leben in freiwilliger Askese, den ethischen Zielpunkt der *Welt als Wille und Vorstellung*, ließ Thomas Mann beiseite, er nahm ihn höchstens als interessanten Beitrag zur »Psychologie« des Heiligen entgegen,[66] die dann unter starkem Einfluß von Nietzsches »Was bedeuten asketische Ideale?« in der Savonarola-Gestalt verwendet wurde. Im »Lebensabriß« bezeichnet er die Verneinung des Willens als »buddhistisch-asketisches Anhängsel« (XI, 111). Es ist uns nach dem Vorangegangenen deutlich, warum: dies war Schopenhauers primäre Orientierung oder mindestens der Ersatz davon.

7. Ansätze zur Strukturbildung in »Gefallen«

Thomas Manns erste Erzählung *Gefallen* will darstellen, wie ein guter, lebensgläubiger und sogar frommer Junge zum Zyniker wird. Das Thema der Binnenerzählung ist, den Punkt des Umschlags zu zeigen. Für die Darstellung eines Prozesses wäre die kurze Erzählform natürlich ungeeignet gewesen. Die Binnenerzählung ist in eine Rahmenerzählung eingespannt, die ein anderes Thema aufstellt, die Frage nach der Berechtigung einer Theorie. Es handelt sich um die Verwerflichkeit der doppelten Moral auf dem Hintergrund der Frauenemanzipation. Dem Kämpfer für die soziale Stellung »des Weibes« und gegen die »blöden Vorurteile der Gesellschaft« hat Thomas Mann den

Namen eines engagierten Dichers des jungen Deutschland gegeben, Laube. *Gefallen* ist etwas mehr als ein Jahr nach dem Programm des *Frühlingssturm* geschrieben worden und man kann kaum annehmen, daß Thomas Mann jetzt für die alten sozialen Vorurteile eintritt. Eine solche konservative Interpretation wäre zwar an der Oberfläche möglich, aber schon dadurch fragwürdig, daß Thomas Mann die Erzählung in der Zeitschrift *Die Gesellschaft* veröffentlichte, derselben, die ihm in Lübeck schon Kontakt zu modernen Literaturbewegungen, Naturalismus und Impressionismus geboten hatte.

Daß Laube vom Erzähler ein wenig lächerlich gemacht wird und zwar durch eine ganze Reihe kunstvoll angebrachter und wenig aufdringlicher Einzelzüge, ist tatsächlich schon die Ironie des bedingten und humorvollen Geltenlassens einer Figur, die den reifen Thomas Mann auszeichnet. Der Ich-Erzähler, der als anwesend (aber kaum beteiligt) dargestellt ist, deutet das Prinzip einmal an: »›Nur weiter‹, ermunterte ich den Redner. Er mußte sich wieder erst einmal auslassen, eher gab er doch keinen Frieden.« (VIII, 12) Es ist die bornierte Einseitigkeit in Laubes Theorie, die ironisiert wird, auch dadurch, daß er selbst am lautesten von der »bornierten Ungerechtigkeit« (VIII, 12) spricht.

Die Binnenerzählung widerlegt Laube nicht prinzipiell. Ihr Erzähler will nur an seinem eigenen Erlebnis darstellen, daß ein Mädchen sehr wohl »fallen« kann, und zwar in dem erzählten Fall nicht dadurch, daß sie von den Vorurteilen der Gesellschaft beherrscht wird, sondern dadurch, daß sie sich ihnen anschließt, weil das der bequemste Weg ist (VIII, 40). Natürlich vertritt die Erzählung keine konventionelle Moral. Das Mädchen zerstört ja eine »wilde Ehe«, und sie zerbricht den »guten Jungen« gerade dadurch, daß sie das Liebesverhältnis mit den Augen der Konvention sieht.

Die Binnenerzählung hat ein Eigengewicht, die Umwandlung des »guten Jungen« zum Zyniker. In den Tagen, in denen seine Liebe sich erfüllt, bezieht er sich auf Gott (VIII, 30), sogar auf seine Konfirmation und fühlt sich einig mit dem Duft eines Fliederbusches. In dem (stellenweise recht holprigen) Gedicht »blickt mit jubelnder Dankbarkeit / Die Liebe himmelwärts«, wenn es auch im Anfang einige skeptisch melancholische Töne gab. Nach der Desillusionierung lächelt der Himmel immer noch und der Duft des Flieders ist ebenfalls der gleiche (VIII, 40). Der ehemals »gute Junge« schüttelt »aus Jammer und Wut die Faust zu dem lächelnden Himmel hinauf« und sucht den Flieder zu zerstören (VIII, 40). Das Einheitsgefühl mit Gott und Welt ist verloren. Der Zyniker macht es sich daraufhin »zur einzigen Philosophie ... dies von der betreffenden Regie da oben wenig umsichtig inszenierte Erdenleben völlig frag- und skrupellos zu genießen, um dann die Achseln zu zucken und zu fragen: ›Besser nicht?‹« (VIII, 12) Natürlich kann man der Jugenderzählung vorwerfen, daß sie es sich in mancher Hinsicht zu leicht macht. Immerhin gelingt es der kleinen Erzählung, Motive, die aus des jungen Thomas Mann dynamischer Metaphysik stammen — und zwar sehr wahrscheinlich vor der Berührung mit Nietzsche — in sprachliche Gestalt umzusetzen. Die Ironie des Erzählers relativiert einen Theoretiker, religiöser Naturenthusiasmus wird als naiver Jugendirrtum dargestellt. Im Hintergrund wird auch Goethes Naturfrömmigkeit in Frage gestellt. Zweimal zitiert ein schon etwas zynischer Freund des Helden der Binnenerzählung Mephistopheles (VIII, 14, 26) und die ganze Erzählung geht in den Spuren der Mariane-Episode in *Wilhelm Meisters Lehrjahren*.[67] Es ist schwer zu sagen, ob man der Goethebeziehung eine Funktion in der Erzählung zuerkennen soll oder nicht.

Die Ironie gilt dem Theoretiker Laube, aber kaum dem Erzähler der Binnengeschichte, dem Zyniker Doktor Selten. Der Erzähler distanziert sich eigentlich nur durch die neutrale Weise seiner Anwesenheit während der Erzählung, vielleicht auch durch die Schlußbemerkung ein wenig von dem Zyniker. Es scheint als sei dem jugendlichen Autor der Zynismus damals noch eine sehr mögliche und verständliche Antwort auf die Erkenntnisse gewesen, die zur nihilistischen Grundlage der dynamischen Metaphysik führten. Auch die Art der Mitarbeit beim *Zwanzigsten Jahrhundert* zeigte ja gewisse zynische Möglichkeiten. Ein starkes Gegengewicht gegen den Zynismus der Hauptfigur ist aber seine Erzählung selber: »fix und fertig in Novellenform. Ihr wißt ja, daß ich mich einmal mit dergleichen beschäftigt habe.« (VIII, 14) Sie ist künstlerischer Ausdruck der Liebe zu einem naiven Leben des Einverständnisses mit der Welt, eine etwas linkische Vorläuferin des Motivs der Liebe zum banalen Leben, das im ganzen Werk Thomas Manns seine Rolle spielt, nicht nur im *Tonio Kröger*, wo es am deutlichsten ausgesprochen wird.

Auch Ansätze zu einer Struktur sind vorhanden. Die Rahmenerzählung ist durch die vier Gesprächsteilnehmer bestimmt: den ästhetischen und geistig unscharfen Maler (»›Halb und halb ganz gewiß!‹ sagte er mit Zuversicht.« VIII, 12), den ganz neutralen Erzähler, den Theoretiker und den Zyniker. Jedes Wort dient zur Charakterisierung dieser Personen, mit Ausnahme des Erzählers, der neutral bleibt. Der Ästhetizismus des Malers wirkt dabei als Hintergrund, der ganz leise Fragwürdigkeit andeutet. Die Intention der Binnenerzählung verwirklicht sich nicht nur einfach auf naiv erzählerische Weise, indem der Erzähler eigene Erfahrungen des Lesers oder vorhandene Konventionen aufruft. Zwar kann der Erzähler auf solche Erfahrungen beim Leser rechnen und streckenweise handelt es sich tatsächlich um eine naive Erzählung in diesem Sinne. Struktur bekommt die Erzählung durch eine Gegenposition, die das Intendierte als Beziehung zu dieser Gegenposition darstellt. Beide Positionen müssen sprachlich vergegenwärtigt werden, das heißt, es genügt nicht, wenn die Gegenposition einfach als vorhanden behauptet wird, jedoch genügt skizzenhafte Andeutung. In unserem Falle tritt dem »guten Jungen« und seinem enthusiatischen Glauben an eine gute Weltharmonie ein jugendlicher Zyniker gegenüber. Diese Figur, Rölling, deutet schon auf das Ergebnis des Umschlages hin. Rölling ist es ja auch, der Goethes Mephistopheles zitiert, also an den klassischen Zynismus erinnert angesichts eines klassischen Liebesverhältnisses; auch Gretchen bleibt ja innerhalb der bürgerlichen Erwartungen. Außerdem läßt der Binnenerzähler seinen (jetzigen) Zynismus gelegentlich deutlich werden. Der zynische Erzähler bleibt größtenteils auf der sprachlichen Ebene des »guten Jungen«, läßt aber auch seine eigene erkennen. Dem Leser wird so durch die Sprache die Intention der Erzählung suggeriert. Er muß den »guten Jungen« und den Zyniker erleben und einen von dem anderen sich abheben sehen. Eben das ist die Funktion der Struktur, der sprachlich verwirklichten Intention. Wie das geschieht, kann man in der folgenden Stelle beobachten:

Dann erzählte ihm der Flieder in leisen, zarten Verheißungen von all dem Süßen, das ihn wieder einmal erwartete, und er betrachtete ihn, wie man gern angesichts eines großes Glückes oder Schmerzes, an dessen Mitteilung an irgendeinen Menschen man verzweifelt, sich mit seinem Übermaß von Empfindungen an die große, stille Natur wendet, die wirklich manchmal dreinschaut, als verstände sie etwas davon, — er betrachtete ihn längst als etwas durchaus zur Sache Gehöriges, Mitfühlendes, Vertrautes, und sah in ihm kraft seiner permanenten lyrischen Entrücktheit weit mehr als eine bloße szenische Beigabe in seinem Roman. − (VIII, 35)

Das Einheitsgefühl mit der Natur wird beschworen (»dann erzählte der Flieder«), dann bezweifelt (»als verstände sie etwas davon«) und ins Lächerliche gezogen (»permanente lyrische Entrücktheit«), wodurch die sprachliche Ebene des Zynikers erreicht ist. Die Schlußwendung, das Spiel mit dem Bewußtmachen der Fiktion (»szenische Beigabe in seinem Roman«) wird später oft von Thomas Mann angewendet, um die fiktive Funktion des Erzählers innerhalb der Struktur deutlich zu machen. Wenn Zeitblom zum Beispiel wiederholt versichert, er schreibe keinen Roman, so wird an seine fiktiven Funktionen als Erzähler und Figur im Roman *Doktor Faustus* erinnert. Zugleich ist es ein scherzhaftes Spiel mit dem Leser.

Es kam mir nur darauf an, die Ansätze zu einer Struktur zu zeigen, die als Beziehungsgeflecht die Orientierung des Lesers innerhalb der fiktiven Welt der Erzählung bestimmt.[68] Daß die Erzählung durch diese Interpretation stärker erscheint als sie vielleicht ist, muß hingenommen werden. Man müßte die sprachliche Vergegenwärtigung im einzelnen am Maßstab von Intention und Struktur messen, was hier zu weit führen würde.

Die dynamische Metaphysik hat also einen zweifachen Einfluß auf Thomas Manns früheste publizierte Erzählung. Der Zynismus

Seltens und Röllings geht auf die nihilistischen Grundlagen der dynamischen Metaphysik zurück. Der Absolutheitsanspruch eines Theoretikers wird abgewiesen, gewissermaßen als schlechter moderner Ersatz für primäre Orientierungen entlarvt, die Fülle möglicher Beziehungen kann nicht durch eine Richtung der Orientierung gebändigt werden. Ansätze zu einer Struktur der Erzählung sind erkennbar. Eine Struktur bezieht sich nicht auf ewige Gesetze, sondern schafft nur das Spielfeld für die jeweilige Erzählung durch die Behauptung von bedeutsamen Beziehungen, nach denen die erzählte Welt sich ausrichtet. Die Struktur korrespondiert also sekundären Orientierungen. Sie ist nicht der Ausdruck einer primären metaphysischen Festlegung. Während Laubes Theoretiker-Gebahren sich selbst entlarvt, wird Seltens Zynismus durch seine Selbstdarstellung als ehemaliger »guter Junge« relativiert.

8. Erste Spiele mit dem Außenseitermotiv

In den frühen Erzählungen bemerken wir Varianten einer Art von Grundintention: ein Außenseiter soll in seinem Verhältnis zur Gesellschaft gezeigt werden. »Gesellschaft« ist die ungefragt hingenommene Ordnung, in der die banalen Menschen leben. Aus dieser Grundintention ergeben sich strukturelle Möglichkeiten, die nahe beieinander liegen: der Außenseiter bezieht sich auf die banale Gesellschaft. Diese Konstellation ermöglicht abgestufte Bewertungen, die dem Leser die Orientierung der jeweiligen Erzählung nahelegen. Die Erzählerposition gibt der jeweiligen Struktur die Abrundung. Es muß allerdings gleich bemerkt werden, daß die Erzählungen strukturell nicht gleich stark sind. Die intendierte Gegenüberstellung: hier Außenseiter, dort die banalen Menschen, lag verführerisch nahe an alten romantischen Konventionen: das einsame Genie und die Philister; sie ermöglichte auch locker gebaute, leichtgewichtige Skizzen, die durch »Psychologie« leicht interessant werden und damit modern erscheinen. Einige dieser Studien sind im *Simplicissimus* erschienen.

Der Wille zum Glück deutet im Anfang eine Struktur an: das »Pathos der Distanz« zu den Mitschülern, Paolo Hofmanns Blutmischung, seine unglückliche Tanzstundenliebe, die dann im *Tonio Kröger* wiederaufgenommen werden, daraus konnte eine Konstellation entstehen. Aber die Züge sind nur locker verbunden, sowohl sein Künstlertum wie seine Krankheit, die sein Außenseitertum fortsetzen, haben kaum etwas mit den vorherigen Zügen zu tun. Er entwickelt einen starken Willen, mit dem er sein Glück gegen die Krankheit unter Einsatz seines Lebens erzwingt. Dieser Wille soll Ausdruck seiner Außenseiterstellung sein, ohne daß diese Verbindung ganz deutlich würde. Deutlich wird nur die Verbindung von Krankheit und Außenseiterstellung.

Der starke Wille seiner zukünftigen Frau, die sich gegen ihre Eltern durchsetzt, ihr »feierlicher und starker Triumph« am Schluß, ist als Parallele zu dem Helden zu schwach ausgebildet, um für die Struktur in Frage zu kommen. Ihre starke Liebe wird wirksam gegen Krankheit und Tod des Helden, es ist ein im Grunde sentimentaler Effekt. *Der Wille zum Glück* ist eine Außenseitererzählung, die von der traditionellen Sympathie des Lesers mit dem Künstler-Außenseiter getragen werden muß. Der Erzähler ist Mitspieler und zugleich neutral, eine an sich reizvolle Kombination, die aber hier die Struktur keineswegs rettet.[69]

Enttäuschung ist nur als Skizze zu werten. Der Ich-Erzähler, neutral, aber anwesend, die Stelle des Lesers einnehmend, gibt einem Fremden Gelegenheit, sich über sein Leben auszusprechen, das ihn enttäuschte, weil seine Orientierung von Kanzelrhetorik und Gelehrtenoptimismus bestimmt war. War schon »Der Wille zum Glück« eine reduzierende Parodie des »Willens zur Macht« (der Formel, nicht des »Werkes«, das erst 1901 erschien), so ist des Fremden ehemaliges Verlangen nach dem »göttlich Guten« und dem »haarsträubend Teuflischen« (VIII, 64), die jetzt erreichte Resignation »jedes große Wort als eine Lüge oder als einen Hohn zu empfinden« (VIII, 65), insbesondere die Wörter der Dichter, ebenfalls eine Art Nietzsche-Parodie.[70] Die falschen primären Orientierungen sind durch Nietzsches Kritik beseitigt (so jedenfalls sah es Thomas Mann), könnte nun nicht eine neue Wirklichkeit anbrechen? Der Fremde träumt im Anblick des Sternenhimmels und in Erwartung des Todes »von einem befreiten Leben . . ., in dem die Wirklichkeit in meinen großen Ahnungen ohne den quälenden Rest der Enttäuschung aufgeht« (VIII, 68). Dieser quälende Rest drängt sich aber vor. Die wechselnde Orientierung ändert die Banalität nicht. Ist Nietzsche, könnte man fragen, wenn er nicht Kritiker ist, sondern Werte zu setzen vorgibt, nicht einfach nur auf der Flucht vor der Banalität? Die Notwendigkeit, das Banale anzunehmen, das gewöhnliche Leben, die Liebe zum Normalen, das Thema, das schon in *Gefallen* angeschlagen war, wird hier an einer Figur dargestellt, die diese Möglichkeit verschmäht. Ein Ansatz von Struktur, von Gegengewicht des Erzählers wird einmal spürbar. Aus den Worten des Fremden erfährt der Leser, daß der Erzähler sich die Piazza San Marco und das Leben »nicht schöner gedacht« hat (VIII, 63).

Das gleiche Thema, ebenfalls mit kaum entwickelter Struktur, bestimmt die Tagebuch-Erzählung *Der Tod*. Ein Außenseiter, er ist Graf, was eine konventionelle Note anschlägt, ausgeschlossen aus der Gesellschaft durch ästhetizistische Lebensgestaltung und durch Vorwissen seines Endes, will von seinem Tod das Banale abhalten (VIII, 70). Zuletzt hat er sich mit der Banalität des Todes abgefunden, seine »Enttäuschung« (VIII, 75) überwunden.

Das graue regnerische Meer, das Symbol des Zeit- und Raumverlustes, also auch des Todes, bleibt dauernd im Hintergrund anwesend. »Oftmals, wenn meine Gedanken sich wie graue Gewässer vor mir ausbreiten, die mir unendlich scheinen, weil sie umnebelt sind, sehe ich etwas wie den Zusammenhang der Dinge und glaube die Nichtigkeit der Begriffe zu erkennen.« (VIII, 73) Diese Symbolerklärung ist eine direkte Deutung, ohne Abschattung durch den Charakter der Figur oder Position in der Handlung bedingt, also kein Bestandteil der Struktur. Die Deutung weist aber hin auf Ansätze zum strukturellen Gebrauch des Meeressymboles. Anfangs wird das »einsame Haus auf dem Hügel am Meer ... wie ein düsteres geheimnisvolles Märchen« gesehen (VIII, 69), dann wird das Meer zum Todessymbol (VIII, 73f). Märchen und Tod, der »Zusammenhang der Dinge« und die »Nichtigkeit der Begriffe« dies ist nur schwach gestalteter Ausdruck der eigenen Metaphysik des Autors, die die Kunst (das Märchen, den Zusammenhang der Dinge) sich über dem Nichts in der Schwebe halten sieht. Die Verbindung von Märchen und Tod wird noch einmal in der geradezu programmatischen Erzählung *Der Kleiderschrank* eindringlich dargestellt, sie hat strukturellen Einfluß auf die Novelle *Tristan;* das Märchen wird durch den Mythos ersetzt im *Tod in Venedig* und die Beziehung von Mythos und Tod bestimmt die Struktur der Josephsromane mit. Hier freilich hat die Verbindung sich erst ungenügend aus ihrer metaphysischen Herkunft abgelöst, sie ist noch nicht Gestalt geworden.

Die kleine Erzählung *Der Tod* bringt auch das Motiv der Liebe, das dem der Nichtigkeit entgegensteht. Allerdings stören einige schönselige Züge, die Erinnerung »an die kurze lichte Zeit meines Glückes«, an das »anmutige und flammend zärtliche Geschöpf unter dem Sammethimmel von Lissabon« (VIII, 71), der Name Asuncion. Aber das Liebesmotiv ist doch da, auch wenn es mit dem Tod auf eine vertrackte, aufdringlich raffinierte Weise verknüpft wird (VIII, 75), die auch dem späten Thomas Mann nicht fremd ist, Hans Castorps »Mord« an Peeperkorn und der Adrian Leverkühns an Schwerdtfeger zeigen es.

Die frühesten Erzählungen sind für den Interpreten wichtig, weil sie zeigen, wie sich von Anfang an herausbildet, was dann auch im reifen Werk die Interpretation leiten kann. Auf der Grundlage einer nihilistischen Methaphysik bilden sich Beziehungen, deren Elemente sich gegenseitig konstituieren. Ein Fall des Fehlens einer sekundären Orientierung wird halb scherzhaft in *Enttäuschung* vorgestellt. Ein System solcher als sekundär erkannten Beziehungen nennen wir »dynamische Metaphysik«. Sobald ein Orientierungssystem eine fiktive Welt begründet, sprechen wir von der Struktur eines Werkes. Als Beziehungen, die Strukturen bilden könnten, zeigten sich: die Liebe des überlegenen Außenseiters (in *Gefallen* in der Variante des Zynikers) zum Gewöhnlichen (d. i. Doktor Seltens Verhältnis zu seiner eigenen Geschichte); der Außenseiter-Ästhet im Gegensatz zum Banalen (rudimentär schon in der Binnenerzählung von *Gefallen, Der Wille zum Glück, Der Tod); Liebe und Tod (Der Tod,* in freilich verschwommener Form auch in *Der Wille zum Glück);* Märchen und Tod *(Der Tod).* Die Position des neutralen Erzählers, der die Gewichte verteilt, wird noch kaum strukturell ausgenutzt, ist aber potentiell vorhanden.

9. *Der Lübeck-Lerchenberg-Komplex und der Umriß eines Gesamtwerkes*

Die frühen Erzählungen *Der kleine Herr Friedemann, Der Bajazzo, Tobias Mindernickel* und *Luischen*[71] sind zu einer Gruppe zusammengeschlossen durch kleine Einzelzüge, die den Raum der bürgerlichen Gesellschaft zu bezeichnen helfen. Diese Erzählungen haben eine deutlich erkennbare Grundstruktur: die Außenseiter, die in vier Varianten in jeder von ihnen vorgeführt werden, treten in Beziehung zu deutlich sichtbaren Repräsentanten der banalen Bürger. Die gemeinsamen Züge sind die folgenden: Friedemann »verließ die Schule, um Kaufmann zu werden... und trat in das große Holzgeschäft des Herrn Schlievogt, unten am Fluß, als Lehrling ein« (VIII, 80). Dasselbe tut der Bajazzo, die Stelle ist fast wörtlich dieselbe, die kleinen Varianten gehen auf die autobiographische Erzählhaltung zurück (VIII, 113). Natürlich ist Lübeck gemeint; auch in *Tonio Kröger* gehören Hans Hansens Vater »die weitläufigen Holzlagerplätze drunten am Fluß« (VIII, 272); auch an den Holzhändler Huneus in den *Buddenbrooks,* der fünffacher Millionär ist, muß man denken. Mag auch die gleiche wirkliche Gestalt aus Thomas Manns Lübecker Erinnerungen hinter diesen Holzhändlern stehen, so herrscht doch nur in *Bajazzo und Friedemann* Namensgleichheit. Der Bajazzo läßt sich in einer süddeutschen Residenz nieder und hat einige seiner Begegnungen mit der Bürgerwelt auf der Promenade des »Lerchenberges (VIII, 120f, 127 bis 130). Tobias Mindernickel kauft seinen Hund auf dem Lerchenberg (VIII, 144 f). Auf der auch in *Luischen* so benannten Promenade trifft Rechtsanwalt Jacoby die Gesellschaft der Stadt an der Seite seiner »elastisch daherschreitenden« Amra) (VIII, 171), und das Fest auf dem sie ihren häßlichen und betrogenen Außenseiter-Gatten dem Gelächter der Gesellschaft aussetzen will, findet in einem Lokal »am Fuße des Lerchenberges« statt (VIII, 174, 180). In *Luischen* spielt auch der gleiche Assessor Witznagel eine Nebenrolle, der den Neid des Bajazzo erregte (VIII, 132-137, 175-178).

Diese Zusammenhänge haben auch ein spielerisches Element in sich, sie weisen aber gerade so auf das Bedürfnis, die Spielfelder der einzelnen Werke durch Verweise nahe zusammenzulegen, oder andersherum ausgedrückt, die Struktur in einem Werk hat eine verwandtschaftliche, ergänzende, variierende Beziehung zu der in einem anderen. Der Opernbesuch des Bajazzo (VIII, 130-134) ist eine Art von Parodie der Erlebnisse Friedemanns während der Lohengrin-Aufführung (VIII, 88-90).

Verweise von einem Werk zum anderen gibt es überall in Thomas Manns fiktiver Welt. *Der kleine Herr Friedemann* hat den Lübecker Schauplatz mit den *Buddenbrooks* gemein, und die drei Schwestern Friedemanns kehren als Töchter Gottholds wieder und zwar mit wörtlichen Übereinstimmungen (VIII, 82; vgl. I, 75, 240). Auch der Name Hagenström kommt in *Der kleine Herr Friedemann* vor (VIII, 100f). Umgekehrt erscheint Oberstleutnant von Rinnlingen einmal im Hintergrund der *Buddenbrooks* (I, 627). Auch Gerda Buddenbrook und Gerda von Rinnlingen haben außer dem Namen einiges gemeinsam. Das Spiel der wörtlichen Wiederholungen fällt später fort. Aber es gibt eine Fülle von Verklammerungen anderer Art: die hanseatische Jugend Hans Castorps weist auf die Welt der *Buddenbrooks* zurück, Joseph teilt mit Felix Krull die Anlage zur Selbstkostümierung (IV, 482; VII, 284f), aus einer Geschichte der *Gesta Romanorum,* die Adrian Leverkühn komponiert (VI, 422f), wird *Der Erwählte,* Naphta und Doktor Schleppfuß dozieren über das klassische Mittelalter (III, 520, 551 u. a. VI, 138), Naphtas und Hans Castorps Homo Dei (III, 524, 541, 571, 685) wird am Ende des *Doktor Faustus* zu »Gottes armer Mensch« (VI, 662). Der aus dem *Erwählten* berühmte »Geist der Erzählung« (VII, 10) kommt schon am Ende des *Zauberbergs* vor (III, 990). Diese Liste könnte fortgesetzt werden. Im Anfang des Kapitels »In Schlangennot« in *Joseph in Ägypten* kommt der Erzähler ausdrücklich auf »die Wahrnehmung einer Einheit« in seinem (d. i. hier Thomas Manns) Leben und Werk zu sprechen, weil »die Idee der Heimsuchung, des Einbruchs trunken zerstörender und vernichtender Mächte in ein Gefaßtes und mit allen seinen Hoffnungen auf Würde und ein bedingtes Glück der Fassung verschworenes Leben« schon »beim Beginn unseres [gemeint ist der Erzähler] geistigen Handelns« eine Vorliebe gewesen sei (V, 1085 f). Gemeint ist der kleine Herr Friedemann, Aschenbach und Mut-em-enet. Später kamen noch in Varianten dazu: Adrian Leverkühn, der der Heimsuchung nachreist, sie stärker will als die anderen, und Frau von Tümmler, die Betrogene, die ihre Heimsuchung lobt, auch als sie sich als falsch herausstellt. Zu Studenten in Princeton sprach Thomas Mann auch auf nichtfiktiver Ebene davon, sein »Lebenswerk als Ganzes« entspreche in seinem Aufbau einem einzelnen Werk, es habe motivische Verknüpfungen (er spricht von »Leitmotiven«), »die dem Versuche dienen, Einheit zu schaffen, Einheit fühlbar zu machen und das Ganze im Einzelwerk gegenwärtig zu halten« (XI, 603).

Ein gewisses Bewußtsein der Einheit des Gesamtwerkes, das sich schon früh äußert, ist die Voraussetzung dafür, mit dieser Einheit spielen zu können. Dieses Spiel drückt auch einen ernsthaften Kunstwillen aus: es enthält eine Absage an die dem Naturalismus und Impressionismus gemeinsame Ästhetik der Wiedergabe einer vorgegebenen Wirklichkeit.[72] Während Thomas Mann als schriftstellerischer Anfänger seinen Stilwillen teilweise von der naturalistischen und impressionistischen Mode bestimmen ließ, stellt er schon in diesen frühen Erzählungen Beziehungen zwischen den fiktiven Strukturen her. Damit ist entschieden, daß diese Erzählungen, später das ganze Werk, als spielerisch fiktive, nicht wirkliche Welt zu betrachten sind, die sozusagen in sich gegen die wirre Vielfalt der Wirklichkeit zusammenhängt. Daran ändert nichts, daß er sich später hier und da von Kritikern seiner Werke überzeugen ließ, er habe doch eine Art von höherem Abbild der Wirklichkeit (zum Beispiel des verfallenden Bürgertums) geliefert.

10. »Der kleine Herr Friedemann«

Die Geschichte des Herrn Friedemann ist der katastrophale Zusammenstoß eines zum Außenseiter Bestimmten mit der leidenschaftlichen Liebe, der ihm die Fragwürdigkeit seiner Existenz enthüllt. Unter den strukturellen Ansätzen der frühesten Erzählungen erinnern wir uns an den Gegensatz des Außenseiter-Ästheten zum Banalen und an die Beziehung von Liebe und Tod. Beide werden in der Friedemann Novelle kunstvoll variiert. Friedemanns Beziehung zum banalen Leben ist kein Gegensatz, vielmehr hat er ein ästhetisches Verhältnis zur Welt gewonnen, das ihm Zufriedenheit gibt und ihm darum auch ein halbes Vergessen der Schranke gestattet, die den Außenseiter von der Gesellschaft abtrennt. Sein ästhetisches Leben kompensiert seinen Sexualtrieb (VIII, 79—83). Hierbei muß Nietzsches Abhandlung »Was bedeuten asketische Ideale« leitend gewesen sein, besonders die Stelle, in der Nietzsche Schopenhauer zitiert, der seinerseits Epikur anführt zum Lobe des schmerzlosen Zustandes, des Ästhetischen.[73] Es ist wohl mit ein Echo dieser Stelle, wenn Friedemann zweimal ein »Epikureer« genannt wird (VIII, 81 f). Vielleicht wirkte auch die Formulierung Paul Bourgets mit: »un epicurien intellectuel et raffiné«,[74] die Thomas Mann im ersten Notizbuch exzerpiert hatte. Sie erscheint im *Friedemann* freilich in anderem Zusammenhang, in gänzlich veränderter Bewertung, die genau zu der von Nietzsche zitierten Schopenhauer-Stelle paßt. Eine der ersten Nietzsche-Notizen aus *Jenseits von Gut und Böse,* wirkt ganz sicher mit: »Die Dichter sind gegen ihre Erlebnisse schamlos: sie beuten sie aus«.[75] Friedemann genoß den Schmerz um den Tod seiner Mutter ästhetisch »und beutete ihn aus als sein erstes starkes Erlebnis« (VIII, 81). Damit ist der eine Pol des Struktursystems bezeichnet. Der andere ist die tödliche Leidenschaft, die ihn mit dionysischer Kraft anfällt. Das banale Leben

47

konnte er ausschließen, das Kichern des blonden Mädchens, für das er als Sechzehnjähriger schwärmt (VIII, 80). Aber »das Leben«, oder »die Liebe« kommt zurück in der Gestalt der Hysterikerin, die »viel krank ist«, und zwar »nervös«, und die »merkwürdigsten Zustände« kennt (VIII, 95). Sie ist auch eine Außenseiterin, aber sie hat den Willen zur Macht, die Lust zu zerstören.

Die hauptsächliche strukturelle Beziehung ist beeinflußt von dem Dualismus des Apollinischen und Dionysischen, obwohl natürlich Friedemanns kleines ästhetisches Glück mit dem Apollinischen nicht identisch ist. Immerhin ergreift ihn die zerstörende Leidenschaft bei einer Lohengrin-Aufführung. Seine Tragödie wird sozusagen aus dem Geiste der Musik geboren, wobei das parodistische Element, die Reduktion Nietzsches in die Nähe des Banalen eine ganz allgemeine Tendenz in der Verwendung von Nietzsches positiven Ideen in Thomas Manns Werk ist, eine faszinierend geistreiche, ironische Tendenz übrigens, die wir zuerst in dem Titel »Der Wille zum Glück« konstatierten.

Eine solche Reduktion ist auch mit dem Motiv des überwältigenden Lebens vorgenommen worden, das an Stelle des Dionysischen in Friedemanns Geschichte erscheint. Das Rauschhafte der zerstörenden Leidenschaft ist kein Selbstzweck, sondern führt auf die Vernichtung zu. Die Zerstörung der schönseligen Natureinheit einer vergangenen Epoche, wie sie schon in *Gefallen* dargestellt wurde, kehrt hier wieder, wenn auch die Formulierungen nur auf ästhetischen Genuß der Natur und nicht auf metaphysische Einheit mit ihr abzielen. Die beiden folgenden Zitate sind aufeinander bezogen:

1. Ist nicht das Leben an sich etwas Gutes, gleichviel, ob es sich nun für uns so gestaltet, daß man es »glücklich« nennt? Johann Friedemann fühlte das, und er liebte das Leben. Niemand versteht, mit welcher innigen Sorgfalt er, der auf das größte Glück, das es uns zu bieten vermag, Verzicht geleistet hatte, die Freuden, die ihm zugänglich waren, zu genießen wußte. Ein Spaziergang zur Frühlingszeit draußen in den Anlagen vor der Stadt, der Duft einer Blume, der Gesang eines Vogels — konnte man für solche Dinge nicht dankbar sein? (VIII, 81)

2. Seine ganze zärtliche Liebe zum Leben durchzitterte ihn in diesem Augenblick und die tiefe Sehnsucht nach seinem verlorenen Glück. Aber dann blickte er um sich in die schweigende, unendlich gleichgültige Ruhe der Natur, sah, wie der Fluß in der Sonne seines Weges zog, wie das Gras sich zitternd bewegte und die Blumen dastanden, wo sie erblüht waren, um dann zu welken und zu verwehen, sah, wie alles, alles mit dieser stummen Ergebenheit dem Dasein sich beugte, — und es überkam ihn auf einmal die Empfindung von Freundschaft und Einverständnis mit der Notwendigkeit, die eine Art von Überlegenheit über alles Schicksal zu geben vermag. (VIII, 98)

Die Natur sei, schrieb Nietzsche in *Jenseits von Gut und Böse*, »verschwenderisch ohne Maß, gleichgültig ohne Maß, ohne Absichten und Rücksichten, ohne Erbarmen und Gerechtigkeit, fruchtbar und öde und ungewiß zugleich, ... die Indifferenz als Macht«.[76]

Der illusionslosen Einsicht in die Gleichgültigkeit der Natur wirkt aber in Friedemann eine »Empfindung von Freundschaft und Einverständnis mit der Notwendigkeit« entgegen, die sich an das Motiv der »Liebe zum Leben« anschließt. Naturgenuß als Idylle und illusionslose Einsicht in das Wesen der Natur sollen aus einem gemeinsamen Grund wachsen, der Liebe zum Leben, die für Friedemann Liebe zum banalen Leben ist. Das ist wieder eine reduzierende Parodie Nietzsches, etwa seinem amor fati Begriff entsprechend.

Auch in unseren Zitaten ist die strukturelle Beziehung, nennen wir sie Strukturlinie, wirksam: ein selbstgeschaffenes ästhetisches Idyll wird der Macht des Lebens gegenübergestellt. Diese Strukturlinie will aus dem Banalen, in Friedemanns Falle dem Geschlechtstrieb, eine unbegreiflich überwältigende Macht entspringen lassen, die Friedemanns angenommene Orientierungen, sein ästhetisches Idyll, mit all der »Bildung«, die es sichern sollte (VIII, 81), zu »Lüge und Einbildung« (VIII, 104) zu machen fähig ist. Struktur und Handlung liegen eng zusammen, weil die Strukturlinie ja der Intention folgt, die sich in einer fiktiven Aktion realisiert. Wir behalten aber unterscheidend im Auge: zur Struktur gehört, was der sprachlichen Vergegenwärtigung das Verständnis der fiktiven Welt vorschreibt, was die fiktive Welt zwingend erscheinen läßt, die vielfältigen und vieldeutigen Möglichkeiten der Wirklichkeit auf wenige reduziert. Dies geschieht in *Der kleine Herr Friedemann* durch mehrere Strukturlinien. Unter der leitenden Linie läuft eine andere, Friedemanns, des Außenseiters, Liebe zum Leben, die sogar nach der Desillusionierung noch lebendig bleibt. Diese Linie wird besonders aus den beiden zitierten Stellen erkennbar. So wird Friedemanns ästhetisches Idyll zweideutig. Es ist achtbar, weil selbstgeschaffen aus Liebe zum banalen Leben und dann durch Bildung verfeinert, es bekommt Wert durch die zweite Strukturlinie. Dagegen ist das Idyll lächerlich vor der Macht, die es zu zerstören fähig ist. Eine dritte Strukturlinie deutet das Verhältnis des verwachsenen Außenseiters zur Gesellschaft: zwischen ihm und der normalen Welt besteht eine unübersteigbare Schranke, die durch Mitleid und Höflichkeit verhüllt wird. Daß diese Schranke in Wirklichkeit nicht ein so notwendiges Gesetz zu sein braucht, besonders nicht, wenn es sich um einen Gebildeten handelt, ist klar genug. Aber die Strukturlinie will: Friedemanns Bildung verstärkt die Schranke, die Leute wissen nichts von seiner Art, die Welt zu genießen (VIII, 82). Alle menschlichen Beziehungen in der Erzählung sind wie von einem ausschließlichen Gesetz von dieser Schranke bestimmt, die durch die »mitleidig freundliche Art« der Begrüßung bezeichnet wird, »an die er von jeher gewöhnt war« (VIII, 82). Friedemanns Idyll ist seine Art, seine Außenseiterstellung anzuerkennen. Gerda von Rinnlingen nähert sich ihm, um ihn zu zerstören, und ihr grausamer Hohn ist ihre Art, die Schranke in der Form eines bewußten Willküraktes aufrechtzuerhalten, obwohl Friedemann mit Recht bemerken kann: »Konnte sie, wenn sie ihn durchschaute, nicht ein wenig Mitleid mit ihm haben?« (VIII, 98).

Der Erzähler wechselt zwischen einer Ansicht, die ihm die umfassende Kenntnis Friedemanns ermöglicht und einer beschränkten, er nimmt gelegentlich an dem Unverständnis der Bürger jenseits der Schranke teil. Dies geschieht im Anfang, wo der Erzähler mit komischer Wirkung das Unglück des kleinen Johann Friedemann ganz vom bürgerlichen Standpunkt her zu beurteilen scheint. Nur der Leser fragt sich, warum eine Mutter und drei halbwüchsige Töchter sich nicht um den Kleinen hätten kümmern können, »ehe Ersatz« für die trunksüchtige Amme »eingetroffen war, ehe man sie hatte fortschicken können« (VIII, 77). Daß der kleine Herr Friedemann, wie der Erzähler meint, »seltsamerweise ein wenig eitel« war (VIII, 82), wird der Leser nicht so seltsam finden.

Das Aufzeigen von Strukturlinien ist natürlich noch keine fertige Interpretation. Die sprachliche Vergegenwärtigung wäre ihr Gegenstand und die Strukturlinien können nur Leitlinien sein. Auch ihr Verhältnis zueinander in einzelnen Zügen oder Motiven wäre zu beachten. Es gibt Züge, die nur mit sprachlicher Vergegenwärtigung, nichts mit der Struktur zu tun haben. Friedemanns etwas benachteiligte Schwestern gehören als Untermalung zu seinem Außenseitertum. Die dritte Strukturlinie hat den Leser dafür eingestimmt, daß sie zur Verdeutlichung der Schranke, weder schön noch reich und darum unverheiratet sind. Aber darüber hinaus sind sie in ihrer Eigenart gezeigt, und das gehört allein der sprachlichen Vergegenwärtigung zu.

Eine besondere Eigenart der sprachlichen Vergegenwärtigung tritt in dieser Erzählung auf und soll kurz erwähnt werden: die Wiederholung, ein Vergegenwärtigungsmittel, das unter dem Titel Leitmotiv von jeher die Interpretatoren Thomas Manns beschäftigt hat. Der kleine Herr Friedemann hat als Sechzehnjähriger das von ihm angeschwärmte Mädchen gesehen, wie es sich »hinter einem Jasminstrauch« küssen ließ. Er stand davor und »lauschte vorsichtig zwischen den Zweigen hindurch« (VIII, 80). Friedemanns oben zitierte Betrachtung gegen Ende seiner Geschichte über die gleichgültige Ruhe der Natur und sein Einverständnis mit der Notwendigkeit, nach seinem Besuch bei Gerda von Rinnlingen, geschieht auf einer Bank, »die von Jasmingebüsch im Halbkreis umgeben war« (VIII, 98). Im einen Falle steht er davor, das Strukturmoment der Schranke ist wirksam, der Entschluß zur ästhetischen Askese ist die Folge, die Hauptlinie beginnt. Im zweiten Falle steht er nicht mehr davor, sondern sitzt selbst inmitten des »süßen schwülen Duftes«. Die Hauptlinie ist wirksam, das Idyll ist zerstört. Er bezieht sich im folgenden Absatz auf sein ästhetisches Idyll zurück. Die Schranke ist jedoch auch jetzt, wo er im Jasmingebüsch sitzt, nicht gewichen, denn die unbanale Gerda hatte »zitternde Grausamkeit« für ihn. Die Wiederholung des Zuges »Jasminstrauch« bringt die Deutung der Geschichte ins Spiel, die von den Strukturlinien bestimmt ist.

An dem recht merkwürdigen Schluß wirken alle drei Strukturlinien mit. Die Hauptlinie macht den »wollüstigen Haß« verständlich, den Friedemann gegen sich selber richtet,[77] die zweite bewirkt, daß der Leser sich nicht darüber wundert, als Friedemann sich auf so merkwürdig passiv ergebene Art ertränkt, wir wissen, seine Liebe zum Leben hat sich in das »Einverständnis mit der Notwendigkeit« gewandelt. Das Zirpen der Grillen am Ende ist ein Symbol für die Gleichgültigkeit der Natur. Die dritte schließlich bewirkt das vorgebliche Nichtwissen des Erzählers, der Friedemanns Gemütsbewegungen nur als seine Vermutungen weitergibt. Darin, und in dem »gedämpften Lachen« ganz am Schluß, wird die Schranke noch zweimal bewußt gemacht, die auch für den Leser gilt, der sich doch so angelegentlich mit Friedemann beschäftigte.

11. »Der Bajazzo«

Der Bajazzo ist eine fiktive Konfession. Der Selbsthaß, der nur kurz aufzuflammen brauchte, um Johann Friedemann zum Selbstmord zu bringen, ist hier zum »Ekel« geworden, der dem Bajazzo »sein« Leben und »das« Leben, »das Ganze« (VIII, 106) verdirbt. Seine Existenz ist bodenlos geworden, eigentlich immer gewesen. Auch Der Bajazzo ist die Geschichte eines Außenseiters. Aber dasselbe ästhetische Idyll, in das sich Friedemann zurückgesehnt hatte, als es von der Macht des Lebens zerstört wurde, wird hier zur Ursache der Katastrophe. Was den Wert des ästhetischen Idylls im Falle Friedemanns ausgemacht hatte, fehlt im Falle des Bajazzos, die Liebe zum Leben, die auch das einfache und banale einschließen kann. Der Bajazzo haßt oder verachtet das Banale und es ist keine Übermacht des Lebens, sondern sein Bewußtsein, nicht einmal der Selbstsicherheit banaler Menschen gewachsen zu sein, das ihn niederwirft. Die Bewertung ähnlicher Verhältnisse ist also verschieden, was sich auf die Struktur auswirken muß.

Die Schranke zu den Normalmenschen besteht auch für den Bajazzo, aber sie hat eine andere Bedeutung, weil sie bewußt gewählt ist. Die Struktur der Erzählung besteht in der Beziehung zwischen zwei Existenzmöglichkeiten, die sich für den Bajazzo zunächst in Vater und Mutter verkörpern. Er steht vor der Wahl, »ob in träumerischen Sinnen oder in Tat und Macht das Leben besser zu verbringen sei« (VIII, 108). Schon damit ist die Bodenlosigkeit seiner Existenz gegeben, aber diese Einsicht ist ihm noch verhüllt. Er wählt das »träumerische Sinnen«, das nichtaktive Leben, damit aber zugleich auch den Abstand von den Normalmenschen schon im Kindheitsalter (VIII, 109), und die Fähigkeit, aus dem gewonnenen Abstand andere (VIII, 108) und sich selbst zu durchschauen, die »Lust am Psychologischen« (VIII, 106). Die Eigenart der *Bajazzo*-Struktur ist, daß die Wahl des nichtaktiven Lebens mit ihren Folgen und mit der halbkünstlerischen Begabung zu einer Einheit verbunden wird, zu einem festen Komplex, der als ein notwendiger, unabänderlicher erscheint, als eine Rolle. Der Charakter des Werkes als Konfession eines Ich-Erzählers bringt es mit sich, daß der eine Pol der Strukturlinie, das nichtaktive Leben, mit einer Fülle von zusätzlichen Deutungen belastet wird, während der andere Pol, das aktive und banale Leben, nur von draußen wirken kann, als Momente, auf die der Erzähler reagiert. Seine eigene Rolle erscheint ihm als notwendiger Zusammenhang. Der Bajazzo schreibt seine Geschichte auf, um sich »an der Notwendigkeit alles dessen zu laben! Die Notwendigkeit ist so tröstlich!« (VIII, 106)

Die Strukturlinie ist also: der nicht aktive Bajazzo, mit allem, was zu seiner Rolle gehört, bezieht sich auf den aktiven und banalen Normalmenschen. Die Handlung läßt den Bajazzo an dieser Beziehung zugrunde gehen, weil er nicht imstande ist, sich »mit anderen Augen anzusehen als mit denen der Leute« (VIII, 138). Die banalen Normalmenschen entziehen ihm die Existenzgrundlage, die auf seiner Verachtung des Normalmenschen beruhte, und zwar fast ohne irgend etwas gegen ihn zu tun, einfach durch die Sicherheit, in der sie ihre Rollen als selbstverständlich, nicht bezweifelbar auffassen, »im Schatten des Einverständnisses mit aller Welt und in der Sonne der allgemeinen Achtung« (VIII, 133) leben. Verachtung der Mitmenschen ist Inhalt seiner Selbstachtung und darum sein Glück gewesen (VIII, 126), sie war seine bewußt gewählte Rolle. Am Ende hat sie sich in »eiternde Eitelkeit«, in »böses Gewissen« (VIII, 138, 140) verwandelt.[78]

Die Möglichkeit, daß einer seine Rolle bewußt wählt und dennoch stark genug ist, sie im Bewußtsein der Willkürlichkeit so auszufüllen wie die Normalmenschen, denen sie angeboren vorkommt, wird in der Nebenfigur des »skeptischen Individuums«, des Kaufmanns Schilling angedeutet (VIII, 139, vgl. 114). Diese Hintergrundsfigur macht den besonderen Rollencharakter der Bajazzofigur bewußt, die durch das Bajazzohafte, die Karikatur des Künstlers, ihren Charakter erhält. Nietzsches Deutung des Künstlers, besonders Wagners, als Schauspieler, steht im Hintergrund. Man erkennt Beziehungen zu den *Buddenbrooks*. Christian Buddenbrook ist ein Bajazzo. Thomas Buddenbrook will die Schilling-Rolle des skeptischen aber starken Individuums spielen, entwickelt sich aber in die Richtung der Bajazzo-Rolle, er wird zum Schauspieler seiner selbst.

Der Bajazzo erschien im September 1897. Wenn die in einem Brief aus dem Mai 1895 genannte Novelle »Walter Weiler« ein Vorläufer dieser Erzählung gewesen sein sollte, so könnten einzelne Teile älter sein, jedoch ist das fraglich.[79] Ob also die folgende Notizbucheintragung aus dem Jahre 1897 Keimzelle des Werkes ist oder ob sich in ihr nur eine ganz ähnliche Struktur unter eine Beobachtung Thomas Manns gelegt hat, ist schwer auszumachen. Handschriften der frühen Erzählungen sind nicht bekannt.

In sein Notizbuch von 1897 trägt Thomas Mann die Beobachtung seines Hauswirtes (offensichtlich in Palestrina) ein, der mit einem Bauern spricht[80] und in »glückseliger Schauspielerei« eine selbstsichere und überlegene Haltung einnimmt, sich also etwa so verhält wie der Vater des Bajazzo (VIII, 108). Schauspielerei ist nicht an sich schon bajazzohaft und führt zu bösem Gewissen, es gibt vielmehr die selbstsichere Vorführung des eigenen Wertes vor einem Publikum. Thomas Mann zieht das folgende Fazit aus seiner Beobachtung:

Ich hier oben an meinem Fenster, erlaube mir die Beobachtung, daß ein »sicheres Auftreten« in den meisten Fällen auf Dummheit beruht, daß bei einem gewissen Grade von Klugheit kein sicheres Auftreten vorhanden ist, und daß ein sehr hoher Grad von Klugheit nötig ist, um aufs Neue ein sicheres Auftreten zu besitzen.

Der gesunde und »einfache« Mensch mit Beinen, die fest an ihrem Platz stehen, und geradeblickenden Augen, die unverwirrbar sind, wie diejenigen einer Kuh, – hat ein sicheres Auftreten, das ist ganz klar. Mit einem gewissen Grade dagegen ... von Bildung, Feingefühl, psychologischer Reizbarkeit und Einblick in die verwirrende Kompliziertheit, Unheimlichkeit und heimlichen Finessen des Verkehrs zwischen Menschen ist selten genügend Nervenkraft verbunden, als daß ein »sicheres Auftreten« vorhanden sein könnte. Und es gehört, möchte ich glauben, die klare übersehende und ordnende Geisteskraft eines Goethe dazu, um dennoch über ein sicheres Auftreten zu verfügen.[81]

Mit der Gültigkeit dieser »psychologischen« Deutung der Beobachtung ist es nicht sehr weit her. Das Phänomen der Befangenheit entsteht aus Unsicherheit über das Orientierungssystem, in dem man sich befindet und kann natürlich durch individuelle Bedingungen variiert werden. Der sogenannte »einfache« Mensch mag unbefangen in seinem Kreise sein, er wird befangen, wenn er merkt, daß er das ihm bekannte Orientierungssystem verlassen hat. Vielleicht mag einer gelegentlich aus Mangel an Intelligenz sein Orientierungssystem unbekümmert auf eine andere Welt anwenden. Lange kann das niemand treiben. Intelligenz ist zu einem großen Teil die Fähigkeit, in verschiedenen Orientierungssystemen sich zurechtfinden zu können. Man könnte die in Thomas Manns Szene vorkommenden Personen auch benutzen, um die Aufmerksamkeit auf einen befangenen Bauern zu richten, der nicht recht weiß, worauf der Bürger hinaus will. Seine Befangenheit, sein unsicheres Auftreten, würde keineswegs seine Intelligenz beweisen. Was der junge Thomas Mann eigentlich gesehen hat und sagen will ist folgendes: Sein Hauswirt zeigt in seiner Haltung an, daß er an einem sehr alten Orientierungssystem teilhat, das dem italienischen Stadtbürger, der sich zu den Herren rechnet, ein Überlegenheitsgefühl über die gedrückte ländliche Bevölkerung gab. Er bewegt sich »glückselig« in diesem Orientierungssystem. Er kennt es nicht anders. Thomas Mann dagegen ist die »Unheimlichkeit« bekannt geworden, die entsteht, wenn man diese Selbstverständlichkeiten zu durchschauen sucht. Er ordnet jetzt Klugheit, psychologische Reizbarkeit, seiner Einsicht in die Fragwürdigkeit aller primären Orientierungen zu, vielleicht auch verführt durch seine Bewunderung für Nietzsche, in dem er diese Dinge vereinigt sieht. So entsteht dann die strukturelle Deutung der Beobachtung, die sich ganz an der Beziehung Hauswirt (glückselige Schauspielerei aus Beschränktheit) und seiner selbst (Befangenheit aus metaphysischer Einsicht in die Fragwürdigkeit der Orientierungen[82]) ausrichtet und den Bauern nicht einbezieht. Auch für den Komplex der Lübeck-Lerchenberg-Erzählungen gilt die Zuordnung von Intelligenz und Außenseiter. Der Außenseiter ist seinen aktiven und banalen Mitmenschen schon durch sein Außenseitertum, durch die Nichtteilnahme an der bürgerlichen Orientierung intellektuell überlegen, mag diese Überlegenheit auch fragil sein. Die intellektuelle Überlegenheit des Beobachters »an seinem Fenster« und sein gleichzeitiges Wissen um seine Befangenheit schafft den Abstand zu den banalen Menschen, der als Strukturelement in allen vier Erzählungen des Komplexes vorhanden ist. Der Hinweis auf Goethe in unserer Notiz ebenso wie die Rolle des Freundes Schilling in *Der Bajazzo* weisen darauf hin, daß die Zuordnung von Intelligenz und fragilen Außenseitertums einerseits, Dummheit und Selbstsicherheit andererseits nicht absolut gilt. Der Gedanke Thomas Manns an den im positiven Sinne überlegenen Goethe im Jahre 1897 erklärt sich durch die Lektüre der Eckermann-Gespräche, von der sich mehrere Spuren im gleichen Notizbuch finden. Auszüge aus Goethes *Sprüchen in Reimen* finden sich übrigens kurz vor den Zitaten aus *Jenseits von Gut und Böse* im ersten Notizbuch. Die Bewunderung Goethes bildet schon früh ein Gegengewicht gegen die »psychologische« Auflösung von Orientierungen. In der Bewunderung Goethes wird ja der Leser Nietzsches (und Schopenhauers) bestärkt.

Die zitierte Notiz gibt einen Einblick in die Entstehung oder mindestens die Wirksamkeit fiktiver Strukturen, die die Wirklichkeit vereinfachen und dadurch faßbar machen, sie zubereiten für den Griff der vergegenwärtigenden Dichtersprache und zwar auf Grund augenblicklicher Einsichten und Einfälle, nicht auf Grund eines Systems oder einer geglaubten primären Ordnung. Sie läßt auch auf die Nachbarschaft der Strukturlinien in den frühen Werken mit der eigenen Erlebnisweise Thomas Manns schließen. Und doch entsteht die künstliche, fiktive Welt durch die Abblendung von Bereichen des eigenen

Lebens, oder, umgekehrt ausgedrückt, die fiktive Welt in diesen Erzählungen ist eine strukturell reduzierte und durch die »Phantasie« (nicht wirklich gewordene, mögliche Erfahrungen) erweiterte Autobiographie.

Ein fiktives Werk, das in der Autobiographie wurzelt, ist immer in Gefahr, die autobiographischen Züge nicht überzeugend genug in fiktive Strukturen einzuordnen. Das gilt noch für den *Tonio Kröger,* dessen fiktive Struktur im Lisaweta Gespräch unterbrochen wird, so überzeugend auch die ersten beiden und die vier letzten Kapitel gestaltet und strukturiert sind. Im *Bajazzo* wird die fiktive Ebene angestrebt durch dasselbe Mittel, das Goethe in *Werthers Leiden* anwandte: der Held empfindet sein Verhältnis zur Welt und zur Gesellschaft wie ein Künstler, ermangelt aber der künstlerischen Fähigkeit zur fiktiven Objektivation der eigenen Gefühle. Seine Bekenntnisse sollen seine Stimmungen und Gefühle, seine Deutung seiner Existenz auf den Leser übertragen. Darum erscheint der Bajazzo-Pol der fiktiven Struktur so überbelastet. Andererseits hat die Strukturlinie ihren Gegenpol: die Beziehung auf die banalen Menschen beherrscht die Erzählung und gibt ihr Gestalt. Ohne diese Struktur wären die Bekenntnisse in Gefahr, zu einem wirren uferlosen Durcheinander unvollkommen ausgedrückter Gefühle zu werden, was sie sein müßten, gelte es »die Wirklichkeit« eines aus Selbstekel zum Selbstmord bereiten Menschen einzufangen.

Der Autor Thomas Mann zeichnet die Gefühle des Bajazzo in Wahrheit auf, er objektiviert sie, indem er sie auf eine Struktur hin ordnet, genau wie Goethe durch die Briefe Werthers die Werther-Gefühle objektivierte. Wollte man einen »realistischen« Maßstab anlegen, so würden Werthers Briefe sowohl wie des Bajazzo Selbstdarstellung genügen, ihre (fiktiven) Verfasser aus ihrer Verfangenheit in ihrem Selbst zu lösen und dies würde ihnen helfen, wie ihre (wirklichen) Autoren zu gesunden und zu überleben. Aber die dichterische Suggestion, die den Leser auf die fiktive Ebene hebt, überspielt, wenn sie gelingt, solche kritischen Reflexionen. Die Objektivation ist die des Autors, nicht die des fiktiven Ich-Erzählers. Wir finden also auch in dieser fiktiven Ich-Erzählung verschiedene Erzählerperspektiven, die beschränktere des fiktiven Ich des Bajazzo und die umfassendere des dahinterstehenden Erzählers, des »Autors«, wenn man diesen Begriff nicht biographisch faßt, denn natürlich ist der »Autor« durch die Struktur seiner Erzählung beschränkt.

Der Unterschied von Ich-Erzähler und »Autor« (in diesem Sinne) muß zumindestens in Andeutungen zum Ausdruck kommen. Ein Beispiel ist der Erfolg, den der Bajazzo als Imitator Wagners erringt. Ein unbekannter Herr gratuliert ihm und fügt hinzu: »Aber es ist nötig, daß Sie Schauspieler oder Musiker werden!« Innerhalb der Struktur kommt die Erwartung der menschlichen Umwelt hier zum

Ausdruck, der Bajazzo solle etwas werden. Aber die Kombination »Schauspieler oder Musiker« weist darüber hinaus, enthält eine Kritik des Künstlertums als Schauspielerei, also Nietzsches Wagnerkritik. Der Ich-Erzähler zeichnet die Worte des Fremden auf, aber der Autor bezieht sich durch sie, die der Bajazzo nicht versteht, auf den Leser: hier ist eine Karikatur des Künstlertums, der Künstler als Bajazzo.

Demselben Zweck, die Objektivation dem fiktiven Ich-Erzähler vorzuenthalten, dienen die sozialen Anspielungen. So wenn der traurige Bajazzo mit komischer Selbstgerechtigkeit versichert, vermöge seiner Herkunft zu den »Oberen, Reichen, Beneideten« zu gehören, »die nun einmal das Recht haben, mit wohlwollender Verachtung auf die Armen, Unglücklichen und Neider hinabzublicken.« (VIII, 115) Als ihn die ersten Anzeichen der »Ängstlichkeit« befallen, sucht er sich aufzurichten, geht auf die Straße, um »mit dem heiteren Achselzucken des Glücklichen die Berufs- und Arbeitsleute zu betrachten, die geistig und materiell zu unbegabt sind für Muße und Genuß.« (VIII, 122) »Geistig und materiell«, in dem »und« liegt eine komische Kritik des bürgerlichen Vorurteils, das der Bajazzo gegen seine Absichten teilt. Beide Stellen sind natürlich von der Struktur bestimmt. Des Bajazzos Standesdünkel verstärkt seine Trennung von der Gesellschaft, vom aktiven Leben. Seine bürgerlichen Vorurteile ermöglichen es, daß gerade die Bürgergesellschaft auf ihn zurückwirkt, daß er seine Selbstausschließung am Ende nicht ertragen kann. Darüber hinaus verständigt sich der Autor auch hier hinter dem Rücken seines Ich-Erzählers mit dem Leser. Des Bajazzos Trennung von den banalen Menschen, Bürgern und Arbeitern, wirkt für den Leser auf Grund dieser Stellen genau so lächerlich wie sein durch nichts berechtigter Dünkel.

Diese Sozialkritik hat natürlich keine sozialistische Tendenz. Wie Nietzsche ist der Autor gegen bürgerliche Vorurteile ebenso eingestellt wie gegen den sozialistischen Glauben, durch Verbesserung der Sozialstruktur dem arbeitenden Menschen sein Glück schaffen zu können. Das Beispiel des Bajazzo soll auch zeigen, daß Gewinn an Muße keinen Gewinn an Glück mit sich zu bringen braucht. Andererseits darf der Bajazzo einmal durch seine Formulierung eine bürgerliche Selbstrechtfertigung enthüllen. Hätte er sich in die Gesellschaft eingliedern können und wollen, so hätte er sich den allgemeinen »Neid und Respekt« verschaffen können, indem seine Beschäftigung gewesen wäre, sich »als Geschäftsmann größeren Stils gemeinnützlich zu bereichern« (VIII, 123). Dem Bajazzo kann hier gestattet werden, Ironie gegen das Bürgertum zu haben, obwohl Ironie Freiheit, auch von sich selbst, bedeuten kann. Aber innerhalb der Struktur verstärkt eine gegen bürgerliche Selbstzufriedenheit gerichtete ironische Bemerkung nur die Distanz zur banalen Umwelt, an der er zugrunde geht, weil er Friedemanns und Tonio Krögers Liebe entbehrt, ohne es zu wissen.

12. »Die Satyrspiele«

Die Strukturlinien in *Tobias Mindernickel* und *Luischen* sind denen im *Bajazzo* und *Friedemann* so ähnlich, daß man sie fast als Parodien ihrer Vorgänger betrachten könnte. Tobias Mindernickel ist ein altgewordener Bajazzo. Für ihn gibt es auf Erden nichts weiter zu tun, als »vor sich nieder zu Boden« zu starren (VIII, 143). »Seine gewaltsam bürgerliche Kleidung« trennt ihn von seiner ärmlichen Umgebung, ihm fehlt »die natürliche, sinnlich wahrnehmbare Überlegenheit... mit der das Einzelwesen auf die Welt der Erscheinungen blickt.« (VIII, 142) Die Straßenkinder, die ihn verhöhnen, fühlen das. Das Ressentiment, das durch sein Unterlegenheitsgefühl aufgestaut ist, löst seinen krankhaften Machtwillen aus, den er an seinem Hund ausläßt (VIII, 146).

In Tobias Mindernickels Falle ist die Bajazzo-Strukturlinie Außenseiter-Gesellschaft, von vornherein am anderen Pol, dem der banalen Umgebung, stärker aktiviert, die Straßenkinder höhnen (VIII, 142, 144) und andere Leute lachen (VIII, 145). Die Geschichte ist in der dritten Person erzählt und der Erzähler betont den Gesichtswinkel »der Leute«, indem er Tobias Geschichte von vornherein für »rätselhaft und über alle Begriffe schändlich« (VIII, 141) erklärt und vorgibt, über Tobias Charakter nicht urteilen zu können (VIII, 143). Der Erzähler registriert hauptsächlich äußere Ereignisse, ist allerdings auch anwesend, wenn Tobias mit seinem Hund oder überhaupt allein ist. Auch hier also Wechsel der Erzählerperspektiven. Die Funktion seines beschränkten Aspekts ist wieder, daß er den »Gegenpol« unterstreicht.

Tobias hat seine Selbstachtung schon seit langer Zeit verloren, er hat sich an seinen Zustand gewöhnt. Das unterscheidet ihn von dem Bajazzo. Wichtiger ist noch eine andere Unterscheidung: er will den Gesichtspunkt, »die Welt ist traurig« (VIII, 148) als den alleinigen, so weit er es vermag, seiner Umgebung aufdrängen. Betätigung des Mitleids gibt ihm infolgedessen einen Augenblick von Sinnerfüllung und Stärke (VIII, 144.149-151). Der Gesichtspunkt »die Welt ist traurig« ist ein Teil der Struktur, eine prinzipielle Deutung der Tobias-Gestalt. Der Gesichtspunkt ist dem Bajazzo nicht eigen, aber er liegt seinem späteren Zustand des Selbstmitleids auch nicht allzu fern. Die Melancholie des Bajazzo und die Traurigkeit des Tobias ergeben zusammengesehen einen komischen Effekt im Leser, aus dem doch auch das Mitleid mit beiden Außenseitern nicht ausgeschlossen ist. Was dem Ich-Erzähler des Bajazzo an humorvoller Objektivität fehlen muß, wird durch den Erzähler in *Tobias Mindernickel* gewissermaßen nachgetragen. Die Ähnlichkeit der Strukturlinien legt es nahe, beide Erzählungen zusammenzurücken, oder, außerhalb unserer Terminologie gesprochen, die Außenseiterposition des Bajazzo und des Tobias

Mindernickel fallen nahezu zusammen, wenn man beide Erzählungen hintereinander liest.

Tobias' Mord an seinem Hund entsteht aus dem Ressentiment des Außenseiters verbunden mit dem Bedürfnis, das Leiden zur Geltung zu bringen, das Mitleid zu betätigen, das, nach Nietzsche, selbst dem Willen zur Macht entspringt.[82a] Auch in dieser Hinsicht steht der Aufwand der Philosophie Nietzsches in einem komischen Mißverhältnis zu dem kümmerlichen Tobias.

Den Anfang von *Luischen* bildet ein Absatz, der mit dem hier entwickelten Gedanken spielt, daß strukturelle Linien einer fiktiven Welt Bedeutung geben:

Es gibt Ehen, deren Entstehung die belletristisch geübteste Phantasie sich nicht vorzustellen vermag. Man muß sie hinnehmen, wie man im Theater die abenteuerlichen Verbindungen von Gegensätzen wie Alt und Stupide mit Schön und Lebhaft hinnimmt, die als Voraussetzung gegeben sind und die Grundlage für den mathematischen Aufbau einer Posse bilden. (VIII, 168).

Natürlich ist das »es gibt« im Anfang ein Spiel mit dem Leser, denn in unserer Terminologie müßte es heißen: in der fiktiven Welt von Luischen kommt eine Ehe vor, deren Anfang außerhalb ihrer strukturellen Beziehungen liegt und deshalb gar nicht in Frage steht. Daß strukturelle Beziehungen gemeint sind, wird klar durch den Hinweis auf »mathematische« Beziehungen in einer »Posse« und die willkürlichen Verbindungen, die geschlagen werden können. Dabei wird natürlich vorausgesetzt, daß die sprachliche Vergegenwärtigung sie suggestiv genug gestaltet.

Die Strukturlinie der Erzählung ist die Liebe des melancholischen Außenseiters Jacoby zu seiner schönen und banalen Frau Amra. Wenn man von den Strukturlinien im *Friedemann* ausgeht, dann fällt in *Luischen* die Hauptlinie in Friedemann, die Beziehung des Verwachsenen zu dem ihn überwältigenden Leben (Sexualität) unter Abzug seiner ästhetischen Idylle, mit der zweiten Strukturlinie der gleichen Erzählung, Friedemanns Liebe zum banalen Leben, in Jacobys Liebe zu seiner »besorgniserregenden« Frau (VIII, 169) Amra zusammen. Mit dem Bajazzo und Tobias vereinigt ihn das melancholische Außenseitertum, das allerdings wie bei Friedemann mit einem körperlichen Gebrechen zusammenhängt. Amra hat übrigens mit Gerda von Rinnlingen die kalte Art gemeinsam, mit ihrem Manne zu verkehren und ihn »Lieber Freund« (Gerda) oder »Mein Freund« (Amra) anzureden (vgl. VIII, 85 und 97 mit 174 und 179 f). Es dürfte sich erübrigen, auf Einzelheiten hinzuweisen, der Leser findet sie schnell heraus.

Der Erzähler hat wieder seinen Standpunkt außerhalb der Hauptfigur genommen, ohne dies Prinzip ganz streng durchzuhalten. Auch er weiß, was nur zwischen zwei Menschen ohne Zeugen vorgeht, er weiß, daß Jacobys Herz »von Sorge und Angst beschwert« ist, bringt dies allerdings, um seine Position zu wahren, in der Form einer Vermutung vor (VIII, 173). Wenn der Rechtsanwalt »mit einer Art schwermütiger Befremdung in das fröhliche Treiben hinein [blickt], als läge in diesem Festdunst, in dieser geräuschvollen Heiterkeit etwas unsäglich Trauriges und Unverständliches...« (VIII, 181), dann ist die beobachtende Erzählerperspektive nur noch gerade eben formal angedeutet, praktisch aber, spätestens bei dem Wort »Unverständliches« verlassen. Das ist ein ganz legitimer Vorgang, denn eine pedantische Kritik, die eine einzige, starr festgehaltene und konsequent durchgeführte Erzählerperspektive fordert, ist blind gegenüber einer Fülle von erzählerischen Reizen, die aus einer gewissen Flexibilität des Erzählers entstehen. Die beobachtende Stellung des Erzählers hat den Sinn, sowohl hier wie in *Tobias Mindernickel*, die grotesken Züge der Hauptfigur besser zeigen zu können. Die Struktur verlangt aber, daß wir in beider Innenleben eingeweiht werden.

Wie schon in *Der kleine Herr Friedemann* bemerkbar, stellt sich der Erzähler gelegentlich auf den Standpunkt der Bürgerwelt. Er kommentiert darum des Rechtsanwalts Selbstverachtung, die mit Liebedienerei kombiniert ist: »Dergleichen empört« (VIII, 170). Was von derlei Kommentaren zu halten ist, wird einmal auf komische Art deutlich gemacht, als eine Figur so charakterisiert wird: »ein Hofschauspieler von Bildung, gediegenen Kenntnissen und geläutertem Geschmack. Er liebte es, in ernsten Gesprächen Ibsen, Zola und Tolstoi zu verurteilen, die ja die gleichen verwerflichen Ziele verfolgten...« (VIII, 176). Die Funktion solcher Bemerkungen ist klar: dem Leser wird eine beschränkte Perspektive suggeriert, gegen die er sich wehren soll. Statt sich mit dem Erzähler oder mit einer Figur zu identifizieren, soll er sich auch für den Gegenpol, die banale Mitwelt der Hauptfigur interessieren. Dazu dient auch ein Satz, der an die klischeehaften Vorstellungen der Bürgerwelt erinnert und sie zugleich verspottet: »Nun war, um jedes Herz zu erfreuen, der Frühling ins Land gezogen...« (VIII, 174) Es ist offensichtlich, daß solche Klischees nur sparsam verwendet werden können, soll nicht durch Langeweile der Zweck der sprachlichen Vergegenwärtigung verfehlt werden, dem Leser die fiktive Welt der Erzählung zu suggerieren. Die Verwendung von Sprachklischees ist ein Wechsel in der Erzählerperspektive. Es ist ganz klar, daß in solchen Fällen ein schneller Wechsel erfolgen muß. Sollte ausnahmsweise ein längeres Stück Prosa aus Klischees bestehen, so wäre die Mindestforderung, daß der Autor sich mit dem Leser über den Text hin verständigte, was durch Übertreibung der Klischees geschehen kann. Dies wäre eine Anwendung zweier Perspektiven, praktisch auch ein schneller Perspektivenwechsel vom übertriebenen zum normalen (in des Lesers Erfahrung vorhandenen) Klischee. Perspektivenwechsel gehört offenbar zum Wesen der Erzählerfunktion.

13. »Der Kleiderschrank«

Die Erzählung *Der Kleiderschrank*, Juni 1899 veröffentlicht, wurde nach Ausweis des dritten Notizbuches »vom 23. bis 29. November« 1898 geschrieben,[83] also während der Arbeit an den *Buddenbrooks*. Der Untertitel lautet: »Eine Geschichte voller Rätsel« und offensichtlich ist es die Absicht der Geschichte des todesnahen Reisenden Albrecht van der Qualen, den Leser ohne Leitlinie zu lassen. »Alles muß in der Luft stehen, pflegte er zu denken, und er verstand ziemlich viel darunter, obgleich es eine etwas dunkle Redewendung war« (VIII, 153), dieser Satz findet sich gegen Anfang. Mit den gleichen Worten »Alles muß in der Luft stehen . . .« (VIII, 161) endet das kleine Werk, und durch eine Fülle von Zügen wird der Leser daran gehindert, sich zu orientieren, in dem Geschehen Sinn und Ziel zu erkennen bis zu dem Augenblick, wo das Mädchen im Kleiderschrank als Märchenerzählerin auftritt. Sofort ist eine Beziehung hergestellt. In wenigen Worten wird klar, daß das Mädchen erzählen will und nichts anderes. Schon die Verwirrung von »hereinkommen — herauskommen«, die in van der Qualens erste Anrede an das Mädchen einfließt (VIII, 159f), ist bezeichnend für den Verlust aller anderen Beziehungen und Orientierungen außer der einen des Erzählens. Das Mädchen ist freilich verlockend schön und nackt, was unirdische Entrücktheit und sexuelle Attraktion zugleich ausdrückt. Sie erzählt nur, solange sie im Rahmen jenes Kleiderschrankes ohne Annäherung von der Seite ihres Zuhörers verbleibt. Nähert er sich, läßt sie zwar alles geschehen, nimmt also nicht einmal durch Abwehr eine Beziehung mit ihm auf, sondern verstummt.

Es soll hier keine ins Einzelne gehende Interpretation gegeben werden. Soviel ist aber deutlich: Es handelt sich um eine symbolische Erzählung, hinter der die Ästhetik des jungen Thomas Mann steht. Dichtung setzt den Verlust »weltlicher« Orientierungen voraus. Darum hat sie eine Beziehung zu Leiden und Tod. Albrecht van der Qualen sind von den Ärzten nur wenige Monate Leben zugestanden worden (VIII, 153, 161). Er hilft sich, indem er sein Zeitgefühl bekämpft, ohne Uhr und Kalender lebt (VIII, 153). Als er entdeckt, daß er während einer nächtlichen Reise auch sein Ortsgefühl verloren hat, nicht weiß, in welcher Stadt er sich befindet, veranlaßt ihn das, sein Ziel aufzugeben. Die Stadt, die er betritt, ist allerdings mit Lübeck[84] identifizierbar, die Zimmer die er mietet, mit einer Schwabinger Wohnung Thomas Manns (XI, 105). Da aber Lübeck nicht an der Strecke Berlin-Rom liegt und Münchens Bahnhof keine »bescheidene Halle« hat, ist der Leser dennoch im Ortslosen, mag er auch das Holstentor erkannt haben und von der Schwabinger Wohnung wissen. Ein Fluß, den van der Qualen auf einer Brücke überschreitet, »an deren Geländer Statuen standen«, ist ihm »der Fluß«, dessen ordinären Namen er nicht weiß. Auf ihm rudert ein Mann einen langen morschen Kahn (VIII, 155). Hier also tritt in realem Gewand (Puppenbrücke in Lübeck) der Mythos auf in Gestalt Charons und seines Kahns auf dem Styx.[85] In seinem Schauspiel *Fiorenza*, für das sich erste Notizen schon vorher im dritten Notizbuch finden, kommt übrigens Charon ebenfalls mit einem »morschen Nachen« vor (VIII, 1021), was allerdings in der humanistischen Umwelt Lorenzos nicht auffällt.

Die mythische Todessymbolik hängt natürlich mit dem Verlust von Zeit- und Raumsinn zusammen. Tod und Orientierungslosigkeit sind Verlust der aktiven Menschenwelt, in gewissem Umfang auch schon die Krankheit (»Qualen«). In diesem Zusammenhang gehört eine spätere Briefstelle: »Ach, die Litteratur ist der Tod! Ich werde niemals begreifen, wie man von ihr beherrscht sein kann, *ohne* sie bitterlich zu hassen! Das Letzte und Beste, was sie mich zu lehren vermag, ist dies: den Tod als eine Möglichkeit aufzufassen, zu ihrem Gegenteil, zum Leben zu gelangen.«[86] Diese Briefstelle ist als Gegensatz gemeint zu dem Freundschaftserlebnis mit den Ehrenbergs. Sie ist nicht so einfach zu verstehen, wie es zuerst scheinen mag. Es scheint, daß mit »Tod« das erstemal der Verlust normaler Orientierungen gemeint ist, das zweitemal der organische Tod als existenzielles Ereignis. Dies war auch der Sinn der romantischen Todes-, Nacht- und Märchensymbolik (nur von den Romantikern positiver bewertet): die ästhetische Welt hat ihre eigenen Gesetze; nur, wer von der Tageswelt abzuscheiden bereit ist, gewinnt sie. Der Name des Romantikers Hoffmann fällt einmal in der Erzählung (VIII, 156), wohl nicht zufällig. An seinen Bruder Heinrich schreibt Thomas Mann noch Jahre später im Zusammenhang mit Selbstmordideen und seiner Aversion gegen eine Wiederaufnahme des Militärdienstes, er habe »die fixe Idee vom Wunderreich der Nacht im Herzen«.[87] Der nihilistische Zug der Romantik wurde ihm durch Nietzsche verstärkt.

Die Erzählung *Der Kleiderschrank* enthält eine Art von symbolischem Bekenntnis zur dynamischen Metaphysik und damit zu einer Dichtung, die sich frei von den normalen Orientierungen in der Wirklichkeit weiß, solange sie in ihrem Rahmen, den selbstgegebenen Strukturen bleibt. Der Begriff »Symbol« wird hier auf traditionelle Weise verstanden, eine Definition muß aber auf Begriffe aus einer statischen Welt verzichten. Symbol ist eine »Wirklichkeit«, das heißt, eine Erfahrung oder Vorstellung die Autor und Leser teilen, die aber von der Struktur, dem Orientierungssystem des Werkes, zusätzliche Bedeutung erhält.

Über die Entstehung der *Buddenbrooks* gibt es eine ganze Reihe von Zeugnissen, darunter verschiedene, sich zum Teil widersprechende, zum Teil ergänzende Äußerungen Thomas Manns. Der Roman *Renée Mauperin* der Brüder Goncourt sei formal vorbildlich gewesen, die Norweger Kielland und Lie hätten ihn ermutigt, den Familienstoff zu benutzen (XI, 379f; vgl. XI 550). Für die epische Breite, die das Werk einnahm, fand er Bestätigung bei Tolstoi und anderen Russen, als weitere Einflüsse werden genannt niederdeutsche (Fritz Reuter, vgl. XI, 108, 421) und englische Humoristik, Wagner und Schopenhauer, natürlich auch Nietzsche, ferner Flaubert und Ibsen (XI, 312, 550f, 554). Man gewinnt den Eindruck, daß man bei einer solchen Fülle von Lektüre nicht mehr von Einflüssen auf den Roman sprechen kann, sondern von allgemeinen Leseeindrücken in der Jugendzeit, zum Teil wohl auch aus späterer Zeit nach vorn projektiert (Flaubert, englischer Roman). Der wirklichen Autobiographie am nächsten dürfte der Bericht in »Lübeck als geistige Lebensform « kommen (XI, 379f), der sich auf das Vorbild der Komposition eines Romans aus kurzen Kapiteln in *Renée Mauperin,* das den Übergang von der Klein- zur Großform erleichtert habe, Kielland und Lie, den Vergleich mit Wagner, Tolstoi, Turgenjew und Gontscharow beschränkt. Hinzuzufügen wäre Fontanes *Effi Briest.*

Aus dem dritten Notizbuch geht hervor, daß ursprünglich eine Beziehung zur fiktiven Welt dieses Romans im *Buddenbrook*-Text selbst laut werden sollte: »Morten, als er von *Tonys Adel* spricht, bemerkt nebenbei, daß es den Namen B. als Adelsnamen gibt.« Hinzugesetzt ist: »in Pommern«.[88] Das dürfte sich ziemlich sicher auf die Figur Buddenbrook in *Effi Briest,* den Sekudanten Crampas', beziehen. Gerade *Effi Briest* zeigt, wie sich Züge und Motive nach einer Hauptstrukturlinie orientieren, die Beziehung von kindlicher, ungebändigter, liebebedürftiger Unsicherheit Effis zu der reifen gesellschaftlich sicheren Form Innstettens (die sich durch die Katastrophe zersetzt und in skeptische Unsicherheit gerät.) Die Zuordnung von Nebenzügen in *Effi Briest,* wie dem schwarzen Huhn, dem Chinesen, zu dieser Hauptlinie konnte sehr wohl ermutigend auf den Verfasser der *Buddenbrooks* wirken, der die sprachliche Vergegenwärtigung seiner Erzählungen bisher immer nahe an den Strukturlinien gehalten hatte, außerhalb unserer Terminologie gesprochen, dessen Intentionen leicht überschaubar gewesen waren und im Text selbst gedeutet wurden.

Merkwürdig ist die wiederholte Angabe Thomas Manns, er habe ursprünglich nur »die Geschichte des sensitiven Spätlings Hanno« schreiben wollen, sich »allenfalls für die des Thomas Buddenbrook interessiert« (XI, 380f, vgl. 554).[89] Das Notizenmaterial zeigt ein anderes Bild. In den Notizbüchern erscheinen zuerst Aufzeichnungen zu Christian, dann zu Hanno, dann zum alten Buddenbrook und so fort. Ein Plan von 14 Kapiteln, auf den Thomas Mann wohl in »Lübeck als geistige Lebensform« als frühen Plan anspielt (XI, 380; dort werden, wohl aus dem Gedächtnis, 15 Kapitel genannt), bezieht sich auf die Familiengeschichte in knapperer Form als der endgültige Text. Das letzte Kapitel heißt: »Der kleine Johann stirbt.« Die Hanno-Handlung ist eher weniger betont, da das Schulkapitel fehlt.[90] Auch in einem anderen frühen Plan erscheint: »Johann (stirbt früh)«.[91]

Was also bedeuten die verschiedenen Versicherungen, er habe die Geschichte Hannos schreiben wollen? Die frühesten Notizen stammen aus dem Jahre 1897. Ende Mai des gleichen Jahres hatte Thomas Mann den Brief von Samuel Fischer erhalten,[92] der ihn aufforderte, einen Roman einzusenden, und das erste Blatt der Urhandschrift trägt das Datum: Rom, Ende Oktober 1897.[93] Die frühen Notizen, wie aller Wahrscheinlichkeit nach auch der frühe Kapitelplan, stammen aus dem Palestrina-Sommer 1897. Viel Gelegenheit für eine umstürzende Änderung der Komposition war nicht vorhanden. Vielmehr deuten alle schriftlichen Unterlagen darauf hin, daß der Roman als Familienroman der vier Generationen mit dem Hauptgewicht auf der dritten geplant wurde.

Die einzige Lösung dieses Rätsels scheint mir zu sein, daß eine Hanno-Novelle im Stadium der Erwägung war. Thomas Mann könnte den Entwicklungsgang eines jugendlichen Dekadenzkünstlers mit teilweise autobiographischen Tendenzen im Auge gehabt haben. Im ersten Notizbuch findet sich eine Liste von Novellenplänen aus der ersten Münchener Zeit, darunter auch eine mit dem Titel: »Um die Kunst«. Eine andere sollte »Der Bureaudichter« heißen, was damals (1894, zur Zeit der Tätigkeit bei einer Feuerversicherung) offensichtlich eine autobiographische Absicht bezeichnete.[94] Zwischen *Buddenbrooks*-Notizen erscheinen Ende 1898 die Aufzeichnung zweier Einfälle zu einer geplanten »Redaktionsnovelle«. In einem von ihnen spielt ein »Autor« eine Rolle, der auf Unverständnis stößt.[95] Auch hier spielen eigene Erlebnisse aus der Zeit der Anstellung beim Langen-Verlag und der Simplicissimus-Redaktion hinein. Aufzeichnungen zum *Tonio Kröger* finden sich aus einer Zeit, in der die *Buddenbrooks* noch nicht vollendet waren. Zeitweise scheint der Titel »Literatur« für die Erzählung geplant gewesen zu sein.[96] Von 1894 bis zu *Tonio Kröger* sind also Pläne zu verfolgen, die eine Erzählung mit einem Autor im Mittelpunkt und mit autobiographischen Bestandteilen im Auge haben. In diesem Rahmen könnte, bevor Samuel Fischer einen Roman haben wollte, eine Hanno-Novelle geplant gewesen sein. Die Hauptfigur sollte vielleicht herauswachsen aus einer Familie, in der ein Bajazzo-Typ (Christian) und ein »skeptisches Individuum« als erfolgreicher Kaufmann (Schilling im *Bajazzo*, Thomas Buddenbrook, solange er aufsteigt) als Typen in ähnlicher Weise eine Rolle gespielt haben könnten wie die Eltern des *Bajazzo,* die ihm eine Entscheidung zwischen ihnen nahelegten. Beide Typen hatten verschiedene Formen des Verhaltens verdeutlicht, wie jemand, mit oder ohne Reflexion, skeptisch überzeugt von der Sinnlosigkeit des Daseins sich zur Gesellschaft verhalten kann. Daß Züge des *Bajazzo,* der Raum Lübeck, die Kaufmannsfamilie, Hannos Puppentheater, mit dem beide ganz allein Vorstellungen geben (VIII, 109f vgl. mit I, 534) und Christians Imitationstalent (vgl. VIII, 118 mit I, 264) im Roman wiederkehren, ist offensichtlich. Das Verhältnis des Literaten im Mittelpunkt der vermuteten ursprünglichen Hanno-Novelle zur Gesellschaft wäre also die leitende Strukturlinie gewesen. So ist es auch in *Tonio Kröger.* Die Novellentitel »Bureaudichter« und der mißverstandene Autor in einer Redaktionsnovelle weisen in die gleiche Richtung. Die Entwicklung der Buddenbrooks-Intention ließ das Bedürfnis nach einer autobiographischen Literaturnovelle unbefriedigt, das dann noch während der Arbeit an den *Buddenbrooks* in die Pläne zur »Redaktionsnovelle« und danach in *Tonio Kröger* überging.

Für die Vermutung eines Hanno-Novellenplans spricht die bereits angeführte Stelle aus der Buchbesprechung »Ein nationaler Dichter« aus dem *Zwanzigsten Jahrhundert.*[97] Dort war unter Anlehnung an Bourgets *Kosmopolis* von »entarteten Spätlingen« die Rede, »deren Väter einst wahre Arbeit verrichteten und sie ihren Söhnen überlieferten, damit sie an derselben Stelle ihre eigene Leistung hinzufügten«. Die Buchbesprechung wurde im Juni 1896 gedruckt, weit vor dem Frühsommer 1897, aus dem die *Buddenbrooks*-Konzeption stammt. Wie in anderen Artikeln hat er in der Einleitung etwas kaum zur Sache Gehöriges ausgebreitet, das ihn beschäftigte. Das Interesse liegt primär auf den Spätlingen, von ihnen aus richtet sich der Blick auf die Familien. Die Spätlinge sind »skeptische ästhetisierende Genußmenschen«, mit diesem Ausdruck ist offensichtlich nicht das Knabenalter Hannos gemeint. Daß Thomas Mann vor den *Buddenbrooks,* genau gesagt, vor der Aufforderung Fischers, einen Roman zu schreiben und seiner Lektüre von *Renée Mauperin* in Rom, nur an Novellen dachte, hat er selbst so ausführlich dargestellt, daß es sehr glaubhaft klingt (XI, 379f).

Die Belege für die Vermutung einer solchen Hanno-Novelle reichen nicht aus, sie von dem spekulativen Charakter zu befreien. Als Tatsache kann gelten, daß der *Tonio Kröger* seine Wurzeln in solchen oder ähnlichen Plänen hatte und daß die mehrfach wiederholte Angabe Thomas Manns, er habe ursprünglich die Geschichte Hannos schreiben wollen, in dem Augenblick schon keine Geltung mehr hatte, als der Roman geplant wurde. Mag der Vorgang auch im einzelnen anders gewesen sein, vielleicht schwankender, wir werden dennoch von den Strukturlinien in den Erzählungen des Lübeck-Lerchenberg-Komplexes ausgehen müssen, um die Struktur der *Buddenbrooks* zu verstehen.

Die Strukturlinien der Lübeck-Lerchenberg-Erzählungen waren Varianten der Beziehung des Außenseiters zur banalen bürgerlichen Gesellschaft. Dabei war der Außenseiter durch Existenzunsicherheit charakterisiert; der Außenseiter verfügte dafür über die Intelligenz des Durchschauens, während der banale Bürger beschränkt, wenn auch tüchtig war. Diese Beziehung war eine Spannung zwischen zwei Polen, die sich in verschiedener Weise auswirkte: im Falle Friedemanns wurde sie durch seine Liebe zum Banalen ergänzt, im Falle Jacobys von seiner Liebe mühsam überbrückt bis zur Katastrophe, im Falle des Bajazzo durch seine Verachtung und seinen Haß begründet, im Falle von Tobias durch den Hohn der Gesellschaft demonstriert. Die leitende Strukturlinie der Buddenbrooks entsteht aus der Umwandlung dieser bestehenden, vorausgesetzten Spannung in die Darstellung ihrer Entwicklung. Die Familiengeschichte ist die Geschichte des graduellen Verlustes selbstverständlicher Orientierungen, verbunden mit dem Gewinn an existentieller Unabhängigkeit, der wiederum nur die positive Seite einer bedenklichen Abnahme an existentieller Sicherheit ist. Aus tatkräftiger Selbstsicherheit wird am Ende hoffnungslose Einsicht in die Sinnlosigkeit der eigenen Existenz. Dieser Vorgang wird strukturell, also ein Gesetz für die Darstellung, indem er als notwendiger Prozeß gefaßt wird, und das wiederum geschieht, indem ihm die Form eines scheinbar naturwissenschaftlich faßbaren Vorganges gegeben wird, der biologischen Dekadenz. Das (durchaus fiktive) Gesetz lautet: Gewinn an geistiger Beweglichkeit wird erkauft durch Verlust an Vitalität. Dieses Gesetz ist als durchgehend wirksam gedacht, es wirkt also auch schon in der »guten« Zeit der Familie. Nur deshalb kann man ihm strukturellen Charakter zuerkennen.

Die naturwissenschaftliche Notwendigkeit ist nicht die einzige, die daran mitwirkt, die Strukturlinie dem Leser als Gesetz zu suggerieren. Eine andere ist einfache Fatalität. Die bekannte Stelle am Anfang, wo über die Vorbesitzer des Hauses, die Familie Ratenkamp, diskutiert wird, ist ein deutliches Beispiel. Ratenkamp wehrte sich nicht gegen den Ruin, »damit das Schicksal erfüllt würde« (I, 25). Bei den Buddenbrooks verkörpert Tony den Familienzusammenhang in der dritten Generation. Eine frühe Aufzeichnung lautet:

Der ausgeprägte Familiensinn hebt den freien Willen und die Selbstbestimmung beinahe auf und macht fatalistisch. Antonie sagt: Mein[en] Hang zum Luxus habe ich von meiner Mutter ererbt, die ihn wieder von ihrer Familie hatte. Sie kann nichts dafür. Sie akzeptiert ihre Eigenschaften ohne den Versuch, sie zu korrigieren. So bin ich einmal. So bin ich notwendig geworden. Sie betrachtet eine Eigenschaft, gleichviel welcher Art, als etwas, wovor man Respekt haben muß... Jede Eigenschaft ist ehrwürdig, denn es ist eine Tradition, ein Erbstück.[98]

Tony vertritt im Roman tatsächlich diesen fatalistischen Familiensinn, der ihr Sicherheit gibt, die ihren Brüdern versagt ist. Immerhin steht sie auch einmal am Rande der Rebellion, ihre Liebe zu Morten Schwarzkopf wird zum Opfer auf dem Altar des Familiengötzen.

Dieses Opfer ist ein Abschnitt in einer parallelen Strukturlinie, die eine Art von Begründung gibt für den graduellen Verfall der Familie an Existenzunsicherheit: die Buddenbrooks schließen die Liebe aus ihren Beziehungen aus, teils durch Konventionen veranlaßt, teils auch aus eigener innerer Notwendigkeit, die einfach strukturell ist, also nicht bei der Vorstellung eines Naturgesetzes borgt.

Beide Strukturlinien, wozu dann noch die Beziehung auf den religiösen Horizont und der Hintergrund in Raum und Zeit kommt, werden in den folgenden Abschnitten abgehandelt.

Zu erwähnen ist ein wesentliches Gestaltungsmoment, das man in einem mehr äußeren Sinne ebenfalls zur Struktur rechnen könnte: der Roman erzählt in chronologischer Reihenfolge, die Thomas Mann durch Aufstellung von Datenlisten abzusichern suchte.[99] Der zeitliche Ablauf, eine zeitweise Annäherung des Erzählers an eine Chronistenfigur, betont ebenfalls die Unabänderlichkeit des Geschehens. Zugleich verhüllt das chronologische Erzählen die Willkürlichkeit der Strukturlinie. Die chronologische Erzählweise ist im Rahmen unserer Terminologie, die den Begriff »Struktur« als deutendes Orientierungssystem faßt, ein *Ausdruck* der Struktur, gehört also zur sprachlichen Vergegenwärtigung.

Die Erzählerperspektive in den *Buddenbrooks* wechselt zwischen intimer Kenntnis der Gedanken und einer beschränkten Beobachterperspektive. Das ist gleich im Anfang deutlich, wo der Erzähler durch Wiedergabe wörtlicher Reden und durch Beschreibungen mancher Einzelheiten eine Beobachter-Perspektive einzunehmen scheint, sie aber gleich wieder verläßt, indem er Tonys Gedanken an die Jerusalemsberg-Schlittenfahrt wiedergibt. Des alten Buddenbrook Gedanken kann er bald darauf aber nur noch vermuten, Johann senior hat »wahrscheinlich« Tony nur examiniert, um über den Katechismus spotten zu können. Der Zweck dieses Wechsels ist klar: der Leser soll Zeuge des Milieus werden, er soll besonders die dritte Generation intim kennenlernen, der alte Buddenbrook dagegen ragt aus einer anderen Zeit in die Geschichte hinein, an ihm soll der Leser nicht im gleichen Sinne teilnehmen.

Einen scherzhaften Gebrauch des Perspektivenwechsels beobachten wir in der Weise, wie die Senatswahl dargestellt wird. Der Erzähler nimmt die Perspektive des wartenden Volkes an und konzentriert die Aufmerksamkeit des Lesers auf eine Gruppe von zwei Arbeitsleuten und einer verschleierten Dame im Abendmantel, deren Gedanken er sehr bald wiedergibt. Obwohl der Leser sehr schnell aus diesen Gedanken errät, wer sie ist, besteht der Erzähler doch darauf, seine Aus-

senseiterperspektive scherzhaft durch die Bezeichnung »Dame« festzuhalten. Gegen Ende unterscheidet er nicht zwischen seiner und der
Perspektive Tonys, wenn Thomas »wahrhaftig ein bißchen bleich« genannt wird (I, 413-417).

Diese Bemerkung, ein kurzes vorhergehendes Gespräch Thomas
Buddenbrooks mit Tony (I, 411) und sein lächelnder Blick auf die
Fassade des Rathauses am Ende seines Selbstgesprächs an der Leiche
seines Onkels (I, 277) ist alles, was wir von Thomas' Gefühlen anläßlich der Senatswahl von demselben Erzähler erfahren, der dem Leser
doch sonst (besonders in dem eben erwähnten Selbstgespräch) tiefe Einblicke in Thomas Buddenbrooks Gedanken gönnt.

15. Die leitende Strukturlinie:
Bürgerlichkeit, Dekadenz und Ästhetizismus

Aus den Notizbüchern geht hervor, daß Morten Schwarzkopf in
den späteren Partien der *Buddenbrooks* noch eine Rolle als Kommen-
tator hätte spielen sollen. Als Arzt hätte er über Degenerationser-
scheinungen Bescheid gewußt:

Dr. Schwarzkopf über Degenereszenz und Adelsfamilien. Weit schnellerer
Verfall der Kaufmannsfamilien.

Morten über Lübeck: Kreuzheiraten. Degeneration von Adels- und Kaufmannsfamilien. Unsittlichkeit. Zu geizig und dumm zum Genuß.[100]

Morten hat zu sagen, daß, als der Senator scheinbar auf seinem Höhepunkt
stand, er in Wirklichkeit schon darüber hinaus war.

Seine Activität ist niemals, wie bei seinen Vätern, Natur, sondern immer
etwas Künstliches, Nervöses und darum Aufreibendes gewesen. Ein Betäubungsmittel.[101]

Die ersten beiden Kommentare Mortens vereinigen physiologische
mit soziologischen und psychologischen Gesichtspunkten. Es soll ein
Gesetz festgestellt werden, zu dem dann die Geschichte der Buddenbrooks in ein Verhältnis gebracht werden könnte. Wir haben den
Wahrheitsgehalt dieser theoretischen Möglichkeiten nicht zu diskutieren. Es genügt, festzustellen, daß der biologische Prozeß »Degeneration« hier zwar als notwendiges Gesetz, aber nicht rein unter natur-
wissenschaftlichem Gesichtspunkt gesehen wird. Die dritte Notiz ist
überwiegend individuell-psychologisch, nur das Wort »Nervöses« hat
einen physiologischen Aspekt. Im Rahmen des Werkes liegt Mortens
Kommentar ganz nahe bei der Strukturlinie. Die Begriffe »Natur«
und »etwas Künstliches« bezeichnen den Gegensatz zwischen einer
Existenz, die an die einfache Gegebenheit, die »Natur« ihrer Orientierungen glaubt und einer, die skeptisch geworden ist, wie Thomas
Buddenbrook, der seine Aktivität als »Sinn für Poesie« (I, 276) auffaßt, dessen Überlegenheit über seine Mitbürger in der Fähigkeit be-

steht, »im Spiele zu arbeiten und mit der Arbeit zu spielen« (I, 610). Bedeutsam ist es, daß der Autor es gerade Morten gestatten wollte, nahe an eine Deutung der Existenz Thomas Buddenbrooks zu rühren. Morten war ja ein Opfer des Liebesverzichtes der Buddenbrooks und zwar, im Gegensatz zu Tony oder Anna Iwersen, ein intelligentes Opfer, das sich durch eine etwas boshafte Intelligenz wehren konnte.

Thomas Buddenbrook ist der Zielpunkt der Entwicklungslinie, ein gut Teil der Entwicklung verläuft in seinem Charakter. Es bedarf daher nur eines Hinweises auf die beiden älteren Buddenbrooks. Der alte Johann ist ein religiöser Skeptiker, er verläßt sich nicht auf »Gottes Hilfe«, wenn eines seiner Schiffe bei Sturm unterwegs ist (I, 45). Das wird als ein Zeichen der Stärke dargestellt, es ist, von Habitus und Kleidung des Alten unterstrichen, mit Nietzsche zu sprechen, gutes achtzehntes Jahrhundert. Goethes Gespräche werden für seine Ansichten benutzt.[102] Seine Orientierungen als Bürger sind klar, seine Handlungen sicher. Seines älteren Sohnes Versuch, ihn bei einem christlichen Gewissen zu packen, quittiert er kurz und unsentimental: »diese fromme Geldgier« (I, 48).

Johann Buddenbrook junior hat demgegenüber das Bedürfnis, sich zu bestätigen, »wie immer und in aller Gefahr Gottes Hand ihn sichtbar gesegnet« (I, 54). Sein religiöses Bedürfnis widerspricht seiner bürgerlichen Jagd nach dem Vorteil, ohne daß dieser Widerspruch ihm voll bewußt ist. Beispiele dafür werde ich unten im Zusammenhang mit dem religiösen Horizont des ganzen Werkes geben, wo ich noch einmal auf den Konsul zu sprechen kommen muß. In diesem Zusammenhang ist weniger wichtig, daß seine Religiosität auch eine Karikatur ist, sondern eher, daß sie als ein Zeichen für beginnende Existenzunsicherheit gewertet werden muß. Denn die religiöse Tradition war spätestens bei seinem Vater schon abgerissen. Des Konsuls Religiosität ist bewußt gewählt aus einem Bedürfnis nach Selbstrechtfertigung.

Das gilt noch mehr für die Bemühungen der Konsulin, nach dem Tode ihres Gatten in Unternehmungen, wie dem Jerusalemsabend, Christlichkeit zu praktizieren, die nicht eines satirischen Charakters entbehren, denn die Konsulin ist »Weltdame« geblieben (I, 280). Es ist eine Art Selbstzweck, der von der christlichen Liebe der Schwestern Gerhardt absticht und der Spuren von Falschheit an sich hat, fast mehr noch als des Konsuls Pseudoreligiosität, die sich wenigstens hauptsächlich auf ihn selbst beschränkte. Die weltanschauliche Fragwürdigkeit nimmt zu.

Die Brüder Christian und Thomas Buddenbrook sind von dieser Pseudoreligiosität nicht mehr berührt. Christian, weniger beherrscht als sein Bruder, zeigt schon ganz früh neurotische Symptome der Existenzunsicherheit, die übrigens die ersten Züge sind, die sich in den Buddenbrook-Notizen finden.[103] Die Phantasievorstellung, er könne einen Pfirsichkern verschlucken, beherrscht ihn einen Moment lang völlig (I, 70). Sein bajazzohaftes Nachahmungstalent war schon gleich zu Anfang hervorgetreten (I, 17). Beides beherrscht ihn sein Leben lang. Er selbst zu sein, wagt er nicht.

Thomas Buddenbrooks künstliche, ästhetische Existenz ist schon an seinem Geschmack für »gewisse moderne Schriftsteller satirischen und polemischen Charakters« (I, 236) zu erkennen, der in der Stadt Erstaunen erregt, auch an seiner »kleinen Neigung zum Katholizismus« (I, 653; vgl. 308); sie wird im Roman gedeutet in dem Selbstgespräch Thomas Buddenbrooks an der Leiche seines Onkel Gotthold, wo er dessen Existenz mit der seinen vergleicht. Er fühlt sich überlegen über diesen Familienrebellen, obwohl er der Rebellion selbst nicht seine Achtung versagt. Was er sich zutraut, ist der schon erwähnte »Sinn für Poesie«, andere Ausdrücke für seine ästhetische Existenz sind »Phantasie«, »Schwungkraft« und »Idealismus, der jemanden befähigt, mit einem stillen Enthusiasmus, süßer, beglückender, befriedigender als eine heimliche Liebe« für die Ehre einer Firma und einer Familie einzutreten (I, 276). Er spielt auf seinen Liebesverzicht an, gleich am Anfang seiner Reflexion kommt er darauf, er hätte »einen Laden geheiratet«, wäre er so wie Onkel Gotthold, also ein offener Familienrebell gewesen. Er ist ein heimlicher, denn mit dem Satz: »Alles ist bloß ein Gleichnis auf Erden« (I, 277), hat er still und im Geheimen, aber mit mehr Entschiedenheit als Onkel Gotthold, die Welt der Bürger, ihr für selbstverständlich gehaltenes Orientierungssystem (»Natur«) verlassen. Er spielt den Bürger nur als Rolle.

Der »Zehnte Teil« des Werkes, der mit des Senators Begräbnis endet, beginnt mit einem Erzählerbericht über häufige Reflexionen Thomas Buddenbrooks, »wenn die trüben Stunden kamen«. Diese Stelle nimmt durch die Wortwahl Bezug auf die Reflexion an der Leiche Onkel Gottholds. Seine ästhetische Existenz, »mit einem halb ernst, halb spaßhaft gemeinten Ehrgeiz nach Zielen zu streben, denen man nur einen Gleichniswert zuerkennt« (I, 610) ist gescheitert; einerseits ist die Nervenkraft verbraucht (das biologische Moment), andererseits bedrückt ihn (wie den Bajazzo) die Endgültigkeit seiner Lage, nicht einmal Bürgermeister seiner Stadt kann er werden, im Grunde aber ist es das Gefühl der Bodenlosigkeit seiner Existenz, das die Oberhand gewinnt: »In ihm war es leer« (I, 612). In diesem Zusammenhang wird die ursprünglich für Morten vorgesehene Notiz verwendet: »Sein Tätigkeitstrieb aber, die Unfähigkeit seines Kopfes, zu ruhen, seine Aktivität, die stets etwas gründlich anderes gewesen war als die natürliche und durable Arbeitslust seiner Väter: etwas Künstliches nämlich, ein Drang seiner Nerven, ein Betäubungsmittel im Grunde« (I, 612), diese Aktivität war zum pedantischen und leeren Kreislauf geworden. Hanno ist es vorbehalten, das Maskenspiel der Rolle seines Vaters, dieser »furchtbar schwierigen und aufreibenden Virtuosität« (I, 627) zu durchschauen.

In dieser Lage ist die strukturelle Entwicklungslinie gewissermaßen zur Ruhe gekommen, Hanno ist nur ihr Schlußpunkt, nicht ihre Fortsetzung. Wie in den Außenseitererzählungen richtet sich die Strukturlinie wieder auf den banalen Mitbürger. An ihm kann sich Thomas Buddenbrook orientieren: er fragt sich, was ihn noch berechtige, »sich auch nur ein wenig höher einzuschätzen als irgendeinen seiner einfach veranlagten, biderben und kleinbürgerlich beschränkten Mitbürger« (I, 610). Er könnte in die bürgerliche Gesichertheit zurückfallen, aber daran hindert ihn seine Intelligenz. Es gilt ja die strukturelle Deutung, daß Intelligenz zum Außenseiter macht, weil Intelligenz gleichbedeutend sein soll mit der Einsicht in die Bodenlosigkeit überhaupt.

Der biologische Verfall ist das äußere Zeichen für die innere Fragilität Thomas Buddenbrooks.[104] Sie kommt auch ins Spiel, um seinen Versuch, das Bürgertum als Rolle zu spielen, im Gleichnis zu leben, an körperlicher Verbrauchtheit scheitern zu lassen, womit einerseits angedeutet werden soll, es verbrauche viel Kraft, sich über dem Bodenlosen selbst zu halten; andererseits aber erhält die Entwicklungslinie, die von der bürgerlich-gesicherten zur ästhetisch-fragilen Existenz führt, durch seinen körperlichen Verfall und seinen frühen Tod die symbolische Richtung auf den Tod, die dann durch Hanno bestätigt wird, der nahezu aus freiem Entschluß stirbt.

Tod und Kunst gehören zusammen: Hanno Buddenbrook stirbt mindestens ebensosehr an seinen Tristan-Phantasien auf dem Klavier wie am Typhus (I, 747-750, vgl. 744 Hanno zu Kai: »...ich kann es nicht lassen, obgleich es alles noch schlimmer macht« und I, 746, Kai zu Hanno: »Sei nicht verzweifelt ... und spiele lieber nicht!« vgl. auch I, 702) Dies gilt überdies nur für Hanno, der den Schlußpunkt der Buddenbrook-Linie setzt, nicht für seinen Freund Graf Mölln, der schreiben will und »lustiger« ist (I, 743). Er vertritt gewissermaßen den lebendigen Künstler, Hanno Buddenbrook mehr dessen symbolische Bedeutung. Die Figur Kai Graf Mölln erinnert leise an die Grenze des Geltungsbereiches der Strukturlinie.

Der Tod besiegelt die Notwendigkeit der strukturellen Entwicklungslinie. Der Tod ist das Ziel des biologischen Verfalls, er hat aber ebensosehr die symbolische, romantische Bedeutung, wie sie in der Erzählung *Der Kleiderschrank* erschien.

Thomas Buddenbrook sollte zuerst Johann Peter heißen.[105] »Thomas« bedeutet Zwilling und es liegt nahe, daß Thomas Mann das wußte. An einer Stelle der Notizen vermerkt er »Thomas = griechisch Didymos«, ohne die deutsche Bedeutung hinzuzufügen.[106] Die beiden Brüder Buddenbrook verbindet die geheime Verwandtschaft der unbürgerlichen, ästhetischen Außenseiterexistenz. Thomas analysiert Christians ästhetische aber undichterische Art einmal gegenüber Tony (I, 264-266), wobei er auch die Ähnlichkeit mit seinen eigenen Anlagen kurz andeutet. Gerda hat die Ähnlichkeit der Brüder in dieser

Hinsicht entdeckt und der Leser erfährt dies in einer kleinen Szene, deren Reiz darin besteht, daß Tony, der Thomas den Ausspruch seiner Frau erzählt, nicht versteht, daß man nicht nur Christian, sondern auch Thomas als Nichtbürger ansehen könne (I, 451). Die ästhetische Existenz der Brüder wird deutlich gemacht auf dem Hintergrund der naiven Art der Schwester: es herrscht eine strukturelle Beziehung zwischen Tonys Naivität, ihrer »glückseligen Schauspielerei«, wie die unreflektierte Selbstdarstellung in der oben mitgeteilten Beobachtung aus dem zweiten Notizbuch genannt wurde, ihrer Fähigkeit, alle Orientierungen, die sie braucht, aus der Familientradition zu empfangen, und dem selbständig gewordenen Bewußtsein der Brüder, die ihre verschiedenen Rollen, die würdige und die unwürdige, im Bewußtsein ihrer Bedrohtheit vom Sinnlosen spielen. Beiden fällt das »naive Hervortreten« von Gefühlen und die damit verbundene Selbstdarstellung bei ihrer Schwester auf, und sie fühlen sich peinlich berührt (I, 259 f).

Christian flieht vor sich selbst in die Bajazzorolle und gibt sich der Beobachtung seiner Gefühle hin, er hält es nicht für nötig, sich in Zucht zu halten. Thomas' Selbstkontrolle hindert es, daß sein Wissen um die Fragwürdigkeit seiner Rolle hervortritt. Einmal, in der großen Szene zwischen den Brüdern, nach dem Tode ihrer Mutter, gelingt es Christian für einen kurzen Augenblick, Überlegenheit zu gewinnen. Das bringt Thomas dazu, einzugestehen, daß Christians »Sein und Wesen eine Gefahr« für ihn ist, daß er sich selbst hat davor bewahren müssen, ein Bajazzo zu werden. Die Worte: »Ich spreche die Wahrheit« (I, 580) fügt er seinem Selbstbekenntnis ungewöhnlicherweise hinzu. Denn auch Christian hatte die Wahrheit getroffen, als er Thomas »selbstgerecht« nannte, ihm vorwarf, sein Gleichgewicht sei ihm so wichtig, das »vor Gott nicht die Hauptsache« sei, ihm fehle »Mitleid und Liebe und Demut« (I, 579). Hier wird der religiöse Horizont einbezogen und die leitende Strukturlinie mit der parallelen Linie verknüpft, die auch einen Schlüssel für Thomas Buddenbrooks Existenz liefert: das Thema des Liebesverzichtes.

In der gleichen Szene bricht zwischen beiden ästhetischen Typen ein tragikomischer Wettstreit um die Priorität im Tode aus. Christian hat sich so der Selbstbeobachtung ergeben, seine Leiden so kultiviert, daß er auch seinen Tod als bemitleidenswertes Ereignis vor Augen sieht:

»Nein, du wirst auch keine Träne vergießen, wenn ich sterbe.«
»Du stirbst ja nicht«, sagte der Senator verächtlich.
»Ich sterbe nicht? Gut, ich sterbe also nicht! Wir werden ja sehen, wer von uns beiden früher stirbt!« (I, 578f)

Als dieser Wettstreit entschieden ist, beugt sich Christian (I, 687). Diese Szene bezieht sich offensichtlich auf die zitierte aus dem Streit der Brüder. Christians andersartige, bajazzohafte ästhetische Existenz verdeutlicht die seines Bruders und umgekehrt. Die scherzhafte Symbolik hinter diesem Vorgang ist, daß der Bajazzoexistenz, obwohl sie ästhetisch ist, die Würde des Todes versagt ist. Christian stirbt tatsächlich nicht, er überlebt den Roman in der Anstalt, er wird durch einen tragikomischen Ersatztod aus der Handlung entfernt.

Der Tod des Senators ist häßlich. Er greift seine ästhetische Existenz an. Vorbereitet durch Schopenhauer-Nietzsche unterliegt er der gleichgültigen Macht ähnlich wie der kleine Herr Friedemann von der Macht des Lebens zerstört wurde. Es ist bezeichnend für das strukturelle Verhältnis zwischen Thomas und Christian, wenn letzterer auf die Nachricht vom Sturz seines Bruders hin, um dem häßlichen Anblick zu entgehen, sich unauffindbar macht (I, 686). Dies betont die Grausigkeit der Umstände dieses Todes und Christians Furcht vor einer Offenbarung der Sinnlosigkeit des Daseins, die ihn selbst beherrscht.

Thomas Buddenbrooks Sterben schließt die Reihe der zunehmend schwerer werdenden Todeskämpfe in der Familie eigentlich ab. Das Symbol des Todes weist von Anfang an auf das »Außerordentliche« hin, das zur Auflösung führen wird. Als zum ersten Mal in dem neuen Hause ein Familienmitglied stirbt, berichtet der Erzähler: »Etwas Neues, Fremdes, Außerordentliches schien eingekehrt, ein Geheimnis, das einer in des anderen Augen las; der Gedanke an den Tod hatte sich Einlaß geschafft und herrschte stumm in den weiten Räumen« (I, 71). Damit beginnt ein Motiv, eine Reihe von Szenen: der verhältnismäßig leichte Hinübertritt der beiden Alten, während die Familie ihr Bett umsteht (I, 72 f), der Eingriff einer fremden Macht aus der Atmosphäre, die den Konsul aus dem Kreise der zu harmlosen Vergnügen bereiten Buddenbrooks reißt (I, 247-249), der Lebenswille im Todeskampf der Konsulin (I, 555-568), das alles läuft auf Thomas Buddenbrooks Tod zu, dem eine fremde »unwiderstehliche Kraft« (I, 680) in den Schmutz der Straße wirft und dessen schwerer Todeskampf wie zum Hohn ohne sein Bewußtsein vor sich geht, das Thomas Buddenbrook sein Leben lang in der Gewalt hatte. Sein schmutziges Ende ist »ein Hohn und eine Niedertracht« (I, 681) nach Gerdas Meinung, die ihre eigene ästhetische Existenz bedroht sieht und sich distanziert. Nach Meinung der Stadt sterbe man nicht an einem Zahn (I, 688). Thomas Buddenbrooks nervöse Verbrauchtheit stößt auf Unverständnis. Sein Tod offenbart ihn als Außenseiter, er enthüllt die Wahrheit seines Lebens, die er klug zu verbergen getrachtet hatte (vgl. I, 344). Er enthüllt vor allem die Sinnlosigkeit, über die sich sein tapferes aber auch fragwürdiges und fragiles Rollenspiel erhoben hatte. Eben das war ja das Wesen seiner ästhetischen Existenz, seines Lebens im Gleichnis gewesen, das insofern immer schon mit dem Tode zu tun hatte. Thomas Buddenbrooks schmutziger Tod, der seine ästhetische Existenz mit der Sinnlosigkeit konfrontiert, läßt durch den Kontrast und durch den Gegensatz zu seinem davonlaufenden Bruder aber auch die Würde seiner Rolle, seines ästhetischen Lebens im Gleichnis aufleuchten, seinen tapferen Lebensversuch; er machte sich selbst zum Material eines Kunstwerkes, das die Bürgerfamilie Buddenbrook krönen sollte.

Um der Klarheit willen, möchte ich das bisher zur leitenden Strukturlinie der Buddenbrooks Gesagte zusammenfassen: Sie führt von einem Vertreter starken Bürgertums, der sich durch heitere Skepsis gegenüber den letzten Dingen nicht die Orientierung der eigenen Stellung in Leben und Beruf verwirren läßt, zu ästhetischen Existenzen, die ihrem Bürgerdasein entweder keinen oder nur einen Gleichniswert zuerkennen und die zuletzt von der Sinnlosigkeit übermannt werden. Hannos liebenswerte Hoffnungslosigkeit setzt den Schlußpunkt. Ihm hat »die Schönheit ... den Mut und die Tauglichkeit zum gemeinen Leben verzehrt« (I, 702). Seine Liebebedürftigkeit weist auf die Parallelstruktur hin. Die leitende Strukturlinie erhält durch Fatalismus, biologischen Verfall und das Todesmotiv eine fiktive Notwendigkeit.

Diese Auffassung der Struktur widerspricht einer weit verbreiteten Interpretation. Es ist ganz klar, daß kein allgemeiner Verfall, weder ein Verfall der Bürger von Lübeck, noch des Bürgertums überhaupt in den *Buddenbrooks* dargestellt wird. Die Entbürgerlichung der Buddenbrooks geschieht vielmehr vor dem Hintergrund der durchaus unbeirrten und existenzsicheren Normalbürger. Die Umwandlung der Strukturlinie hat die alte Beziehung des Außenseiters zum banalen Normalbürger nicht außer Kraft gesetzt. Sie besteht weiter und wird vornehmlich durch die Beziehung der Buddenbrooks zu den Hagenströms demonstriert. In dem Vortrag »Meine Zeit« von 1950 gibt Thomas Mann eine Erinnerung aus der Zeit der Abfassung der *Buddenbrooks* wieder. Ein Künstlerfreund habe ihn nach seinem Tun gefragt und er habe geantwortet: »Ach, es ist langweiliges, bürgerliches Zeug, aber es handelt vom Verfall, — das ist das Literarische daran.« Thomas Mann sucht in den folgenden Worten, diese Äußerung etwas an die verbreitete soziologische Deutung des Romans anzupassen, er habe »ohne eigentliches Bewußtsein« von einer »weit größeren kulturell-sozialpolitischen Zäsur gekündet« (XI, 313). Gerade das zeigt an, daß die soziologische Deutung dem Werk nachträglich beigegeben wurde. Das »Literarische« kann eine Zeitmode sein, und vielleicht hatte Thomas Mann diese Bedeutung im Auge, als er mit dem Münchener Künstler sprach. Er hatte darum nur den Hebel gemeint, mit dem seine vielfältige Familienwirklichkeit in das faßbar Fiktive übertragen wurde. Aber er hat sich nicht auf die augenblickliche Konvention literarischer Mode verlassen, sondern das Verfallsthema benutzt, um der sprachlichen Verwirklichung des Familienromans eine zwingende, suggestive Orientierung zu geben. So ist das Verfallsthema Teil der Struktur des Werkes geworden, zwar »etwas Geistiges«, aber gerade nicht, wie Thomas Mann meinte, etwas »Allgemeingültiges« (XI, 313).[107]

73

Erschüttert von des Senators Tod ist die naive Tony, die ihren Bruder liebte. Freilich unterscheidet sie nicht zwischen der Person und der Rolle des Senators und darum geht ihr Weinen unmittelbar über in die Gedanken an vornehme Todesanzeigen, die Umstände des Leichenbegängnisses und arrangierte Abschiedsszenen. Inmitten dieser Aktivität gibt es eine Szene menschlicher Berührtheit. Thomas Buddenbrooks einstige Geliebte, das Blumenmädchen Anna, mit Spuren früheren Reizes und, wie üblich, guter Hoffnung, hat den Wunsch, die Leiche zu sehen, sie »schluchzte einmal — ein einziges Mal — ganz kurz und undeutlich auf und wandte sich zum Gehen.« (I, 690) Annas vitale Fruchtbarkeit ist gewiß als Kontrast zur Degeneration der Buddenbrooks gemeint. Aber dieser Kontrast dient hauptsächlich dazu, auf die Bedeutung des Liebesverzichtes leise hinzuweisen. Thomas mußte das liebevolle Mädchen verlassen — eine Heirat wäre ganz und gar unmöglich gewesen, wie sie selbst einsah (I, 170). Er heiratete eine frigide Künstlerin, machte eine »Partie« und brachte zugleich mit ihr die Verschiedenheit von seinen Mitbürgern zum Ausdruck.

Der Liebesverzicht ist ein ebenso durchgehendes Motiv wie die Todesszenen. Die erste Heirat des alten Buddenbrook war eine Liebesheirat (I, 56f). Das Kind dieser Ehe war Gotthold, an dessen Geburt die erste Frau starb. Dieser Gotthold, den sein Vater haßte, weil er ihm die Frau genommen hatte, heiratet seinerseits aus Liebe eine banale Frau mit einem Laden und rebelliert ihretwegen gegen seinen Vater. Der Ausdruck »Liebesheirat mit Laden« erscheint schon in einem Stammbaum der Buddenbrooks, den Thomas Mann schon sehr früh aufgestellt haben muß.[108] Das Mißverhältnis, das aus der Reaktion des alten Buddenbrook auf die Liebesheirat des Sohnes entstand, lagert von vornherein wie ein Schatten auf dem Einweihungsfest des Hauses. Johann Buddenbrook junior trägt den anklagenden Brief seines Stiefbruders während des ganzen Festes in seiner Brusttasche (I, 22), und in dem Gespräch mit seinem Vater über den Fall spricht er von einem »heimlichen Riß durch das Gebäude« (I, 50). Es handelt sich um die Frage, ob die Firma die Gelegenheit zu der halben Enterbung Gottholds ausnutzen soll, um sich auf der Höhe der ersten Familien Lübecks zu halten, was sonst nicht möglich wäre. Die Entscheidung fällt zu Ungunsten Gottholds. Damit wird der Zweig der Familie begünstigt, der aus der zweiten, konventionellen Ehe Johann Buddenbrooks senior hervorgegangen war und in dem Liebesehen nicht mehr vorkommen.

Daß dieser Zusammenhang von vornherein als bedeutsam ins Auge gefaßt worden war, geht auch aus der frühen Kapitelaufstellung hervor, wo das erste Kapitel (jetzt der »Erste Teil«) so bezeichnet wird: »Das neue Haus. Festessen. Brief von Gotthold«.[109] Auch der Name stand schon fest, während für Clara noch Marie steht. Man wird wohl auch eine hintergründige Beziehung in dem Namen entdecken können, der mit seinen freilich sehr fragwürdigen und interessierten Berufungen auf das Christentum in seinem Brief zusammenhängt, ebenso wie der Name Christian dem schwächeren Bruder gegeben wird, der ebenfalls aus der Firma ausgeschieden wird. Onkel Gotthold stirbt, übrigens mit seinem Schicksal ausgesöhnt, einen schweren Tod an Herzkrämpfen, aber, im Gegensatz zu den Buddenbrooks der Firma, »in den Armen seiner Gattin« (I, 274), die wenig später »gutmütig und beschränkt« genannt wird. Zwar hat der Trotz gegen den Vater ihm »keinen Segen gebracht« (I, 75), er hat ihn in einer kleinbürgerlichen Beschränktheit gelassen, aber er hatte Liebe und Zufriedenheit.

Die Liebe zum Banalen bringt ihm nur ein mäßiges Glück, und das Ressentiment gegen den anderen Familienzweig bleibt als kleines giftiges Störmoment bis zum Schluß in seinen wegen fehlender Mitgift unverheirateten Töchtern lebendig. Dennoch ist er in seiner Liebe, seiner Rebellion, seiner Resignation und seinem Sterben einig mit sich selbst und gesichert. Die Buddenbrooks, die aus der konventionellen Ehe hervorgegangen sind, verzichten in ihrem, wie Gotthold es in seinem Brief übertrieben nannte, »maßlosen Stolz« (I, 46) auf das banale Glück und die Liebe zum Gewöhnlichen. Man muß Gottholds Existenz auch von der hier beschriebenen Seite als Hintergrund des so wichtigen Selbstgesprächs Thomas Buddenbrooks an der Leiche seines Onkels sehen. Mit Recht spricht Thomas seinem Onkel den »Sinn für Poesie« ab. Dafür hatte dieser die Arme seiner gutmütigen und beschränkten Gattin um sich, als er starb, worauf Thomas nicht wird hoffen können.

Thomas' Liebesverzicht wird zweimal andeutungsweise mit dem Tonys in Verbindung gebracht (I, 157, 235). Sein Abschied von Anna ist unmittelbar nach der Erzählung von Tonys Abschied vom Elternhaus angeordnet (I, 167-170). Tonys Liebesaffäre in Travemünde, die Art, wie ihr Wille von ihrem frommen Vater in die falsche Richtung gelenkt wird und die Enthüllung der Wahrheit über Grünlich nimmt breiten Raum im Roman ein. Ihre eigene Unfähigkeit, des beschränkten aber gutmütigen Permaneder Wesen zu verstehen und zu lieben, ist wiederum der Grund für das Scheitern ihrer zweiten Ehe, bei deren Zustandekommen ihr Wunsch, die Schande ihrer Scheidung auszulöschen, eine allzu große Rolle spielte. Diese Hinweise können hier genügen. Zu erwähnen wäre, daß Morten und Tony sich ihre Liebe im Anblick der See erklären, »in diesem irren, ewigen Getöse, das betäubt, stumm macht und das Gefühl der Zeit ertötet« (I, 143). Das Meer war auch ein Zeichen für Mortens ganz unbestimmten Begriff von Freiheit gewesen (I, 142). Tony erfährt echte verstehende Liebe, aber nur außerhalb der Zeit, außerhalb der Orientierung, in der sie lebt. Dennoch wäre ihre Verbindung mit Morten zwar im Augenblick nicht, auf die Dauer aber nicht ganz unmöglich gewesen, denn »Gelehrte« waren gesellschaftsfähig und ein Doktor Morten würde zum Gelehrtenstand gehören. Aber freilich stammte er nicht aus irgendeiner Familie, die für den Stolz der Buddenbrooks in Betracht gekommen wäre.

Eine Szene gegen Ende kann nur voll verstanden werden, wenn der Leser die parallele Strukturlinie des Liebesverzichtes aufgenommen hat, was auch unterschwellig geschehen kann. Ein warmer Sommer-Sonntagabend wird beschrieben. Unter einer Reihe von lübeckischen Impressionen ist auch: »Drüben, in dem kleinen Blumenladen von Iwersen, war noch Licht.« (I, 616) Der Senator äußert sich unbefriedigt über die Zeitung und Tony antwortet ihm, indem sie Mortens Urteil und Hinweis auf liberale Blätter wiederholt (I, 128, 617), wie sie ja auch sonst (übrigens ganz unwahrscheinlicherweise) Mortens Aussprüche im Herzen trägt, zum Beispiel indem sie beim Tode der Konsulin das Lungenödem erklärt (I, 130, 566). In der Zeitung steht der Selbstmord des Herrn von Maiboom, auf den Thomas Buddenbrook seltsam betroffen reagiert. Ihm selbst steht die Möglichkeit des Selbstmordes vor Augen, wenn er sie auch als feige ablehnt.[110] Während er vor sich hin blickt, bemerkt er nicht, »daß Gerda, ohne den Kopf ihm zuzuwenden, ihre nahe beieinanderliegenden braunen Augen, in deren Winkeln bläuliche Schatten lagerten, fest und spähend auf ihn gerichtet hielt.« (I, 618) Die Impressionen des Sommerabends werden wahrscheinlich nicht nur der (freilich gelungenen) Vergegenwärtigung wegen so genau wiedergegeben, sondern vor allem, weil sie Gelegenheit bieten, das Licht in Anna Iwersens Laden zu erwähnen. Über Tonys Erinnerung an den ungenannt bleibenden Morten wird der Leser auf Thomas Buddenbrooks Todesbereitschaft geführt, die von seiner Frau durchschaut wird, ohne daß ein erlösendes Wort fiele, auch ohne daß die Gatten sich nur einander zuwenden.

»Das Bündnis mit ihr war auf Verständnis, Rücksicht und Schweigen gegründet« (I, 648); beobachtendes Verständnis, nicht Liebe, bestimmt das Verhältnis von Thomas und Gerda. Das Zitat ist aus der Szene, wo er Angst empfindet an Stelle von gesunder Eifersucht auf den Leutnant von Throta. Wenig später sagt er seinem Arzt scheinbar beiläufig: »Man ist so fürchterlich allein« (I, 651). Es ist das gleiche Kapitel, das in seine religiösen Grübeleien und die Schopenhauer-Lektüre ausläuft.

Senator Buddenbrooks so bezeichnender Monolog im Beisein Tonys über das Meer und seinen Fatalismus, der auf seinen Tod vorausweist, die Offenbarung der Sinnlosigkeit, die unter seiner Bürgerrolle lauert (I, 671f), wurde eingeleitet durch Tonys Erinnerung an den wiederum ungenannten Morten. Der Erzähler benutzt hier das Mittel, sich auf den Standpunkt eines Außenstehenden, in diesem Falle der Familie Buddenbrook zu stellen. Wenn sie mit Thomas zum Seetempel spaziert, gerät sie »aus unbekannten Gründen jedesmal in eine begeisterte und unbestimmt aufrührerische Stimmung« (I, 670).

In der Abschiedsszene, dem letzten Kapitel des Romanes, kommt »in Andeutungen und halben Worten« die Todeskrankheit Hannos zur Sprache und der letzte Besuch seines Freundes Graf Mölln. »Hanno hatte gelächelt, als er seine Stimme vernahm, obgleich er sonst niemanden mehr erkannte, und Kai hatte ihm unaufhörlich beide Hände geküßt.« (I, 758) Dies löst spürbare Betroffenheit bei der versammelten Familie aus: »Hierüber dachten alle eine Weile nach.« Tony Buddenbrook, die nichts stumm verwinden kann (vgl. I, 670), spricht aus, worum es hier geht: »Ich habe ihn so geliebt«. Obwohl sie der Liebe bis zu einem gewissen Grade fähig ist, während ihre eigentliche doch getötet wurde, übertreibt sie natürlich hier, um das Unausgesprochene aus der Welt zu schaffen. Dieses aber ist: Hannos Hoffnungslosigkeit wäre durch Liebe vielleicht zu heilen gewesen. Auch des Senators Verzweiflung stammt mindestens zum Teil aus seinem Liebesverzicht, ganz sicher aber Tonys Unglück aus dem ihren. Der Liebesverzicht gehörte jedoch von Anfang des Werkes an zu dem Gesetz, unter dem die Familie angetreten war.

17. Der religiöse Horizont

Anfang und Schluß des Romans standen schon früh fest; sie wurden in den frühesten Notizen festgelegt.[111] Am Anfang steht Tonys Katechisierung, die der alte Buddenbrock angestellt hatte, um, wie es der Erzähler für wahrscheinlich hält, sich über den Katechismus mokieren zu können. Freilich wird der erste Artikel des Glaubensbekenntnisses, »Ich glaube an Gott, den Vater, den Allmächtigen, Schöpfer Himmels und der Erden«, außerhalb des Romans gelassen. Gegenstand des Spottes ist nur das dem bürgerlichen Leben angepaßte »Was ist das« Luthers, dessen Name auch nicht fällt, statt seiner tritt der Senat, die bürgerliche Obrigkeit, der die Revision genehmigte, als pseudoverantwortlich ein. Was der alte Buddenbrook sich hier erlaubt, ist symptomatisch für den Roman. Ein religiöser Vordergrund wird karikiert, der auf die Existenz eines Hintergrundes verweist, der selten sichtbar wird und vor dem der Stolz der Buddenbrooks auf Familie, Haus und Firma sich als fragwürdig erweist.

Die Form der Religiosität ist an das Bürgerliche angepaßt und bietet deshalb immer wieder Gelegenheit zur Satire. Aber der Bürger läßt einen Teil des Religiösen draußen, weil er im Grunde nur an sich und an den eigenen Stolz glaubt. »Dominus providebit« steht über der Haustür der Buddenbrooks, und der fromme Johann Buddenbrook ist wohl geneigt, sich das in seinem Sinne zu deuten (I, 44); allein die Inschrift hat den Stolz der Ratenkamps überdauert und überdauert den Stolz der Buddenbrooks (I, 609).

Das hergebrachte Tischgebet »... und segne was du uns bescheret hast«, klingt angesichts des üppigen Tisches der Buddenbrooks wie Hohn und mehr noch die Ansprache der Konsulin am Weihnachtsabend, »die hauptsächlich aufforderte, aller derer zu gedenken, die es an diesem Heiligen Abend nicht so gut hatten wie die Familie Buddenbrook ... Und als dies erledigt war, setzte man sich mit gutem Gewissen zu einer nachhaltigen Mahlzeit nieder« (I, 543). Diese Darstellung einer Pseudoreligiosität suggeriert im Leser ein Gefühl des Unbehagens, das, freilich ganz unbestimmt, auf die Notwendigkeit hindeutet, die bürgerliche Fassade zu durchstoßen, wenn einer die Dimension des Religiösen erreichen will.

Die Schwestern Gerhardt, so lächerlich sie in mancher Hinsicht sind, beschämen doch die religiöse Geschäftigkeit der Konsulin »mit der ganzen nachsichtigen, liebevollen und mitleidigen Überlegenheit des Geringen über den Vornehmen, der das Heil sucht« (I, 280). Der Besuch der Schwestern bei der Konsulin hätte beinahe dazu geführt, ihre Todeskrankheit in stille Ergebung umzuwandeln (I, 562), bis ein Besuch der Ärzte den Lebenswillen zu verlängertem Kampfe zurückbringt. Und doch bricht der Stolz der Weltdame ganz am Ende auf: sie rief »mit dem Ausdruck des unbedingtesten Gehorsams und einer grenzenlosen angst- und liebevollen Gefügigkeit und Hingebung: ›Hier bin ich!‹ ... und verschied« (I, 568).

Im vorigen Kapitel ist schon darauf verwiesen worden, daß der Name Gotthold auf einen Zusammenhang des Liebesverzichtes der Parallel-Struktur mit dem religiösen Horizont hinweist. Ein anderes Beispiel ist das Zustandekommen der konventionellen Ehe des zweiten Buddenbrook: »Sein Vater hatte ihm auf die Schulter geklopft und ihn auf die Tochter des reichen Kröger, die der Firma eine stattliche Mitgift zuführte, aufmerksam gemacht, er war von Herzen einverstanden gewesen und hatte fortan seine Gattin verehrt als die ihm von Gott vertraute Gefährtin« (I, 56). Diese Mischung von patriarchalischem Gehorsam, Geldinteresse und einer Frömmigkeit, die der Leser als falsch empfinden muß, erregt ebenso Unbehagen wie die Gebete um Beistand, die der Konsul in sein Tagebuch schreibt, als »es galt, die bedeutenden Mittel wieder einzubringen, die beim Tode des Alten der ›Firma‹, diesem vergötterten Begriff, verlorengegangen waren ...« (I, 77)

Das Unglück, das Tony überfällt, ihr erzwungener Liebesverzicht, also der Teil des Werkes, in dem die Parallelstruktur die Rolle der Leitlinie übernimmt, kommt nicht zum wenigsten dadurch zustande, daß Grünlich fromme Reden führt und Sohn eines Pastors ist.[112] Am Ende der Liebesgeschichten mit Morten war einmal die Bemerkung vorgesehen: »Dies alles ist nur deshalb so ausführlich erzählt worden, weil es die einzige, von ihrer Wiege bis zu ihrem Grabe die einzige wirklich glückselige Stunde war, die diesem anmutigen und gutherzigen Geschöpfe von Gott beschieden wurde.«[113] Thomas Mann dachte daran, hier den Erzähler sich auf Gott berufen zu lassen, ein deutliches Zeichen für den Zusammenhang der Parallelstruktur mit dem religiösen Horizont. Tonys Liebe zu Morten, will der Erzähler andeuten, ist ein göttliches Geschenk. Sie steht Gott näher, als Tonys mit Hilfe des Pastors (I, 115) erzwungener Gehorsam. Als Grünlichs Bankrott sicher ist, erklärt Johann Buddenbrook zwar, »vor Gott nicht schuldig zu sein«, fühlt sich aber dennoch »nicht ganz ohne Schuld gegenüber Tony (I, 218). Auch vor Gott nicht schuldig zu sein, weil er sich mit gutem Willen rechtfertigen kann, ist seine bürgerliche unchristliche Verhärtung, die seine Frömmigkeit so oft heuchlerisch erscheinen läßt. Aber dahinter bleibt ein unbehagliches Gefühl, daß seine Rechnung nicht stimmen könnte. Als Tony die ihrem Vater jetzt sehr erwünschte Erklärung abgibt, ihren Mann niemals geliebt zu haben, und hinzufügt: »weißt du das denn nicht?« fährt der Text folgendermaßen fort:

Es wäre schwer zu sagen, was auf dem Gesicht Johann Buddenbrooks sich abspielte. Seine Augen blickten erschrocken und traurig, und dennoch kniff er die Lippen zusammen..., wie es zu geschehen pflegte, wenn er ein vorteilhaftes Geschäft zum Abschluß gebracht hatte. (I, 219)

Der Erzähler nimmt einen beobachtenden Außenstandpunkt ein, um dem Leser durch eine physiognomische Beschreibung einen dramatischen Vorgang in Johann Buddenbrook zu vergegenwärtigen: eine gewisse religiöse Empfänglichkeit für das Gefühl der Schuld an seiner Tochter wird zurückgedrängt durch das entschiedene und auch freudige Ergreifen seines augenblicklichen Vorteils. Mit seinem halb abgeleugneten, halb zugestandenen Schuldgefühl stand für ihn der Zugang in die wahrhafte religiöse Dimension einen Augenblick lang in Frage. Aber der Götze »Firma« hat ihn gleich wieder; man könnte auch von seinem nicht als Rolle, sondern als »Natur« empfundenen Kaufmannsberuf sprechen, der die Demut (I, 233) des Schuldbekenntnisses sogleich verdrängt, so daß er bald darauf von oben herab dem vernichteten Grünlich raten kann: »Fassen Sie sich. *Beten* Sie« (I, 232). Wenn der Konsul so die wahrhafte religiöse Dimension verfehlt, so hat das die gleiche Wirkung auf den Leser wie die Züge, die aus der Parallelstruktur des Liebesverzichtes entspringen: der Firmenstolz und Familiensinn geraten in ein Zwielicht.

Die Szene, in der bekannt wird, daß Clara Buddenbrooks Erbe dem Pastor Tiburtius zufallen wird, enthält Anrufungen Gottes, ernstgemeinte und redensartliche, in großer Zahl, sie endet mit Thomas' Äußerung, sein Vater hätte sie alle, wenn er noch lebte, angesichts der schwierigen Lage der Firma und des Familienstreites, »der Gnade Gottes empfohlen« (I, 436). Thomas muß seinen Vater hier bemühen, weil eine direkte und laute Berufung auf Gott im Munde des beherrschten Skeptikers unglaublich klänge. Sein Wort, wirkungsvoll an das Ende des Kapitels gestellt, weist auf den religiösen Horizont, gegen den er sich in diesem Augenblick nicht bürgerlich verhärtet. Er bereut seinen Hausbau, der Ausdruck seines Stolzes war. Er bereut den bösen familiären »Auftritt«. Die Kurve der Buddenbrooks fällt.

Der Name Christian ist wohl mit Absicht dem schwächeren Bruder gegeben worden. Thomas Mann spielt mit dieser Absicht einmal, indem er ausgerechnet Grünlich bemerken läßt, er liebe »die Namen, welche schon an und für sich erkennen lassen, daß ihr Träger ein Christ ist« (I, 98). Kirchlich ist Christian freilich nicht, aber er spricht das enthüllende Wort über den Charakter seines Bruders, von dem schon die Rede war. Bedenkt man, wie die strukturelle Leitlinie auf Thomas Buddenbrook zuläuft und berücksichtigt man den Liebesverzicht der Buddenbrooks, wie den hier beschriebenen religiösen Horizont, so gewinnen Christians Vorwürfe gegen seinen Bruder an Gewicht. Sie richten sich gewissermaßen gegen das Wesen der Buddenbrook-Familie überhaupt, von der sich Christian durch seine Heirat endgültig trennen wird (freilich wird dem Bajazzo diese Endgültigkeit durch die Anstalt bald nur noch gegen seinen Willen zugestanden). Seine Vorwürfe bringt Christian in einer langen und ungewöhnlichen Rede vor, in der religiöser Wortschatz eine erhebliche Rolle spielt. Christian spricht von Kälte, die Thomas auf ihn hat ausströmen lassen, ein Motiv, das im *Doktor Faustus* dazu dient, den Liebesverzicht Adrian Leverkühns sowie auch das Wesen des Teufels symbolisch auszudrücken. Er erinnert an die »christliche Denkungsart« der Eltern und erwartet vergeblich eine Spur »christlicher Liebe« von seinem Bruder (I, 577). Er beteuert, nicht arbeiten zu können, »Herr Gott im Himmel.« Diese Anrufung ist noch redensartlich (vgl. I, 274), aber die wahrhafte religiöse Dimension erreicht er gleich darauf, wenn er seines Bruders Arbeitsethos der Selbstgerechtigkeit verdächtigt: »Wenn du es gekonnt hast und kannst, so freue dich doch, aber sitze nicht zu Gericht, denn ein Verdienst ist nicht dabei ... Gott gibt dem einen Kraft und dem anderen nicht ... Aber so bist du, Thomas, ... du bist selbstgerecht ... das Gleichgewicht, das ist dir das wichtigste. Aber es ist ... vor Gott nicht die Hauptsache!« (I, 579). Seine Rede gipfelt in der schon erwähnten Anklage: »Du bist so ohne Mitleid und Liebe und Demut« (I, 579) und läuft aus in das Wort »sterbenssatt«.

Thomas Buddenbrooks Schopenhauer-Lektüre ist durchaus als ein — wenn auch vorübergehendes — religiöses Erlebnis gefaßt. Der Schopenhauer-Glaube verklärt ihm seine Entbürgerlichung, sie berauscht ihn, erinnert an »erste hoffende Liebessehnsucht« (I, 655), gibt ihm ein Gefühl der Befreiung. Die »Gitterfenster seiner Individualität« und »die Ringmauern der äußeren Umstände« fallen durch den Tod dahin, und frei wird die Liebe. Das hat freilich nichts mehr mit Schopenhauer zu tun. Nietzsches Forderung, das Leben zu bejahen, hat einen Einfluß auf die von Schopenhauers Pessimismus ab- und dem Leben zugewendeten Formulierungen in Thomas Buddenbrooks Gedanken gehabt. Aber dieser Einfluß reicht nicht weit, denn auch Nietzsches Philosophie ist lieblos. Thomas Buddenbrooks Liebeserklärung an die glücklichen Menschen entspringt seinem Bedürfnis, den Liebesverzicht religiös oder metaphysisch rückgängig zu machen: »Aber ich liebe euch . . . ich liebe euch alle, ihr Glücklichen, und bald werde ich aufhören, durch eine enge Haft von euch ausgeschlossen zu sein; bald wird das in mir, was euch liebt, wird meine Liebe zu euch frei werden und bei euch und in euch sein . . . bei und in euch allen! — —« (I, 658). Schopenhauers Gedanke der Aufhebung von Zeit und Raum, der Thomas Buddenbrook im Symbol des Meeres bald noch einmal andeutend berühren wird (I, 671), verklärt sich ihm (über Schopenhauer hinaus) zu einer unendlichen Gegenwart für die »Kraft in ihm, die mit einer so schmerzlich süßen, drängenden und sehnsüchtigen Liebe das Leben liebte« (I, 659). Da die glücklichen Menschen jedenfalls keine Außenseiter sind, wird ihm auch die Liebe zu den banalen Menschen verklärt, der Gegensatz zu den Mitmenschen aufgehoben.

Eine bekenntnishafte, direkte religiöse Aussage hätte freilich die Struktur gesprengt, wenn ihr erlaubt worden wäre, als Ergebnis, als eindeutige metaphysische Festlegung stehenzubleiben. Die leitende Strukturlinie wies auf Auflösung. Die Bedrohung durch das Sinnlose, der Thomas' Leben ausgesetzt war, wäre durch ein religiös-metaphysisches Abbiegen des schmutzigen Außenseiter-Todes um ihre Wirkung gebracht worden. Die Parallelstruktur des Liebesverzichtes erhielt ihren (im fiktiven Sinne) sinnvollen Abschluß durch einen Sturz auf der Straße ohne Beistand, durch einen einsamen, bewußtlosen Todeskampf inmitten distanzierter oder fassungsloser Angehöriger. Der religiöse Horizont schließlich hatte eine endgültige und sichtbare Demütigung der Hybris des Familienstolzes erwarten lassen. Denn ein sprachliches Kunstwerk, das Struktur hat, will ein Ende, und das Ende soll sinnvoll sein, und das bedeutet natürlich nicht sinnvoll im Hinblick auf eine Weltanschauung, die im Zusammenleben der Menschen Geltung haben mag, sondern sinnvoll im Rahmen der Struktur, im fiktiven Rahmen ihre Geltung suggerierend. Thomas Buddenbrooks religiöses Erlebnis, angeregt durch Schopenhauer-Lektüre und auslaufend in die Entdeckung seiner »schmerzlich süßen, drängenden und sehnsüchtigen« Liebe zum Leben erlischt, »und in ihm gab es plötzlich wieder nichts mehr als verstummende Finsternis« (I, 659). »Seine bürgerlichen Instinkte« (I, 659) regen sich gegen sein Erlebnis und nach einem Versuch mit traditioneller Religion »gab er alles auf« (I, 661).

Auf den religiösen Horizont des Werkes wird auch durch das formale Mittel hingewiesen, daß jedem der drei Buddenbrooks eine Pastorengestalt entspricht. Pastor Wunderlich teilt eher die heitere, starke, unkomplizierte Skepsis des alten Buddenbrook als den christlichen Glauben. Pastor Kölling predigt den auf kulinarische Genüsse eingestellten Kaufmannsfamilien mit starken Worten, aber völlig vergeblich, Mäßigkeit, ein karikierendes Echo des Wortchristentums Konsul Johann Buddenbrooks. Pastor Pringsheim schließlich ist ein Schauspieler, der seine christliche Rolle allzu wirkungsvoll spielt: die Figur ist eine Satire der Bürgerrolle Thomas Buddenbrooks. Auch hinter der Pastorensatire steht ein andeutender, ganz vage gehaltener Hinweis auf eine irgendwo vorhandene wahrhafte religiöse Dimension, gewissermaßen auf das vor den Toren des Romans belassene Glaubensbekenntnis.

Der Roman läuft in die Darstellung der willenlosen Preisgegebenheit Hannos aus, der die ästhetische Existenz ohne Rolle und ohne Ausweichen so lebt, daß »die Schönheit« ihn »in Scham und sehnsüchtige Verzweiflung stürzt« (I, 702), und er am Ende »den Schatten, die Kühle, den Frieden« (I, 754) findet. Hanno lebt eine Art von ästhetischer Religion oder wird von ihr beherrscht. Freilich wird die Geltung dieser Kunstreligion, die damals überall Verehrer und sogar bedeutende Verkünder fand,[114] in Thomas Manns Roman entschieden relativiert, weil ihr Vertreter zum Leben, selbst zu einem fiktiven Leben, so wenig befähigt ist.

Das Ende des Romans weist, wie der Anfang, durch einen satirisch gefärbten Zug auf den religiösen Horizont. Die sentimentale Vorstellung eines persönlichen Wiedersehens nach dem Tode wird von Sesemi Weichbrodt, die sie für christlich hält, gegen die Anfechtungen ihrer Vernunft aufrechterhalten, sie kommt als Wunschtraum und Bedürfnis ironisch ins Spiel gegen Tonys Verzweiflung, die nun, wo der Familiengötze entthront ist, »irre wird an der Gerechtigkeit, an der Güte . . . an allem.« (I, 758)

18. Der historische Hintergrund: Das Biedermeier

Eine große Anzahl von Zügen, auch ganze Figuren, dienen dazu, den Protagonisten Profil zu geben. Gerda Buddenbrooks Künstlertum, ihre Gespräche mit dem Organisten zeigen eine reine, unverstellte ästhetische Existenz im Gegensatz zu denen Christians und Thomas'. Der Makler Gosch stellt die gelungene Anpassung einer ästhetischen Existenz an die Bürgerwelt dar. Die Hagenströms und die Krögers sind andere Bürgerfamilien auf dem Wege des Aufstiegs oder des Abstiegs, noch weiter im Hintergrund gibt es auch ganz normale Bürger, die weder auf- noch absteigen. Eine Anzahl von Zügen weist auf das historische Geschehen, das die Handlung begleitet.

Der historische Hintergrund hat eine ähnliche strukturelle Funktion wie der religiöse Horizont, der keinen Eigenwert erhält, sich einer genau formulierbaren Definition entzieht, in den meisten Fällen nur hinter seinen sprachlichen Vergegenwärtigungen anwesend ist. Er ist allerdings nur stellenweise genau bezeichnet. Dem Leser wird ein Ausschnitt aus der Besetzung Lübecks durch französische Truppen im Jahre 1806 vorgeführt, er erlebt den Ruhm des Konsuls in der komischen Lübecker Revolte vom Oktober 1848 und erfährt etwas von den politischen Problemen Lübecks Ende 1857, aber die Auseinandersetzungen um die deutsche Einigung und die Gründung des deutschen Reiches bleiben schattenhaft, sie erreichen die Buddenbrooks nur indirekt: der Verlust durch das Fallissement einer Frankfurter Großfirma nach 1866 (I, 437), Weinschenks, des Preußen, Selbstschätzung wird durch einen »Spruch, dem die staatliche Macht zur Seite stand« (I, 641), bis zur Würdelosigkeit erschüttert, ein Zeichen der Zeit im selbstbewußten Lübeck; und ein ebenfalls preußischer Direktor hat das ehemals heiterem Studium gewidmete Gymnasium zu einer Anstalt umgewandelt, in der die Begriffe Karriere und Avancement den Geist drangsalieren. Nur in einer Nebenbemerkung erfährt der Leser, daß die Zeit nach 1871, nach dem Eintritt Lübecks in das Reich und in die Zolleinheit, Zeit lebhafter Geschäfte war, in der Lübeck sich von einer zurückgebliebenen alten Stadt zu einer modernen und lebenszugewandten entwickelte (I, 610 f). Der Verfall der Buddenbrook Familie steht im Vordergrund dieser Teile des Romans, er hebt sich melancholisch ab von dem wirtschaftlichen Aufschwung.[115]

Strukturell bedeutsam ist, daß jedem der vier Buddenbrooks ein Stück Geschichte zugeteilt wird. Die Geschichte dient der Struktur, sie bestimmt sie nicht. Man könnte den historischen Hintergrund einfach als Sache der sprachlichen Vergegenwärtigung auffassen und aus dieser Betrachtung ausschließen. Nur die Regelmäßigkeit, mit der jedem Buddenbrook sein historischer Ausschnitt zugeordnet wird, gibt zu denken.

Der alte Johann Buddenbrook hat Napoleon in Paris gesehen. Die Anekdote, die der Pastor Wunderlich von der Besetzung Lübecks erzählt, vergegenwärtigt die lokale Auswirkung seiner Politik. Sie gibt auch Gelegenheit, zwei charakteristische Züge anzubringen: die Abhängigkeit vom materiellen Besitz, die Madame Buddenbrook wegen ihrer silbernen Löffel an Selbstmord denken läßt, und die Bemerkung des Pastors, die plündernden Soldaten hätten »wohl keinen anderen Gott als diesen fürchterlichen kleinen Menschen« gekannt (I, 28). Ebenso kennen die Buddenbrooks im Grund keinen anderen Gott als die Firma, bis zu Thomas Buddenbrooks zeitweiser religiöser Befreiung, und natürlich mit Ausnahme von Hanno. In den Napoleonischen Kriegen hatte der alte Buddenbrook sein Geld verdient (I, 14, 30; vgl. 79), sie waren vorüber und gesicherte Zeiten hatten langsames, stetiges Wachsen der Firma und den Hauskauf ermöglicht. Übrigens sieht diese Darstellung von den wirtschaftlichen Krisen ab, die tatsächlich nach 1815 das Geschäftsleben störten. Sie passen nicht ins Bild, auch ist es fraglich, ob Thomas Mann von ihnen wußte.[116]

Die Lübecker Revolution ist eine erzählerische Kostbarkeit. Die biedermeierliche Enge Lübecks wird durch die vorübergehende Ruhestörung anschaulich, und in diesem Rahmen bekommt Konsul Buddenbrook seine komisch-große Szene. Gegenzug ist aber der Tod des alten Kröger, der das Ende der alten Zeit anzeigt, in der die Buddenbrook-Familie aufgestiegen ist. Dieses Ereignis verweist auf die leitende Strukturlinie. Außerdem soll Morten Schwarzkopfs vager burschenschaftlicher Freiheitsbegriff, der sonst allzu positiv im Roman stände, relativiert werden.[117] Auch bietet die Szene Gelegenheit, den Makler Gosch vorzustellen, der eine Art komischen Vorläufers der ästhetischen Existenz Thomas Buddenbrooks ist und außerdem in seinem Bedürfnis, bucklig zu erscheinen, auf den kleinen Herrn Friedemann verweist. So ist diese Szene sprachliche Vergegenwärtigung in einiger Freiheit von den Strukturlinien, wie sie für einen Roman natürlich ist, der seinen Raum zu vergegenwärtigen hat.[118] Die Struktur ist aber nicht etwa verlassen oder ausgeschaltet.

Ein deutliches Beispiel dafür, wie der historische Hintergrund jederzeit zum Mittel sprachlicher Vergegenwärtigung werden kann, ist Thomas Buddenbrooks Bemerkung über Napoleon III. am Beginn des politischen Gesprächs mit Barbier Wenzel. Es ist eine Selbstcharakteristik: »Ja, es ist eine ewige Unruhe, das muß wahr sein, denn er ist immer auf Unternehmungen angewiesen, um sich zu halten. Aber meinen Respekt hat er — ganz einerlei. Mit *den* Traditionen kann man wenigstens kein Dujak sein, wie Mamsell Jungmann sagt . . .« (I, 358). Die folgenden politischen Gesprächsthemen sind unter diesem, freilich versteckten, Gesichtspunkt komponiert. Bahnbau, Straßenbeleuchtung, Zollanschluß an das Hinterland sind alles Maßnahmen, die Lübeck aus dem Biedermeier herausführen werden. Als das geschehen ist, kann Thomas Buddenbrook freilich mit der neuen Zeit nichts anfangen. Er nutzt die neue Geschäftslage nicht aus, sein Geschäft geht zurück (I, 468, 610 f.). Anläßlich einer Senatswahl, gegen Ende seines Lebens, äußert er ganz konservative Ansichten, die er mit Stilgefühl begründet (I, 667). Damit erweist sich auch seine frühere Geschäftigkeit als das, was er an Napoleon III. bemerkt: »ewige Unruhe« und Angewiesensein auf Unternehmungen.

Die Buddenbrooks erweisen sich als eine Biedermeierfamilie. Thomas Buddenbrook hilft zwar, die neue Zeit herbeizuführen, erweist sich in ihr aber als nicht heimisch. Sein ästhetischer Versuch, die Bürgertradition zu spielen, ist auf biedermeierliche Enge bezogen. Sein Bedürfnis Ruhm zu erwerben, obenauf zu sein, steht damit in Widerspruch. Die Vorstellung eines im Hause Verwurzeltseins ist mit der Periode des Aufstiegs verbunden. Diese Biedermeier-Vorstellung ist sehr wahrscheinlich eher literarisch-fiktiver als real-historischer Natur.

Sie hat für die Buddenbrooks diese symbolische Bedeutung: die »selbstverständlichen« Orientierungen der noch unreflektierten, echten, das heißt nicht ästhetischen, Existenzen der beiden ersten Buddenbrooks werden äußerlich durch ihre Bindung an das Haus in der Mengstraße spürbar. Tony hat diese Bindung behalten, sie kehrt immer wieder gern in ihr Elternhaus zurück. Anders ihre Brüder: Christian verliert sich in der Welt; wenn immer er zurückkehrt, gehört er spürbar kaum noch in das Haus. Das Haus wird am Beginn des Romans eingeweiht. Thomas' Hausbau ist der Wendepunkt des Werkes. Der Satz: »Wer glücklich ist, bleibt am Platze« (I, 420) wird in den Erzählerbericht über seine Bauabsichten eingeschaltet. Des Senators Absicht zu bauen wird psychologisch motiviert als ein bedenkliches Bedürfnis. Wenig später teilt er der Familie mit, die Geschäfte gingen zum Verzweifeln schlecht, »genau seit der Zeit, daß ich mehr als Hunderttausend an mein Haus gewandt habe.« (I, 436) Das alte Haus erweist dann noch einmal seine symbolische Bedeutung anläßlich des Verkaufs an den Vertreter der aufsteigenden Familie, Hermann Hagenström. Gerade anläßlich aller mit dem Hause zusammenhängenden Züge zeigt sich Tonys strukturelle Funktion: in die dritte Generation nimmt sie die Orientierung der Familie mit und läßt so die offene Orientierungslosigkeit Christians und die verdeckte Thomas Buddenbrooks an ihrem Gegensatz deutlich werden.

Die neudeutsch-preußische Schule, an der Hanno scheitert, zeigt mit brutaler Deutlichkeit, daß das Biedermeier vorüber ist. Ihr preußischer Charakter wird durch den Gegensatz zu dem früheren Zustand verdeutlicht. Es fehlt: »Gutmütigkeit, Gemüt, Heiterkeit, Wohlwollen und Behagen in diesen Räumen« (I, 722, vgl. 68). »Behagen« und die Erwähnung des nun neuzeitlich umgebauten Gebäudes als Substrat beziehen sich auf die Biedermeier-Vorstellung.

Müßte man das Verhältnis der *Buddenbrook*-Struktur zur Geschichte bestimmen, so könnte man von einem Roman der Auflösung biedermeierlicher Bindungen sprechen. Aber eine solche Definition wird dem Roman nicht voll gerecht. Es dürfte auf der Hand liegen, daß die Biedermeier-Vorstellung selbst eher literarisch-fiktiv ist als wirklich und daß der Roman viel zu sehr mit den Strukturen der frühen Novellen und den eigenen Orientierungen Thomas Manns verbunden ist, als daß eine weitgehende historische Objektivierung glaubhaft sein könnte. Vielmehr ist die Biedermeier-Vorstellung nur die Stütze der leitenden Strukturlinie: die Familiengeschichte ist die Geschichte des graduellen Verlustes selbstverständlicher Orientierungen, der zu dem Gewinn an existentieller Unabhängigkeit, aber zu bedenklicher Abnahme an existentieller Sicherheit führt. Das biedermeierliche Haus, seine Einweihung, seine Bedeutung, wie es verlassen wird und verlorengeht, wirkt als symbolischer Hintergrund dieser Strukturlinie. Die Biedermeier-Vorstellung verbindet sich mit dem Aufstieg der

Buddenbrooks, während die neue Zeit ihnen fremd bleibt. Andererseits ist die Lösung von den alten Bindungen nur der Strukturlinie wegen überwiegend negativ bewertet.

Das Urteil über die *Buddenbrooks* als traditioneller, konservativer Roman des neunzehnten Jahrhunderts ist weit verbreitet. Wollte man sich von der Struktur des Romans überreden lassen und glauben, er preise wirklich biedermeierliches Leben an, so müßte man konsequenterweise auch annehmen, ein besonderer Wert des biedermeierlichen Menschen liege in seiner beschränkten Intelligenz. Thomas Buddenbrook ist nicht nur intelligenter, sondern auch sympathischer als sein Vater mit seiner frommen und selbstbewußten Heuchelei. Das Spielen einer Rolle in der Weise, wie es Thomas Buddenbrook versucht, entspricht einer pluralistischen Gesellschaft und Weltansicht. Der Zwang zum Scheitern dieser Rolle ging von der Struktur aus, die ein Orientierungssystem mit dem Anspruch auf Notwendigkeit dem Roman unterlegte. Ein solches Struktursystem bezieht seine Orientierungen nicht von einem für wahr gehaltenen Glauben oder System, ist also nicht biedermeierlich, sondern ist das eines modernen Romans, der eine — übrigens fiktive — Biedermeier-Vorstellung benutzt, um frei damit zu spielen.

19. Rückblick auf die Theorie der Struktur

Ich habe mich bemüht, die Theorie der Struktur so einfach wie möglich zu halten. Je komplizierter die Terminologie, desto größer ist die Gefahr, daß sie sich in sich selbst dreht und keinen Beitrag mehr leistet zur Interpretation. Die Theorie geht davon aus, daß die Sinneinheiten, aus denen das sprachliche Kunstwerk besteht (Wörter und Sätze, wenn man der Einfachheit wegen von den genaueren Bestimmungen der Linguistik absieht), sich nur dann zur fiktiven Welt zusammenschließen, wenn in ihnen ein integrierendes Moment wirksam ist, das wir Struktur nennen. Diese Struktur ist erkennbar als Orientierung, die Züge und Motive der sprachlichen Vergegenwärtigung auf die Intention des Autors hin ausgerichtet hat. Auch die wirkliche Welt wird von uns mit Hilfe von Orientierungssystemen erfaßt, eines der wichtigsten ist unsere Sprache. Aber diese Orientierungssysteme überschneiden sich, sie liefern keine geschlossene Fiktion, sondern offene Welt. Die Struktur gewinnt der Sprache eine fiktive Welt ab, in der ein überschaubarer Bereich beleuchtet wird und Bedeutung erhält, andere Bereiche abgeschattet bleiben.

Als Strukturlinie habe ich sowohl die Entwicklungslinie in den *Buddenbrooks* (ähnlich der Strukturlinie des Umschlags in *Gefallen* und *Der kleine Herr Friedemann*) bezeichnet als auch die parallele Strukturlinie des Liebesverzichtes (ähnlich Friedemanns Liebe zum banalen Leben). Die leitende Strukturlinie liegt so nahe an der Handlung, daß ich davor warnen mußte, sie nicht mit der Handlung zu verwechseln. Die parallele Linie ist dagegen verborgener. Sie bezeichnet eine Wertung, die für die ganze Handlung gilt (jedenfalls von Johann senior bis Thomas und Tony, an Hanno wird nur die Folge offenbar): wir Buddenbrooks wollen die vornehme Größe, wir verzichten auf die banale Liebe. Dennoch halte ich es für berechtigt, beide »Strukturlinien« zu nennen. Ich halte es für nötig, das oben schon Gesagte hier noch einmal mit anderen Worten zu betonen: die leitende Strukturlinie ist deshalb Orientierung und nicht Handlung, weil in jeder Einzelheit der sprachlichen Vergegenwärtigung die ganze Strukturlinie im Auge behalten wird. Am Anfang wird schon immer auf den Abstieg vorbereitet durch eine Fülle von Zügen, die schon oft bemerkt worden sind und auch hier zum Teil erwähnt wurden, von den Zähnen des jungen Thomas Buddenbrook (I, 18) bis zu dem Wort von dem heimlichen Riß durch das Gebäude (I, 50). Daß Thomas bis zu Ende sich auf seine Väter bezieht, ist durch eine Fülle von Stellen belegbar, auch ist Tony der Repräsentant der alten Familienorientierung. Dies ist die motivische Verknüpfung, die Struktur erkennen läßt, während die Technik der Wiederholung (»Leitmotive«[119]) der sprachlichen Vergegenwärtigung dient. Die Entwicklungslinie ist also eine Orientierung. Sie ist die leitende Linie, weil sie durch Orientierung der sprachlichen Vergegenwärtigung die Handlung bestimmt, während die parallele Struktur das gleiche sozusagen im Stillen tut.

Der Roman *Die Buddenbrooks* hat natürlich eine kompliziertere Struktur als die Erzählungen. Die Beziehung auf das Religiöse unterstreicht die Funktion der parallelen Strukturlinie. Ich hätte auch die Beziehung auf den religiösen Horizont Strukturlinie nennen können, habe das aber vermieden, weil Strukturlinien Beziehungen zwischen definierbaren Größen angeben (gesicherte und ungesicherte Orientierung, Familiengröße und banale Liebe), während das Religiöse in den Buddenbrooks vage bleibt und zumeist durch eine Abart von negativer Theologie bezeichnet wird: durch die Satire wird das Verfehlen der wahrhaften religiösen Dimension bezeichnet.

Die parallele Strukturlinie sowie der religiöse Horizont sind vielfältig mit der leitenden Strukturlinie verbunden. Nur so entsteht Struktur, das intentionale Gerüst des sprachlichen Kunstwerks. Nicht nur beziehen manche Züge der sprachlichen Vergegenwärtigung ihre Deutung von mehreren Aspekten der Struktur, zwei Strukturlinien, der Liebesverzicht und das Verfehlen der religiösen Dimension, wecken zusammen im Leser die uralte Vorstellung der Hybris, die dem »Verfall einer Familie« Notwendigkeit verleiht, dem Leser das Gefühl der Geschlossenheit des Kunstwerkes gibt.

Von dem Ergebnis der Betrachtung des Frühwerkes aus soll ein Überblick über das Werk Thomas Manns gewagt werden, um zu zeigen, daß die Strukturlinien der frühen Werke sich tatsächlich als sekundäre Orientierungen erweisen, die geändert werden können, sowohl andererseits die Tendenz zum Gesamtwerk allzu sprunghafte Änderungen verhindert. Im Kleinen war das ja auch schon im Frühwerk so. Friedemanns Liebe zum banalen Leben wurde im *Bajazzo* Ablehnung und Haß, in den *Buddenbrooks* zum Liebesverzicht im Interesse der Familiengröße. Im *Tonio Kröger* kehrt sie als Künstlerliebe zum Gewöhnlichen wieder. Ich beabsichtigte in diesem Überblick nicht, die Strukturlinien der späteren Werke Thomas Manns genau zu formulieren. Dazu wären noch zu viele Einzelfragen zu klären.[120]

Während der Arbeit an den *Buddenbrooks* beginnen Aufzeichnungen zum Savonarola-Thema, aus dem das Schauspiel *Fiorenza* wurde. In *Fiorenza* ist der Nietzsche-Einfluß besonders stark, der auch die Strukturlinien mitbestimmt. Dazu kommt Tolstois moralischer Rigorismus, der den modernen Kunstbetrieb verurteilt und seine eigenen Romane nicht ausnimmt. In einer Notiz für den Artikel »Der Doktor Lessing« erwähnt Thomas Mann Nietzsches Wagner-Kritik und Tolstois Schrift über die moderne Kunst als Jugendeindrücke, die ihm das Gefühl brennenden Interesses für die »Kritik der Modernität« vermittelt hätten.[121] Manche Beobachtungen, die in München und Schwabing damals möglich waren, dürften Tolstois Kritik unterstützt haben, wie auch *Gladius Dei* zeigt.

Der sekundäre Charakter der Strukturlinien kann besonders gut an der Tatsache demonstriert werden, daß die alte Orientierungseinheit von Außenseiter-Künstler-Intelligenz in *Fiorenza* variiert wird. Künstlertypen erscheinen als Vertreter des banalen Lebens. Der durch Häßlichkeit zum Außenseiter bestimmte Lorenzo hat sich zum Herren im Reiche des Schönen, des ewigen Festes gemacht. Ihm steht der Künstler-Prophet gegenüber und an diesem Typengegensatz orientiert sich die Struktur. Auch Savonarola ist ein Außenseiter, er ist es geworden durch Abweisung seiner Liebe. Savonarolas Nihilismus wie Thomas Buddenbrooks sinnlose Existenz hängen also zusammen mit einem freiwilligen oder erzwungenen Liebesverzicht. Liebe als wesentlicher Bestandteil des Künstlertums wird als Strukturlinie im *Tonio Kröger* wichtig, vor allem aber in *Königliche Hoheit,* wo das Künstlerthema, wieder fiktiv abgeschattet als Thema der formalen Existenz des Fürsten, gerade unter dem Gesichtspunkt der Liebebedürftigkeit aufgenommen wird. Der Friedemann- und Tonio Kröger-Sehnsucht nach dem banalen Leben wird eine Erfüllung als »strenges Glück« gewährt. »Streng« bedeutet: immer noch als Außenseiter. Das Glück besteht aber in dem Selbstbewußtsein, auch als Außenseiter in der Repräsentation eine soziale Funktion zu haben. Es ist offensichtlich, daß die alte Außenseiterspannung in der Darstellung der formalen Existenz zugrundeliegt, daß die Strukturlinie aber anders verläuft als in den frühen Erzählungen und in den *Buddenbrooks*.[122]

Wie schon in *Tobias Mindernickel* finden wir in der kleinen Erzählung *Der Weg zum Friedhof* eine Selbstverspottung des Außenseiterthemas. Scherzhaft ist die Weise, wie der Erzähler die Vergegenwärtigung des Weges zum Friedhof zweimal unterbricht und sich zur Ordnung ruft: »Es war ein unvergleichliches Hündchen, Goldes wert, tief erheiternd; aber leider gehört es nicht zur Sache, weshalb wir uns von ihm abkehren müssen.« (VIII, 187) Den Erzähler treibt es dennoch, den geringen Verkehr auf der Straße weiter zu beschreiben. Er kommt zu einem zweiten Wagen ».. . ein Hündchen war nicht darauf, weshalb dieses Fuhrwerk ganz ohne Interesse ist.« (VIII, 187 f) Es ist die Selbstverspottung des Künstlers, der seiner fiktiven Welt Struktur zu geben gewöhnt ist und der hier Spaß daran findet, es dem Leser bewußt zu machen, daß er sich gehen läßt. Spaßhaft ist die Behauptung des Erzählers, ein Zug seiner Geschichte sei »immerhin lehrreich« (VIII, 190), und ein scherzhaftes Spiel mit dem Leser ist auch die Benennung des Radfahrers als »das Leben«. Hier gerät plötzlich die strukturelle Deutung in die fiktive Welt. Der Leser läßt sich das ungerne gefallen, er will einen Jüngling sehen, der ihm ja auch schon beschrieben wurde. Aber er muß es sich nun einmal gefallen lassen, den Haß Lobgott Piepsams auf das Leben zwar auf fiktiver Ebene, aber mit abstrakter Benennung mitzuerleben, er muß sich über den gedeuteten, also strukturellen Charakter seiner fiktiven Welt widerwillig klar werden.

Piepsam wird bei all seiner Lächerlichkeit gestattet, den banalen Mitmenschen Unwissenheit vorzuwerfen und wie Christian Buddenbrook beruft er sich sogar auf Gottes Gerechtigkeit, die seine Schwäche anders beurteilen wird als die Mitwelt es tut. Hier wird auf den ernsten Kern des Außenseiterthemas hingewiesen: der Außenseiter erinnert an die begrenzte Geltung der bürgerlichen, selbstverständlichen Orientierungen. Gerade deshalb kann man die Selbstverspottung des Außenseiterthemas wie auch die Weise seiner Gestaltung sowohl als Spaß genießen als auch ernstnehmen. Die Mischung von Bibelsprache und Piepsams Anklagen gegen die »unschuldigen Kanaillen« oder »euch munteres Gezücht« (VIII, 195) ist von einer unbezwingbaren Komik und doch steht dahinter der Gedanke, daß der dem Heile näher steht, der von Sünde weiß, als der, der nichts von ihr weiß; ein Gedanke, der im Verhältnis Jehudas zu seinem Bruder Joseph am Ende der Josephsromane gestaltet wird. — Die im Ganzen scherzhafte Leichtigkeit der Erzählung *Der Weg zum Friedhof* beruht darauf, daß sie mit dem Spielcharakter der Fiktion spielt.

Im Februar 1901 berichtete Thomas Mann seinem Bruder von der

Arbeit an der Novelle *Tristan;* er nannte sie »eine Burleske« und fügt hinzu: »*Das* ist echt! Eine Burleske, die ›Tristan‹ heißt!«[123] Damit wollte er einen doppelten Charakter seiner Erzählung ausdrücken, denn die Todeserotik in Wagners *Tristan* war ihm etwas durchaus Ernstes. Tatsächlich enthält Tristan die Geschichte eines ästhetischen Außenseiters, der kläglich am Leben in Gestalt Herrn Klöterjahns und seines Kindes scheitert und zugleich die Geschichte Gabrieles, die von Mutterschaft und Leben zum Tode und zur Kunst gelangt. Dieser Vorgang ist, naturalistisch gesehen, der Verlauf einer Krankheit, der Tuberkulose, und die Ärzte im Hintergrund sind dazu da, den Fall nur in dieser Deutung zu betrachten. Zugleich ist Gabrieles Geschichte aber der Übergang vom banalen Leben in das Reich des Märchens, in das Reich der Kunst, in Liebe und Tod.

Es gilt einerseits die Orientierung des normalen Lebens, in dem die Naturgesetze und das übliche Verhalten der bürgerlichen Gesellschaft anwendbar sind. In ihrer Deutung ist Spinell lächerlich, und er scheitert kläglich am banalen Leben. Klöterjahns liebende Sorge für seine Gattin (die kleine Freiheiten nicht hindert), ist respektabel. Am Ende wird ihm ein »warmes, gutes, menschliches und redliches Gefühl« zugebilligt (VIII, 260). In der Betrachtungsweise dieser Strukturlinie ist die Erzählung eine Burleske auf Kosten Spinells. Die andere Strukturlinie entsteht erst im Laufe der Handlung, gewissermaßen unter Spinells Händen. Er deutet Gabrieles Wirklichkeit in Märchen um (VIII, 234f). Die Berechtigung zu seinem Versuch, sie aus der Wirklichkeit zu entfernen, zieht er aus seinem Wissen, daß Gabriele aus einer alten Kaufmannsfamilie stammt, aus einem »Geschlecht mit praktischen, bürgerlichen und trockenen Traditionen [das] sich gegen das Ende seiner Tage noch einmal durch die Kunst verklärt.« Die leitende Strukturlinie der *Buddenbrooks* wird unter dem ästhetischen Gesichtspunkt berührt. Spinell zieht Gabriele aus der freiwillig gewählten Existenz hinüber in den Bereich der Kunst, der auch das Reich der Schönheit und des Todes ist. Unter der ersten Strukturlinie ist die Szene am Klavier lächerlich, denn Spinell ist nicht in der Lage, seinen Vorteil, mit der geliebten Frau allein zu sein, zu nutzen. Er begnügt sich mit sublimer Verführung durch Musik. Unter der zweiten ist es sein Triumph, denn er hat sie endgültig aus der banalen Existenz gelöst. Unter der ersten ist Spinells Brief an Klöterjahn ein boshaftes Machwerk, das beweist, wie wenig er eines redlichen Gefühles fähig ist, unter der zweiten eine glänzend geschriebene Darstellung der anderen Wahrheit. Der gleiche Zug in der Handlung empfängt also von den beiden Strukturlinien verschiedene, entgegengesetzte Bewertungen. Dies drücken wir bildlich aus, indem wir von gegeneinander laufenden Strukturlinien sprechen. Ganz am Ende herrscht wieder nur die erste Strukturlinie und das banale Leben scheint zu triumphieren.

Zwei gegeneinander laufende Strukturlinien bestimmen auch die

Struktur des *Tod in Venedig*. Gustav von Aschenbach befreit sich von der Fron eines gespannten Kunstdienstes und ihm öffnet sich die freie und zeitlose Welt des Mythos, in die er zum Schluß eingeht. Seine Lösung von der selbstgewählten Form, dem festgeordneten Verhältnis von ästhetischer und bürgerlicher Existenz, entzieht ihm einen Teil seiner Würde (ganz verliert er sie nicht), macht ihm die Arbeit unmöglich (mit Ausnahme eines letzten Werkes, eines kleinen Essay), treibt ihn in Auflösung, Krankheit, Tod, vor dem Hintergrund der artistischen Stadt mit den faulig riechenden Kanälen und mit dem Geheimnis der Krankheit und dem des Meeres, dem »Nebelhaft-Grenzenlosen« (VIII, 524), aus dem jedoch die Sonne als Gott aufsteigt, um den Tag mythisch zu verwandeln. Tadzio ist unter dem Aspekt der einen Strukturlinie ein polnischer Junge, der unziemliche Begehrlichkeit in dem alternden Aschenbach erweckt; der Aspekt der mythischen Strukturlinie sieht in Tadzio einen jungen Gott, am Ende eine Hermesgestalt. Die Homoerotik ist, unter diesem Aspekt, das Verhältnis des Sokrates zu seinen Schülern.[124]

Der Zauberberg, ursprünglich als Erzählung geplant, läßt einen einfachen jungen Mann in einem Sanatorium die Gelegenheit zum Zeitverlust finden. Auch hier gibt es zwei gegeneinander verlaufende Strukturlinien: 1. Die bürgerliche Orientierung des einfachen jungen Mannes wird durch Zeitverlust zersetzt. 2. Zeitverlust führt zu einem Zuwachs an intellektueller Unabhängigkeit und Bildung. Freilich hat die erste Linie ein Übergewicht, weil der junge Mann einfach bleiben soll. Dazu kommen noch andere strukturelle Elemente, die Liebe zum Leben und der romantische Todesgedanke, Humanität, der ironische Vorbehalt gegenüber sich widersprechenden Weltanschauungen und die Repräsentanz Deutschlands. Das Verhältnis der strukturellen Elemente des *Zauberbergs* zueinander harrt noch der Klärung, wobei auch die Frage eine Rolle spielt, ob die ursprüngliche Intention durch eine neue Bewertung der Romantik und des Humanitätsbegriffes während der Abfassung eine Änderung erfahren hat und wie sich diese Änderung auf die Struktur auswirkt.[125] Insbesondere scheint mir die Frage nicht ganz leicht zu beantworten, ob der ironische Vorbehalt als eine selbständige Strukturlinie oder als schnell wirksame Folge der Zersetzung der bürgerlichen Orientierung aufgefaßt werden soll. Eine Antwort auf diese Frage hängt mit der Bewertung des Bürgerbegriffes in den *Betrachtungen eines Unpolitischen* zusammen.

Ein Komplex von Problemen wird durch die Frage aufgeworfen, ob die dynamische Metaphysik Thomas Manns in seiner späteren Zeit grundsätzlichen Wandlungen unterworfen wird. Sicher ist, daß die verbreitete Auffassung, Thomas Mann habe sich nach dem ersten Weltkrieg von einer konservativen und ästhetizistischen zu einer demokratischen und humanistischen Weltanschauung gewandt, derartig undifferenziert ist, daß sie als falsch bezeichnet werden muß.

Die Antriebe, die in *Fiorenza* zur strukturellen Gegenüberstellung des Vertreters eines prophetischen und nihilistischen Geistes und des Herren über die Schönheit und Kunst geführt hatten und in dem mißglückten Schauspiel nicht so recht zur Ruhe gekommen waren, wurden in den Jahren 1909—1911 in die Pläne zu einem Essay »Geist und Kunst« geleitet, der jedoch nicht gelingen wollte. Wohl im Zusammenhang mit diesem Mißlingen steht das Bedürfnis, statt des Spieles mit gegeneinander gespannten Antithesen ein Gleichgewicht zwischen antithetischen Positionen als weltanschauliche Orientierung anzunehmen.

In einer Äußerung über *Fiorenza* für die *Blätter des Deutschen Theaters* anläßlich einer Inszenierung des Stückes in Berlin im November 1912 will Thomas Mann das Stück an die Antithese von naiver und sentimentalischer Dichtung anschließen. Er tut dies, um auf die Beimischung sinnlicher Naivität in Schillers Geistigkeit zu sprechen zu kommen und darauf, daß sich in Goethes *Wahlverwandtschaften* »Geist und Sinnlichkeit . . . so herrlich die Waage halten.« Am Schluß der kleinen Äußerung meint er, einen durchaus naiven oder einen durchaus sentimentalischen Dichter habe es nie gegeben. »Denn der Dichter ist die Synthese selbst. Er stellt sie dar, immer und überall, die Versöhnung von Geist und Kunst, von Erkenntnis und Schöpfertum, Intellektualismus und Einfalt, Vernunft und Dämonie, Askese und Schönheit — das Dritte Reich.« (XI, 563f)

Dieser Gleichgewichtsidee liegt die Bewunderung Goethes zugrunde, die seit jeher in Thomas Mann wirksam war. Die Idee des dritten Reiches hat Thomas Mann 1921 auf Ibsens Drama *Kaiser und Galiläer*, auf Mereschkowski *Tolstoi und Dostojewski,* sowie dessen *Gogol* und auf Nietzsches *Zarathustra* zurückgeführt (X, 597 f).[126] Alle diese hatte er sehr wahrscheinlich schon lange gelesen.[127] Überhaupt ist die Idee des Gleichgewichtes ja nicht sehr unterschieden von der einer Spannung zwischen Antithesen. Dieser wie jener liegt Labilität zugrunde.

Thomas Manns Humanismus beruht auf seiner dynamischen Metaphysik. Fast immer wird man in einer seiner weltanschaulichen Äußerungen den Namen Nietzsches finden. Auch der Humanismus des Gleichgewichts orientierte sich nach Goethe und Nietzsche, die Thomas Mann unter dem positiven Gesichtspunkt (»Leben«) zusammenzusehen liebte. In *Lotte in Weimar* finden wir Nietzsches Nihilismus Goethe zugeschrieben, auch in »Goethe und Tolstoi« war dies schon der Fall. Der neue Humanismus, den Thomas Mann vor allem seit dem ersten Weltkrieg, dann auch in der Emigration als bessere Weltanschauung gegenüber dem Faschismus in einer großen Fülle von Äußerungen vertrat, sollte positive Lebenszugewandtheit mit Skepsis gegenüber primären Orientierungen verbinden. Aus Eigenem ließ er die Forderung nach »Güte«, also das durchgehende Liebesmotiv seines

Werkes einfließen (z. B. X, 368-371; IX, 711). Von einem strengen Begriff des Humanismus, der von dem Glauben an die Selbstperfektion durch die Teilnahme am überpersönlichen Geist ausgehen müßte, ist Thomas Mann wohl beeinflußt, aber nicht bestimmt; auch unterschied er zumeist nicht klar zwischen christlicher Religiosität und Humanismus.[128]

Der religiöse Horizont der dynamischen Metaphsyik kommt — neben gelegentlichen früheren Äußerungen — mehrfach in den *Betrachtungen eines Unpolitischen* zur Sprache. Religiosität sei Freiheit im Gegensatz zur »verhärteten Sicherheit und Philisterei des Glaubensbesitzes« (XII, 536). Gemeint ist eine Freiheit von primären Orientierungen, die aber nicht zu zynischer Diesseitigkeit führen soll, sondern frei ist für Demut und Güte. Die *Betrachtungen* sind ein Kampf gegen neue primäre Orientierungen, geschrieben in der Rolle des konservativen Verteidigers der deutschen Sache. Diese Rolle verließ Thomas Mann, als klar wurde, daß neue falsche primäre Orientierungen, neue Selbstgerechtigkeit, aus der Hypostasierung der nationalen Sache entstanden.

Eine wenn auch vage und von wissenschaftlicher Theologie wenig berührte Religiosität zusammen mit der Humanität des Gleichgewichtes zwischen Leben und Tod, dem Apollinischen und dem Dionysischen, göttlichen und dämonischen Kräften, dem Gedanken von Tod und Auferstehung, des Kreislaufes zwischen mythischer Göttlichkeit und irdischer Menschlichkeit, durchkreuzt von einer »Theologie« des Religionsfortschritts und endlich der Gedanke des mythischen Rollenspiels bestimmen die Struktur der Josephsromane. Die vier Teile von *Joseph und seine Brüder* spielen in einer mythischen Märchenwelt, die mit Hilfe von wissenschaftlichen Darstellungen der orientalischen Archäologie fiktiv vergegenwärtigt werden. Die mythische Märchenwelt ermöglichte die erträumte Gleichgewichtshumanität wenigstens in Ansätzen auf der fiktiven Ebene. Freilich kommt auch eine Grenze dieser Utopie zum Ausdruck. Je mehr Joseph ins Irdisch-Soziale gerät, umso mehr entfernt er sich auch geistig-religiös von seinem geistlichen Vater und Juda erhält den Hauptsegen. Der religiöse Horizont bleibt als Horizont, als Shiloh-Verheißung, als andeutende Durchblicke auf das Christentum bestehen und wird nicht ganz ins Irdische hineingezogen.

Der Roman *Doktor Faustus* hat wieder eine antithetische Struktur: das dämonisch-geniale, romantisch-dionysische Künstlertum steht gegen klassisch-apollinische Nüchternheit. Dazu kommen als weitere strukturelle Elemente: Nietzsches Leben, autobiographische Anspielungen und kulturkritische Tendenzen, die zum Teil aus der alten Konzeption des Maja-Romans kommen, aus dessen Umkreis auch die Idee des syphilitischen Künstlers als Teufelsbündler stammte. Auch das Schicksal Deutschlands, von Luther bis Hitler, gehört zur Struktur, denn die Handlung soll es symbolisch deuten. Ferner werden manche mythischen Schemata aus den Josephsromanen übertragen. Die Struktur erscheint überlastet und die sprachliche Vergegenwärtigung ist erschwert durch den Erzähler Zeitblom. Denn mit der Freiheit von seiner eigenen Position, die jedem fiktiven Erzähler eignet, kann die fiktive liebevolle Biographie des dämonischen Genies durch den nüchternen Humanisten zwar glaubhaft werden (die Suggestion der fiktiven Welt gelingen), kaum aber ist die Erzählerfiktion geeignet, die übrigen Forderungen zu erfüllen, die die Struktur stellt. Einige Aspekte des *Doktor Faustus* werden unten im Abschnitt »Thomas Manns Lutherbild« behandelt. Dort wird auch eine Notiz zitiert, die einen Eindruck von der ursprünglichen Intention gibt.

Nachdem der Roman in Deutschland erschienen war, erregte seine Deutung des deutschen Schicksals lebhafte Diskussionen. Mit Recht kann man den Anspruch einer solchen Deutung zurückweisen, er widerspricht dem Wesen der fiktiven Struktur, die nur zustandekommen kann, wenn große Bereiche der sprachlich gedeuteten Wirklichkeit ausgeblendet werden. Ein Recht zur Enttäuschung hatte aber auch Thomas Mann, denn die autobiographische Komponente der Struktur bezog ihn selbst in das deutsche Schicksal ein, was im damaligen Deutschland kaum zur Kenntnis genommen wurde.

Das Bedürfnis, die Struktur eines eben geschriebenen Werkes leicht variiert zu einer Satire zu benutzen oder, was im frühen Werk mit den festeren Strukturen noch nicht vorkommt, die Struktur selbst mit satirischer Absicht zu variieren, setzt sich durch das ganze Werk Thomas Manns fort. Dieses Bedürfnis ist überhaupt das beste Zeugnis für die hier entwickelte Theorie der Struktur als gesetzte fiktive Orientierung willkürlichen Charakters.

Der Zauberberg ist in gewisser Hinsicht wirklich eine Satire auf den *Tod in Venedig*,[130] weil er den Verfall an Zeitlosigkeit vom Mythischen in das Sanatorium überträgt und als Substrat einen einfachen jungen Mann an Stelle des komplizierten Aschenbach vorführt. Noch mehr sind die *Bekenntnisse des Hochstaplers Felix Krull* eine Satire auf die formale Existenz der königlichen Hoheit. Das wird deutlich durch das Prinzspiel des kleinen Felix am Anfang des Romans (VII, 272f), das autobiographisch und überdies teilweise wörtlich aus »Kinderspiele« übernommen ist (XI, 328). Natürlich war das Prinzspiel aus der Kindheit Thomas Manns an der Intention des Romans *Königliche Hoheit* beteiligt. Darüber hinaus sollte im *Krull* ursprünglich auch die klassische deutsche Autobiographie, *Dichtung und Wahrheit* in die Satire einbezogen werden.[131] Der *Krull* ist die Satire auf das artistische Rollenspiel. Das Werk ist deshalb für unseren Zusammenhang ganz wesentlich, weshalb wir seine Intention etwas genauer betrachten müssen.

Die Ursprünge der *Krull*-Intention dürften auf Nietzsche zurückgehen. Der Aphorismus 356 der *Fröhlichen Wissenschaft*, der vom Rollenspiel im modernen Europa handelt, vor allem der Aphorismus 361 des gleichen Werkes, in dem vom Problem des Schauspielers, dem »inneren Verlangen in eine Rolle und Maske« die Rede ist, das möglicherweise den Begriff »Künstler« erkläre, könnten sehr wohl den Ursprung der Intention bezeichnen oder nahe bei ihm liegen. Sie haben sehr wahrscheinlich schon Thomas Buddenbrooks Schauspielerrolle beeinflußt. Die Vorgeschichte des Künstlers will Nietzsche im »Possenreißer, Lügenerzähler, Hanswurst, Narren, Clown« sehen, auch im »klassischen Bedienten, dem Gil Blas«. Das liegt schon nahe genug am kriminellen Hochstapler. Sehr wahrscheinlich hängen mit dieser Entlarvungspsychologie des Künstlers Thomas Manns Gedanken an eine »Diebsnovelle« zusammen, sowie der Novellenplan, in dem ein armer Künstler (vermutlich aus Sympathie) einen Verbrecher laufen läßt, obwohl ihm eine Belohnung entgeht. Beide Ideen tauchen in Aufzeichnungen vermutlich aus dem Jahre 1899 auf und verschwinden wieder.[132] Im November 1901 dankt Thomas Mann seinem Freund Kurt Martens für dessen Erzählung *Das Ehepaar Kuminsky*, die von den Taten des Hochstaplers und Hoteldiebs Georges Manolescu oder Fürst Lahovary angeregt war, der damals in Dresden von sich reden machte.[133] Im gleichen Jahre war der Band XV von Thomas Manns Nietzsche-Ausgabe erschienen, der sogenannte »Wille zur Macht«, und dort fand Thomas Mann das Folgende:

... die zunehmende Zivilisation, die zugleich notwendig auch die Zunahme der morbiden Elemente, des *Neurotisch-Psychiatrischen* und des *Kriminalistischen* mit sich bringt. Eine *Zwischen-Spezies* entsteht, der *Artist*, von der Kriminalität der Tat durch Willensschwäche und soziale Furchtsamkeit abgetrennt, insgleichen noch nicht reif für das Irrenhaus, aber mit seinen Fühlhörnern in beide Sphären neugierig hineingreifend: diese spezifische Kulturpflanze, der moderne Artist, Maler, Musiker, vor allem Romancier, der für seine Art, zu sein, das sehr uneigentliche Wort »Naturalismus« handhabt...[134]

Die Stelle ist natürlich angestrichen. In den Notizen zum Literaressay »Geist und Kunst« ist von der oft mangelhaften Ausbildung des modernen Literaten die Rede, einem fehlenden Examen, also fraglicher bürgerlicher Einordnung. In diesem Zusammenhang erinnert sich Thomas Mann an das Zitat aus dem »Willen zu Macht« und exzerpiert es. Das ist 1909-1911 geschehen, zu einer Zeit also, wo Notizen zum Hochstapler-Roman bereits vorlagen (seit ungefähr 1905, dem Erscheinungsjahr der Memoiren Manolescus). Aber schon im *Tonio Kröger*, der im Jahre 1902 geschriebenen autobiographischen Erzählung, ist von der Verwandtschaft des Kriminellen und des Künstlerischen die Rede (VIII, 298f).

Nimmt man hinzu, daß der Hochstapler-Stoff seinen Autor während des ersten Weltkrieges beschäftigte, wie einige Aufzeichnungen von Einfällen zum Thema in den Notizbüchern und Einleitungen zu Vorlesungen aus den fertigen Teilen zeigen (XI, 703),[135] weiter, daß die Hochstapleridee auch in den *Joseph* einging,[136] nach dessen Beendigung zwar zugunsten des *Faustus* verworfen, nachher aber mit Unterbrechungen wieder aufgenommen und 1954 als Fragment veröffentlicht wurde, so können wir sagen, daß sich die Idee der satirischen Vergegenwärtigung des artistischen Rollenspiels durch fast die gesamte dichterische Laufbahn Thomas Manns hinzog, mit freilich sehr merkwürdigen Unterbrechungen.

Die Vertauschbarkeit der Rollen, die Krull praktiziert, ist im Grunde eine Satire auf die Vertauschbarkeit sekundärer Orientierungen in der dynamischen Metaphysik oder die Willkürlichkeit der Aufstellung struktureller Linien in der fiktiven Welt. Das Treffende dieser Satire rührt daher, daß Krull, um zu wirken, sich auf seine Rolle hin zusammennimmt, seine Rolle glaubt, während er sie spielt, obwohl er natürlich weiß, daß es nur eine Rolle ist. Es ist das Bild der Suggestion des Lesers, der Beschwörung der fiktiven Welt, die lächelnd geglaubt und doch nicht geglaubt wird. Aber es entsteht auch ernste Betroffenheit, denn unsere pluralistische Welt ist voller Rollen, die geglaubt werden müssen und zugleich nicht geglaubt werden dürfen. Aber der *Krull* ist natürlich kein Abbild der Wirklichkeit.

Die Metaphysik dahinter, die Weigerung, primäre Orientierungen anzuerkennen oder an absolute Wahrheiten zu glauben, ist satirisch vertreten durch die Kriminalität. Die grundsätzliche Falschheit der jeweiligen Rolle Krulls ist die Satire auf die Falschheit aller Rollen. Die Komik der sprachlichen Vergegenwärtigung kommt häufig aus Krulls Festhalten an seiner Rolle, aus der Überzeugungskraft, die er aus seiner Rolle gewinnt. Von der dynamischen Metaphysik weiß er nichts, glücklich (seine »Eigenschaft«, die sein Vorname bezeichnet) besteht er auf einer Auserwähltheit, die ihm Vorteil bringt, wie er es auch anstellt. (Dies ist übrigens eine Märchenstruktur, die wegfallen müßte, wenn Krull ins Unglück gerät; vielleicht ein Grund für den am Ende beabsichtigten fragmentarischen Charakter). Konservative Ansichten äußert er in seiner Adligenrolle, er erklärt die soziale Rangordnung für natürlich (VII, 610 f), das heißt die soziale Orientierung für primär, obwohl er doch der erste sein müßte, sie als bloße Rolle zu durchschauen. Aber er zieht Vorteil aus dem Glauben der anderen an eine statische Gesellschaftsordnung. Vorher hatte er sich auch einmal demokratisch geäußert, indem er der Ansicht seines Paten Schimmelpreester zustimmte, der sich für eine Gesellschaft ohne Stände und mit einheitlicher Bekleidung aussprach. Gegen solche Einheitsbekleidung »Hemd, Hose, Gürtel, und damit Punktum« hat Krull nichts, denn »es sollte mir schon anstehn« (VII, 455). Jede Rolle wird seiner hübschen Person zum Vorteil gereichen. Seine Bewunderung für die Zirkusartisten beruht auf deren Charakter als totaler Rolle, die so hohe Konzentration verlangt, daß die alltägliche Existenz ohne Rest verzehrt wird (VII, 455-464). Der Humor dieser Darstellung liegt darin, daß Krull Formulierungen untergeschoben werden, die eine ideale Künstlerexistenz betreffen, während er darauf besteht, daß nur seine eigene Besonderheit gemeint sei.

Der Wechsel der sprachlichen Erzählerperspektive ist im *Krull* besonders deutlich. Sprachliche Klischees erinnern an seine grundsätzliche Beschränktheit, aber mit gelegentlichen Erinnerungen ist diese Aufgabe erfüllt. Dazwischen spielt der Autor über Krull hinweg. Eine andere Frage ist, ob die Intention des so lange unterbrochen gewesenen Werkes festgehalten wurde, oder ob es Brüche in der Struktur gibt. Können die mythischen Anspielungen, die im Laufe der Geschichte beginnen, von der ursprünglichen Struktur gerechtfertigt werden? Offensichtliche Brüche gibt es nicht, jedoch würde eine spezielle Untersuchung wohl zu differenzierteren Ergebnissen kommen. Anzumerken ist, daß die Erzählung *Mario und der Zauberer* eine böse Abart des konzentrierten artistischen Rollenspiels, nämlich den hypnotischen Zwang der anderen in eine Rolle behandelt, dem der in seiner Würde und an seiner Liebe gekränkte Mario ein jähes Ende bereitet. Die Erzählung ist in kleinem Rahmen ein Gegenstück zu dem Märchenspiel der mythischen Hochstaplerrolle Josephs, der auch anfangs bestrebt ist, seine Umwelt sozusagen nach seinen Wünschen tanzen zu lassen. Der Kontrast wird auch durch strukturelle Einbeziehung von Elementen der harten politischen Wirklichkeit erzielt. Die Erzählung wurde in die Arbeit am *Joseph* eingeschoben.

Satirische Absichten können wir zumeist in den kleineren Werken finden, die auf ein größeres folgen. *Unordnung und frühes Leid* kehrt die Voraussetzungen der Struktur des *Zauberberges* um. Die solide bürgerliche Ordnung wird nicht freiwillig verlassen durch Hingabe an die Zeitlosigkeit, sondern die Ordnung verläßt den Professor Cornelius, keinen einfachen jungen Mann also, entzieht ihm ihren Halt, so daß er Zuflucht beim Zeitlosen sucht, beim Vergangenen und Ewigen, nämlich der Liebe zu seiner Tochter (VIII, 626 f), die ihrerseits ihm freilich nicht ganz treu bleibt. Diese Liebe zu seinem Kinde wird paradoxerweise so gesehen, als hätte sie etwas mit dem Tode zu tun, nämlich als Weigerung, den Forderungen der aus der Ordnung geratenen Zeit nachzukommen. Diese merkwürdige Psychologie muß auf dem Hintergrund des *Zauberbergs* gesehen werden. Dann gewinnt die Komik in dieser Erzählung noch eine hintergründige Beziehung.

Nachdem *Lotte in Weimar* die Möglichkeit geboten hatte, eine fiktive Goetherolle zu spielen, wurde ein wesentlicher Bestandteil von Thomas Manns Goetheverständnis, die Einheit von Sinnlichkeit und Geistigkeit in Goethes Person und Werk, satirisch in ein Spiel verwandelt, das wir in *Die vertauschten Köpfe* vor uns haben. Das verbindende Glied ist Goethes Paria-Zyklus.

Das Gesetz ist an sich nicht übersprudelnd humorvoll. Aber die Struktur will den legendarischen Charakter der Mosesgeschichte nicht wahrhaben, und das ist eine humorvolle Aufhebung der Märchenstruktur im *Joseph*. *Der Erwählte* ist ein heiteres Gegenstück zu *Doktor Faustus*. Der Erzähler Clemens ist eine Zeitblom-Parodie, und das Motiv der Gnade, das in dem größeren Roman durch eine vertrackte Theologie halb verdeckt wird, kommt hier frei und heiter heraus.[137]

Thomas Mann wandte sich am Ende seines Lebens wieder einmal vom Krull-Stoff ab und griff das Lutherthema auf. Dabei wird sein Bedürfnis mitgewirkt haben, das satirische Spiel mit dem Rollenspiel zu begrenzen durch ein Thema, das dem religiösen Horizont nahestand, auf den wir immer wieder in seinem Werk stoßen und der auch die dynamische Metaphysik begrenzt. Was im *Faustus* versucht, aber nicht ganz gelungen war, die Repräsentanz eines problematischen, gefährdeten, musikalischen, aber letztlich an einem unbekannten Gott orientierten Deutschtums sollte in einem fiktiven Spiel mit historischem Hintergrund noch einmal beschworen werden.

Untersuchungen zum »Tod in Venedig«

1. »Über die Kunst Richard Wagners« und Aschenbachs letztes Werk

Eine Episode in der Erzählung von Aschenbachs Untergang und mythischer Befreiung bildet sein Bedürfnis zu schreiben. »Fast gleichgültig der Anlaß. Eine Frage, eine Anregung, über ein gewisses großes und brennendes Problem der Kultur und des Geschmackes sich bekennend vernehmen zu lassen, war in die geistige Welt ergangen und bei dem Verreisten eingelaufen. Der Gegenstand war ihm geläufig, war ihm Erlebnis; sein Gelüst, ihn im Licht seines Wortes erglänzen zu lassen, auf einmal unwiderstehlich.« Und zwar ist es sein Bedürfnis, in Tadzios Gegenwart zu arbeiten. So geschieht es. »Im Angesicht des Idols und die Musik seiner Stimme im Ohr« schreibt Aschenbach »seine kleine Abhandlung, jene anderthalb Seiten erlesener Prosa . . ., deren Lauterkeit, Adel und schwingende Gefühlsspannung binnen kurzem die Bewunderung vieler erregen sollte.« (VIII, 492 f.)

Unter den — nach Aussage des Dichters (XI, 124) — zahlreichen autobiographischen Elementen des *Tod in Venedig* würde man Aschenbachs letzte Arbeit nicht vermuten, vielmehr erhält diese Prosa auf der Ebene der Fiktion ihren Wert als sein letztes Werk. Der Leistungsethiker muß es sich nicht mühsam abringen, es entsteht aus einem Bedürfnis; es gewinnt an Wert, weil die Starre seines Autors sich gelöst hat durch denselben Prozeß, der ihn in den Untergang treibt.

Es gibt ein biographisches Vorbild auch für diese Episode. Die Handschrift des kleinen Aufsatzes »Über die Kunst Richard Wagners« (X, 840—842) ist mit Bleistift zum Teil auf Briefbogen des »Grand Hotel des Bains, Lido-Venise« geschrieben. Der Text erschien unter der Überschrift »Auseinandersetzung mit Richard Wagner« und datiert: »Lido-Venedig, Mai 1911« in *Der Merker*, Wien, II. Jahrgang, IV. Quartal, Juli-September 1911, in einem Heft, das den Festspielen Bayreuth gewidmet war. Ein Nachdruck erschien bald darauf in der in München erscheinenden *Neuen Zeitschrift für Musik*.[1] Beide Drucke konnte ich mit der Handschrift vergleichen.

Die Handschrift hat eine Variante gegenüber dem jetzigen Text. Der erste Absatz stimmt mit dem Druck X, 840 überein bis ». . . in ihm sah und liebte«. Der im jetzigen Druck folgende Text bis zum Ende des Absatzes (». . . Hauch zu verspüren.«) fehlt in der Handschrift. Stattdessen findet sich folgende Fassung:

In einer seiner wahrhaft theatromanischen Kunstschriften hat er es gewagt, das Epos den dürftigen Todesschatten des lebendigen Kunstwerks, des

Dramas zu nennen. Aber in seiner Stoffwahl bekundete er einen merkwürdig epischen Geschmack, und für mich ist es in dem Grade das Epos, das eigentlich aus seinem Drama wirkt, daß ich fast Mühe habe, ihn als Dramatiker zu empfinden. Von den schildernden musikalischen Vorspielen zu schweigen, so sind zweifellos immer die großen Erzählungen die Höhepunkte seiner Werke,[2] eingerechnet die Nornenszene der »Götterdämmerung« und das unvergleichlich epische Frage- und Antwortspiel zwischen Mime und dem Wanderer. Was ist der dramatische Wotan, den wir im »Rheing[old]« auf der Bühne sahen, verglichen mit dem erzählten in Sieglindes Gesang vom Alten im Hut? – Grillparzer verwarf das mehrteilige Drama als Form. Das Drama sei eine Gegenwart, es müsse alles, was zur Handlung gehöre[,] in sich enthalten. Die Beziehung eines Teiles auf den anderen gebe dem Ganzen *etwas Episches, wodurch es freilich an Großartigkeit gewönne.* Aber das ist die Wirkung des »Ringes«! Und wer das Leitmotiv als ein wesentlich dramatisches Kunstmittel ansprechen wollte, vergäße, daß es seit den Tagen Homers fast ausschließlich von Künstlern der Erzählung gehandhabt worden ist.

Die Drucke im *Merker* und in der *Neuen Zeitschrift für Musik* haben die Fassung der Handschrift bis auf unwesentliche Kleinigkeiten.[3] Die Veränderung des ersten Absatzes wurde sehr wahrscheinlich bei der Aufnahme des Aufsatzes in *Rede und Antwort* (1922) vorgenommen. Dieser Druck hat jedenfalls den jetzt gültigen Text, der in die Gesammelten Werke von 1960 übernommen wurde. Die übrigen Teile des Aufsatzes, also die auf den ersten folgenden Absätze, weisen zwischen Handschrift und Zeitschriftendruck einerseits und dem Druck von *Rede und Antwort* sowie den davon abhängigen Drucken andererseits nur verhältnismäßig geringe Änderungen auf.[4]

Die neue Fassung des ersten Absatzes faßt den Gedanken straffer. Der alte Text breitet Erläuterungen aus zu einem Lieblingsthema Thomas Manns: Wagners Werke als wesentlich episch zu betrachten. Dieser Gedanke fand auch Eingang in »Leiden und Größe Richard Wagners«. In dem kleinen Aufsatz von 1911 kommt übrigens die Wendung »leidende Größe« auf Wagner bezogen vor (X, 842), und ein Leitgedanke des Aufsatzes[5] von 1933 findet sich ebenfalls schon hier: »Wagner ist neunzehntes Jahrhundert durch und durch, ja er ist der repräsentative deutsche Künstler dieser Epoche« (X, 842).

Vergleicht man die Texte näher, so zeigt sich, daß Thomas Mann für den großen Aufsatz den kleinen von 1911 tatsächlich wieder benutzt hat. Auch andere ältere Arbeiten, auf Wagner bezügliche Teile aus den *Betrachtungen eines Unpolitischen*[6] und Stücke aus »Ibsen und Wagner«,[7] wurden für den großen Wagner-Aufsatz herangezogen und zum Teil wörtlich übertragen. Ein früher formulierter Ausdruck der Huldigung oder eine geistige Beziehung, die glücklich ins Wort gebracht war, stehen oft fest, sie werden als Ganzes in den neuen Zusammenhang hineingenommen. Dies ist nicht so im Falle der Übernahmen aus dem Aufsatz von 1911. Gedanken gehen in den größeren

Aufsatz über, Formulierungen kehren wieder, aber kein ganz wörtliches Zitat von Satzlänge oder mehr. Der Aufsatz »Leiden und Größe Richard Wagners« hat einen distanzierteren Stil als die frühere Äußerung.

Übereinstimmende Gedanken zwischen dem Text von 1911 und dem von 1933 sind: 1. Die persönliche Faszination Thomas Manns von Wagners Werk. Was er ihm verdanke, »an Kunstglück und Kunsterkenntnis« (X, 840; 1911), »als Genießender und Lernender« (IX, 373; 1933) könne er »nie vergessen« (beide Aufsätze). Diese 1911 wie 1933 gültige Ansicht stimmt überein mit der Kennzeichnung im *Tod in Venedig:* »der Gegenstand . . . war ihm Erlebnis« (VIII, 492). 2. Die Kritik an »Wagners Theorie«, an Wagners »Kunstschriften«. 3. Wagner als Epiker unter Berufung auf Grillparzers Ansicht über das mehrteilige Drama,[8] die in der ursprünglichen Fassung des Wagneraufsatzes von 1911 vorkommt, aber nicht im geänderten Text, ein Beweis, daß Thomas Mann der erste Text, wahrscheinlich die Handschrift, vorgelegen hat. Übrigens ist der Ausdruck »Theatromane« (X, 374) im Aufsatz von 1933 sicher von dem Adjektiv »theatromanisch« beeinflußt, das in der oben zitierten Textvariante vorkommt, ein weiteres Anzeichen, daß Thomas Mann nicht die Fassung aus *Rede und Antwort* benutzte.

Die »Auseinandersetzung« mit Wagners Theorie hat zu dem Titel des Zeitschriftendruckes geführt, der übrigens in der Handschrift fehlt; er stammt von Thomas Mann. Eine nähere Betrachtung dieser Auseinandersetzung führt uns ein wenig weiter in Thomas Manns Situation von 1911.

»Ja, hat überhaupt je jemand ernstlich an diese Theorie geglaubt?« (X, 841), so fragt er 1911; 1933 ist der gleiche Gedanke ein wenig verklausuliert wiedergegeben (IX, 373). Diese Äußerung muß man auf dem Hintergrund des Aufsatzes »Geist und Kunst« sehen, den Thomas Mann von 1909—1911 plante und den er, abgesehen von einem Fragment (X, 62—70), Aschenbach überließ (VIII, 450). Die Notizen zu diesem Literaturessay[9] zeigen, wie Thomas Mann in seinen Versuchen, das Wesen von Literatur und Kunst zu bestimmen, kaum von dem Phänomen Wagner loskam. Vielleicht ist ihm im Umkreis seiner eigenen kunsttheoretischen Ideen die Haltlosigkeit der Wagnerschen recht deutlich vor Augen geführt worden. Dann wäre seine Distanzierung von Wagners Theorie gewissermaßen ein Ergebnis des vergeblichen Versuches, seinem eigenen Aufsatz »Geist und Kunst« jene »ordnende Kraft und antithetische Beredsamkeit« zu geben, die dem des älteren Aschenbach zugeschrieben wird (VIII, 450).

Thomas Manns eigener Versuch, eine gültige Kunsttheorie zu formulieren, mißlang. »Der Gegenstand führt ins Ungemessene, und die essayistische Disziplin des Verfassers reichte nicht aus, ihn zu komponieren.« (X, 62) So wird 1913 der Hergang in der Vorbemerkung zu dem Druck eines Fragmentes des sonst ungeschriebenen Aufsatzes im *März* bezeichnet. In der Sprache des *Tod in Venedig*: die »ordnende Kraft« fehlte. Man darf wohl annehmen, daß an »antithetischer Beredsamkeit« kein Mangel war.

Die vorhandenen Notizen zeigen mehrere Gesichtspunkte, die sich nicht leicht vereinigen ließen. Der Titel »Geist und Kunst« enthielt eine Antithese; der Ausgangspunkt war schon durch *Fiorenza* gegeben, wo Savonarola, der Prophet, der geistige Künstler, den oberflächlichen Renaissancekünstlern gegenübergestellt wird, deren Protektor Lorenzo Magnifico ist. Der Aufsatz sollte dieses Motiv aufnehmen und erweitern durch eine Ehrenrettung des Literaten, der bewußten und kritischen Kunst, die aber keineswegs durch eine Herabsetzung des plastischen Künstlers erzielt werden sollte. Die scharfe Antithese war in Gefahr verlorenzugehen. Andererseits behielt sie doch ein gewisses Recht gegenüber ästhetizistischen Erscheinungen der Gegenwart: der Kunstgewerbebewegung, in die Literatur eindringend in der Form von in Kalbsleder gebundenen Prachtbänden mit neuromantischem Inhalt, dem Künstlertheater-Typ, der das Komödiantische zum Eigenwert erhob und dessen gesteigerte Form das Theater Max Reinhardts darstellte. An Stefan Georges Bewegung bemerkte Thomas Mann einen literarischen, kritischen Zug. Das Überliterarische daran durchschaute er mit Recht als angemaßt.[10] Dies alles brachte allmählich eine Fülle von Gesichtspunkten. Neue kamen dazu, wie das Verhältnis von Kultur und Zivilisation, das später in die Kriegsaufsätze einging. Zeitkritisches steht neben ausgesprochen freudigen Bekenntnissen zum geistigen Leben seiner Periode: »Ich *liebe* unsere Zeit. Nichts interessanter als sie.« — ». . . diese sehr großherzige, sehr vielseitige Zeit . . .« Zu dem allem kommt das dauernde Umkreisen des Problems Wagner.

Mit diesen Hinweisen sind die vorhandenen Notizen zum Essay »Geist und Kunst« natürlich nicht erschöpft, sie genügen aber, um darzutun, daß es einseitig ist, wenn die Vorbemerkung des Fragmentes im *März* selbstkritisch von einem Mangel an Disziplin spricht. Ebensogut könnte man die Fülle der hinzuströmenden Gesichtspunkte für das Scheitern der ordnenden Kraft verantwortlich machen. Thomas Mann wollte diese Fülle nicht durch eine verengende Theorie disziplinieren, eine Möglichkeit, die er auf der fiktiven Ebene in *Fiorenza* mit einem peinlichen Mißlingen hatte bezahlen müssen; ja auf der fiktiven Ebene war eine Verengung sogar eher möglich, denn immer muß die fiktive Welt große Bereiche der Realität ausschließen, um integrationsfähig zu sein, zum Werk werden zu können. Wer aber im Essay die Wirklichkeit (und sei es auch nur die intellektuelle Situation), ins Wort bringen will und sie ins Streckbett einer Theorie zwängt, der muß in dieser »sehr vielseitigen« Zeit zu Fälschungen kommen. Es ist offenbar diese Einsicht, die als essayistische Formulierung, aktualisiert durch westliche Kriegspropaganda und das Kriegsgeschehen, später auch durch Heinrich Manns »Zola«, die *Betrachtungen eines Unpolitischen* hervortreibt, die sich gegen die einseitige Phraseologie des »Zivilisationsliteraten« richten (der nur in dieser Hinsicht mit Heinrich Mann zu tun hat). Auf fiktiver Ebene war schon seit 1913 der »Vorbehalt« Hans Castorps gegen den Zivilisationsliteraten Settembrini in der Gestaltung begriffen.[11]

Der kleine Wagneraufsatz von 1911 geht von einer persönlichen Huldigung aus, er beginnt mit der Versicherung des Verfassers, seine Wagner-Eindrücke, das sind Theatereindrücke, nie vergessen zu können, selbst wenn er sich im Geiste von Wagner entfernen sollte, also von seinem romantischen Ästhetizismus, von seiner Theorie, von den kulturellen Reformideen der Wagnerianer. Die faszinierenden Theatereindrücke kommen mehrmals ins Spiel, eine Beschwörung ihres »Zaubers« beschließt den kleinen Aufsatz. In seiner Mitte steht eine andere solche Beschwörung: »Wunderbare Stunden tiefen einsamen Glückes inmitten der Theatermenge, Stunden voller Schauer und kurzer Seligkeiten, voll von Wonnen der Nerven und des Intellekts, von Einblicken in rührende und große Bedeutsamkeiten, wie nur diese, nicht zu überbietende Kunst sie gewährt!« (X, 841). Diese Evokation ist auch in »Leiden und Größe Richard Wagners« übernommen worden, dort an den Anfang eines Abschnittes gestellt (IX, 373), mit kleinen Änderungen, deren wichtigste der Fortfall der Wendung »nicht zu überbietende« (Kunst) ist. Geblieben sind neben dem Ausdruck der Faszination des Zuschauers im Theater die Einblicke »in rührende und große Bedeutsamkeiten«. Welche können das sein? Diese Frage werde ich am Schluß dieses Kapitels zu beantworten versuchen.

Für den Charakter des kleinen Aufsatzes ist es wesentlich, daß die ganz persönliche Faszination temperiert wird durch Kritik oder diese durch jene. Einmal durch die Wagner-Kritik Nietzsches: »Als Geist, als Charakter schien er mir suspekt, als Künstler unwiderstehlich, wenn auch tieffragwürdig in bezug auf den Adel, die Reinheit und Gesundheit seiner Wirkungen« (X, 841); dann aber durch die Kritik der Theorie Wagners der »Addition von Malerei, Musik, Wort und Gebärde« (X, 841 vgl. XI, 374). Wagners Theorie wurde durch einen einigermaßen naiven Glauben an seine Sendung ermöglicht, durch seinen eigenen, vor allem aber durch den seiner Anhänger. Das schlagende Argument gegen diese Theorie ist, daß in ihrer Rangordnung der *Tasso* Goethes dem *Siegfried* Wagners nachstünde. Maßstab von Thomas Manns künstlerischer Orientierung ist Goethe, nicht Wagner.

Ursprünglich wollte er 1911 in einer Novelle statt eines erfundenen Schicksals Goethes letzte Liebe gestalten, die er als Tragödie der Entwürdigung des Künstlers sah; der Stil der *Wahlverwandtschaften* wurde dem Verfasser des *Tod in Venedig* zum Vorbild.[12] In unserem Text finden wir den Ausdruck des Bedürfnisses nach stilistischer Klassizität. Man muß sich klarmachen, daß die folgenden Zeilen am Lido von Venedig geschrieben wurden, als sich die Konzeption von Aschenbachs Schicksal und die Weise seiner Gestaltung vielleicht leise vorbereiteten, aber keineswegs greifbar vorhanden waren:

Denke ich aber an das Meisterwerk des zwanzigsten Jahrhunderts, so schwebt mir etwas vor, was sich von dem Wagner'schen sehr wesentlich und, wie ich glaube, vorteilhaft unterscheidet, — irgend etwas ausnehmend Logisches Formvolles und Klares, etwas zugleich Strenges und Heiteres, von nicht geringerer Willensspannung als jenes, aber von kühlerer, vornehmerer und selbst gesunderer Geistigkeit, etwas, das seine Größe nicht im Barock-Kolossalischen und seine Schönheit nicht im Rausche sucht — eine neue Klassizität, dünkt mich, muß kommen (X, 842).

Aschenbachs zwanghafte Kunstdisziplin kam durch eine entschlossene Ablehnung des »Wissens« zustande (VIII, 454), womit nach Ausweis des Kontextes der »unanständige Psychologismus« (VIII, 455) gemeint ist, nämlich die Offenheit gegenüber der vielseitigen Zeit. Aschenbach begegnet dem Pluralismus der Wirklichkeit durch »moralische Entschlossenheit jenseits des Wissens, der auflösenden und hemmenden Erkenntnis« (VIII, 455). Der Erzähler meldet an dieser Stelle des *Tod in Venedig* Zweifel an, eine solche Entschlossenheit könne eine »sittliche Vereinfältigung der Welt und der Seele« zur Folge haben. So war es ja im Falle von Wagners und der Wagnerianer Kunst- und Kulturtheorie geschehen, an die Thomas Mann nicht gedacht haben muß, als er Aschenbachs Verhältnis zu seiner Zeit beschrieb. Denn vermutlich hat er an sich selbst gedacht, an die Gründe für das Scheitern seiner eigenen Aufsatzpläne. Die Figur Aschenbach sollte der Vereinfachung fähig sein, die einen festen Standpunkt für einen (fertiggestellten) Aufsatz »Geist und Kunst« ermöglichte.

Thomas Mann hingegen hatte sich nicht auf eine vereinfachende Theorie festlegen mögen. Stattdessen äußerte er sich über Wagner in ganz persönlicher Weise: Huldigung durch Bekenntnis zur Faszination von dem Gegenstand, durchsetzt mit Äußerungen kritischer Distanz, die ebenfalls ganz persönlich sein konnten. Dieses Grundschema findet sich in Thomas Manns Essayistik immer wieder. Seine Anwendung in dem kleinen Wagner-Aufsatz hatte vor dem Hintergrund der Essay-Pläne ein Moment der Befreiung (vgl. VIII, 448: »Begierde nach Befreiung, Entbindung und Vergessen«), mag er sich auch in einer brieflichen Äußerung an Bertram vom 11. August 1911 sehr wegwerfend über die Arbeit ausgesprochen haben.[13] Für den Gelehrten war sie ihm nicht gut genug. Daß sie »sehr skizzenhaft« sei, schrieb er auch am 21. August 1911 an Hans von Hülsen, und das ist sie natürlich auch. Die negative Bewertung dieser Eigenschaft erscheint in dem Brief an Bertram auf dem Hintergrund der Ansprüche, die er in »Geist und

Kunst« an sich gestellt hatte: ».. . die eigentlich unverantwortlich skizzenhafte und journalistische Abfertigung eines Gegenstandes, den auf eine gründliche und entscheidende Weise zu behandeln eigentlich der Augenblick gekommen wäre. (›Wenn ich bloß Zeit hätte!‹)« Was in der Klammer steht, gibt sich schon durch die Anführungsstriche als Scherz zu erkennen. Im Grunde hatte er die Ansprüche schon abgestreift.

In diesem Sinne steht »Über die Kunst Richard Wagners« Aschenbachs letztem Werk wirklich nahe. Das Werk Aschenbachs freilich kann nicht mit dem kleinen Aufsatz Thomas Manns identisch sein. Aschenbachs Vereinfachung und Vereinfältigung im Dienste der Form wird vom dionysischen Rausch des Lebens gewaltsam aufgebrochen. Aschenbach erlebt eine mythisch verzauberte Welt, hat aber mit seinem Untergang dafür zu zahlen. In der Gegenwart des ihn verwandelnden Gottes, dessen irdischer Aspekt Tadzio heißt, schreibt er seine letzte Prosa. Das kann nicht jener kleine Aufsatz sein, mag auch Thomas Mann in ihm die Befreiung von einer Last erlebt haben. Dennoch dürfte deutlich geworden sein, daß man von autobiographischen Beziehungen sprechen kann.

Woher kommt eigentlich jenes Bedürfnis, den Mythos zu verlebendigen? Es gibt sicher mehrere Interessen, die zusammenlaufen, von den Kinderspielen (XI, 328f) bis zum frühen Nietzsche und seinem Freund Erwin Rohde. Obenan steht das erzähltechnische Bedürfnis nach einer »Gegenwelt«, die mit der naturalistisch dargestellten Welt zusammen bestehen kann, aber doch freier ist als diese. Das Zusammenkomponieren beider Welten ergibt einen eigenen Reiz. Ähnlich war schon *Tristan* komponiert. Gegen die naturalistisch, medizinisch determinierte Welt, in der ein Fall von Tuberkulose sich abspielt, steht die artistische Eigenwelt, die Spinell zu erwecken versteht. Gabrieles Tod ist ihr endgültiges Eintreten in die artistische Welt sowohl als auch das Ende eines Krankheitsprozesses. Diese artistische Welt im *Tristan* ist gekennzeichnet von Märchenmotiven und von dem Musikdrama Richard Wagners.

Tristan reicht nur in die mythische Welt hinein. Daß die Welt des *Ring des Nibelungen* auf Thomas Mann einen ebenso großen Eindruck machte, davon legt auch unser Text Zeugnis ab. Sollte nicht die mythische Welt von Wagners Musikdramen die stärkste Lockung für Thomas Mann gewesen sein, auf seine Weise den Mythos zu verlebendigen? Ich muß das als Frage formulieren, denn eindeutige gleichzeitige Belege sind mir nicht bekannt. Freilich mußte Thomas Mann sich das Material für den Mythos anderswoher holen. Die Welt des *Ringes* war durch Wagner selbst ausgeschöpft und romantisch belastet. Eine neue Klassizität schwebte Thomas Mann vor. So lag es für ihn nahe, sich dem griechischen Mythos zuzuwenden. Darauf wies ihn ja auch der junge Nietzsche, der den Gegensatz apollinisch-dionysisch mindestens zum Teil aus dem Geiste der Musik Wagners und aus der Philosophie Schopenhauers konzipiert hatte, zu der sein Meister sich auch bekannte. Von da war der Weg zu Nietzsches Freund und Verteidiger der *Geburt der Tragödie* nicht weit, dem Genossen der Schopenhauer- und Wagnerreligion, Erwin Rohde.[14]

Thomas Manns Einblicke »in rührende und große Bedeutsamkeiten«, wie nur Wagners Kunst sie gewähre (X, 841), können als Einblicke in die künstlerischen Möglichkeiten des Mythos verstanden werden. Daß Wagners Welt und der *Tod in Venedig* nicht ohne Beziehungen zueinander sind, zeigt sich in einer gewissen Parallelität zwischen Richard Wagners Tod in Venedig und Aschenbachs Schicksal,[15] ferner in der Tatsache, daß in »Leiden und Größe Richard Wagners« ein Abschnitt über Psychologie und Mythos zu dem Teil des Aufsatzes hinführt, der von Thomas Manns eigener »Passion für Wagners zaubervolles Werk« (IX, 373) spricht, von seiner Ablehnung der Theorie Wagners und von Wagner als Epiker, also dem Teil, in den am stärksten Gedanken aus dem kleinen Aufsatz von 1911 hineinverarbeitet worden sind.

Die Begriffe »Mythus und Psychologie« erscheinen 1919 in der Neufassung des Aufsatzes »Der alte Fontane« (IX,32f). Als Formel werden die beiden Begriffe 1926 aktualisiert durch den Widerspruch gegen Alfred Baeumlers Behauptung, beide schlössen sich aus (XI, 49). Auf Baeumler bezieht sich auch die Bemerkung in »Leiden und Größe Richard Wagners«: »Man will ihre Vereinbarkeit leugnen, Psychologie... gilt als Widerspruch zum Mythischen, wie ... zum Musikalischen ... obgleich ebendieser Komplex von Psychologie, Mythus und Musik uns gleich in zwei großen Fällen, in Nietzsche und Wagner als organische Wirklichkeit vor Augen steht.« (IX, 368)

Nietzsche und Wagner, diese Namen bezeichnen die bedeutendsten Eindrücke, die Thomas Mann (neben dem der Dichtung Goethes) erfahren hat. Leicht vergröbert stehen sie für freischwebende Intelligenz und faszinierenden Zauber, wobei beide viel auch von dem jeweils anderen hatten. »Psychologie und Mythus« bezeichnet im Grunde einen Zusammenhang zwischen beiden Eindruckstypen. Die Beispiele, die Thomas Mann in »Leiden und Größe Richard Wagners« für Wagners »Psychologie« beibringt, sollen dessen dichterische Intelligenz erweisen (dazu dient ebenfalls die Behauptung der Vorwegnahme Freuds durch Wagner wie auch durch Nietzsche). Auch Wagners Weise, »den Mythus zu beschwören und neu zu beleben« (IX, 372) ist intelligent. Dies wird suggeriert durch Ausdrücke wie »Verschränkung eines Doppelten« (IX, 369), »Gedanke der seelischen Doppelexistenz« (IX, 371), »die Sprache des ›Einst‹ in seinem Doppelsinn aus ›Wie alles war‹ und ›Wie alles sein wird‹« (IX, 372). Das sind alles Charakteristika von Thomas Manns eigener Dichtung und besonders auch des *Tod in Venedig*. Die »doppelte Optik« von »Mythus und Psychologie« wurde mit Recht von André von Gronicka als Formel einer Interpretation des *Tod in Venedig* gebraucht.[16]

Es kann kaum ohne alle Bedeutung sein, daß der Verfasser von »Leiden und Größe Richard Wagners« nach dem eben angeführten Abschnitt über Mythus und Psychologie in Wagners Werk sich näher seinem kleinen Wagneraufsatz von 1911 zuwendet. Wahrscheinlich benutzte er dabei die Handschrift, wobei ihm die Briefbogen des Lido-hotels wieder vor Augen kamen. Thomas Manns kritisch temperierte Faszination durch Wagners Zauber, seine Auffassung Wagners als Epiker hängen zusammen mit dem Gefühl der Befreiung, das sich verbunden haben muß mit den neuen künstlerischen Möglichkeiten des Mythos. Ausdruck dieses Gefühls der Befreiung sind wohl Erinnerungen an den »hymnischen Ursprung« der Novelle.[17] Die Bemerkung des Wagneraufsatzes von 1933: »...er hatte sich selbst gefunden, als er von der historischen Oper zum Mythus fand« (IX, 372) ist sehr wahrscheinlich eine autobiographische Anspielung, wie etwa auch Wagners bürgerliches Bedürfnis, jeden Vormittag zu arbeiten (IX, 412), das übrigens auch Aschenbach mit seinem Autor teilt (VIII, 444). Da Thomas Mann ja nicht nur seinen zeitkritischen Essay und entsprechende fiktive Pläne, sondern auch den Friedrich-Roman damals abwarf, kommt seine Bemerkung über Wagner seiner eigenen Wirklichkeit von 1911 sehr nahe.

Mögen dies auch alles nur Indizien sein, so sind sie doch deutlich genug, um eine andere Auffasung zumindestens einzuschränken, die den *Tod in Venedig* nicht als Befreiung, sondern als das Gegenteil sieht, als endgültige Verfestigung. Diese Auffassung erscheint im ersten Augenblick besser belegbar, jedoch sind ihre Stützen nicht unerschütterlich.

Hans Wysling hat in einem bedeutenden Aufsatz über die Montagetechnik im *Erwählten* die Periode des *Tod in Venedig* als eine Krise Thomas Manns dargestellt. »Angst vor der Sterilität« habe ihn bedroht, nachdem das Bürger-Künstler-Thema im *Tod von Venedig* noch einmal und endgültig dargestellt worden sei.[18] Wysling stützt sich bei seiner Deutung vielfach auf Selbstäußerungen Thomas Manns, deren wichtigste einem Vortrag über sein eigenes Werk aus dem Jahre 1940 entnommen ist. Die Rolle der Novelle in seinem »internen Leben« bezeichnet er darin als »ein Letztes und Äußerstes, einen Abschluß« und fährt fort: »Sie war die moralisch und formal zugespitzteste und gesammeltste Gestaltung des Décadence- und Künstlerproblems, in dessen Zeichen seit ›Buddenbrooks‹ meine Produktion gestanden hatte, und das mit dem ›Tod in Venedig‹ tatsächlich ausgeformt war, — in voller Entsprechung zu der Ausgeformtheit und Abgeschlossenheit der individualistischen Gesamt-Problematik des in die Katastrophe mündenden bürgerlichen Zeitalters. Auf dem persönlichen Wege, der zum ›Tod in Venedig‹ geführt hatte, gab es kein Weiter, kein Darüber

Hinaus ...«[19] Natürlich schwächt Thomas Mann die Bedeutung dieser Aussagen gleich wieder ab, spricht von der Überwindung dieses Zustandes, vom Auflockern des Form Gewordenen, aber das ist alles in so vagen und allgemeinen Formulierungen vorgetragen, daß man auf Grund dieser Selbstaussage schon auf den Gedanken kommen kann, das Neue, das nach der Ausgeformtheit und Abgeschlossenheit der alten Periode gekommen sei, wäre in der Technik der Montage einer künstlichen Welt aus zweiter und dritter Hand zu erblicken.

Thomas Manns Selbstinterpretationen sind fast alle einseitiger Natur. Für den *Tod in Venedig* wird unten im Kapitel vier dieses Abschnittes eine Tendenz gezeigt werden, dieses Werk als Zeitdokument zu interpretieren und dabei im wesentlichen nur das zweite Kapitel zugrunde zu legen. Diese Tendenz war von den Kritikern des Werkes beeinflußt, besonders von Georg Lukács' Ansicht, Thomas Manns Werk sei das Abbild bürgerlichen Verfalls. Der Vortrag über sein eigenes Werk wurde in Princeton gehalten, wo Thomas Mann eine seiner Natur eigentlich fremde akademische Rolle spielen mußte. So lag es nahe, die Gesichtspunkte intelligenter Kritiker aufzugreifen. Daß es sich in unserem Falle um eine werkfremde Kritik handelt, zeigt sich schon an dem Bezug auf den ersten Weltkrieg und an der Behauptung einer Gesamt-Problematik des bürgerlichen Zeitalters. Übrigens datierte Thomas Mann im gleichen Zusammenhang die Novelle 1913, um sie möglichst nahe an den Weltkrieg heranzurücken, indem er ziemlich willkürlich das Datum der ersten öffentlichen Buchausgabe wählte.[20]

Die Zeit des *Tod in Venedig* ist wirklich als ein Einschnitt zu werten. Aber nicht, weil originale Schöpfung hier zuende ist und künstliche Montage beginnt, sondern weil Thomas Mann Ballast abwirft. Aschenbach erhält ja nicht nur den Aufsatz »Geist und Kunst«, sondern auch den Plan eines Romans »Maja«, die Novelle »Ein Elender« und den Friedrich-Roman als vollendete Werke zugesprochen. Von diesen war »Maja« und die Novelle mit einem zeitkritischen Einschlag gedacht. Statt dieser Themen, die sich ihm nicht gestalten wollten, wendet er sich einer neuen Möglichkeit zu, der Verlebendigung des Mythos, die im *Joseph* ihre Kraft zeigen sollte.

Am wichtigsten scheint mir die Befreiung von dem selbstauferlegten zeitkritischen Anspruch durch die Aufgabe des Essays »Geist und Kunst« und zugleich seine Hinwendung zu dem Typus des persönlichen Essays der distanzierten Huldigung, wie wir sie in »Über die Kunst Richard Wagners« beobachten konnten, in der Verflechtung dieses Aufsatzes mit dem Schicksal Aschenbachs. Wenn ihm nun Kritiker sagten, er hätte im *Tod in Venedig* auf fiktiver Ebene doch das geleistet, was er aufgegeben hatte, so ist es menschlich verständlich, wenn er das nachsprach. Glücklicherweise können wir den Dichter vor den Konsequenzen seiner eigenen Äußerung beschützen.

Die Bedeutung des antiken Mythos für die Novelle *Der Tod in Ve-nedig* ist seit langem anerkannt,[21] wenn auch die Interpretationen der Novelle als Verfallsgeschichte oder als Künstlernovelle, ausgehend von ihrem zweiten Kapitel, vorwiegen, auch in Thomas Manns Selbstverständnis.[22] Diese Interpretationen haben natürlich ihre relative Berechtigung, aber nur als ein Aspekt, wie André von Gronicka überzeugend gezeigt hat, als eine Strukturlinie, in unserer Terminologie, die der anderen, der mythischen entgegenläuft. Bildlich gesprochen: die mythischen Züge und Motive im *Tod in Venedig* erhalten ihre Bedeutung von der steigenden Strukturlinie, die Züge und Motive der Entwürdigung, der Krankheit und des Verfalls von der fallenden. Es gibt Motive (Züge, die durch variierende Wiederholung miteinander verklammert sind), die auf beide Strukturlinien bezogen werden können. So sind die Todesgestalten, die Aschenbach immer näher rücken, der Fremde auf dem Friedhof, der unlizensierte Gondoliere, der zunächst unbezahlt blieb, aber gesagt hatte, »Sie werden bezahlen« (VIII, 466), und der Gitarrist der Bettelvirtuosen, der dann das »ungebührlich bedeutende Geldstück« erhält (VIII, 509), Symbole der Unordnung, des Unzugehörigen, des Unheimlichen, einer fremden Macht und zugleich Charonfiguren, mit einiger Anlehnung an den mittelalterlichen Tod. Sie wirken abschreckend, aber zugleich übermoralisch. Der letzte irdische Vertreter dieser Todesgestalten ist ein Bettler mit kriecherischen und frechen Gebärden; gerade sein mythisches Wesen als Todesgestalt vermag Aschenbach zu sehen: er versteht die Beziehung zwischen diesem auflösenden und unwürdigen Aspekt des Todes und dem, der in dem schönen Knaben Tadzio verkörpert ist, als er über die linke Schulter auf seinen »Liebhaber« blickt (VIII, 507). Die Todesgestalten erhalten zwar hauptsächlich ihre Bedeutung von der fallenden Linie, gehören aber auch zu der mythischen Schicht, sie werden in ihrer »wahren« Bedeutung von Aschenbach und dem Leser erkannt, nachdem die steigende Strukturlinie den mythischen Bereich erschlossen hat; die »wahre« Bedeutung gilt natürlich nur im Rahmen der Fiktion.

Die steigende Strukturlinie setzt langsam die Alleingültigkeit der Erfahrungswelt des Lesers außer Kraft, ohne ihre relative Gültigkeit anzutasten. Schon ganz am Anfang erfährt Aschenbach, unter dem Einfluß der ersten Todes-Charon-Gestalt, »eine seltsame Ausweitung seines Innern« (VIII, 446), die Beobachtungen auf dem Schiff, das ihn nach Venedig tragen soll, fangen an, Aschenbach zu verwandeln, »als beginne eine träumerische Entfremdung, eine Entstellung der Welt ins Sonderbare um sich zu greifen«. Er will dem Einhalt gebieten, aber in diesem Augenblick bemerkt er mit unvernünftigem Erschrecken, daß das Schiff sich »vom gemauerten Ufer löste« (VIII,

460). Die gesicherte, wohlgebaute Welt wird verlassen; der daktylische Rhythmus beginnt zugleich das innere Ohr des Lesers auf die deutsche Klassik einzustellen. Der Erzähler führt Aschenbach allmählich in die mythische Welt. Der Leser folgt, wenn auch nicht immer auf dem gleichen Weg.

Tadzios Haar erscheint »wie beim ›Dornauszieher‹ gelockt« (VIII, 470), dann ist sein Kopf »das Haupt des Eros« (VIII, 474); Tadzio kommt aus dem Wasser »mit triefenden Locken und schön wie ein zarter Gott, herkommend aus den Tiefen von Himmel und Meer... dieser Anblick gab mythische Vorstellungen ein, er war wie Dichterkunde von anfänglichen Zeiten, vom Ursprung der Form und von der Geburt der Götter.« (VIII, 478) Jetzt ist der Leser vorbereitet, die Sonne als den Gott anzusehen (VIII, 486, 495) und für ihn wie für Aschenbach gilt: »Aber der Tag, der so feurig-festlich begann, war im ganzen seltsam gehoben und mythisch verwandelt.« (VIII, 496) Nur Aschenbach erlebt Tadzio als Hyakinthos, der Leser wird jedoch durch den daktylischen Rhytmus,[23] der gerade im vierten Kapitel der Novelle häufig spürbar ist, sowie durch das Vorkommen mythischer Züge, wie die »Rosse Poseidons« (VIII, 496) und »Eos« (VIII, 495) auf der klassisch-mythischen Ebene gehalten.

Am Schluß der Novelle sieht der Leser Tadzio naturalistisch als polnischen Jungen und unter der fallenden Strukturlinie als Gegenstand der Begierde Aschenbachs, unter der mythischen aber als Hermes Psychagogos, der »vorm Nebelhaft Grenzenlosen« steht und sich über die Schulter umsieht, »als ob er... hinausdeute, voranschwebe ins Verheißungsvoll-Ungeheure« (VIII, 524-525).

Im vierten Kapitel ist die mythische, die steigende Strukturlinie dominant, im fünften die fallende. Auch die mythischen Motive, die Charonsgestalt als Bettelvirtuose und — wie wir sehen werden — die üblen Windgeister, die Harpyien, geraten unter ihren Einfluß. Wollte man die Bildlichkeit der Beschreibung der Mathematik annähern, dürfte man nicht von Strukturlinien sprechen, sondern von Kurven. Die mythische Kurve stiege dann rasch an, erreichte im vierten Kapitel den Scheitelpunkt und flachte sich dann ab, ohne ganz zu sinken; am Schluß stiege sie wieder an. Die andere Kurve fiele zuerst flach und dann immer steiler. Aber für die Interpretation muß die Terminologie einfach gehalten werden. Die Strukturbeschreibung darf kein Eigenrecht beanspruchen. Für die Interpretation ist die Feststellung zweier Deutungsrichtungen wesentlich, im einzelnen Fall läßt es sich leicht erkennen, welches Strukturelement überwiegt. Der Einfachheit halber halte ich an der Bezeichnung »Strukturlinie« fest.

Vergleicht man die beinahe schülerhaften mythologischen Notizen zum *Tod in Venedig*[24] mit der Verwendung des Mythos in der Novelle, dann fällt auf, daß nicht eine umfassende Vertrautheit mit klassischer Antike ins Werk drängte, sondern daß vage Erinnerungen aus der Jugendzeit sich mit Anregungen aus Nietzsches Philosophie verbanden, die ergriffen wurden, um der naturalistisch, naturwissenschaftlich determiniert erscheinenden Strukturlinie von Verfall, Krankheit und Tod die mythische des »Verheißungsvoll-Ungeheuren« entgegenzusetzen.

Informationen zur Mythologie in den Notizen stammen zum Teil aus lexikalischen Quellen, die noch nicht alle identifiziert sind. Andere sind Auszüge aus dem Mythologiebuch, das Thomas Mann von seiner Mutter übernommen hatte, der es »beim Unterricht gedient hatte« und in dem er »als Junge unersättlich las«.[25] Er benutzte noch das gleiche Buch, das er in »Kinderspiele« als Quelle für sein Götterspiel genannt hatte (XI, 328f).[26] Aus diesem Buch stammen Informationen über Eos, Tithonos und Kephalos, die im Verein mit Informationen aus Erwin Rohdes *Psyche* — über die unten ausführlicher berichtet wird — halfen, Aschenbachs Sonnenaufgangerlebnis mythisch zu gestalten (VIII, 495). »Charon, der finster blickende Fährmann«, und »der düstere Charon« sind Ausdrücke, die Thomas Manns Phantasie vermutlich lange gefangenhielten. Charon finden wir schon in *Der Kleiderschrank* und *Fiorenza* (VIII, 155; 1021). Natürlich ist der unheimliche Gondoliere, der Aschenbach zum Lido befördert, eine Charon-Gestalt (VIII, 464-467).

Die lexikalische Quelle und das Schul-Mythologiebuch faßten ihr Material natürlich als Bildungsstoff, also mythologisch auf. Die Verlebendigung des Mythos als fiktives Element war Thomas Manns eigene Sache, wobei er vermutlich auf das »Götterspiel« seiner Kindheit zurückgriff. Neben dem Vorbild Wagners muß Nietzsches Ernstnehmen des Mythos eine Rolle gespielt haben: »Hier erinnert nichts an Askese, Geistigkeit und Pflicht: hier redet nur ein üppiges, ja triumphierendes Dasein zu uns, in dem alles Vorhandene vergöttlicht ist, gleichviel, ob es gut oder böse ist.«[27]

Zur Zeit der *Geburt der Tragödie* war die Freundschaft Nietzsches mit Erwin Rohde auf ihrem Höhepunkt. Rohde verteidigte Nietzsches Werk öffentlich gegen Wilamowitz. Das Verständnis des tragischen Mythos schien beiden neu eröffnet durch Schopenhauer und Wagner. Beide strebten über den philologischen Betrieb hinaus, dessen humanistische Grundlage ihnen flacher Optimismus war. Der Briefwechsel Nietzsche-Rohde erschien zuerst 1902, ein Exemplar der ersten Auflage befindet sich noch heute in Thomas Manns Bibliothek. 1904 (X, 837) findet sich — soweit ich sehe — in Thomas Manns Schriften zuerst das Zitat aus dem Brief Nietzsches an Rohde vom 8. Oktober 1868. Nietzsche schreibt da, ihm behage an Wagner und Schopenhauer »die ethische Luft, der faustische Duft, Kreuz, Tod und Gruft...« Thomas Mann zitiert diese Stelle außerordentlich häufig.[28] Es ist also ganz verständlich, daß er auf Rohdes berühmtestes Buch *Psyche* aufmerksam wurde. Dieses Werk hat den Untertitel »Seelencult und Unsterblichkeitsglaube der Griechen«. Es bot sich geradezu an für einen, der, von Nietzsche herkommend, sich um griechischen Mythos unter dem Aspekt des Todes bekümmern wollte.[29] Thomas Mann besaß ein Exemplar der vierten Auflage (Tübingen, J. C. B. Mohr, 1907),[30] das heute im Thomas Mann Archiv Zürich aufbewahrt wird.

Psyche wurde zur Quelle des *Tod in Venedig*, das kann man anhand von Anstreichungen und Exzerpten gut verfolgen. Der Ausdruck »Haus des Aides« (Ps. I, 3) erscheint an einer Stelle des *Tod in Venedig,* wo das Ineinanderwirken beider Strukturlinien besonders deutlich ist. Aschenbach denkt an die Möglichkeit, der Gondoliere könne es auf seine Barschaft abgesehen haben und ihn »hinterrücks mit einem Ruderschlage ins Haus des Aides« schicken wollen (VIIII, 466). Unter der »bürgerlichen«, distanzierenden Einordnung des unheimlichen Gondoliere erwacht das Bewußtsein, um wen es sich »wahrhaft«, nämlich im mythischen Sinne handelt, um eine Figur, die Charon oder der Tod ist.

In dem Kapitel »Entrückung. Insel der Seligen«, in dem Rohde die griechischen Vorstellungen des Elysiums behandelt, zitiert er, offenbar in eigener Übersetzung, aus der Odyssee die Weissagung des Proteus über das zukünftige Schicksal des Menelaos (Vers 560-569):

Nicht ist Dir es beschieden, erhabener Fürst Menelaos,
Im roßweidenden Argos den Tod und das Schicksal zu dulden;
Nein, fernab zur Elysischen Flur, zu den Grenzen der Erde,
Senden die Götter Dich einst, die unsterblichen; wo Rhadamanthys
Wohnet, der blonde, und leichtestes Leben den Menschen beschieden ist,
(Nie ist da Schnee, nie Winter und Sturm noch strömender Regen,
Sondern es läßt aufsteigen des Wests leicht athmenden Anhauch
Immer Okeanos dort, daß er Kühlung bringe den Menschen),
Weil Du Helena hast, und Eidam ihnen des Zeus bist. (Ps. II, 69)

Thomas Manns Exzerpt der Stelle beginnt: »Elysische Flur, an den Grenzen der Erde, wo ›leichtestes Leben den Menschen beschieden ist . . . [‹]«. Von hier an kopiert er Rohdes Übersetzung der Verse wörtlich, jedoch ohne den letzten der zitierten Verse (also bis: »den Menschen«). Er läßt also alle mythologischen Verbindungen fort. Nicht einmal ein: »wie Proteus zu Menelaos sagt«, ein Hinweis auf Homer, auf die Odyssee bleibt stehen. Das Thema der Entrückung aus dem Titel des Rohde-Kapitels ist für die Verwendung im Text leitend.[31] Die Stelle gehört in den Zusammenhang des Zeitverlustes, der von der fallenden Strukturlinie negativ als Trennung von bürgerlicher Ordnung, von der steigenden positiv als Eingang in die neue befreiende Welt des Mythos gedeutet wird. Ein Gedanke an sein Landhaus in den Bergen, »der Stätte seines sommerlichen Ringens« (VIII, 487f) streift Aschenbachs Bewußtsein, dessen Wollen schon »entspannt« ist von der Verzauberung des Meeres und Venedigs (VIII, 487). Hier findet Rohdes Exzerpt seinen Platz im Text der Novelle:

Dann schien es ihm wohl, als sei er entrückt ins elysische Land, an die Grenzen der Erde, wo leichtestes Leben den Menschen beschert ist, wo nicht Schnee ist und Winter, noch Sturm und strömender Regen, sondern immer sanft kühlenden Anhauch Okeanos aufsteigen läßt und in seliger Muße die Tage verrinnen, mühelos, kampflos und ganz nur der Sonne und ihren Festen geweiht. (VIII, 488)

Auch ein anderes Exzerpt aus Rohdes Darstellung des elysischen Zustandes ist in diesem Text hineinkomponiert. Vergleicht man es mit Rohdes Text, dann kann man feststellen, daß zwei Momente fortgelassen wurden: 1. die Beziehung auf den homerischen Ursprung der Vorstellung vom elysischen Land, 2. Rohdes psychologische Erklärung: »es ist ein idyllischer Wunsch, der sich in der Phantasie des elysischen Landes befriedigt« (Ps. I, 84). Daraus wird die Überschrift des folgenden Exzerptes. Der Rest des Exzerptes ist fast wörtlich von Rohde übernommen:

Idyll im elysischen Lande. Ein Zustand des Genusses unter mildestem Himmel; mühelos, leicht ist dort das Leben, hierin dem Götterleben ähnlich, aber ohne Streben, ohne That.

Vergleicht man die oben zitierte Stelle aus dem *Tod in Venedig* mit den beiden exzerpierten Stellen aus Rohdes *Psyche,* dann bemerkt man die wörtlichen Übereinstimmungen, aber auch zwei wesentliche Zusätze: »die Tage verrinnen« und »die Sonne und ihre Feste«. Das Wort »verrinnen« erinnert leise an den negativen Aspekt, die fallende Strukturlinie, an das Unmoralische der Hingabe an selige Muße; freilich tut es das fast unauffällig. Das Wort weckt die Vorstellung von Sand, der einem durch die Hände rinnt; er rinnt auch in der Sanduhr, worauf Aschenbachs Erinnerung an einem späteren Punkt seiner Geschichte ausdrücklich kommen wird (VIII, 511). Dort wird es dann heißen »die Zeit zerfiel«. Das Thema des Zeitverlustes wird im vierten Kapitel noch einmal angeschlagen, schon mit stärkerem negativen Akzent: »Schon überwachte er nicht mehr den Ablauf der Mußezeit, die er sich selber gewährt (VIII, 494). In der zuerst angeführten Textstelle, im Anschluß an das Odyssee-Rohde-Zitat, wird der Anklang an den negativen Aspekt, der in dem Wort »Verrinnen« zum Ausdruck kommt, sofort aufgehoben durch den positiven, mythischen: »die Sonne und ihre Feste«. Die Sonne, »der Gott mit den hitzigen Wangen« (VIII, 486), ist das führende Motiv des Kapitels. Die Idee des Festes als ästhetische und mythische Ekstase kam schon in *Fiorenza* vor (VIII, 1065), sie wird in den Joseph übergehen. »Verrinnen« weist auf das Fließen der Zeit, den neuzeitlichen Zeitsinn, das Fest auf ihre ekstatische Aufhebung.

Aschenbachs Erlebnis des Sonnenaufgangs wird mit Hilfe von mythischen Details aus *Psyche* sprachlich vergegenwärtigt. Rohde berichtet von Mythen der Entrückung. Kleitos, Orion und Thithonos, ein sterblicher Mensch, wurden von Eos entführt. Thomas Mann verwendet die Informationen so, daß man sie im Text des *Tod in Venedig* leicht wiedererkennt: Rohde (I, 74) spricht von Tithonos »von seiner Seite erhebt sich die Göttin morgens«. Thomas Mann exzerpierte die Stelle, und im Text heißt es: »... daß Eos sich von der Seite des Gatten erhebe ...« (VIII, 495) Ein anderes Beispiel: »Eos auch war es, die einst den schönen Orion geraubt hatte, und trotz des Neides der übrigen Götter sich seiner Liebe erfreute.« (Ps. I, 75) Thomas Mann: »Die Göttin nahte, die Jünglingsentführerin, die den Kleitos, den Kephalos raubte und dem Neide aller Olympischen trotzend die Liebe des schönen Orion genoß.« (VIII, 495) Kleitos wird auch von Rohde erwähnt, Kephalos dagegen fügte Thomas Mann aus dem erwähnten Schul-Mythologiebuch hinzu. Der Satz läßt übrigens den daktylischen Rhythmus erkennen, der das Sprachgefühl des Lesers auf die Bahn der deutschen klassischen Homernachfolge lenken soll.

Man kann sagen, hier sei der Rohdesche Wortlaut einmontiert. Jedoch ist der Begriff Montage, den Thomas Mann auf seinen *Doktor Faustus* anwandte (XI, 165), mit seinen mechanischen Assoziationen sehr mißverständlich, wenn er an dem Begriff des Schöpferischen gemessen wird. Die Erzeugung einer fiktiven Welt läßt sich mit einem Zauber vergleichen, der über den Leser ausgeübt wird, wie ja Dichtung wohl aus der Magie, aus Beschwörungsformeln stammt, nicht aber mit dem Schöpfungsakt eines Gottes verglichen werden kann. Denn dieser ist ein Symbol, der Ausdruck eines Glaubens an die Welt in Gottes Hand und muß deshalb Glaube an die Schöpfung aus dem Nichts oder aus dem Chaos sein. Die fiktive Welt, die Magie des lyrischen Gedichtes, das Bezwingende des Dramas entsteht aber aus Sprache, die ein System vorgeprägter Formen ist. Wird darüber hinaus ein vorformuliertes Stück Sprache in einem sprachlichen Kunstwerk verwendet, so ist die Frage, ob es die Beschwörung unterbricht oder nicht, ob es also als Fremdkörper in der fiktiven Welt zur Ernüchterung führt oder ob es sich in sie einpaßt, vielleicht auch, ob es sie durch eine Assoziation im Leser erweitert. Der Begriff der künstlerischen Schöpfung ist eine fragwürdige Analogie; wenn er überhaupt angewendet werden soll, kann er sich nur auf den Zauber beziehen, mit dem ein Kunstwerk unsere alltägliche Orientierung unterbricht und uns zu seiner eigenen überredet.

Das erste Kapitel des zweiten Bandes von Rohdes *Psyche* trägt den Titel »Ursprünge des Unsterblichkeitsglaubens. Der thrakische Dionysosdienst«. Aus dem zweiten Abschnitt dieses Kapitels, der von religiösem Wahnsinn und dem Dionysos-Kult in Thrakien handelt, hat Thomas Mann eine längere Notiz zusammengestellt. Ihr erster Absatz hat sich auf den Text des *Tod in Venedig* nur durch das Wort »Wahnsinn« ausgewirkt, das in Aschenbachs Traum vorkommt (VIII, 517). Die Überschrift ist eine Zusammenfassung Thomas Manns (vgl. Ps. II, 4-5).

Der Wahnsinn als Korrelat von Maß und Form. Bei den Griechen bekannt:
Zur Zeit ihrer [»ihrer« bezieht sich bei Rohde auf griechische Religion] voll-
sten Entwicklung gewann der *Wahnsinn (μανία)* [,] eine zeitweilige Stö-
rung des psychischen Gleichgewichts, ein Zustand der Überwältigung des
selbstbewußten Geistes, der *Besessenheit* durch fremde Gewalten [,] als
religiöse Erscheinung weitreichende Bedeutung. Diesem Überwallen der Empfindung entspricht als entgegengesetzter Pol im gr[iechischen] religiösen Leben: Die in ruhiges Maaß gefaßte Gelassenheit, mit der Herz und Blick sich
zu den Göttern erheben.

Der Gegensatz von »Überwallen der Empfindung« und »ruhiger
Gelassenheit« ist in Rohdes Text weit weniger betont als es nach diesem Exzerpt erscheint. Hier war sowohl Nietzsches Unterscheidung
zwischen dem Dionysischen und dem Apollinischen für das Verständnis führend wie auch — daraus hergeleitet — Aschenbachs Wandel
von »ruhigem Maß« zur »Überwältigung des selbstbewußten Geistes,
der Besessenheit durch fremde Gewalten.« Ein solcher Umsturz seiner
Existenz war sicher von Anfang an der Kern der Intention, auch
schon, als Thomas Mann noch an eine Goethenovelle dachte, die Goethes Überwältigung und Entwürdigung durch seine Liebe zu Ulrike
von Levetzow zum Gegenstand gehabt hätte.[32]

Der zweite Absatz der Notiz befaßt sich mit dem Dionysos-Kult.
Thomas Mann notiert sich alle Details des thrakischen Kultes, die
Rohde anführt (Ps. II, 4, 9-12).[33] Vieles davon ist in den Text von
Aschenbachs Traum eingegangen (VIII, 515-517). Nicht bei Rohde
findet sich die Bezeichnung »der fremde Gott«, die wohl auf den orientalischen Ursprung des Dionysos zurückgeht. Der »u-Laut« im Traum
erinnert an den Vokativ »Tadziu«, auch »glatte Knaben« als Teilnehmer des Kultes finden sich nicht bei Rohde, und Rohdes Weiber,
»Hörner auf dem Haupte«, werden zu Männern. Diese Änderungen
hängen natürlich mit Aschenbachs erwachter Homosexualität zusammen. Auch das »obszöne Symbol« und die »grenzenlose Vermischung«
am Ende des Traumes fehlen bei Rohde.[34]

Thomas Mann exzerpierte Rohdes Erklärung eines religiösen Bedürfnisses, das durch den Kult erfüllt wurde:

Der Zweck ist Manie, Überspannung des Wesens, Verzückung, Überreizung
der Empfindung bis zu visionären Zuständen. Nur durch Überspannung und
Ausweitung seines Wesens kann der Mensch in Verbindung und Berührung
treten mit dem Gotte und seinen Geisterschaaren. *Der Gott ist unsichtbar
anwesend oder doch nahe und das Getöse des Festes soll ihn ganz heran-
ziehen.* (Vgl. Ps. II, 11-12; Hervorhebungen von Thomas Mann)

Das religiöse Element des Mythos wird noch deutlicher in den beiden kurzen Absätzen, mit denen die Notiz endet:

Ekstasis, Hieromanie, in der die Seele dem Leibe entflohen [Rohde: »ent-
flogen«], sich mit der Gottheit vereinigt. Sie ist nun bei und in dem Gotte,
im Zustand des *Enthusiasmos.* (Vgl. Ps. II, 19-20)

Der Mystiker Dschelaleddin Rumi: »Wer die Kraft des Reigens kennt, wohnt in Gott; denn er weiß wie Liebe töte. Allah hu!« (Vgl. Ps. II, 27)

Der Selbstverlust Aschenbachs wird von der steigenden Strukturlinie als ein religiöses Ereignis gedeutet. Rohde sagt von einer antiken Form der Mystik: »Das Streben nach der Vereinigung mit Gott, dem Untergang des Individuums in der Gottheit, ist es auch, was alle Mystik hoch begabter und gebildeter Völker in der Wurzel zusammenbindet mit dem Aufregungskult der Naturvölker« (Ps. II, 26f, von Thomas Mann weder angestrichen noch exzerpiert; bald darauf folgt aber das Dschelaleddin-Rumi-Zitat, das er exzerpierte). Der Leser des *Tod in Venedig* wird erinnert an die »durchscheinende Mystik« der Inschriften an der Friedhofskapelle: »Sie gehen ein in die Wohnung Gottes«, »Das ewige Licht leuchte ihnen«, die Aschenbach liest, bevor er die erste Todesfigur sieht, die sein Verlangen in die Ferne und eine Vision indischer Sumpflandschaft erzeugt (VIII, 445-447). »Der Enthusiasmierte« (VIII, 491) wird Aschenbach einmal genannt, es geschieht, als er sich platonischer Ideen erinnert, die er mit einer ausgesprochen religiösen Note auffaßt (VIII, 491—492). Ähnliche Benennungen folgen der fallenden Strukturlinie: »der Verwirrte« (VIII, 503), »des Betörten Denkweise« (VIII, 504), »der Starrsinnige« (VIII, 511); nach dem Traum heißt er mit religiösem Akzent »der Heimgesuchte« (VIII, 517), freilich ist es eine Heimsuchung des »Dämon«, dem Aschenbach jetzt »kraftlos«, also ohne moralischen Widerstand, »verfallen« ist. Beide Strukturlinien wirken zugleich und die fallende überwiegt; aber der Anklang an mythisch-religiöse Erfahrungen, wie sie in den zuletzt zitierten Exzerpten aus Rohdes *Psyche* beschrieben werden, ist deutlich. Umgekehrt nennt der Erzähler Aschenbach »den Berückten« (VIII, 519), nachdem er unter den Händen des Kosmetikers einen tiefen Grad von Degradation erreicht hat, er erinnert jetzt an den falschen Jüngling vom Anfang seiner Fahrt. In diesem Augenblick wirkt die Bezeichnung »der Berückte« wie eine mythische Entschuldigung, die ihn vor dem völligen Verfall bewahrt, auch die Bahn offenhält für seinen endgültigen Eingang in die mythische Welt.

Dem gleichen Zweck dient der im Text des *Tod in Venedig* folgende Absatz (VIII, 519 f.), in dem vom lauwarmen Sturmwind die Rede ist, der dem »unter der Schminke Fiebernden« wie »Windgeister üblen Geschlechts« vorkommt. Hier werden die Harpyien beschworen, von denen Rohde berichtet, daß sie Speisen verderben und Menschen ins Totenreich entführen können (Ps. I, 72—73). Thomas Mann hatte sich notiert: »Harpyien, Windgeister«. Die Kürze dieses Exzerpts ist übrigens ein Anzeichen, daß der Rohde-Text während der Niederschrift benutzt wurde, so daß ein kurzer Hinweis genügen konnte. Der Harpyien-Absatz führt auf Aschenbachs Genuß »überreifer und weicher« Erdbeeren (VIII, 520), es ist die naturalistische Motivierung seiner Infektion, der er »einige Tage später« (VIII, 522) erliegt, hin-

sinkend, während ihm war, »als ob der bleiche und liebliche Ps'
dort draußen ihm lächle« (VIII, 525).

Einige Anstreichungen in Rohdes Werk bezeugen Thomas Manns
durch Nietzsche geschärftes Interesse für das Übermoralische in der
griechischen Religion. Andere betreffen die Insel der Phäaken. Wahrscheinlich wurde Thomas Mann von Rohde angeregt, die entsprechen-
den Gesänge der Odyssee zu lesen.[35]

Anstreichungen finden sich durch das ganze Werk, wenn auch nicht
in großer Zahl. Es ist wohl anzunehmen, daß Thomas Mann das Buch
ganz gelesen hat. Es lohnt sich deshalb, auf ein Grundmotiv in Thomas Manns späterer Benutzung mythischer Motive hinzuweisen, das
er schon bei Rohde fand. Ich behaupte nicht mehr als eine erste Anregung, die später von anderen Informationsquellen ergänzt und erweitert wurde. Meine Durchsicht der Quellen zum *Joseph* hat mich
allerdings zu der Überzeugung geführt, daß Thomas Mann damals
(seit 1925) schon lebhafte Vorstellungen darüber hatte, wie seine
mythische Welt auszusehen hätte. Rohdes *Psyche* könnte sehr wohl
den Grund gelegt haben für das komplementäre Verhältnis von mythischer Ober- und Unterwelt im *Joseph* mit Spuren schon im *Zauberberg*.

Der Gegensatz und die Zugehörigkeit von oberer und unterer göttlicher Welt kommt in Thomas Manns Betonung des biblischen Dop-
pelsegens zum Ausdruck, dessen Joseph teilhaftig wird (XI, 625).
Schon Hans Castorps klassische Vision wurde durch den grauen-
erregenden Anblick kannibalischer Hexen ergänzt (III, 677—686).
Rohde hatte von Weibern geschrieben, die in bacchischem Wahnsinn
ihre Kinder zerfleischen (Ps. II, 41). Eine Statue von Demeter und
Persephone bezeichnet im *Zauberberg* den Punkt des Überganges von
der einen zur anderen göttlichen Welt. Der Demeter-Persephone Mythos wird bei Rohde mehrere Male erwähnt (Ps. I, 209—212, 280—281,
289). Rohde bestreitet die Erklärung des Demeter-Mythos als Vege-
tationssymbol. Immerhin wird auch so eine Verbindung zu dem Saat-
kornmotiv hergestellt, das im *Joseph* eine gewisse Rolle spielt (Ps. I,
289—294). Wie Nietzsche erwähnt auch Rohde den Mythos vom zer-
rissenen und wiedererstandenen Dionysos (Ps. II, 12, 117—120), für
Thomas Mann konnte das eine gewisse Vorbereitung auf das Tammuz-
Motiv sein. Das Reichwerden in der Unterwelt, für Jakob Mesopota-
mien, für Joseph Ägypten, kommt als mythische Idee bei Rohde vor
(Ps. I, 208).

Settembrini erwähnt »Minos und Rhadamanth« (III, 83) in seiner
ersten Unterhaltung mit den Vettern. Man findet sie natürlich auch
in Rohdes *Psyche* (Ps. I, 77, 310). Rohde bespricht ausführlich den
Besuch des Odysseus im Hades (Ps. I, 49—67), er braucht dabei das
Wort »Schattenreich« (Ps. I, 49), das Settembrini in gleicher Beziehung
anwendet (III, 84). Thomas Mann muß von Rohde angeregt worden

sein, die entsprechende Stelle der Odyssee zu lesen, aus der er Settembrini zitieren läßt: »Welche Kühnheit, hinab in die Tiefe zu steigen, wo Tote nichtig und sinnlos wohnen —« (III, 84), was dann Anlaß dazu gibt, Höhe und Tiefe halb scherzhaft zu vertauschen.[36]

Rohdes *Psyche* gehört, trotz mancher psychologischer Erklärung mythischer Motive, in die Tradition, die von der Romantik ausgehend, die mythische Welt als religiöse Erlebnismöglichkeit ernstnehmen wollte. Sie widerspricht damit einer doppelten Tradition: der christlichen, für die der Mythos nur unverbindlicher Bildungsstoff sein durfte, und der humanistisch-rationalistischen, für die er schöne bildliche Einkleidung philosophischer und naturwissenschaftlicher Sachverhalte war. Die Nachwirkung der humanistischen Tradition finden wir in Schopenhauers Religionsphilosophie. Thomas Manns fiktive Verlebendigung des Mythos hat nichts mit der Öffnung einer allgemeinverbindlichen religiösen Dimension zu tun. Die mythische Welt ist Teil der fiktiven Welt. Bei Thomas Mann steht sie nach dem *Tod in Venedig* vorwiegend in Verbindung mit dem Märchen und ist mit humoristischer Darstellung vereinbar. Diese Kunst ist Schein, jedoch in dem Sinne, von dem Nietzsche sagt, daß sie den Schein als Schein behandelt, also nicht täuschen will.[37] Die mythische Welt, mit der naturalistisch-determiniert erscheinenden zusammenkomponiert, erweckt im Leser ein Gefühl der Freiheit, von der auch Rohde eine Vorstellung hatte, als er von den Griechen schrieb: »Ihre Phantasie ist eine geflügelte Gottheit, deren Art es ist, schwebend die Dinge zu berühren, nicht wuchtig niederzufallen und mit bleierner Schwere liegen zu bleiben.« (Ps. I, 319)

3. Homers »Odyssee« im »Tod in Venedig«

Unter den antiken Vergleichen, die Aschenbach vom Beginn seiner Bekanntschaft mit Tadzio an mit diesem verbindet, ist auch der mit einem verwöhnten Phäaken. Aschenbachs »Verstimmung« (VIII, 472) wegen des ungünstigen Wetters wird plötzlich aufgeheitert« (VIII, 473), als er entdeckt, daß der Knabe beim Frühstück fehlt, und er rezitiert »bei sich selbst den Vers: ›Oft veränderten Schmuck und warme Bäder und Ruhe‹« (VIII, 473). Dieser Vers stammt aus dem achten Gesang der *Odyssee*, wo Alkinoos das Leben beschreibt, wie es den Phäaken gemäß ist.[38]

Thomas Mann besaß zwei deutsche Übersetzungen der *Odyssee*, die beide im Thomas Mann Archiv Zürich vorhanden sind. Die Übersetzung von Rudolf Alexander Schröder (Leipzig, 1911) scheint er für den *Tod in Venedig* nicht benutzt zu haben, dagegen sicher die folgende Ausgabe: *Homers Odyssee*, in deutscher Übersetzung von Johann Heinrich Voss, herausgegeben von Hans Feigl (Wien, 1908).[39]

Während Voss' eigene Übersetzung weniger glücklich lautet: »Oft ge-
wechselten schmuck, das warme bad, und das lager«[40] hat die Fassung
in der Feiglschen Ausgabe Thomas Mann offenbar angesprochen, denn
er notiert sich den Vers auf einen Zettel, der sich in den Notizen zum
Tod in Venedig findet, und setzte in Klammern hinzu: »(lieben die
Phäaken)«.

Auch zwei andere Notizen auf demselben Zettel zeugen von der
Lektüre des achten Gesanges der *Odyssee*-Übersetzung. Die erste lautet: »An Gestalt den Unsterblichen ähnlich«. Die Notiz ist wahrscheinlich eine Erinnerung an eine Stelle aus dem achten Gesang, die
Thomas Mann dann noch näher bezeichnete: »Denn wie erscheint in
unansehnlicher Bildung ... (Odyssee S. 127)«. Die Klammer bezieht
sich auf seine *Odyssee*-Ausgabe (Feigl). Auf S. 127 findet sich dort ein
Bleistiftstrich, der die folgende Stelle hervorhebt (Verse 169—175):

Denn wie mancher erscheint in unansehnlicher Bildung;
Aber es krönet Gott die Worte mit Schönheit; und alle
Schaun mit Entzücken auf ihn; er redet sicher und treffend,
Mit anmutiger Scheu, ihn ehrt die ganze Versammlung;
Und durchgeht er die Stadt, wie ein Himmlischer wird er betrachtet.
Mancher andere scheint den Unsterblichen ähnlich an Bildung;
Aber seinen Worten gebricht die krönende Anmut.

Diese Stelle hat eine gewisse Ähnlichkeit mit dem Verhältnis zwischen
Aschenbach und Tadzio. Als Wirkung kann man die folgenden Stellen
anführen, deren erste auch aus der Beziehung Sokrates-Alkibiades in
Platons *Gastmahl* Nahrung gezogen haben könnte, das Thomas Mann
ebenfalls in deutscher Übersetzung für den *Tod in Venedig* las (wie
auch aus den Notizen hervorgeht): »Und eine väterliche Huld, die
gerührte Hinneigung dessen, der sich opfernd im Geiste das Schöne
zeugt, zu dem, der die Schönheit hat, erfüllte und bewegte sein Herz.«
Wenig später heißt es: »In diesem Augenblick dachte er an seinen
Ruhm und daran, daß viele ihn auf den Straßen kannten und ehr-
erbietig betrachteten, um seines sicher treffenden und mit Anmut ge-
krönten Wortes willen« (VIII, 479). Die Wendung »mit Anmut ge-
krönt« macht es sicher, daß die zitierte Homerstelle vorbildlich war.

Der gleiche Notizzettel enthält noch Aufzeichnungen zum Wortschatz, von denen einige offensichtlich aus der Homer-Lektüre stammen:

Balsamisch
Schöngelockt
Der bläulichgelockte Poseidon

Das Wort balsamisch kommt im Text des *Tod in Venedig* VIII, 487,
der »Bläulichgelockte« (Poseidon) VIII, 496 vor. Tadzios Locken
werden oft erwähnt. Eine Stelle, in der Tadzios Anblick, wie der Erzähler bemerkt, »mythische Vorstellungen« eingab, wurde schon im
vorigen Kapitel zitiert: »die lebendige Gestalt, vormännlich hold und

herb, mit triefenden Locken und schön wie ein zarter Gott« (VIII, 478). Tadzio kommt an den Strand, für den Betrachter »aus den Tiefen von Himmel und Meer«.

Unten auf dem gleichen Notizzettel finden sich Wörter ganz anderer Natur:

> Aufblühn, üppig, verschwenderisch, schwelgerisch
> Buhlerisch einlullend

Diese Wörter sollen das Wesen Venedigs bezeichnen. Wir finden einige davon oder Varianten im Text anläßlich der Beschreibung einer Gondelfahrt durch die Stadt. Von »Blütendolden« ist da die Rede (VIII, 502), von der Kunst Venedigs, die einst »schwelgerisch wucherte« und die den Musikern (Wagner?) Klänge eingegeben habe, die »buhlerisch einlullen«, von »dergleichen Üppigkeit« (VIII, 503).

So finden sich zwei Aspekte der Novelle auf diesem kleinen Notizzettel, ein Beweis, wie überlegt der Wortschatz für die zwei gegeneinanderlaufenden Strukturlinien ausgewählt wurde.

Einige glückliche Wendungen aus einer revidierten Voss-Übersetzung Homers tragen bei zu der klassischen Zucht, die niemals ganz verlorengeht, aber immer bedroht ist von der Verführung zur Auflösung, die im venezianischen Barock einen bildlichen Ausdruck findet. Wie das faulige Wasser der Lagune und die Wellen des bläulichgelockten Poseidon zwei Aspekte des gleichen Elementes sind, so soll die Sprache zwischen zwei strukturellen Linien spielen, die Koordinaten sind für die Geschichte von Aschenbachs Ende.

Die *Odyssee* spielte nur eine geringe Rolle im *Tod in Venedig*. Wenn wir den Kontext zu den angeführten Stellen des achten Gesanges beachten, wird auch klar, warum. Odysseus wird geleitet und beschützt von seiner klarsichtigen Göttin Athene. Aschenbach dagegen wird verführt durch den »fremden Gott«, Nietzsches Dionysos, von dem Homer nichts weiß.

4. Selbstinterpretationen zum »Tod in Venedig«

Eine der letzten Informationen über *Der Tod in Venedig*, die wir von Thomas Mann selbst haben, findet sich in einem Brief an Franz H. Mautner, der einen Aufsatz über »Die griechischen Anklänge in Thomas Manns ›Tod in Venedig‹« geschrieben und ihn dem Dichter übersandt hatte. In seinem Brief erklärte Thomas Mann das Zitat aus der Odyssee, das Mautner angeführt hatte, habe zur Zeit der Abfassung des *Tod in Venedig* von Knabentagen her in seinem Gedächtnis bereitgelegen.[41] Wie das zweite Kapitel gezeigt hat, gibt es jedoch unumstößliche Beweise dafür, daß Thomas Mann die Homer-Stelle aus Rohdes *Psyche* entnommen hat. Außerdem hat er andere Teile der Odyssee damals gelesen.

Es ist sicher möglich, daß Thomas Manns Erinnerung nach über 40 Jahren ihm keine sichere Auskunft über solch eine Einzelheit der Quellen zum *Tod in Venedig* gab. Ebenso möglich ist auch das Bedürfnis Thomas Manns in der Rolle des Humanisten, eine ununterbrochene Nähe zu den Quellen des klassischen Mythos in seinem Leben festzustellen. Die nachweisbare Tatsache, daß das »Götterspiel« der Kindheit einer Auffrischung bedurfte und daß diese Auffrischung unter dem Eindruck Wagners, Nietzsches und Rohdes stattfand, hatte demgegenüber geringeres Gewicht. Jeder Mensch hat das Bedürfnis, Leitlinien in seiner Biographie zu finden; im Falle eines Dichters sind Übergänge von Erinnerung und fiktiver strukturierter Welt besonders natürlich. Gerade das aber zwingt uns, die Selbstinterpretation eines Dichters kritischer Betrachtung zu unterziehen. Dies will ich im Folgenden mit Auskünften Thomas Manns über seinen *Tod in Venedig* tun.

Unersetzlich sind die Informationen des Autors über die Entstehung seines Werkes. Selbst in diesen ergeben sich in unserem Falle Widersprüche, die der Aufklärung bedürfen. Die bekannteste Version finden wir in »Lebensabriß« (XI, 123—124). Die meisten Angaben dort werden durch andere Quellen bestätigt. Briefe aus dem Frühjahr 1911 bestätigen, daß Thomas Mann mit seiner Frau am Lido war. Darüber hinaus hat sogar Aschenbachs Aufenthaltswechsel ein autobiographisches Vorbild, denn ein Brief an Hans von Hülsen[42] vom 30. April 1911, vor der Abreise geschrieben, berichtet nur von Plänen für Brioni, ein anderer vom 15. Juni 1911 erwähnt den Wechsel des Urlaubsortes zum Lido von Venedig: »denn Brioni war nichts für die Dauer.« Daß es ein wirkliches Vorbild für Tadzio gab, wird bestätigt durch den erhaltenen Brief einer polnischen Dame mit Auskünften über den Namen, den Thomas Mann offenbar nur nach dem Klang umschreiben konnte. Daß auch andere Gestalten und Ereignisse in der Novelle wirkliche Vorbilder hatten, kann kaum bezweifelt werden. Auch die Ansätze zu einer Interpretation, die Betonung des Wortes »Beziehung«, der Ausdruck »kompositionelle Deutungsfähigkeit« (die Deutung der wirklichen Ereignisse geschieht durch die Komposition) weisen den richtigen Weg. Nur ein Satz stört: »Die Novelle war so anspruchslos beabsichtigt wie nur irgendeine meiner Unternehmungen; sie war als rasch zu erledigende Improvisation und Einschaltung in die Arbeit an dem Betrügerroman gedacht, als eine Geschichte, die sich nach Stoff und Umfang ungefähr für den ›Simplicissimus‹ eignen würde.« (XI, 123)

Diese Nachricht stimmt nicht zu gleichzeitigen brieflichen Äußerungen, die von Anfang an die Schwierigkeit der Arbeit betonen, auch wird sie schon bald als für die *Neue Rundschau* bestimmt bezeichnet. Ein Brief an Hülsen vom 3. Juli 1911 berichtet von der Absendung des Chamisso-Aufsatzes, an dem er vor der Abreise nach Brioni gearbeitet hatte (an Hülsen 30. April 1911) und erwähnt Pläne für eine »schwierige, wenn nicht unmögliche Novelle«. Am 18. Juli schreibt er an Philipp Witkop, er schreibe »eine recht sonderbare Sache, die ich aus Venedig mitgebracht habe, Novelle, ernst und rein im Ton, einen Fall von Knabenliebe bei einem alternden Künstler behandelnd. Sie sagen ›hum, hum!‹ Aber es ist sehr anständig.«[43] Das kann sich nur auf Aschenbach beziehen. Am 16. 8. 1911 berichtet er an Moritz Heimann, er habe den Roman (Krull) unterbrochen »zugunsten einer größeren Novelle« für die *Rundschau*.[44] Am 21. August schreibt er Hülsen sogar über »das Venezianische«, er habe es Oskar Bie für die *Neue Rundschau* angezeigt, »wo der einzig richtige Ort dafür ist«. Keines dieser Zeugnisse läßt sich mit der oben aus dem »Lebensabriß« zitierten ursprünglichen Absicht einer anspruchslosen Improvisation für den *Simplicissimus* vereinbaren. Mehrere spätere Briefe enthalten Klagen über die Schwierigkeit der Arbeit,[45] aber am 7. Februar 1912 schreibt er an Hülsen: »Es scheint mir übrigens nun doch selbst, daß es eine bedeutende Sache wird.«

Thomas Mann brauchte ein volles Jahr zur Vollendung des *Tod in Venedig*. Am 21. Juli 1912 berichtete er Hülsen, seine Novelle sei »soeben« an Oskar Bie (*Die Neue Rundschau*) abgegangen. Er dürfte nicht von Anfang an damit gerechnet haben, so lange Zeit zu brauchen. Aber die brieflichen Zeugnisse beweisen, daß er von der Zeit der Planung an und durch das ganze Jahr der Niederschrift nicht an eine Simplicissimus-Geschichte dachte. Diese Absicht muß also früher gelegen haben.

Wir wissen, daß die Geschichte Aschenbachs die Stelle des Vorhabens einnahm, Goethes letzte Liebe zu erzählen. Im 9. Notizbuch findet sich unter der Überschrift: »Novellen, die zu machen:« der Titel: »Goethe in Marienbad«; hinzugesetzt ist mit anderer Schrift erheblich später (nach 1925): »Das wurde der ›Tod in Venedig‹«. Außer diesem Titel erscheint: »Ein Elender«, eins der Werke, die Aschenbach zugeschrieben werden, »Der verzauberte Berg« mit dem Zusatz »Das wurde der Zbg« und »Kindergeschichte« mit dem Zusatz: »Das wurde Unordnung«.[46] Es ist klar, daß *Unordnung und frühes Leid* nicht vor der Inflation 1923 als die Erzählung, die wir jetzt haben, geplant werden konnte, sondern nur vage als Kindernovelle. Das gleiche gilt für die Idee zum *Zauberberg*. Interesse für Sanatoriumstypen hatte Thomas Mann schon in *Tristan* gezeigt. Aus dieser Zeit, aber wahrscheinlich nach Abschluß des *Tristan*, finden sich medizinische Aufzeichnungen und Sanatoriumstypen in einem Notizbuch sowie die Bemerkung, daß »krank und dumm eine melancholische Complikation« sei.[47] Das Interesse an einem Sanatoriumsthema war durch *Tristan* wohl nicht ganz erloschen, es wurde 1912 durch den Besuch in Davos aktualisiert. Ebenso darf man vermuten, daß das Thema »Goethe in Marienbad« nur eine in noch unsicheren Umrissen vorhandene Idee war. Die Aufzeichnung im 9. Notizbuch ist vermutlich vor Juli 1911 niedergeschrieben worden; nach der Konzeption des *Tod in Venedig* dürfte er den Stoff, vor allem aber den Titel der Erzählung »Der Elende«, die er an Aschenbach abgegeben hatte, nicht mehr als seine eigenen angesehen haben.[48]

Aus späteren Briefen erfahren wir etwas mehr von dieser Idee. An eine Leserin schreibt Thomas Mann am 6. September 1915 — übrigens nach der Bemerkung, auch die Kritik des Autors sei immer ergänzungsbedürftig — der *Tod in Venedig* sei zwar wirklich, wie Kritiker meinten, eine Geschichte vom Tode und zwar von der »Wollust des Unterganges«, aber der eigentliche Zielpunkt habe woanders gelegen:

Das Problem aber, das ich besonders im Auge hatte, war das der Künstlerwürde, ich wollte etwas geben wie die Tragödie des Meistertums. Dies scheint Ihnen deutlich geworden zu sein, da Sie die Anrede an Phaidros für den Kern des Ganzen erachten. Ich hatte ursprünglich nichts Geringeres geplant als die Geschichte von Goethes letzer Liebe zu erzählen, der Liebe des Siebzigjährigen zu jenem kleinen Mädchen, die er durchaus noch heiraten wollte, was aber sie und auch seine Angehörigen nicht wollten, — eine böse, schöne, groteske, erschütternde Geschichte, die ich vielleicht trotzdem noch einmal erzähle, aus der aber vorderhand einmal der ›Tod in Venedig‹ geworden ist. Ich glaube, daß dieser Ursprung auch über die ursprüngliche Absicht der Novelle das Richtigste aussagt.[49]

Vier Tage später schreibt er auch an Paul Amann über den *Tod in Venedig*. Auch in diesem Brief bezieht er sich auf die Kritik, aber viel schärfer, er fühlt sich »aufs Plumpste mißverstanden«. In fast denselben Worten erzählt er seinen Plan, »Goethe's letzte Liebe zu erzählen«.[50] Die grotesken Züge finden wir auch wieder in der brieflichen Darstellung, die er am 4. Juli 1920 dem Schriftsteller Carl Maria Weber gab:

Leidenschaft als Verwirrung und Entwürdigung war eigentlich der Gegenstand meiner Fabel, — was ich ursprünglich erzählen wollte, war überhaupt nichts Homo-Erotisches, es war die — grotesk gesehene — Geschichte [sic] des Greises Goethe zu jenem kleinen Mädchen in Marienbad . . . diese Geschichte mit allen ihren schauerlich-komischen, hoch-blamablen, zu ehrfürchtigem Gelächter stimmenden Situationen, diese peinliche, rührende und große Geschichte, die ich eines Tages vielleicht doch noch schreibe.[51]

Ohne sich auf den *Tod in Venedig* zu beziehen, kommt er auf das Thema »Goethe in Marienbad« in einem Brief an Julius Bab vom 2. März 1913 zu sprechen. Wieder spricht er von einem Element des Grotesken in diesem Abschnitt von Goethes Biographie. Die Briefstelle ist deshalb besonders interessant, weil Thomas Mann hier ein Motiv, das nicht aus Goethes Marienbader Erlebnissen stammt, in den Stoff hineinsieht. Obwohl die Umrisse des Planes, »Goethe in Marienbad« nicht feststanden, erwies die strukturelle Deutung »groteske Entwürdigung« ihre integrierende Kraft.

Ob ich Goethes letzte Leidenschaft in Marienbad so anders sehe, als Sie? Ja;
— wenn Sie dafür halten, daß sie ihm nur »Verjüngung« gebracht hat. Ohne
eine grotteske [sic] *Entwürdigung* wird es kaum abgegangen sein, wenigstens hie und da. Ich sehe, wie der Alte das Kind, einen Hügel hinan haschen
will und *hinfällt*. Sie lacht und *weint* dann. Und immerfort will er sie
heiraten. Schaurig. Aber ich anticipiere . . .[52]

Ein, übrigens unwesentliches, Ereignis, das von Goethes Rheinreise
1814 berichtet wird,[53] ist hier als Vergegenwärtigung der Entwürdigung benutzt, die in der Liebe eines Alten zu einem jungen Mädchen
liegt und die Thomas Mann unter den überwiegend verehrenden Zeugnissen aus den Gesprächen Goethes entdecken will. In diesem Zeugnis
wie noch in dem von 1920 denkt Thomas Mann an die Wiederaufnahme des Stoffes (das bedeutet: »ich anticipiere«).

Im Jahre 1925 veröffentlichte Arthur Eloesser in der *Neuen Rundschau* einen Artikel »Zur Entstehungsgeschichte des ›Tods in Venedig‹«,[54] für den Thomas Mann die Informationen geliefert haben
muß, denn hier erscheint Goethes Marienbader Erlebnis als ursprüng-
licher Stoff für die Tod-in-Venedig-Intention, und zwar wird auch
hier Goethes Hinfallen beim kindlichen Spiel nach Marienbad verlegt.
Im gleichen Jahre beantwortete Thomas Mann selbst eine Rundfrage
»Meine Arbeitsweise«, in der das »Simplicissimus-Novellchen« als ur-
sprünglicher Umfang der Intention des *Tod in Venedig* auftaucht (XI,
747). Mit *Buddenbrooks* und *Zauberberg* dient diese Erinnerung, wie
später in »Lebensabriß« als Beispiel für Thomas Manns Eigenschaft,
seine Werke zu klein zu planen. Aus der kurzen Lehrtätigkeit Thomas
Manns in Princeton haben wir ein ähnliches Paar von Selbstinterpretationen. In der Einführung in den *Zauberberg* erzählt er von der
Planung einer Simplicissimus-Geschichte, ein unveröffentlichter Vortrag über sein eigenes Werk vom Frühjahr 1940 berichtet von dem
Thema »Goethe in Marienbad« als Ursprung.

Das Goethethema ist als Simplicissimus-Novellchen nicht so recht
vorstellbar und Thomas Mann vermeidet ja auch, beide Geschichten
über den Ursprung der Konzeption zusammen zu erzählen. Die einzige Assoziationsmöglichkeit, die ich sehe, ist die Tatsache, daß 1905
seine kleine Schillererzählung *Schwere Stunde* im *Simplicissimus* erschien, die das Thema mit einigen grotesken oder wenigstens karikier-
ten Zügen versieht, so wenn Schiller »wie gewöhnlich« den Schnupfen
hat, vergeblich am Ofen Wärme sucht (VIII, 371), »nach innen ge-
krümmte Beine« sehen läßt (VIII, 373), »gierig schnupft« (VIII, 376)
und mit »sehnsüchtiger Feindschaft« (VIII, 377) den Gott in Weimar
liebt. Auf dieses Verhältnis zu Goethe führen alle leicht ins Groteske
schlagende Züge der Erzählung hin.

Die Strukturlinie dieser Erzählung ist: Schiller, der um sein Werk
kämpfende Held, setzt sich ab von der göttlich klaren Welt Goethes.
Nur naives Absehen von dem fiktiven Charakter dieser Quelle konnte

dazu führen, daß einige Interpreten eine Goetheferne und Schillernähe Thomas Manns aus *Schwere Stunde* erschließen wollten. Allerdings sind Zeugnisse für Thomas Manns frühes Verhältnis zu Goethe erst aus dem Nachlaß bekannt geworden. Vielleicht hat Thomas Mann selbst empfunden, daß *Schwere Stunde* dem Publikum ein einseitiges Bild seines Verhältnisses zu den Klassikern darbot. Den einzigen Grund für die Geschichte des »Simplicissimus-Novellchens«, den ich mir denken kann, ist ein früher Gedanke Thomas Manns, eine Goethe-Geschichte zu schreiben, die seine grundsätzliche Verehrung Goethes hätte sehen lassen, sie aber mit grotesken Zügen temperiert und so ein Gegenstück zu *Schwere Stunde* geboten hätte. Dazu mag er sich die Wiesbadener Episode des Hinfallens aus Biedermanns Gesprächen (Rheinreise 1814) gemerkt und sie mit der Werbung um Ulrike von Levetzow assoziiert haben.

Als es dazu kam, statt Goethes Entwürdigung die Aschenbachs darzustellen, spielte eine andere, verwandte latente Idee in die Intention hinein, die der Korrumpierung eines Künstlers. Für diese Idee gibt es mehrere Zeugnisse im 7. Notizbuch aus der Zeit von etwa 1902 bis 1905. Eine davon aus dem Jahre 1905 hat eine deutlich erkennbare Beziehung zu Aschenbachs Zustand am Anfang seiner Geschichte (VIII, 448f). Eine Reflexion geht aus von Thomas Manns eigenem Bewußtsein, Überlegenheit über die »Beeinflussung durch den Erfolg« zu besitzen. Für diese Beeinflussungen (die er selbst durch »den Vorbehalt der Überlegenheit« zu neutralisieren weiß) nennt er Beispiele, die sogleich zur Darstellungsabsicht werden. Die Notiz bietet übrigens einen schönen Einblick in den Vorgang der Abschattung, der Distanzierung vom Autobiographischen, der eine Voraussetzung für die strukturelle Gestaltung einer fiktiven Welt ist:

. . . der erhöhte Respect vor sichselbst, das gesteigerte sich Ernstnehmen, die vergroßartigte Optik (»Entwicklung zum Drama«, meine »deutsche Novelle«)[55], die Neigung, sich als nationaler Faktor, sich überhaupt national zu nehmen, der Blick auf die Litteratur-Geschichte etc. Das ist *darzustellen,* damit es nichts Gemeinsames und nur Typisches bleibe. (Ich will keine Figur sein). Das Leid und die tragische Verirrung eines Künstlers ist zu zeigen, der Phantasie und »Ernst im Spiel« genug hat, um an den ehrgeizigen Ansprüchen, zu denen der Erfolg ihn verleitet und denen er zuletzt nicht gewachsen ist, *zu Grunde geht.*[56]

Das Thema der Entwürdigung ist hier nur durch die Wendung »tragische Verirrung« angeschlagen.

Es gibt aber einen anderen Strang des Themas »der korrumpierte Künstler«, dessen Keimzelle in Aufzeichnungen aus dem Jahre 1902 im gleichen Notizbuch erscheint:

Novellette: Ein pessimistischer Dichter, verliebt, verlobt sich, heiratet (das »Leben«). Ist so glücklich, daß er nicht mehr arbeiten kann, schon ganz verzweifelt. Da beobachtet er, daß seine Frau ihn betrügt. Arbeitet wieder.[57]

Die Notiz erinnert stark an die frühen Außenseiter-Erzählungen, besonders an die Struktur von *Luischen,* die mit *Tonio-Kröger*-Elementen (die Notiz entstand während der Arbeit am *Tonio*) aufgewertet wird. Die Entwürdigung ist jedoch grotesk.

Zu demselben Strang gehört eine Notiz, die wenige Seiten nach der oben zitierten aus dem Jahre 1905 erscheint,[58] übrigens bald nach der berühmten Aufzeichnung über den syphilitischen Künstler als Dr. Faust, die ebenfalls 1905, nicht in die *Tonio-Kröger*-Zeit zu datieren ist.[59] Die Idee des syphilitischen Künstlers gehört überhaupt in die Nähe der hier beschriebenen latenten Idee des korrumpierten Künstlers, der sich mit dem »Leben« einläßt. Nur das Zeichen seiner Anomalität ist ein anderes. Die vorher erwähnte andere Notiz aus dem Jahre 1905 (siehe Anmerkung 58) betrifft einen »›verkommenden‹ Schriftsteller mit seiner jungen Frau«, der durch »das Glück« korrumpiert wird. Die Überschrift »Maja« ordnet die Idee diesem Roman-Komplex zu; auch die *Doktor Faust*-Notiz über den syphilitischen Künstler (übrigens nicht die erste zum Thema) ist »Novelle oder zu ›Maja‹« überschrieben. Der ganze Zusammenhang, obwohl älteren Ursprungs, war 1905 durch die eigene Eheschließung Thomas Manns aufgeregt worden. Der autobiographische Zusammenhang ist nur ein indirekter: Thomas Mann stellt sich vor, wie es auch hätte sein können oder wie es nach den gewohnten Strukturlinien seiner fiktiven Welt mit einer Künstlerehe »eigentlich« hätte ablaufen müssen.

Die Liebe des alten Goethe zu einem jungen Mädchen gehört offensichtlich in den Zusammenhang der Sehnsucht des Künstlers nach dem »Glück«, das ihm verboten sein soll. Seine »tragische Verirrung« liegt darin, daß er seiner Würde müde ist, die fortwährend Ansprüche an ihn stellt und ihn von den sinnlichen, harmlosen Spielen der Jugend ausschließt, deren er doch als Quelle seiner Kunst bedarf. So fließen Thomas Manns ursprünglich getrennte Ideen des Künstlers, der auf groteske Weise durch »das Glück«, durch »das Leben«, durch ein junges Mädchen oder eine junge Frau korrumpiert wird, zusammen mit der Idee der Entwürdigung des alternden Künstlers, der den Ansprüchen des Lebens und denen seines eigenen Ehrgeizes nicht mehr gewachsen ist.

Die Ansprüche, die vom eigenen Ehrgeiz ausgehen und den Künstler zugrunderichten, sind eine Idee, die in der zitierten Notiz von 1905 enthalten ist und auf Aschenbach überging. Zu Goethe paßte sie schlecht. Auch verlangt das Zugrundegehen den Tod als fiktiven Abschluß, und Goethe starb nicht an seinem Ulrike-Erlebnis, dichtete vielmehr die *Trilogie der Leidenschaft,* in der er dunkle Todesgefühle gestaltete, worauf er den Leser durch die Beziehung auf den *Werther* ausdrücklich hinwies. Thomas Mann konnte sich aber nur auf den wirklichen Goethe beziehen, der weiterlebte.[60] So erfand er eine Figur, die er zum Tode bringen konnte, angeregt auch durch die Umstände von Gustav Mahlers Tod, von denen er in Brioni gelesen hatte (XI, 583f).

Mit der Entscheidung für die Tragödie wurden die grotesken Züge reduziert. Erhalten sind sie. Goethes Wettlauf mit Philippine Lade in Wiesbaden hat ein entferntes Echo gefunden in Aschenbachs Versuch, Tadzio anzureden, der mit einem schnellen Gang und körperlichem Versagen einhergeht, es heißt dann: »er . . . versagt, verzichtet« (VIII, 493). Grotesk wird seine Situation, als er seinen Liebling heimlich durch Venedig verfolgt und als er sich zu einem falschen Jüngling machen läßt. Zwar sind groteske Züge in Aschenbachs Geschichte nicht dominierend, sofern sie aber auftauchen, entspringen sie aus den strukturellen Bedingungen, wie sie Thomas Mann in den Themen vom korrumpierten Künstler und »Goethe in Marienbad« wirksam sieht: das Groteske entsteht aus dem unangemessenen Bedürfnis des geistigen Künstlers nach dem Naiven, Schönen, Sinnlichen, Jugendlichen.

Die hier angegebenen Zusammenhänge waren kompliziert, im einzelnen auch schwankend und schwer darstellbar; sie gehörten außerdem offensichtlich zu einem Komplex, auf den Thomas Mann noch einmal zurückkommen wollte, was im *Doktor Faustus* geschah. Das alles dürfte der Grund gewesen sein, warum er gewissermaßen nur halb, nämlich durch verschiedene, nahezu widersprüchliche Aussagen über den Ursprung des *Tod in Venedig* darauf hindeutete. Das »Simplicissimus-Novellchen« ist (vermutlich, Beweise fehlen) nur seine Weise der Erinnerung an ein Bedürfnis, eine Goethe-Geschichte mit grotesken Zügen der Schiller-Erzählung *Schwere Stunde* an die Seite zu stellen. Aus diesem Bedürfnis entstand dann durch Anlagerung älterer Ideen der Plan »Goethe in Marienbad«, der, von der Geschichte Aschenbachs beiseitegeschoben, latent erhalten blieb, bis er durch *Lotte in Weimar* endgültig verdrängt wurde.

Ein Bild, das Thomas Mann gerne zur Kennzeichnung des Entstehens der Konzeption des *Tod in Venedig* verwendet, hat ebenfalls mit Goethe und über das Goethe-Interesse mit *Felix Krull* zu tun. In einem unveröffentlichten Brief vom 28. Mai 1913 benutzte er, meines Wissens zuerst, das Bild eines Kristalls für die Entstehung: »Es stimmte einmal alles, es schoß zusammen, und der Krystall war rein.«[61] Wörtlich der gleiche Satz findet sich zehn Jahre später in einem Brief an Felix Bertaux. Im »Lebensabriß« wird das Bild ausgeführt und gibt so einen schönen Einblick in die bewußte Formung eines sprachlichen Kunstwerks, das vom Leser unter mehreren Aspekten gelesen werden soll:

Hier schoß, im eigentlich kristallinischen Sinn des Wortes, vieles zusammen, ein Gebilde zu zeitigen, das im Licht mancher Facette spielend, in vielfachen Beziehungen schwebend, den Blick dessen, der sein Werden tätig überwachte, wohl zum Träumen bringen konnte (XI, 123).[62]

Das Kristallbild stammt aus *Dichtung und Wahrheit*. Goethe beschreibt nach Darstellung von Selbstmordgedanken, wie er die Nachricht von Jerusalems Tode und seinen Umständen erfährt, ».. und in diesem Augenblick war der Plan zu »Werthern« gefunden, das Ganze schoß von allen Seiten zusammen und ward eine solide Masse, wie das Wasser im Gefäß, das eben auf dem Punkte des Gefrierens steht, durch die geringste Erschütterung sogleich in festes Eis verwandelt wird.«[63] Gegen Ende des Chamisso-Essays führt Thomas Mann den weiteren Zusammenhang an, in dem diese Stelle in *Dichtung und Wahrheit* erscheint: »Es ist die alte gute Geschichte. Werther erschoß sich, aber Goethe blieb am Leben« (IX, 57). Dies wurde 1911 geschrieben, was dadurch bestätigt wird, daß die Stelle in der Vorform des Aufsatzes fehlt, die unter dem Titel »Peter Schlemihl« am 25. Dezember 1910 im *Berliner Tageblatt* erschienen war. Wir erinnern uns, daß der Chamisso-Aufsatz nach der Rückkehr von der Reise nach Brioni und Venedig im Frühsommer 1911 abgesandt wurde zu der Zeit, als Thomas Mann die »schwierige, wenn nicht unmögliche Novelle« zu schreiben erwog.

Thomas Mann wird *Dichtung und Wahrheit* damals im Hinblick auf die Absicht gelesen haben, in Felix Krulls Bekenntnissen die klassische Autobiographie zu parodieren (vgl. XI, 700-703). Den Anfang der eigentlichen Geschichte Krulls hat Thomas Mann einmal als »reine Parodie« bezeichnet (X, 632); er ist die Parodie einer früheren Stelle aus *Dichtung und Wahrheit*, die auch im *Tod in Venedig* ihre Spuren hinterließ. Es handelt sich um Goethes Charakterisierung eines Straßburger Professors namens Schöpflin, dessen Glück Goethe für »die Folge angeborner und ruhig ausgebildeter Verdienste« erklärt. Die Wendung »angeborene Verdienste«, die übrigens nur hier vorkommt, muß Thomas Mann als übermoralisch-aristokratisch aufgefallen sein, Eine Folge von Nietzsches Goethebild. Er verwendet diese goethesche Wendung häufig, manchmal im Wechsel mit »natürliche Verdienste«.[64] »Natürliche Verdienste« schreibt der Erzähler auch Aschenbach zu (VIII, 503). Goethes Darstellung von Schöpflins Herkunft und Erziehung liefert unsere Vergleichstelle:

Dichtung und Wahrheit: Im Badenschen geboren, in Basel und Straßburg erzogen, gehörte er dem paradiesischen Rheintal ganz eigentlich an, als einem ausgebreiteten wohlgelegenen Vaterlande. Auf historische und antiquarische Gegenstände hingewiesen, ergriff er sie munter durch eine glückliche Vorstellungskraft, und erhielt sie sich durch das bequemste Gedächtnis. Lern- und lehrbegierig wie er war, ging er einen gleich vorschreitenden Studien- und Lebensgang.[65]

Bekenntnisse des Hochstaplers Felix Krull: Der Rheingau hat mich hervorgebracht, jener begünstigte Landstrich, welcher, gelinde und ohne Schroffheit sowohl in Hinsicht auf die Witterungsverhältnisse wie auf die Bodenbeschaffenheit, reich mit Städten und Ortschaften besetzt und fröhlich bevölkert, wohl zu den lieblichsten der bewohnten Erde gehört. Hier blühen, vom

Rheingaugebirge vor rauhen Winden bewahrt und der Mittagssonne glücklich hingebreitet, jene berühmten Siedlungen, bei deren Namensklange dem Zecher das Herz lacht ... (VII, 266)[66]

Der Tod in Venedig: Ebenso weit entfernt vom Banalen wie vom Exzentrischen, war sein Talent geschaffen, den Glauben des breiten Publikums und die bewundernde, fordernde Teilnahme der Wählerischen zugleich zu gewinnen. So, schon als Jüngling von allen Seiten auf die Leistung — und zwar die außerordentliche — verpflichtet, hatte er niemals den Müßiggang, niemals die sorglose Fahrlässigkeit der Jugend gekannt. (VIII, 451)

In der Stelle aus dem *Krull* erinnert im ersten Satz der Inhalt, im zweiten die Partizipialkonstruktion und der durch sie erzeugte Prosarhythmus an die zitierte Goethestelle; in der Stelle aus dem zweiten Kapitel des *Tod in Venedig*, Aschenbachs Biographie behandelnd, fällt die Wiederholung der Partizipialkonstruktion auf. Hier handelt es sich weniger um Parodie als um Anpassung.

Über diese Stilanpassung im *Tod in Venedig* hat sich Thomas Mann mehrfach ausgesprochen, allerdings ohne zu sagen, daß es sich um eine Anpassung an Goethes Stil handelte (abgesehen von den Äußerungen, in denen die *Wahlverwandtschaften* als Vorbild genannt werden, was eine etwas andere Nuance ist). Gegen Kritiker der Novelle gewandt, wehrt er sich in einem Brief an Amann vom 10. September 1915 dagegen, »daß man mir die ›hieratische Atmosphäre‹ als einen persönlichen Anspruch auslegte, — während sie nichts als mimicry war.«[67] In den *Betrachtungen* finden wir diese Briefstelle in erweiterter Form wieder, diesmal wird der Vorwurf, einen persönlichen Anspruch erhoben zu haben mit etwas anderen Ausdrücken abgewehrt: es habe sich »um Anpassung, ja Parodie« gehandelt (XII, 105). Eine Variation dieser Stelle ist in einem Brief an Josef Ponten enthalten und zwar in einem merkwürdigen Zusammenhang, als Ausdruck der Opposition gegen den Stil der Expressionisten. Er beginnt mit einem Zitat aus einem Brief an ihn:

»Liebe ist das Feldgeschrei; aber soviel Liebe, um einen anständigen Satz zu schreiben, bringt man nicht auf.« Sehr gut. Und so freut es mich, daß der »Tod in Venedig« Ihnen zugesagt hat. Unsereiner ist offenbar zu sehr *Humanist*, sit venia verbo, um dem künstlerischen Bolschewismus Geschmack abgewinnen zu können. Unter uns gesagt ist der Stil meiner Novelle etwas *parodistisch*. Es handelt sich da um eine Art von Mimicry, die ich liebe und unwillkürlich übe. Ich versuchte einmal eine Definition des Stiles zu geben, indem ich sagte, er sei eine geheimnisvolle Anpassung des Persönlichen an das Sachliche.[68]

Im Gegensatz zu den Simplifikationen, dem Schrei der Expressionisten, bevorzugt Thomas Mann einen flexiblen Stil der Anpassung an die jeweilige Intention. Im Falle des *Tod in Venedig* war die Intention, einen goetheähnlichen würdigen Künstler darzustellen. Das Wort Parodie erweckt den Eindruck eines intellektuellen Spiels mit fremden

Stilen als Selbstzweck. Es soll jedoch eine gewisse Freiheit bezeichnen, die sich auch Nachahmungen bereits geprägter Stile erlaubt, um Assoziationen im Leser zu erzeugen, ist also ein Mittel der sprachlichen Vergegenwärtigung einer Struktur. Da es sich ja um Goethe handelt, ist liebevolle Verehrung des Parodierten nicht ausgeschlossen. Erscheint hier der *Tod in Venedig* als ein dem Expressionismus fernstehendes Werk, so ist unter Berufung auf Aschenbachs antidekadente Kunstprinzipien auch eine ganz andere Sicht möglich, wie wir unten sehen werden.

Goethe-Stilvorbild des *Tod in Venedig* waren *Die Wahlverwandtschaften* mehr als *Dichtung und Wahrheit*. In einem Brief an den Kritiker Carl Maria Weber vom 4. Juli 1920 erklärt er den *Tod in Venedig* als ein Werk des Gleichgewichtes, eine Eigenschaft, die aus dem apollinischen Geist der Epik stamme. »Ein Gleichgewicht von Sinnlichkeit und Sittlichkeit wurde angestrebt, wie ich es in den ›Wahlverwandtschaften‹ ideal vollendet fand, die ich während der Arbeit am T. i. V., wenn ich recht erinnere, fünf mal gelesen habe.«[69] *Die Wahlverwandtschaften* werden übrigens schon in einer Notiz über *Fiorenza* für die *Blätter des deutschen Theaters,* die 1912 gedruckt wurde, als zum »obersten Rang« gehörig bezeichnet, weil »Geist und Sinnlichkeit einander darin so herrlich die Waage halten« (XI, 563). Damit wird der Charakter der späteren Briefstelle aus einer Zeit bestätigt, die der Niederschrift des *Tod in Venedig* recht nahe liegt. Ein Stileinfluß der *Wahlverwandtschaften* auf die venezianische Novelle wurde von Hans Eichner in seiner leider unveröffentlichten Dissertation nachgewiesen: der schnelle Wechsel vom epischen Präteritum zum Präsens verbunden mit ganz kurzen Sätzen ist ein Zeichen; die allgemeinen Reflexionen, die in Aphorismenform eingeflochten werden, sind ein anderes.[70] Hans Eichner machte mich brieflich noch auf den ähnlichen Gebrauch des nicht gewöhnlichen Wortes »sich verschreiben« aufmerksam. Eduard hatte sich einen Kahn »aus der Ferne verschrieben«,[71] Aschenbach »hatte sich reichlich Geld verschrieben« (VIII, 494). In beiden Werken erscheint das Wort übrigens an wichtiger Stelle.

In dem oben erwähnten Brief an Carl Maria Weber fährt Thomas Mann, nach der Erwähnung der *Wahlverwandtschaften* als apollinischem Stilvorbild fort:

Daß aber die Novelle im Kerne hymnisch geartet, ja eines hymnischen Ursprungs ist, kann Ihnen nicht entgangen sein. Der schmerzhafte Prozeß der Objektivierung, der sich aus den Notwendigkeiten meiner Natur zu vollziehen hatte, ist geschildert in der Einleitung zu dem sonst verfehlten »Gesang vom Kindchen«.
»Weißt du noch? Höherer Rausch, ein außerordentlich Fühlen
Kam auch wohl über dich einmal und warf dich danieder,
Daß du lagst, die Stirn in den Händen. Hymnisch erhob sich
Da deine Seele, es drängte der ringende Geist zum Gesange

Unter Thränen sich hin. Doch leider blieb alles beim Alten.
Denn ein versachlichend Mühen begann da, ein kältend Bemeistern, –
Siehe, es ward dir das *trunkene Lied* zur *sittlichen Fabel*.«[72]

Die Hervorhebungen erscheinen nur hier, in der Briefstelle, nicht im Druck des *Gesang vom Kindchen*. Das »trunkene Lied« ist natürlich eine Zarathustra-Anspielung. In einem Brief an Hülsen vom 22. Juli 1920, also etwa einen halben Monat später als der an Weber, beurteilt er eine Novelle von Hülsen positiv aber mit implizierter Kritik, wie so häufig. Er wisse wie schwer »kitschiges Pathos« zu vermeiden sei, »wenn das Lied in höherem Tone geht«. Der *Tod in Venedig* wird als Beispiel herangezogen, der »auch solche heiklen Partien« gehabt hätte. Im »Lebensabriß« ist von dem »Gefühl eines gewissen absoluten Wandels, einer gewissen souveränen Getragenheit« die Rede, das er während der Arbeit momentweise erprobt habe (XI, 124). Diese Stellen sind mit der Charakterisierung der Novelle als Parodie, wie wir sie oben betrachtet haben, ebenso schwer vereinbar wie die Bezeichnungen Severität (XI, 126) und Strenge (XI, 608), die das Wesen des Werkes kennzeichnen sollen. Dieser Umstand zeigt deutlich, daß Thomas Manns Selbstinterpretationen einseitige Aspekte liefern, wie die meisten Kritiken. Das gilt besonders dann, wenn er eine andere einseitige Kritik zurechtrücken will.

Sehr häufig bezieht Thomas Mann, durch Kommentar und Zitat, sich auf Stellen aus dem 2. Kapitel der Novelle. In »Gedanken im Kriege«, dem Artikel, der ihn während des ersten Weltkrieges in die Rolle des konservativen Parteigängers drängen sollte, spricht er von einem moralischen Willen, der schon vor dem Kriege gegen intellektuelle Dekadenzerscheinungen sich erhoben hätte, »ein neuer Wille, das Verworfene zu verwerfen, dem Abgrund die Sympathie zu kündigen.«[73] Das ist natürlich eine wörtliche Anspielung auf Aschenbachs Meisterprinzipien (VIII, 455). Dieser neue Wille sei leider mißbraucht worden durch »alles kluge Lumpenpack«, worunter mehr oder weniger die Expressionisten zu verstehen sind. Die Novelle wird hier als ein typisches Zeitereignis hingestellt, ihre Absicht ist aber in Gefahr, mißbraucht zu werden. Auch mißverstanden, wie ein kleiner Artikel zeigt, der ungefähr zur selben Zeit geschrieben wurde. In ihm behandelt er die Beziehung von »Leben« und »Geist« unter dem Aspekt des Krieges. Der zweite Satz des Artikels lehnt sich an eine Textstelle des *Tod in Venedig* an[74] und in dem letzten Abschnitt des Artikels bekennt Thomas Mann sich glücklich über Feldpostbriefe, die ihm berichten, daß die »Kämpfer« in den Gräben über seine Werke sprechen, darunter über das zuletzt erschienene, »einer Geschichte vom Tode«. Gegen seine Kritiker gewendet sagt Thomas Mann: »Ein Gebild, welches heute und dort *besteht* . . . kann es so falsch, so schmählich sein, wie viele von euch ausschrieen, als ich es hingab?« Die Situation ist klar: Thomas Mann hat sich dem expressionistischen Maßstab nicht gefügt, will aber trotzdem die Zeitverbundenheit seines Werkes aufrechterhalten. An Amann schreibt er am 3. August 1915: »Sehen Sie den ›Tod in Venedig‹ an! Gut oder schlecht — aber giebt es ein Buch, das zeitlich notwendiger an seinem Platze stünde?«[75]

Die Zeitverbundenheit und die Absage an die Dekadenz sind das Thema einer ganzen Reihe von Selbstinterpretationen, die von den *Betrachtungen* bis in die Emigration reichen und übrigens auch den eigenartigen Zusammenhang zwischen beiden Epochen beleuchten, der unter der Oberfläche des »Parteiwechsels« von 1922 aufrechterhalten wird.

Im Kapitel »Gegen Recht und Wahrheit« der *Betrachtungen,* das auch die Auseinandersetzung mit Romain Rolland und Heinrich Mann enthält, rechnet Thomas Mann sich zum Geschlecht Nietzsches, denn das bedeutet die folgende Stelle:

Ich gehöre geistig jenem über ganz Europa verbreiteten Geschlecht von Schriftstellern an, die, aus der décadence kommend, zu Chronisten und Analytikern der décadence bestellt, gleichzeitig den emanzipatorischen Willen zur Absage an sie . . . im Herzen tragen. (XII, 201)

Gleich darauf wird der *Tod in Venedig* erwähnt. Das gleiche Kapitel spricht von der »Politisierung Nietzsche's, das ist die Verhunzung Nietzsches«, nämlich Nietzsches Wirkung in Frankreich, wie Thomas Mann sie damals sah. Das »Kommende«, der Aktivismus, der Expressionismus, die Vereinfachung, Nietzsche von Künstlern politisiert, das alles habe er auch in sich. Er verweist auf »die Arbeiten, in denen der Krieg mich betraf und unterbrach« (XII, 212). Gemeint sind natürlich *Krull* und *Der Zauberberg.* Beide haben unkomplizierte Helden und eine gewisse universalistische, weltweite Tendenz,[76] mögen dies auch kaum wesentliche Charakteristika sein. In diesem Zusammenhang erscheint eine Selbstinterpretation unserer Novelle:

Auch sehe ich wohl, wie etwa die Erzählung »Der Tod in Venedig« in der Zeit steht, dicht vor dem Kriege steht, in ihrer Willensspannung und ihrer Morbidität: sie ist auf ihre Art etwas Letztes, das Spätwerk einer Epoche, auf welches ungewisse Lichter des Neuen fallen. (XII, 212)

»Das Neue« ist nicht Thomas Manns künstlerische Neuentdeckung, der Mythos, sondern Krieg und Expressionismus, die Menschlichkeit auf unmittelbare Lebenskräfte reduzieren wollen. So heißt es in der Anfang 1918 geschriebenen »Vorrede« zu den *Betrachtungen,* er habe an mehreren Stellen des folgenden Textes »deutlich zu machen gesucht, inwiefern ich mit dem Neuen zu tun habe, inwiefern auch in mir etwas ist von jener ›Entschlossenheit‹, jener Absage an den ›unanständigen Psychologismus‹ der abgelaufenen Epoche, an ihr laxes und formwidriges tout comprendre, — von einem Willen also, den man anti-naturalistisch, anti-impressionistisch, anti-relativistisch nennen möge« (XII, 28). Wieder bezieht er sich auf Aschenbachs Kunstprinzipien (VIII, 454—455). Die zitierten Stellen machen den Eindruck, als ob Thomas Mann im Grunde anerkenne, »das Neue« sei der Expressionismus und er nehme, obwohl mißtrauisch gegen das politische »Neue Pathos« an diesem Neuen teil. Freilich stammt auch das Neue Pathos noch von Nietzsche und wird gerade von einer nihilistischen Metaphysik hervorgetrieben. Eine grundsätzliche Änderung von Thomas Manns Weltanschauung wird also nicht verlangt, nur das Absehen von der nihilistischen Grundlage. Aber auch das konnte Thomas Mann kaum gelingen, und er wandte sich bald darauf gegen jene Richtung des Neuen, die das Nationale als Religion mit Nietzsches antisokratischen Positionen zusammenband. Diese Wendung führte letzten Endes dazu, daß Thomas Mann seit 1933 außerhalb seines Landes leben mußte.

»Leiden an Deutschland« ist eine tagebuchartige Veröffentlichung des Jahres 1946, die auf wirklichen Tagebucheintragungen der Jahre 1933 und 1934 beruht, aber später redigiert ist. Die späteren Zusätze sind nicht genau bestimmbar, solange die Tagebücher noch nicht zugänglich sind. Die folgende Eintragung steht in Zusammenhang mit dem sogenannten »Protest der Richard-Wagner-Stadt München« gegen Thomas Manns »Leiden und Größe Richard Wagners«, den 1933 sogar Richard Strauß, Hans Pfitzner, Hans Knappertsbusch und Olav Gulbransson unterschrieben.[77]

Da tun sie sich, ich weiß nicht was, zugute, weil sie die »Fesseln einer tötenden Verstandesanalyse gesprengt« haben, und bedenken nicht, daß der, gegen den sie sich dieser Weisheit rühmen, den »Tod in Venedig« geschrieben hat, worin er ihre Gedanken schon zwanzig Jahre früher gehabt hat . . . (XII, 708)

Die Position ist dieselbe wie in den *Betrachtungen*. Das »Neue«, also Expressionismus und Lebenskult, rückt schon hier in die Nähe des Nationalsozialismus. Das ist auch im *Doktor Faustus* so. Adrian Leverkühn, der eine gewisse Affinität zum Expressionismus hat, ist natürlich zu intelligent, um Nationalsozialist zu sein. Aufführungen seiner »Werke« werden als undenkbar während der nationalsozialistischen Herrschaft hingestellt (VI, 45), wie ja auch der größte Teil des Expressionismus in der Wirklichkeit als entartete Kunst galt. Aber Leverkühns Werke sollen eine Affinität zum heraufkommenden Faschismus haben, zum Kridwiß-Kreis und zur Durchbruchs-Idee. Adrian trägt ja auch einige autobiographische Züge seines Autors, so wird der Zusammenhang, den Thomas Mann mit dem »Neuen« empfand, in dieser fiktiven Abrechnung mit der deutschen Kultur angedeutet.

In »Bruder Hitler« (1938—1939) werden die reduzierenden Kulturtendenzen, die Richtung auf den Lebenskult wieder mit dem *Tod in Venedig* in Zusammenhang gebracht:

Der »Tod in Venedig« weiß manches von Absage an den Psychologismus der Zeit, von einer neuen Entschlossenheit und Vereinfachung der Seele, mit der ich es freilich ein tragisches Ende nehmen ließ. Ich war nicht ohne Kontakt mit den Hängen und Ambitionen der Zeit, mit dem, was kommen wollte und sollte, mit Strebungen, die zwanzig Jahre später zum Geschrei der Gasse wurden. (XII, 850)

Jetzt, wo es gilt, sich von dem »*Neuen*«, dem Entschluß, das Wissen zu leugnen, zu distanzieren, kommt auch die Struktur des Werkes wieder einmal in den Blick durch den Hinweis auf Aschenbachs Ende, das zu seiner neuen Entschlossenheit gehört; während Thomas Mann in den vorher zitierten Äußerungen genau das tat, was er mit Recht an anderen Kritikern tadeln konnte: er identifizierte sich mit Aschenbachs Kunstprinzip.

Sehr wahrscheinlich hatte er sich in einem Gespräch mit Agnes E. Meyer im Jahre 1938 einseitig in diesem Sinne ausgesprochen, jedenfalls hielt er, wohl auf ihre Anfrage hin, eine Klärung für nötig (Mrs. Meyer plante ein Buch über Thomas Mann). In dieser Klärung wird der Unterschied zwischen Fiktion und Wirklichkeit berücksichtigt, dafür aber der Blick wieder nur auf Aschenbach gerichtet:

Der Held, Aschenbach, ist ein Künstler-Geist, den aus dem Psychologismus und Relativismus der Jahrhundertwende nach einer neuen Schönheit, einer Vereinfachung der Seele, einer neuen Entschlossenheit, nach der Absage an den Abgrund und nach einer neuen menschlichen Würde jenseits der Analyse und selbst der Erkenntnis verlangt. Das waren Tendenzen der Zeit, die in der Luft lagen, lange bevor es das Wort »Faszismus« gab, und die in der politischen Erscheinung, die man so nennt, kaum wiederzuerkennen sind. Doch haben sie geistig gewissermaßen damit zu tun und haben zu seiner moralischen Vorbereitung gedient. Ich hatte sie so gut wie irgend einer in mir, habe sie darstellend hier und da in mein Werk aufgenommen, zum Beispiel auch in der Fiorenza-Formel von der »wiedergeborenen Unbefangenheit«, und was ich bei unserem Gespräch andeuten wollte, war eben nur, wie verständlich es sei, daß ich geistige Dinge, die ich vor zwanzig, dreißig Jahren in mir selbst getragen, in ihrer verdorbenen Wirklichkeits-Ausprägung verachten und verabscheuen müsse. Das ist alles.[78]

Thomas Mann bezieht hier die humanistische Position, daß das Eigentliche Spiel des reinen Geistes sei, von dem die Wirklichkeit nur verdorbene Ausprägungen liefert. Die Äußerung steht noch in einem Zusammenhang mit der oben zitierten Äußerung über die »Verhunzung Nietzsches« in den *Betrachtungen* (XII, 211). Auch der Faschismus ist eine Verhunzung Nietzsches, eben durch Anwendung eines Teiles seiner Lehren in der Wirklichkeit. Die Stelle böte Gelegenheit zu Reflexionen über die humanistische Grundlage auch des Faschismus (insofern er seine Orientierungen der Wirklichkeit aufdrängen will, diese in seinem Sinne zu perfektionieren sucht), ein Zusammenhang, den Thomas Mann dunkel empfunden haben muß, wenn er ihn auch von sich wies. Dies kann aber nur im Rahmen einer Beurteilung von Thomas Manns Humanismus geschehen. Hier nur so viel: Es handelt sich um die Bewertung sekundärer Orientierungen. Der Fall Aschenbachs ist tatsächlich der Versuch, eine auf willkürlichem Beschluß beruhende Orientierung gegen sich selbst durchzusetzen, und das Scheitern dieses Versuches ist die eigentliche Aussage, wodurch nämlich die nihilistische Grundlage der dynamischen Metaphysik, im Symbol das Meer, sich als das Eigentliche und Letzte erweist, vor dem das Leben, Aschenbachs Kunstprinzip, seine apollinische Würde und seine faszinierte dionysische Hingebung, aufleuchtet und erlischt.

An einer Stelle der *Betrachtungen* findet man eine differenzierte Interpretation der Geschichte Aschenbachs als fiktives Experiment. Die Stelle ist eine der wichtigsten zum Verständnis von Thomas Manns Weltanschauung überhaupt, wenn man einige Einflüsse der Tendenz des Buches abzieht: das Zusammenrücken des Moralischen und des Künstlerischen und das einseitig rousseauistische Verständnis des Begriffes Demokratie. Sie geht aus von skeptischen Feststellungen nach Nietzsche und Schopenhauer: alle Wahrheiten seien nur Zeit-Wahrheiten und der Intellekt der Höfling des Willens. Der Künstler werde durch die Freiheit, die in dieser Erkenntnis enthalten sei, korrumpiert. Seit primäre Orientierungen nicht mehr gelten, »absolute Werttafeln«, wie Nietzsche sich ausdrückt, hätten die Künstler ihren Willen vernachlässigt, ihren inneren Tyrannen.

Das Sehnen, Trachten und Suchen der Zeit, das schlechterdings *nicht* auf Freiheit gerichtet, sondern die Begierde nach einem »inneren Tyrannen«, nach »absoluten Werttafeln«, nach Gebundenheit, nach dem moralischen Wiederfest-Werden ist, — es ist ein Trachten nach *Kultur,* nach Würde, nach Haltung, nach Form, — und ich darf davon reden, denn früher als mancher andere habe ich davon gewußt, habe ich darauf gelauscht und es darzustellen versucht: nicht als Prophet, nicht als Propagandist, sondern novellistisch, das heißt: experimentell und ohne letzte Verbindlichkeit. In einer Erzählung stellte ich Versuche an mit der Absage an den Psychologismus und Relativismus der ausklingenden Epoche, ich ließ ein Künstlertum der »Erkenntnis um ihrer selbst willen« den Abschied geben, dem »Abgrund« die Sympathie aufsagen und zum Willen, zur Wertbeurteilung, zur Intoleranz, zur »Entschlossenheit« sich wenden. Ich gab alldem einen katastrophalen, das heißt: einen skeptisch-pessimistischen Ausgang. Daß ein Künstler *Würde* gewinnen könne, stellte ich in Zweifel, ich ließ meinen Helden, der es versucht hatte, erfahren und gestehen, daß es nicht möglich sei. Ich weiß wohl, daß der »neue Wille«, den ich scheitern ließ, mir überhaupt nicht zum Problem, zum Gegenstand meines Kunsttriebes geworden wäre, wenn ich nicht teil an ihm hätte, denn es gibt im Reiche der Kunst keine objektive Erkenntnis, es gibt darin nur eine intuitive und lyrische. Ihn aber scheitern zu lassen, diesen »neuen Willen«, und dem Versuch einen skeptisch-pessimistischen Ausgang zu geben: eben dies schien mir *moralisch,* — wie es mir künstlerisch schien. Denn ich bin so beschaffen, daß der Zweifel, ja die Verzweiflung, mir moralischer, anständiger und künstlerischer dünkt als irgendein Führer-Optimismus, geschweige denn als jener politisierende Optimismus, welcher partout durch den Glauben selig werden möchte, — durch den Glauben woran? An die Demokratie! (XII, 516 f.)

Die Wörter »moralisch« und »Würde« kann man nur verstehen, wenn man sorgfältig ihren Zusammenhang beobachtet. »Moralisch« wird im Sinne Nietzsches gebraucht, als Ausrichtung nach Wahrheiten, die wehtun. Nietzsches Philosophie ist selbst grundsätzlich ästhetisch (im tragischen Sinne), so kann »moralisch« und »künstlerisch« hier zusammenrücken. Thomas Manns Teilnahme an dem neuen Willen war seine Teilnahme an Nietzsche, seine Kenntnis der Bedeutung sekundärer Orientierungen oder Rollen und ihrer Verwandtschaft mit den Strukturen von Kunstwerken. Sie hatte mit der »Zeit« im Sinne von geschichtlicher Wirklichkeit nur insofern zu tun, als ja auch diese Metaphysik in der Wirklichkeit geäußert wurde. Die hegelianische Tradition in Deutschland ist immer bereit, die historische Bedeutung solcher Weltansichten zu übertreiben. Man braucht Hegel nicht zu lesen, um an dieser Tradition teilzunehmen. Ihre Auswirkung auf Thomas Mann zeigt sich in dem lebhaften Bedürfnis, an der »Zeit« teilgehabt zu haben.

«Würde» wird in unserem Zitat als Aschenbachs feste und sich abschließende geistige Form, als Bekenntnis zu Maß und Ordnung betrachtet (vgl. X, 200; unten zitiert). Das Zerbrechen dieser Form ist ein vieldeutiger Vorgang, der auch zur Öffnung der mythischen Welt führt. Dieser Aspekt bleibt in der Interpretation des *Tod in Venedig* in der zitierten Stelle der *Betrachtungen* unberücksichtigt. Auch bleibt Aschenbach ja ein letztes Maß von Degradation erspart, er behält einen Rest von Würde bis zuletzt. Denn »Würde« kann kaum mit Aschenbachs Kunstprinzipien gleichgesetzt werden. Sie ist eher eine persönliche Kraft, an der Zeitparolen und Entschlossenheiten von jenseits der Erkenntnis abprallen, dafür hat gerade die deutsche Geschichte seit 1933 Beispiele geliefert. Mit anderen Worten: Das Wort »Würde« erscheint in unserer Textstelle in der Bedeutung, die es von der Struktur des *Tod in Venedig* erhalten hatte, die aber einer Nachprüfung in der Wirklichkeit nicht standhält und auch nicht standhalten muß.

Dennoch erfaßt die zitierte Textstelle den fiktiven Charakter des *Tod in Venedig* besser als andere. Das liegt daran, daß sie in dem Kapitel »Vom Glauben« der *Betrachtungen* vorkommt und sich infolgedessen gegen einseitige Festlegungen wendet, vieldeutige Kunst gegen vereindeutigende politische Prinzipien ausspielt.

Immer wieder kann man beobachten, wie Selbstinterpretationen durch Kritiken ausgelöst werden und dann einseitige Gegenmeinung gegen einseitige Kritik gestellt wird. Angriffe auf ihn, die während seiner amerikanischen Zeit auf Zitate aus seinen Schriften aus dem ersten Weltkrieg begründet wurden, beantwortete Thomas Mann durch einen Hinweis auf den Begründer einer Schule von marxistischen Interpretatoren seines Werkes, der fiktive Werke am Maßstab der marxistisch interpretierten Geschichte mißt, ein Verfahren, dessen Einseitig-

keit auf der Hand liegt, weil es den Charakter der Fiktion von vornherein nicht wahrhaben will.

Georg Lukács . . . erklärte, unmöglich könne man meinen Fredericianismus
von damals, meine Apologie der preußischen Haltung psychologisch richtig
beurteilen, wenn man sie nicht zusammensähe mit der vor dem Kriege erschienenen Erzählung »Der Tod in Venedig«, worin dem preußischen Ethos
ein Untergang von ironischer Tragik bereitet werde.[79]

Ähnlich wird Lukács belobt in der *Entstehung des Doktor Faustus*.
Lukács habe sich von den Meinungen der *Betrachtungen* nicht beirren
lassen, habe aufs Sein gesehen und ihn mit seinem Bruder zusammengestellt. Thomas Mann zitiert Lukács:

Denn Heinrich Manns »Untertan« und Thomas Manns »Tod in Venedig«
kann man bereits als große Vorläufer jener Tendenz betrachten, die die
Gefahr einer barbarischen Unterwelt innerhalb der modernen deutschen
Zivilisation als ihr notwendiges Komplementärprodukt signalisiert haben.
(XI, 239)[80]

Heinrich Manns Roman *Der Untertan* ist sicher ein vergnüglich zu
lesendes, satirisches Werk von einiger Qualität, Anspruch, mit dem
Tod in Venedig auf eine Stufe gestellt zu werden, hat es nicht. Beide
Werke werden nur ganz grober inhaltlicher Gemeinsamkeiten wegen
nebeneinandergestellt. Die Zustimmung des Autors dazu ist eine besonders auffallende simplifizierende Selbstinterpretation der viel-
schichtigen venezianischen Novelle.

Eigenartigerweise wehrte er auch einen kritischen Hinweis auf die
Bedeutung der antiken Motive (vermutlich von Josef Hofmiller[81]) ab:
»Auch das Bildungs-Griechentum nahm man als Selbstzweck; und
doch war es nur Hilfsmittel und geistige Zuflucht des Erlebenden. Der
Charakter des Ganzen ist ja eher protestantisch als antik«.[82] Diese
Äußerung erscheint in einem Brief an Amann vom 10. 9. 1915. Daß
das Griechische nur Aschenbachs Sache und nicht auch des Lesers, der
Struktur des Werkes sei, ist natürlich nicht aufrechtzuerhalten.« Selbstzweck« ist die Fiktion, »Hilfsmittel« ein Element der sprachlichen
Vergegenwärtigung. Die Äußerung Thomas Manns lautet in unsere
interpretatorische Sprache übersetzt: Nur die fallende Strukturlinie
soll gelten. Denn mit »protestantisch« ist nach Thomas Manns Sprach-
gebrauch die schmerzhafte Moral gemeint, die zu Aschenbachs Verurteilung führt.[83] Wahrscheinlich sollte die briefliche Äußerung 1915
dazu dienen, Thomas Mann von Heinrich Manns Romanzyklus *Die
Göttinnen* zu distanzieren. Das ist wohl auch der Grund, warum wir
so wenig Selbstäußerungen über die antiken und mythischen Aspekte
der Novelle zu sehen bekommen.

Ich kenne nur zwei. Die erste bestätigt die eben geäußerte Vermutung, denn sie stammt aus einem Brief an Heinrich Mann. Thomas
zweifelt, ob Heinrich die Novelle werde »billigen können«, jedoch
einzelne Schönheiten werde er nicht leugnen. »Besonders ein antiki-

sierendes Kapitel scheint mir gelungen.«[84] Das andere findet sich in einem Brief an Kerényi und bezieht sich auf dessen Schrift »Das göttliche Kind«: »Den Psychopompos als wesentlich kindliche Gottheit gekennzeichnet zu sehen, mußte mich freuen: es erinnerte mich an Tadzio im ›Tod in Venedig‹« (XI, 651).

Weniger Bedenken hatte Thomas Mann, den romantischen Aspekt der Novelle zu betonen, worunter er verstand, daß sie mit Tod, Liebe und Auflösung zu tun hatte, denn im Grunde war Wagners *Tristan* das Modell seines Begriffes von Romantik.

Venedig nennt er die »verführerisch todverbundene Stadt, die romantische Stadt par excellence«, in der er sich wegen der Novelle einigermaßen zu Hause zeige (XI, 392). *Tonio Kröger, Der Tod in Venedig* und *Der Zauberberg* seien »erzromantische Konzeptionen«.[85] In Wien finde *Der Tod in Venedig* so gute Leser wie sonst nirgends, denn Wien »weiß vom Tode« (XI, 369, 371). Gleich darauf kommt er auf Platens Gedicht zu sprechen, »das er sonderbar-seherischer Weise mit ›Tristan‹ überschrieben hat.« Thomas Buddenbrooks »Flucht ins Metaphysische« sei »Ausdruck desselben Prozesses von Auflösung der Lebenszucht, von ›Heimkehr‹ in die orgiastische Freiheit des Individualismus, den ich im ›Tod in Venedig‹ in Gestalt der Knabenliebe noch einmal geschildert habe. Immer flossen die Begriffe des Individualismus und des Todes mir zusammen (wie denn mein Kriegsbuch, ›Betrachtungen eines Unpolitischen‹, ganz im Zeichen des romantischen Individualismus, das heißt des Todes, stand . . .)« (X, 200). Die Gegenposition sei »Leben« in Gestalt von Pflicht, Dienst, Bindung, Würde. »Thomas Buddenbrook und Aschenbach sind Sterbende, Flüchtlinge der Lebenszucht und -sittlichkeit, Dionysier des Todes« (X, 200). Es ist dies ein glitzerndes Spiel mit Begriffen, das für Kritiker und Interpreten sehr einladend klingt. Sieht man näher hin, so lassen sich die Begriffe auch leicht anders ordnen. Man kann von Nietzsche herkommend sogar eher das Leben als dionysische Macht ansehen. Aschenbachs erstarrter Literaturdienst könnte sehr wohl Tod und seine neue Liebe Leben genannt werden. Tod und Leben lassen sich statt gegeneinander auch zusammen und Liebe und Güte als erlösende Kraft darüberstellen, wie es im *Zauberberg* geschieht. Begriffe, die in den Strukturen fiktiver Werke bedeutend sind, verlieren ihre Überzeugungskraft, sobald sie in der Wirklichkeit angewandt werden.[86]

Selbstinterpretationen bedürfen der kritischen Deutung. Sie sind wertvoll als Hinweise. Wir können sie als Bausteine in einer Interpretation verwenden. Aber diese muß in sich selbst Bestand haben. Als Fundament oder Gerüst unserer Interpretationen sind die des Autors ungeeignet. Sie haben überdies verschiedenen Wert. In unserem Falle, dem des *Tod in Venedig*, ziehen sehr viele das Werk von der fiktiven Ebene, auf der seine Sprache in Beziehungen spielt, auf die der Wirklichkeit, wo irgendeiner seine Teile, vorzugsweise Aschenbachs Kunstprinzipien, mit falscher Eindeutigkeit als Aussage hingestellt wird. Das Werk ist aber nur als Ganzes eine Aussage, die überdies für die historische Wirklichkeit erst dann Bedeutung hat, wenn ihr fiktiver Charakter festgestellt ist.

So oft Thomas Mann sich verleiten ließ, die Grenzen der fiktiven Welt in die der Wirklichkeit auszudehnen — eine Schwäche, die wir bei einem Dichter geradezu vermissen würden: wie sollte er nicht der eigenen Suggestionskraft seiner Fiktionen unterliegen —, er wußte im Grunde genau, daß das Wesen der fiktiven Welt ein Spiel mit bedeutenden Beziehungen ist. Im Zusammenhang mit dem *Tod in Venedig*, einem »Gebilde . . . in vielfachen Beziehungen schwebend«, schreibt er im »Lebensabriß«: »Ich liebe dies Wort: Beziehung. Mit seinem Begriff fällt mir der des Bedeutenden, so relativ er auch immer zu verstehen sei, durchaus zusammen. Das Bedeutende, das ist nichts weiter als das Beziehungsreiche« (XI, 123 f.).

DRITTER ABSCHNITT

Thomas Manns Lutherbild

1. Reste religiöser Erziehung:
Zitate aus dem Neuen Testament in den Werken

Allzuviel wissen wir nicht über Thomas Manns religiöse Erziehung. In seiner Lübecker Kindheit und Jugend hat Thomas Mann lutherischen Religionsunterricht erhalten. Seine erste Schule war ein privates Progymnasium, dessen Lehrer meistens Kandidaten der Theologie waren, weshalb diese Anstalt des Dr. Bussenius im Volksmund Kandidatenschule genannt wurde.[1] Die Schule bereitete auf die hohen Anforderungen des Katharineums vor, des Lübecker Gymnasiums. Der Lateinunterricht dürfte darum im Mittelpunkt gestanden haben. Man kann aber wegen der Besetzung des Lehrkörpers vermuten, daß religiöse Unterweisung nicht zu kurz kam. Es ist möglich, daß Riemers Kindheitserinnerung in *Lotte in Weimar* an das »unleidliche« Wort »Weib, was habe ich mit dir zu schaffen?« und den mildernden Kommentar des Lehrers in der »biblischen Stunde« (II, 453)[2] eine Erinnerung Thomas Manns an diese Zeit ist.

Der Religionsunterricht im Katharineum ist in einer Stunde aus Hannos Schultag wiedergegeben (I, 713—717). Die Stunde gehört zu den harmloseren. Der Lehrstoff ist das Buch Hiob. Bemerkenswert sind nur zwei Dinge: die Gleichgültigkeit und Schläfrigkeit der Schüler, die vermutlich Thomas Manns eigener Haltung dem Religionsunterricht gegenüber sehr nahe kommt, und das Gewicht, das den Zahlen von Hiobs Besitz zugemessen wird (I, 715 f). Innerhalb des Religionsunterrichtes war damals allgemein ein Buchstabenglaube üblich, ein Faktum, das noch nach der Jahrhundertwende den Bibel-Babel-Streit entfachte. Durch die öffentlichen Vorträge des Orientalisten Friedrich Delitzsch (seit 1902) wurde die Kluft zwischen dem Religionsunterricht in den Schulen sowie der Predigtpraxis einerseits und der religionswissenschaftlich orientierten Theologie andererseits offenbar. Von dieser Debatte scheint der Schüler Thomas Mann schon in den neunziger Jahren einen Vorgeschmack bekommen zu haben, denn außerhalb des Religionsunterrichtes war eine liberale Betrachtung des Christentums sehr wohl möglich. Unter den frühen Notizen zu *Buddenbrooks*, wahrscheinlich aus dem Jahre 1897, findet sich die folgende, die nicht verwendet wurde: »Der freisinnige Oberlehrer (›Christliche Mythologie‹)«.[3] Man darf vermuten, daß eine eigene Erfahrung diesem beabsichtigten Zug der Schuldarstellung in *Buddenbrooks* ebenso zugrunde liegt, wie sehr wahrscheinlich den ausgeführten Teilen. Gustav Hillard berichtet, der Deutschlehrer Baethcke, derselbe, der die Schillerschen Balladen in Thomas Manns Klasse als das beste anpries, das die jungen Leute lesen könnten (XI, 100), sei freisinnig gewesen, er war sogar Abgeordneter dieser Partei in der Bürgerschaft.[4] Der Unterschied von orthodoxer und liberaler Behandlung der biblischen Geschichten in der gleichen Schule mußte den Eindruck erwecken, Kirchenglaube trage eine »dogmatische Zwangsjacke« (XI, 712). Dieser Ausdruck erscheint in dem kleinen Artikel »Heinrich Heine der ›Gute‹« im einzig erhaltenen Heft der Schülerzeitschrift *Der Frühlingssturm* (1893), der schon oben im ersten Abschnitt erwähnt wurde.

Jugendlicher Antiklerikalismus, solange er sich gegen katholische Priester richtete, mochte im lutherischen Lübeck keinen allzugroßen Anstoß erregen. Thomas Manns jugendliches Drama »Die Priester« hat solchen Antiklerikalismus zur Schau gestellt. In einem in Princeton gehaltenen Vortrag über sein eigenes Werk berichtet er davon. Es war ein Blankversdrama in der Nachfolge von Schillers *Don Carlos* und spielte im Mittelalter. Am Ende eines intrigenreichen Aktes kamen die Zeilen vor:

> Wenn das nicht der Leibhaftige selbst getan,
> So tat's zum mindesten die Geistlichkeit.[5]

In dem Vortrag von 1940 distanziert sich Thomas Mann natürlich von diesem anempfundenen Radikalismus. Im gleichen Zusammenhang erinnert er sich, daß seine fromme Großmutter von diesem liberalen Fanatismus betroffen gewesen sei. Die Großmutter Elisabeth Mann, geborene Marty, entstammte einer reformierten Familie. Die Figur der Konsulin Buddenbrook spiegelt auf der fiktiven Ebene, wie bedeutend der Eindruck seiner Großmutter gewesen sein muß.

Sonntäglicher Besuch des Gottesdienstes in der Lübecker Marienkirche gehörte zu den repräsentativen Pflichten der Familie des Senators. Gegen Ende seines Lebens erinnert sich Thomas Mann an den Kanzelgruß »Gnade sei mit euch« (X, 400). Eine komische Beigabe des Kirchenbesuchs waren die Ohnmachten seiner Schwestern, wenn sie keine Lust hatten zu gehen (XI, 225). In der Marienkirche ist er auch konfirmiert worden. Religionsunterricht, Konfirmationsstunden, Gottesdienste und vielleicht Bibellesungen im Hause der Großmutter müssen ihn früh in Kontakt mit dem Bibeltext gebracht haben. Dies kann man wohl aus Zitaten aus dem Neuen Testament schließen, die in den Werken nicht selten vorkommen und die oft zu ungenau sind, als daß sie direkt aus der Bibel entnommen sein können.

Manche lassen sich aus anderen kulturellen Einflüssen erklären wie das folgende: »Widerstehe nicht dem Bösen« erscheint ihm als »das sittlichste Wort des Evangeliums« (XI, 337). Gemeint ist in dieser Stelle aus »Süßer Schlaf« (1909), der Mensch solle im Moralischen nicht egoistische Vorsicht und Selbstbewahrung brauchen. Dies ist eine Erinnerung an Nietzsches *Antichrist*, Aphorismus 29, wo das Zitat, ebenso angeführt, das »tiefste Wort der Evangelien« genannt wird. In dieser von Nietzsche mißverständlich gebrauchten Fassung zitiert Thomas Mann das Wort in den *Betrachtungen eines Unpolitischen* (XII, 399, 403) und noch 1954 im »Versuch über Tschechow« (IX, 845). Diesen Vorgang: eine religiöse Vorstellung wird durch Nietzsche-Einfluß verschoben, findet man nicht selten bei Thomas Mann. Im Neuen Testament (Matthäus 5, 39) ist: »Ich aber sage euch, daß ihr nicht widerstreben sollt dem Übel . . .« der Ausdruck extremer Friedfertigkeit, das Liebesgebot, das über dem mosaischen Gesetz steht.

Erinnerung aus der Jugendzeit könnte dagegen die Erklärung sein für die kleine Ungenauigkeit in Settembrinis Mahnung an Hans Castorp »Laßt die Toten ihre Toten begraben« (III, 430). Matthäus 8, 22 und Lukas 9, 60 haben »laß«, was an der Stelle im *Zauberberg* sogar besser paßte. Tonio Krögers Vergleich seiner Liebe zum Menschlichen, Lebendigen und Gewöhnlichen mit der Liebe, die Paulus (1. Kor. 13, 1) meint (VIII, 338), könnte ebensowohl auf eine Reminiszenz aus der Jugend (vielleicht auch auf einen späteren Traugottesdienst) zurückgehen, wie auf Goethes Urteil (nach Eckermann) über Platens Mangel an Liebe.[6] Riemer spricht in *Lotte in Weimar* von »Liebe und Bewunderung, die, wie es in der Schrift heißt, höher ist als alle Vernunft« (II, 411 vgl. VI, 111). Gemeint ist offenbar der im Gottesdienst gebräuchliche Gruß des Apostels Paulus (Phil. 4, 7), in dem vom Frieden Gottes die Rede ist. Ebenfalls in *Lotte in Weimar* läßt er Goethe sagen: ». . . so will ich . . . zu euch sprechen wie die Pharisäer zum Judas: ›Da sehet ihr zu!‹« (II, 692). Das bezieht sich auf Matthäus 27, 5. Es handelt sich dort aber nicht um die Pharisäer, sondern um die Hohen Priester und Ältesten. Diese Stelle kann Thomas Mann natürlich auch aus der Matthäuspassion im Gedächtnis geblieben sein. Scherzhaft ist die Ermahnung an seine Tochter Erika, ihre Verse als Schauspielerin zu üben, »so wird Dir all dieses zufallen«, ein wieder nicht ganz wörtliches Zitat aus Matthäus 6, 33.[7]

Anspielungen auf das Neue Testament kommen in allen Teilen der Josephstetralogie vor. Es ist möglich, daß er sich Teile des Neuen Testamentes während der Arbeit gelegentlich vor Augen führte. Ein gründliches Studium kann das aber nicht gewesen sein, wie die Ungenauigkeit auch der zitierten Bibelzitate in *Lotte in Weimar* zeigte, die ja zwischen dem dritten und vierten Band der Josephsromane geschrieben wurde. Aufzeichnungen aus dem Neuen Testament gibt es nicht unter den umfangreichen Josephsnotizen. Die Bibelausgabe, die er für den *Joseph* brauchte, zeigt wenig Benutzungsspuren im Neuen Testament, ausgenommen solche in der Apokalypse, die im Zusammenhang mit dem Oratorium Adrian Leverkühns »Apocalipsis cum figuris« stehen. Ein Kirchenbesucher war Thomas Mann nach der Lübecker Jugendzeit nicht mehr. Das geht mit ziemlicher Sicherheit aus dem Abschnitt »Die Taufe« aus dem *Gesang vom Kindchen* hervor, wovon noch die Rede sein wird. So kann man wohl vermuten, daß einige der ziemlich häufigen Zitate und Anspielungen auf das Neue Testament (die vorstehenden Beispiele sind natürlich nicht vollständig), außer wenn sie als Nachzitate (Matthäuspassion, Goethe, Nietzsche) erklärbar sind, auf Kirchenbesuch und religiöse Unterweisung in Thomas Manns Lübecker Zeit zurückgehen.

Alle diese Zeugnisse des frühen Kontaktes mit dem lutherischen Christentum zeigen durch ihre Dürftigkeit an, wie schwach dieser Kontakt gewesen sein muß, aber er ist doch zu deutlich, um vernachlässigt zu werden. Die Bibelzitate in den Werken, vor allem aber die Tatsache, daß Thomas Mann sich von den verschiedenen Ersatzreligionen der Jahrhundertwende freihielt, anders als zum Beispiel Rilke, erlauben den Schluß, daß seine religiöse Jugenderziehung weder allzu strenge Forderungen stellte, gegen die zu rebellieren sich lohnte, noch daß sie spurlos an ihm vorübergegangen wäre.

2. Ethischer und liberaler Protestantismus

Man wird damit rechnen müssen, daß er die üblichen Verzerrungen und Verfälschungen der lutherischen Theologie aufnahm. Der Puritanismus ist eine solche. Vielleicht war seine Großmutter, ihrer Herkunft aus einer reformierten Familie wegen, an frühen Eindrücken beteiligt, die Thomas Mann dazu führten, das Wesen des Protestantismus in Selbstzucht und Verzicht auf Lebensgenuß zu sehen. Aber die damalige Kirchenlehre dürfte an sich genug Anlaß gegeben haben zu einem Mißverständnis christlichen und lutherischen Glaubens als ethischer Vorschrift.

In »Heinrich Heine der ›Gute‹« (1893) will der Schüler die im Sinne des Bürgertums »guten« Menschen sich vom Leibe halten, deren »Gutheit aus praktischem Lebensegoismus und christlicher Moral mit möglichster Inkonsequenz zusammengestückt ist« (XI, 711). Bürgerliche Moral wird hier ohne weiteres mit christlicher Moral identifiziert. Diese Moral orientiert sich an einem »sublimen, wirklich guten Idealmenschen« (XI, 711), wahrscheinlich einem, der praktischen Lebensegoismus in sich zu unterdrücken imstande ist. Die Orientierung an einem »sublimen Idealmenschen« läßt auf autonome Moral schließen, Rechtfertigung durch des Gesetzes Werke, um mit Paulus zu reden. Eine autonome Moral widerspricht der paulinisch-lutherischen Rechtfertigungslehre, eine Tatsache, die mit aller Schärfe zu betonen, erst der protestantischen Theologie des 20. Jahrhunderts wieder vorbehalten war. Praktischer Lebensegoismus steht erst dann im Widerspruch mit der Rechtfertigung des Menschen durch die Gnade Gottes, wenn er imstande ist, sich selbst (als Götze Erfolg etwa) an die Stelle Gottes zu setzen.

Man kann natürlich dem Achtzehnjährigen nicht zur Last legen, daß ihm eine moderne Theologie fremd blieb, die es noch nicht gab. Aber wir müssen registrieren, wie sich von früh auf eine weitverbreitete Fehlinterpretation seiner eigenen Glaubensüberlieferung in ihm festsetzte. Noch 1947 hält er Nietzsches Leugnung eines festen Punktes, einer Instanz außerhalb des Lebens, vor der das Leben »sich schämen« könne, den Gedanken entgegen: »Hat man nicht das Gefühl, daß doch eine solche Instanz da ist? Und möge es nicht die christliche Moral sein, so ist es schlechthin der Geist des Menschen« (X, 782). Als Religiosität fällt ihm hier zuerst »christliche Moral« ein, wohl auch im Sinne Nietzsches. Da er in diesem Falle zu Schriftstellern redet, wandelt er die religiöse Beziehung ab zu einer vagen religiösen Humanität, wie er sie anzuführen liebte. Unter »christlicher Moral« verstand er auch in dieser zitierten Wendung autonome Moral, eine Instanz an der Stelle Gottes.

In einem Brief an Kurt Martens vom 19. 12. 1901 stellt der Verfasser der *Buddenbrooks* Übereinstimmung mit Martens, dem Verfasser des kulturkritischen Romans *Die Vollendung* fest, den er in diesem Briefe sehr lobt, trotz des Fehlens von Humor in Martens Stil. Er fühlt sich Martens' Problemen nahe, weil »wir im Grunde beide *Moralisten* sind, nicht im französischen Sinne, sondern in einem sehr deutschen, sehr antiromanischen, antinietzscheanischen . . .»[8] Wenn hier das Wort »protestantisch« nicht erscheint, dann deshalb, weil Martens in seiner Jugend zur katholischen Kirche übergetreten war. Gemeint ist protestantische Moral, nicht als Kritik wie bei den französischen Moralisten und Nietzsche, sondern als ethische Forderung. Diese Deutung wird gestützt durch die Intention von Martens' Roman, in dem ein Ästhet Gericht über sich selbst hält.[9]

1904 bekennt Thomas Mann: »Protestantische, moralische, puritanische Neigungen sitzen mir, wer weiß, woher, im Blute« (X, 837). Damals arbeitete er an *Fiorenza,* worin Savonarola viel Puritanisches erhielt, und wo dessen Bedürfnis nach Reinheit in Gegensatz tritt zu einer Welt selbstgefälliger Schönheit, die Thomas Mann mit München, Florenz, Süden, barocker Theaterwelt, Katholizismus assoziierte, mit all dem, wogegen sein puritanischer Norden ethischen Protest erhob.

Thomas Manns Verarbeitung seiner Hauptquelle für *Fiorenza,* Pasquale Villari, *Geschichte Girolamo Savonarolas und seiner Zeit,*[10] ist ein frühes Beispiel, wie die strukturelle Orientierung einer Intention die Aufnahme des Materials aus einer Quellenschrift bis zur Umkehrung von deren eigentlicher Absicht bestimmen kann. Denn Villaris Absicht war es gerade, das im 19. Jahrhundert, vor allem in Deutschland, vorherrschende Bild Savonarolas als eines Vorläufers der Reformation zu widerlegen. Savonarola sei katholisch geblieben. Thomas Mann holte sich zwar eine große Anzahl von Fakten aus Villaris Buch, blieb aber unempfindlich für Villaris theologische Argumente und zwar aus zwei Gründen, die wir immer wieder in unserem Zusammenhang finden werden. Auf eine etwas grobe Formel gebracht lauten sie: 1. ich weiß von Hause aus, was Protestantismus ist; 2. Nietzsches Entlarvungspsychologie durchstößt alle theologischen Vorwände in die Richtung auf die Wahrheit.

Dies kann man durch Randbemerkungen Thomas Manns in seinem Exemplar von Villaris Buch belegen. Villaris Urteil über Fastenpredigten Savonarolas (Villari II, 42) lautet, die Predigten seien durchaus katholisch, Savonarola entwickele aber zugleich »einen Mut und eine moralische Unabhängigkeit, wie sie vor ihm und nach ihm wenige gehabt haben.« Thomas Manns Randbemerkung lautet: »Das ist doch wesentlich protestantisch«. Der »Mut« gehört zur liberalen Auffassung der Reformation, denn er richtet sich gegen bestehende Verhältnisse, »moralische Unabhängigkeit« ist fast dasselbe wie autonome Ethik. Ganz ähnlich, nur noch entschiedener lautet eine andere Randbemerkung. Villari diskutiert Savonarolas Schrift »Meditation über das Miserere« und will eine Stelle hervorheben, die den Protestanten als Stütze ihrer Behauptung gedient habe, Savonarola sei ein Märtyrer ihrer Kirche gewesen. Thomas Mann vermerkt auf der betreffenden Seite (Villari, II, 285): »Es ist bis zu einem hohen Grade berechtigt, ihn einen Protestanten zu nennen, er war wesentlich unkatholisch, wesentlich puritanisch veranlagt und zum ›Protestieren‹ geboren.« Es ist die kämpferisch-liberale, anti-ästhetizistische, antiquietistische Auffassung des Protestantismus, die ihm Savonarola als »unkatholisch« erscheinen läßt. »Puritanisch« und »protestantisch« sind ihm offenbar identische Begriffe.

Villari begründet seine Interpretation von Savonarolas Text theologisch. Er geht dabei auf den wesentlichen theologischen Unterschied zwischen Protestantismus und Katholizismus ein, auf die Bedeutung von Glauben und guten Werken für die Rechtfertigung. Es komme auf die Größe des Anteils an, den die jeweilige theologische Auffassung »der menschlichen Freiheit bei der Erlangung der Seligkeit« zuschreibe (Villari II, 286). Thomas Mann glaubte offenbar, die theologische Argumentation nicht zur Kenntnis nehmen zu müssen, weil er aus Nietzsches »Was bedeuten asketische Ideale« (*Zur Genealogie der Moral*) zu wissen meinte, was das eigentliche Interesse des »asketischen Priesters« sei: der Wille zur Macht. Seine Randbemerkung lautet: »Diese Dinge sind schließlich gleichgültig. Es handelt sich um die Grundinstinkte.«

In Nietzsches Abhandlung »Was bedeuten asketische Ideale« wird Ästhetizismus, Künstlertum, Weltanschauung des Künstlers — der Modellfall ist immer Wagner — dem asketischen Ideal entgegengesetzt. Sicherlich hat Thomas Manns Vereinfachung: Puritanismus = Protestantismus gegen Katholizismus = Ästhetizismus auch hieraus Nahrung gezogen.

Diese Vereinfachung bleibt bis etwa zur Zeit der *Betrachtungen* wirksam, was spätere Nachwirkungen nicht ausschließt. In einem Brief an Martens aus dem Jahre 1913 lobt er dessen Roman *Pia,* in dem die strengerzogene Tochter eines katholischen Hauses von einem freigeistigen und amoralischen Münchner Ästheten entführt wird, aber trotz ihrer bürgerlichen Ehe mit ihm seiner Welt fremd bleibt. Thomas Mann fragt den Verfasser: »Sind nicht diese Partien von Deiner Heldin und Dir doch zu *protestantisch* empfunden? Der Katholizismus, sollte ich denken, steht zu »Schönheit« und Fasching a priori nicht so ironisch-kritisch.«[11] So richtig das in soziologischer Hinsicht sein mag, es trägt doch bei zu einer Verstellung des Zugangs zur paulinisch-lutherischen Theologie, denn Katholizismus wird hier einfach mit Läßlichkeit gegenüber dem Kult der schönen Oberfläche gleichgesetzt, Protestantismus mit ethischer Unbedingtheit. Eine deutsche Überwindung der décadence, schreibt der Verfasser der *Betrachtungen eines Unpolitischen,* würde »nicht *katholisch* sein und von etwas Äußerem, vom Kult der Traditionen alles erhoffen, sondern *protestantisch,* sondern an das innere Pflichtgefühl appellierend, sondern kantisch-preußisch . . . Werde ich deutlich? Hier ist die geistige Rechtmäßigkeit meines Verhältnisses zum Friedrich-Stoff« (XII, 201). Die letzte Bemerkung soll verdeutlichen, daß er sich an die Linie Luther, Preußen (Friedrich der Große), Kant unter dem Gesichtspunkt des Ethischen gebunden hält. Aber gerade diese Linie ist unter dem Gesichtspunkt eines Verständnisses Luthers sehr irreführend. Freilich dient das Ethische immer nur dazu, den Ästhetizismus zu korrigieren. Auch wirkt der Abwertung des Katholizismus die romantische Neigung des Norddeutschen entgegen, im katholischen Kult ein ästhetisches Erlebnis zu sehen, wie sie andeutungsweise Thomas Buddenbrook hat, die sich aber auch in den *Betrachtungen* findet, wo an einer Stelle kniende Menschen in einer mittelalterlichen Kirche gefeiert werden (XII, 497), weil religiöse Verehrung schöne Menschlichkeit entbinde. »Die Religion aber, die Kultstätte, diese Sphäre des Außerordentlichen gibt das Menschliche frei und macht es schön« (XII, 480).

Später verschwindet die etwas billige Assoziierung von Katholizismus mit Tradition oder Schönheitswelt. Schon vor der Abfassung der *Betrachtungen* hatte Thomas Mann angefangen, sich für Spanien zu interessieren[12]; ein Interesse für Erasmus kam dazu. Beides führte 1925 zu dem Plan, neben dem *Joseph* zwei religiöse Novellen über Philipp II. und Luther und Erasmus zu schreiben. So drang Thomas Mann in die katholische Sphäre vor, und zwar in Gebiete, die nicht mit »Schönheitswelt« abzutun waren. Damit schwand auch das Interesse an dem Gegensatz katholische Schönheitswelt — ethischer Protestantismus. Als ästhetisches Schema blieb er aber präsent. 1943 in der Gedenkrede auf Max Reinhardt bezeichnet er Otto Brahms Theaterleitung als »künstlerischen Protestantismus«, ein Theater, »das kein Theater sein wollte« (XII, 492).

Das volkstümlichste Mißverständnis der Reformation geht davon aus, daß sie dem Menschen Freiheit gebracht habe, indem sie ihn von den Fesseln des Herkommens löste und für ihn ein unmittelbares Verhältnis zu Gott herstellte.[13] Luthers Meinung war eher, der Mensch dürfe sich nicht die Freiheit nehmen, den Heilsweg zu institutionalisieren, auch glaubte er nicht an ein autonomes Vermögen des Menschen, das fähig wäre, ein solches unmittelbares Verhältnis zu Gott herzustellen. Im Zeitalter des sogenannten Kulturprotestantismus, als die lutherische Kirche sich an das liberale Bürgertum anpaßte, drängten sich solche Bedenken wohl nicht vor.[14] Von Thomas Mann haben wir die folgende Aufzeichnung, die unter Buddenbrook-Notizen steht:

> Liberalismus und Protestantismus
> Unmittelbares Verhältnis des Menschen —
> zu Gott   zum Staat
> Keine Laienschaft.[15]

Im Kapitel »Politik« der *Betrachtungen eines Unpolitischen* soll der Liberalismus als landfremd dargetan werden. Die Reformation sei zwar einerseits ein demokratisches Ereignis gewesen, »denn die Emanzipation des Laien, das ist Demokratie«, aber »Luthers eigentliche und tiefste Wirkung war aristokratischer Art: er vollendete die Freiheit und Selbstherrlichkeit des deutschen Menschen, indem er sie verinnerlichte und so der Sphäre politischen Zankes auf immer entrückte. Der Protestantismus hat der Politik den geistigen Stachel genommen, er machte sie zu einer Angelegenheit der Praxis« (XII, 279). Gemeint ist Kants ethischer Primat. Der Gedanke strebt aber weiter, er zielt auf »das Ereignis Goethe's«, das eine »Bestätigung der Legitimität des Einzelwesens« gebracht habe. Vereinfacht also stellt sich der Zusammenhang so dar: die Reformation brachte einerseits die individuelle Pflichtethik, mit ihr lassen sich alle öffentlichen Angelegenheiten regeln, andererseits befreite ihre verinnerlichende Wirkung zum ideologiefreien künstlerischen Anschauen. Nebenbei hatte die Reformation auch eine demokratische Wirkung.

Im Kapitel »Vom Glauben« der *Betrachtungen* wird dem Künstler ein »individualistisches Ethos« zugesprochen. Seine Einsamkeit sei seine »evangelische Freiheit« (XII, 491), ein Begriff, der auch später vorkommt (XI, 1133 u. a.) und zwar stets in einem Sinne, der ungefähr mit »innerlicher Freiheit« gleichzusetzen ist, die an die Stelle der äußeren, der Bürgerfreiheit getreten sei. Luthers Begriff des geistlichen, innerlichen Menschen, der durch den Glauben frei wird, wird romantisch verstanden. Nun gibt es wohl eine historische Linie, die von Luthers Schrift *Von der Freiheit eines Christenmenschen* zur Romantik führt. Wesentliche Unterschiede zwischen ästhetischer und Glaubensfreiheit bleiben aber bestehen. Man gewinnt den Eindruck, daß Thomas Mann die Unterschiede nicht kennt. Der Künstler, meint er im Kapitel

»Vom Glauben«, sei »der notwendige und geborene Protestant, der einzelne mit seinem Gott.« Gemeint ist ein Künstlertum, das nicht immer den gerade modischen ästhetischen Prinzipien folgt, sondern es sich schwer macht, seinen eigenen Weg geht und gewissenhaft sein Werk schafft. Sein Gott wird in der vollkommenen ästhetischen Entgrenzung gefunden, »ist er nicht die Allseitigkeit, das plastische Prinzip, die allwissende Gerechtigkeit, die umfassende Liebe? Der Glaube an Gott ist der Glaube an die Liebe, an das Leben und an die Kunst.« (XII, 504)

Auf den Zusammenhang von Romantik und Reformation werden wir noch eingehen. Hier interessiert das Mißverständnis des Protestantismus als Freiheits- und Einsamkeitspathos. So erklärt der Erzähler der *Buddenbrooks* es aus dem »ernsten, tiefen, bis zur Selbstpeinigung strengen und unerbittlichen Verantwortlichkeitsgefühl des echten und leidenschaftlichen Protestanten«, daß Thomas Buddenbrook der Meinung war, es gebe für ihn »dem Höchsten und Letzten gegenüber ... keinen Beistand von außen, keine Vermittlung, Absolution, Betäubung und Tröstung! Ganz einsam, selbständig und aus eigener Kraft mußte man in heißer und emsiger Arbeit, ehe es zu spät war, das Rätsel entwirren und sich klare Bereitschaft erringen, oder in Verzweiflung dahinfahren« (I, 653). Die »klare Bereitschaft« ist die zum Sterben, nicht etwa zum Empfang der Gnade Gottes, worauf es einem »leidenschaftlichen Protestanten« ankommen sollte. Was innerhalb der Fiktion eines erzählerischen Werkes gesagt ist, darf man nicht auf den Autor übertragen. Aber der Erzählerkommentar wendet sich hier an den Leser. So kann diese Stelle als Anzeichen dienen, daß der Erzähler der *Buddenbrooks* auf Verständnis bei den Lesern rechnen konnte, wenn er Thomas Buddenbrooks Selbstquälerei, seine offenbare Unkenntnis der paulinisch-lutherischen Theologie, »protestantisch« nannte. »Selbständig und aus eigener Kraft« seinen Weg zu Gott zu suchen, das galt Erzähler und Leser offenbar als ein »unmittelbares Verhältnis zu Gott«. Dies ist das genaue Gegenteil der paulinisch-lutherischen Lehre. Das Mißverständnis wurde (und wird) hervorgerufen durch den Verzicht der lutherischen Lehre auf Kirchendisziplin und den protestantischen Kirchenbegriff, der die Scheidung von Laien und Priestern nicht kennt.

Noch 1945, in »Deutschland und die Deutschen«, erscheint »die Unmittelbarkeit des Verhältnisses des Menschen zu seinem Gott«, das Luther hergestellt habe, im Zusammenhang mit politischer Freiheit: »denn ›Jedermann sein eigener Priester‹, das ist Demokratie« (XI, 1134; zum Einfluß Nietzsches siehe das nächste Kapitel). Auch in »Goethe und die Demokratie« (1949) gibt es eine ähnliche Stelle (IX, 774). An beiden Stellen soll eher eine Wirkung, weniger Absicht und Wesen der Reformation ausgedrückt werden, auch stehen sie in Zusammenhang mit Reserven gegen Luther. Dennoch haben wir eine späte Wirkung des liberalen Mißverständnisses der Reformation vor uns, das Thomas Mann vielleicht nicht ganz teilte, aber als eine mögliche Ansicht sah. Dafür spricht, daß Settembrini im *Zauberberg* die Meinung vorbringt, Luther habe die Demokratie vorbereitet (III, 528, 713, 815), während der Schreiber der *Betrachtungen* Protest erhebt gegen den Anspruch dieser Deutung auf alleinige Geltung.

3. Die zweideutige Reformation, Nietzsche-Einfluß

Im Kapitel »Vom Glauben« der *Betrachtungen eines Unpolitischen* kommt die Bemerkung vor, die Reformation habe »das Erlebnis der metaphysischen Freiheit« gebracht (XII, 513), das gegen politische Freiheit einigermaßen gleichgültig stimme. Dieser Passus steht im Zusammenhang einer längeren Auseinandersetzung mit der Meinung des »Zivilisationsliteraten«, »Luthers Werk als ein Werk der Befreiung und des Fortschritts in *seinem* Sinne zu deuten« (XII, 513 f), das heißt als einen Schritt auf dem Wege zur bürgerlichen Demokratie. Thomas Mann findet hier die Gleichsetzung von Reformation und Liberalismus »ungenau und leichtherzig«. An einer früheren Stelle der *Betrachtungen* hatte er Luthers Tat als konservativ, als »*aufhaltende* und wiederherstellende deutsche Tat« dem Werk Kants verglichen, das er sich ebenfalls antiliberal und gegen den westlichen »Nihilismus« gerichtet vorstellt (XII, 174). Die Deutung Luthers als Wiederhersteller der Kirche und des Christentums wird in dem Kapitel »Vom Glauben« ausdrücklich auf Nietzsche zurückgeführt. Diese Meinung stellt der Schreiber der *Betrachtungen* als eine auch mögliche der liberalen Interpretation entgegen (XII, 513 ff). Solche möglichen Ansichten über das Phänomen werden in der Rede »Die Stellung Freuds in der modernen Geistesgeschichte« (1929) zu Eigenschaften des Phänomens selbst:

Luthers Reformation als Gesinnungswerk betrachtet — wer würde unter dem Gesichtswinkel von Reaktion und Fortschritt klug daraus? Sie war ebensowohl Fortschritt und Befreiung, die deutsche Form der Revolution und Vorläuferin der französischen, wie Rückfall ins Mittelalter und ein fast tödlicher Reif auf den zagen Geistesfrühling der Renaissance ... (X, 259)

Schon früher erschien die Reformation im Munde Naphtas in etwas bösartiger Ausdrucksweise als »unauflösliches Filzwerk von Freiheit und mittelalterlichem Rückschlag« (III, 966). Vielleicht kommt darin eine gewisse Reserve zum Ausdruck gegen diese von Nietzsche übernommene Meinung. Thomas Mann vertritt sie trotzdem als die seine. Die doppeldeutige Weise der Interpretation eines geistesgeschichtlichen Phänomens: »Die Reaktion als Fortschritt« führte er auf Nietzsches so benannten Aphorismus 26 aus dem ersten Band von *Menschliches, Allzumenschliches* zurück (X, 258; schon XII, 498 in *Betrachtungen*). Nietzsche führt dort übrigens Luthers Reformation kurz als passendes Objekt für die doppelte Interpretationsart an.

Das liberale, demokratische Mißverständnis der Reformation kommt auch bei Nietzsche vor, erhält aber ein negatives Vorzeichen. Thomas Mann hat Nietzsche sehr gründlich studiert, was man an vielen Anstreichungen in der Brief- und der einen Werkausgabe im Zürcher Archiv beobachten kann. Er hat auch den Vorgang, wie Nietzsche sich von seinem angestammten Luthertum distanzierte, verfolgt. Im Bestreben, »täglich irgend einen beruhigenden Glauben zu verlieren« (Brief aus dem Jahre 1876; die Stelle von Thomas Mann unterstrichen sowie am Rand angestrichen und mit Ausrufezeichen versehen),[16] hatte Nietzsche seine »innigste Abhängigkeit vom Geiste Luthers« (an Rohde 28. 2. 1875, von Thomas Mann angestrichen)[17] vertauscht mit dem parteiischen Lutherbild des katholischen Geschichtsschreibers Johannes Janssen, so daß er »die gräßliche hochmütige gallig-neidische Schimpfteufelei Luthers« als Gegenstand seines Ekels bezeichnet. Während er seinem Briefpartner Peter Gast zwar zugibt, die Reformation sei eine »Förderung der europäischen Demokratie« gewesen, weist er ihn aber darauf hin, »dieser rasende Bauernfeind« habe die Bauern »wie tolle Hunde totschlagen« lassen und den Fürsten zugerufen, »jetzt könne man mit Schlachten und Würgen von Bauernvieh sich das Himmelreich erwerben« (5. 10. 1879; von Thomas Mann angestrichen und zum Teil unterstrichen).[18] Diese Formulierung bringt es fertig, Luthers grobe, erregte und eifernde Sprache in seiner Schrift »Wider die räuberischen und mörderischen Rotten der Bauern« noch zu vergröbern. Luther vergleicht dort zwar die Gefährlichkeit eines aufständischen Menschen mit der eines tollen Hundes, den man zur Selbstverteidigung totschlagen muß, von Bauernvieh ist aber nicht bei ihm die Rede. Nietzsches Formulierung wird von Thomas Mann nahezu wörtlich in die Rede »Deutschland und die Deutschen« übernommen (XI, 1134).

Nietzsche, beherrscht von dem fiktiven Leitbild einer zugleich gebildeten wie lebensvollen Renaissance ordnet der deutschen Bauerntölpelei der Reformation Rückschrittlichkeit zu (Aphorismus 237, *Menschliches, Allzumenschliches* I), sie wird zum »Bauernaufstand des Geistes« im Aphorismus 358 der *Fröhlichen Wissenschaft*. Dieser Aphorismus erhielt in der Naumannschen Nietzsche-Ausgabe Thomas Manns mehrere Anstreichungen und die Randbemerkung »Luther«. Hier erscheint Luther auch als »unmöglicher Mönch«, und »Jedermann sein eigener Priester« wird als antiaristokratische Formel gesehen, beides Formulierungen, die Thomas Mann während der Periode seiner schärfsten Lutherablehnung verwendet (X, 375; XI, 1134 Zitat im vorigen Kapitel). Den *Antichrist* Nietzsches hat Thomas Mann in der im Archiv befindlichen Ausgabe nicht allzu intensiv benutzt; aus dem Anti-Luther Aphorismus 61 dieses schon enthemmten Angriffs auf das Christentum zitiert Thomas Mann in den *Betrachtungen* (XII, 513 f).

Die liberale Ansicht der Reformation blieb in Thomas Mann seit der Jugendzeit lebendig, er ließ sie sich von Nietzsche nicht nehmen.

Die bei Nietzsche seit *Menschliches, Allzumenschliches* vorgebildete Auffassung der zweideutigen Reformation, fortschrittlich und rückschrittlich, aktiviert Thomas Mann, indem er die liberale Auffassung als die fortschrittliche ansieht, was bei Nietzsche weniger und weniger der Fall war. Er kombiniert also die liberale Auffassung mit Nietzsches immer heftiger werdenden Angriffen auf die Reformation als pöbelhaften Rückschlag. Die Quellen dieser Auffassung sind trübe, ihre Natur schon bei Nietzsche fiktiv.

Die Ansicht von der historischen Zweideutigkeit der Reformation findet sich auch von Zeitblom vorgebracht (VI, 15) und wir finden sie in der Anklage, die Thomas Mann 1945 im Zusammenhang mit seiner deutschen Selbstkritik gegen Luther erhob, und zwar gerade da in besonders enger Anlehnung an Nietzsche: Luther als konservativer Revolutionär, der das Christentum gerettet habe (X, 375; XI, 1133). Dieser Wechsel von der fiktiven Ebene auf die der Realität und umgekehrt, verbunden mit dem unmöglichen Versuch, mythische Elemente der fiktiven Struktur des *Joseph* im *Doktor Faustus* auf Wirkliches, brennend ihm am Herzen Liegendes anzuwenden, liegt den krisenhaften Verzerrungen der Faustus-Periode zugrunde, was an dieser Stelle leider nur angedeutet werden kann. Wie mögliche Ansichten bei Nietzsche und bei Thomas Mann zu Schein-Realitäten werden, ist der gleiche Vorgang, der eine fiktive Welt in der Phantasie des Schreibenden und des Lesenden entstehen läßt.

Die Auffassung Luthers als besonders sinnlich konnte Thomas Mann bei seinem Philosophen lesen und zwar in der Abhandlung »Was bedeuten asketische Ideale«, von deren starken Eindruck auf ihn *Fiorenza* zeugt.[19] Thomas Mann hat sie geteilt. 1926 las er eine Bachofen-Auswahl. An einer Stelle ist dort von einem »aphroditischen Gesetz der fleischlichen Emanzipation« die Rede. Thomas Mann unterstrich die Worte »fleischliche Emanzipation« und schrieb an den Rand: »Luther aphroditisch«.[20] Diese Randbemerkung steht wohl im Zusammenhang mit seinem Novellenplan »Luther und Erasmus« von 1925. Als er in Karl August Meißingers Buch *Der katholische Luther* (1952) dessen Widerlegung der Ansicht H. Denifles über den sinnlichen Luther las, setzte er zu Meißingers Schluß, daß »jedermann die Verkehrtheit [dieser Ansicht] empfinden müßte«[21] die Randbemerkung: »Nietzsche nicht«.

Nietzsche brachte ihm (im gleichen Aphorismus aus »Was bedeuten asketische Ideale«) auch die Information, daß Wagner eine »Hochzeit Luthers« zu schreiben geplant habe. Der oben erwähnte Ausdruck »Halsstarrigkeit« für die Deutschen, die durch die Reformation die Blüte der Renaissance verhindern, was Thomas Mann in ein Sich-Abschließen vom Westen, von der Welt umdeutete, stammt ebenfalls von Nietzsche.[22] Nietzsches hohes Lob von Luthers Bibelübersetzung[23] findet sich auch bei Thomas Mann (XI, 540). Die Übereinstimmung braucht man in diesem Falle wohl nicht als Abhängigkeit auszulegen. Es ist zu bedauern, daß Thomas Mann seinen Plan einer Novelle »Luther und Erasmus«, den er 1925—1926 hatte,[24] nicht in Angriff nahm, weil er schon von den Vorstudien zum Joseph gefesselt wurde. Er hätte wohl bessere Informationsquellen zu Luther gefunden als Nietzsche, der nur sehr oberflächliche Kenntnisse über die Reformation besaß.[25]

Es verdient noch angemerkt zu werden, daß Schopenhauer Luthers Lehre sowohl besser kannte als Nietzsche, wie auch positiver beurteilte, ohne daß seine späten Schüler Nietzsche und Thomas Mann viel davon aufgenommen hätten. Das mag übrigens als ein Anzeichen (unter anderen) dafür dienen, daß Nietzsches Wirkung auf Thomas Mann kaum überschätzt werden kann, während der Einfluß Schopenhauers geringer ist.

4. Der nationale Luther

Die Reformation und Luther als mehrdeutige, problematische Erscheinungen darzustellen, war zugleich Thomas Manns Weise, in den *Betrachtungen eines Unpolitischen* der allgemeinen Meinung zuzustimmen, die gegen Ende des 19. Jahrhunderts verbreitet war, und Luthers Werk als eine nationale deutsche Tat ansah. Ein Bild des nationalen Luther, der mit Dürer, Friedrich dem Großen, Goethe, Nietzsche das deutsche Wesen verkörpere, der ein »nordisches Christentum« auf dem Grunde der Freiheit eines Christenmenschen errichtet habe, trat Thomas Mann im Kapitel »Ritter, Tod und Teufel« in Bertrams *Nietzsche* entgegen. Wie er dieses Buch schätzte, wissen wir aus dem Briefwechsel. Sein Exemplar der Erstausgabe von 1918 zeigt viele Anstreichungen. Ein Ausrufezeichen findet sich am Rand, wo Bertram auffordert, sich nicht einen Augenblick durch Nietzsches Lutherfeindschaft irremachen zu lassen. Sie sei »nur Sinnbild eines Bruderzwists in der eigenen Brust, wie er so wild, so schonungslos gegen sich, so faustisch-überdeutsch, so unauskämpfbar verhängnisvoll vielleicht nur in einem deutschen Herzen sich zutragen kann.« (S. 53) Luther wird so gewissermaßen zum Vorläufer von Nietzsches deutscher Problematik und Nietzsches Lutherkritik ist Selbstkritik. Diese Gedanken trafen auf eine ähnliche Auffassung in Thomas Mann.

In einer Aufzeichnung, die im Nachlaß sich unter Notizen zum geplanten Literaturessay »Geist und Kunst« findet, ist von dem quälend problematischen deutschen Wesen die Rede, von der Fragwürdigkeit des deutschen Geistes, der sich aber gegen den römisch-gallischen behauptet habe in »ungeheuren Waffengängen«, was im Manuskript verbessert ist aus: »Feld- und Geistesschlachten«. Genannt werden die Schlacht im Teutoburger Wald, Wittenberg und die Befreiungskriege.[26] Die Reformation erscheint hier also als große und notwendige nationale Tat, aber zugleich als eine, die das vieldeutige deutsche Wesen gegen Rom verteidigt habe. Das deutsche Wesen dürfe nicht von der Erde verschwinden zugunsten von Prinzipien wie »humanité und raison«. Der Begriff »Zivilisationsliterat« erscheint hier noch nicht mit diesem Wort, wohl aber der Sache nach: »... zu thun, als sei der deutsche Geist der faulste, unrevolutionärste der Welt und als wögen Luther und Kant die französische Revolution nicht mindestens auf, (mancher Radikale thut wirklich so) — ist absurd, ist nicht mehr Politik, ist Fremdheit und Haß.« Wir haben hier einen der Keime der *Betrachtungen* vor uns: das Bedürfnis, den deutschen Geist als ein vieldeutiges wandlungsfähiges Phänomen vor schlagwortartiger Vereindeutigung zu schützen. Luthers Werk mit dem Teutoburger Wald, den Befreiungskriegen und Kant zusammengestellt zu sehen, ist geeignet, Mißverständnisse über sein eigentliches Wesen hervorzurufen, das nicht national orientiert, geschweige denn nationalistisch war.

Die Zusammenstellung Luthers mit Kant finden wir näher erläutert in den *Betrachtungen*. Kants »Einschreiten gegen die völlige Liberalisierung der Welt« wird dort ausdrücklich als mit Luthers Tat »ganz nahe verwandt« erklärt (XII, 174). Auch das ist eine nationalistische Fehldeutung, wobei man aber immer berücksichtigen muß, daß es nicht eigentlich um Verherrlichung Deutschlands, nicht um die Einsetzung einer nationalistischen Ideologie geht, sondern um den Kampf gegen zwar antinationale, aber vereindeutigende, phrasenhafte Ideologien. Kant ist eine nationale Figur in Thomas Manns Sinne, weil er »selbst durch alle Tiefen wertauflösender Skepsis hindurchgegangen« sei und dann die Wahrheit als Verpflichtung, die Verpflichtung als Wahrheit statuiert habe (ebenda). Die Formulierung dürfte Kants Meinung kaum wiedergeben, ist aber typisch für die Thomas Manns. Es ist wohl in einem ähnlichen Sinne gemeint, wenn er »Luthers einsame Nöte und Gewissenskämpfe im Kloster« (XII, 572) einer »modernen« soziologischen Definition des Gewissens gegenüberstellt. Luthers »deutsche« Größe lag für den Schreiber der *Betrachtungen* darin, daß der Mönch es sich schwer machte, daß er sich nicht in bequem bereitliegende Formeln fügte, daß er seine Problematik mit sich selbst ausfocht. Als Beispiele des Typs: »*der große Mann deutscher Nation*« nennt er: »Luther, Goethe, Bismarck, Nietzsche« (XII, 391), offenbar weil alle diese nicht die gebahnten Wege gingen und es sich schwer machten.

In diesen Überlegungen steckt wohl wirklich die Spur eines realistischen Lutherbildes, freilich ohne die Bedenken, die Luther selbst dagegen hatte, Probleme mit sich selbst auszumachen. Aber der lutherischen Tradition fern steht die nationale Bindung, der Zusammenhang mit dem Teutoburger Wald, den Freiheitskriegen und 1914. In einem Brief vom 5. Juli 1919 erklärt Thomas Mann seinen Kampf gegen den Zivilisationsliteraten als Widerspruch dagegen, daß man eines Tages für Tatsache ansehen könne: »Das große Deutschtum von Luther (spätestens von Luther) bis auf Bismarck und Nietzsche widerlegt und entehrt . . .« Dies sei jetzt zur Tatsache geworden.[27] Hier liegt das nationale Mißverständnis der Reformation offen. Es führte nach 1933 dazu, daß Thomas Mann Luther in seine nationale Selbstkritik einbezog. In der Rede »Deutschland und die Deutschen« heißt es folgerichtig: ». . . die Reformation, wie später die Erhebung gegen Napoleon, war eine *nationalistische* Freiheitsbewegung« (XI, 1136). Schon 1938 ist in Aufzeichnungen, die ursprünglich als Einleitung zu »Bruder Hitler« bestimmt waren, von Deutschlands »Rolle ewiger Halsstarrigkeit gegen den mittelmeerländischen Universalismus, die ›Zivilisation‹, die Demokratie . . .« die Rede[28] und die Reihe der Beispiele ist dieselbe wie die in der früheren Aufzeichnung aus den Literaturessay-Papieren, nur auf den neuesten Stand gebracht: Teutoburger Schlacht, Reformation, Napoleonische Kriege, 1914, Nationalsozialismus. In *Leiden an Deutschland* (1933—1946) wird die »Volksbewegung à la 1517«, gemeint ist der Nationalsozialismus, mit dem Teutoburger Wald zusammen genannt (XII, 704 f) als Aufstand gegen den »mediterranen Humanismus«.

Freilich protestiert er dagegen, in Hitler die »mythische Wiederkehr« Luthers zu sehen (XII, 731), ein Gedanke, an dem durch Andeutung in seinem Erasmus-Buch sich beteiligt zu haben er Stefan Zweig Schuld gibt (XII, 746, das dort gegebene Zitat aus Zweig *Triumph und Tragik des Erasmus von Rotterdam*[29] auch XII, 689). Mit der Niedrigkeit Hitlers kann selbst der Initiator einer so verderblichen Volksbewegung nicht konkurrieren, obwohl Thomas Mann nicht nur an der oben erwähnten Stelle in *Leiden an Deutschland* diese Volksbewegung mit dem Nationalsozialismus vergleicht, sondern noch an einer anderen, die ebenfalls die Lektüre von Stefan Zweigs Erasmus-Buch reflektiert. Dort heißt es, einigermaßen im Widerspruch zu dem Protest gegen den Gedanken einer mythischen Wiederkehr Luthers in Hitler: » ›Wiederkehr‹ gibt es in der Tat, insofern der antirationale und antihumane, auf Blut und Tragödie versessene Nationalismus die tumultuöse und blutige Rolle des Luthertums wieder zu spielen sich anschickt.« (XII, 750) Luther wird in diesem Zusammenhang wenig freundlich »der gemütsstarke und bildgewaltige Grobian zu Wittenberg« genannt. Die Vorstellung Luthers als Grobian wurde schon in Kapitel 3 auf Nietzsche zurückgeführt. Auch der Hauptbeleg, das von Thomas Mann in »Deutschland und die Deutschen« (XI, 1133) und anderswo angeführte angebliche Lutherwort »des Teufels Sau, der Papst«, fand er bei Nietzsche.[30] Übrigens zeichnet auch Stefan Zweig in seinem Erasmus-Buch Luther als Grobian. Wir haben hier die Kehrseite des Nationalhelden Luther vor uns, die Karikatur der deutschen Provinzialität.

Der Kern von Luthers Werk, auf den sich alles andere bezieht, ist die Theologie der Rechtfertigung durch Gnade, und die ist eine von

Paulus gegründete Tradition. Widerlegt und entehrt werden kann diese Theologie durch kein deutsches nationales Ereignis. Eine solche Auffassung kann nur aufkommen, wenn man sich durch sekundäre Momente die Hauptsache verdecken läßt. Man kann die Frage stellen, ob das Deutschtum, das sich auf Bismarck bezieht, durch den ersten Weltkrieg widerlegt wurde. Man kann die Wirkungen Luthers in der Geschichte diskutieren. Ein Deutschtum, das sich auf Luther selbst bezöge, wäre sicher gegen die Ersatzreligion des Nationalismus.

5. Luthernähe und Lutherkritik

Wollte man sich bei der Darstellung des Verhältnisses Thomas Mann zu Luther von der Chronologie leiten lassen und eine Entwicklung von Luthernähe (1916—1918) zu Lutherferne (1945—1949), schließlich eine Rückkehr zu Luthernähe gegen sein Lebensende feststellen, so täuschte man sich über die Verhältnisse. »Luthernähe« der Zeit der *Betrachtungen* und »Lutherferne« der *Doktor Faustus*-Zeit sind durch die gleiche Unkenntnis des historischen Luther mitbestimmt. Thomas Manns Mangel an realer Kenntnis Luthers ist ihm lange nicht bewußt geworden, denn dieser Mangel wurde von der erdrückenden Mehrheit der deutschen Nation einschließlich der Gebildeten und eines großen Teils der Theologen geteilt. Karl Holl (1866—1926) gilt als der theologische »Wiederentdecker Luthers«, eine Bezeichnung, die wohl nur wenig die Vergessenheit übertreibt, in die Luthers Theologie unter der Herrschaft von Liberalismus und Religionswissenschaft geraten war. Diese »Wiederentdeckung« brauchte Zeit, um ins allgemeine Bewußtsein zu dringen.

Als Thomas Mann sich 1943 Notizen zu *Doktor Faustus* anlegte, wollte er sich über den berühmtesten liberalen Theologen informieren. Dazu schlug er *Meyers Kleines Lexikon* von 1930—1932 auf und fand unter dem Stichwort »Ritschl« diese Charakterisierung: »... entscheidend für die moderne antimetaphysische, erkenntniskritische, ethische, bewußt an die Reformation Luthers anknüpfende, kulturbejahende Erfassung der Religion in der protestantischen Theologie«.[31] Die Formulierung zeigt, daß die Unvereinbarkeit der liberalen Theologie des Kulturprotestantismus mit der Luthers nicht erkannt wurde. Seine Umgebung (zwei Beispiele werden unten im Kapitel 9 dargestellt werden) bestärkten Thomas Mann überdies in seinem Irrtum, sein Gefühl existenzieller Verbundenheit als Deutscher protestantischer Herkunft mit Luther sei schon Kenntnis; ein Gefühl, das auch der Schreiber dieser Zeilen lange gehegt zu haben bekennen muß.

Das nationale, positiv gemeinte Lutherbild wiegt in den *Betrachtungen* vor. Aber dieser Beleuchtung ist nicht so ganz zu trauen. Denn schon dort bringt er Nietzsches Ansicht der Reformation ins Spiel (XII,

514; siehe oben Kapitel 3) und die ist seit *Menschliches, Allzumensch-liches* kritisch und später eindeutig negativ, vor allem im *Antichrist,* aus dem Thomas Mann ebenda zitiert. Seit 1895 hat Thomas Mann Nietzsche immer wieder studiert; die Nietzsche-Kritik an Luther, er habe einen »Bauernaufstand des Geistes« gegen die schon siegreiche Renaissance unternommen, ist in Thomas Manns Lutherkritik später wiederzuerkennen. Auch dürfte ihm das angeblich lutherische Kraft-wort »des Teufels Sau, der Papst« bei Nietzsche schon früher aufge-fallen sein. Vielleicht war ihm diese Herkunft gar nicht mehr bewußt, als er es zu seiner Lutherkritik verwendete. Man muß annehmen, daß Nietzsches Lutherkritik für Thomas Mann, während er die *Betrachtungen* schrieb, zumindestens eine sehr mögliche Ansicht war, wenn nicht mehr. Aber der Schreiber der *Betrachtungen* ist nicht ganz iden-tisch mit Thomas Mann, besonders dann nicht, wenn er sich für den be-sonderen Wert deutscher Geistigkeit engagiert. Er schrieb in einer Art von Rolle. Nur diese Rolle erklärt die »Luthernähe«, die günstigen Urteile über den unpolitischen Luther und den Gewissenskämpfer. Da der Rollencharakter der *Betrachtungen* noch eine wenig bekannte Qua-lität ist, muß eine kleine Abschweifung gestattet sein.

Die Arbeit an den *Betrachtungen eines Unpolitischen* begann Anfang November 1915. Wie aus Briefen der Zeit hervorgeht, hoffte er, die Schrift bald als Essay zu beenden. In einem der Briefe, in denen er vom Anfang seiner Arbeit berichtet, erscheint mit Bezug auf ein Buch des Briefempfängers, Oskar A. H. Schmitz, der Satz: »Liberalismus als Herzenssache ist ganz mein Fall«.[32] Diese überraschende Äußerung be-zieht sich auf den Titel eines Kapitels in Schmitz' Buch *Das wirkliche Deutschland,*[33] einem durchaus national gerichteten Buch, das deutsche Freiheit innerhalb eines ständisch organisierten Staates im Geiste des Freiherrn vom Stein verstand und darauf bestand, daß deutsche poli-tische Begriffe von denen anderer Völker verschieden seien. Das Buch hätte borniert Sätze zum Zitieren geboten. Thomas Manns Weise, seine Zustimmung zu dem Buch Schmitz' auszudrücken, entfernt sich nicht prinzipiell von der Konzeption der *Betrachtungen,* zeigt aber dennoch an, wie auch der Text selbst an vielen Stellen, wie die Mei-nungen des Autors schwebender, offener waren als die nationale Lei-denschaft gerade der Stellen des Kriegsbuches, die das allgemeine Urteil am stärksten bestimmt haben.

Für diese Deutung sprechen einige Notizen zu dem Literaturessay »Geist und Kunst«, den er 1909—1911 vorbereitet, aber nicht aus-geführt hatte. Dieser Essay sollte sich auch mit provinzieller, natio-nalistischer deutscher Borniertheit beschäftigen, gegen die der Typus des Literaten, die kritische »psychologische« (im Sinne Nietzsches), bewußte »Literatur« überhaupt, eine wesentliche Funktion haben sollte, die eine nur an plastischer Wirklichkeit orientierte Dichtung nicht haben könne:

Notwendigkeit der »Literatur« zumal bei uns: Erweckung des Verständnisses für alles Menschliche, Sittigung, Veredelung, Besserung. Schwächung dummer Überzeugungen und Werturteile. Skeptisierung. Humorisierung. Was das Moralistische betrifft: *zugleich* Verfeinerung und Reizbarkeit einerseits und Erziehung zum Zweifel, zur Gerechtig[keit], Duldsamkeit, Psychologisierung. Unsere Fortschritte in dieser Beziehung. Vergnügen eines Sonntagspublikums an einem noch deutsch-lehrhaften, aber lustig untergrabenden Stück wie L. Thoma's »Moral«.
Spinozistische Wirkung der Literatur. Erlösung der Leidenschaften durch ihre Analyse.[34]

Diese Notiz steht dem »Zivilisationsliteraten« ebenso nahe wie dem Schreiber der *Betrachtungen,* dem die Betonung von Skepsis, Zweifel und Humor auch eigen sind. Und doch leugnet der Anfang des Kapitels »Vom Glauben« (XII, 490 f) den Wert des Literaten. Es wäre falsch, auf diese Meinung viel zu geben. Es kann ernstlich kein Gegensatz konstruiert werden zwischen dem Notizenverfasser für »Geist und Kunst« und dem Schreiber der *Betrachtungen,* zumal eine der Notizen, über »Kultur und Zivilisation«, aus der Notizenmasse des geplanten Literaturessays für den Aufsatz »Gedanken im Kriege« von 1914 verwendet wurde. Vielmehr scheint es, als wäre der Aufsatz »Geist und Kunst« gescheitert (und an Aschenbach übergeben worden) wegen der Fülle der möglichen Gesichtspunkte. Erst die Einseitigkeiten westlicher Kriegspropaganda und die Ansichten mancher westlich gestimmten Literaten in Deutschland boten Thomas Mann seine »Rolle« an. Indem er sie spielte, wollte er freilich immer noch intellektuelle, ästhetische Freiheit, Unparteilichkeit verteidigen, identifizierte diese Freiheit jetzt aber parteilich und einseitig mit der Sache Deutschlands.

Die Reformation hatte seiner Ansicht nach zum Gewinn dieser Freiheit beigetragen. Sie mußte also positiv bewertet, Nietzsches Kritik nur als mögliche Ansicht distanziert wiedergegeben werden (XII, 514). Ein Ausdruck von Thomas Manns Verbundenheit mit Luther in der Zeit der *Betrachtungen* war die Freude, die er an einer Lutherbüste hatte, die er sich im November 1918 anschaffte und in seinem Münchener Haus aufstellte.[35]

Die Doppelheit, Verehrung und Kritik, seines persönlichen Verhältnisses zu Luther kann man nicht im abwertenden Sinne Zweideutigkeit nennen. Außerhalb einer Rolle kommt die Doppelheit zum Ausdruck in der »Rede über Lessing«, wo er das Buchstabenchristentum der lutherischen Orthodoxie in der Gestalt des Hauptpastors Goeze verkörpert sieht, der dem historischen Luther »für blöde Blicke« ähnlicher gesehen habe als der »versatile« Lessing. »Und doch war nicht jener ›der neue Luther‹, der neue nicht, sondern bloß der in der Zeit Stehengebliebene, und der neue, der Luther von ›itzt‹ war Lessing.« (IX, 244) Hier ist natürlich die liberale Auffassung des Reformators wirksam. Worauf es uns aber ankommt, ist die Huldigung, die mitgemeint und durch eine kritische Implikation gesalzen ist: Luther hat das orthodoxe Buchstabenchristentum verschuldet, aber sein freier Geist lebt fort.

Auch in der Zeit der schärfsten Lutherkritik fehlt selten der Hinweis auf Luthers Größe, womit er eine Art von Bewunderung meinte, für einen, der es sich schwer machte. In der Rede »Goethe und die Demokratie« aus dem Jahre 1949, dem gleichen Jahr der schärfsten Anti-Luther-Äußerung in »Die drei Gewaltigen«, kommt er auf Goethes Äußerungen über Luther zu sprechen. Zwar will er seine Ansicht vom »Grobian« auch hier nicht unterdrücken, aber er meint, es sei im Verhältnis Goethes zu Luther »eine national-persönliche Verwandtschaft, ein Wiedererkennen« im Spiel (IX, 774). Die Rede wurde für Oxford vorbereitet.

Der Vortragende der Rede »Deutschland und die Deutschen« von 1945, der Schreiber des Aufsatzes »Die drei Gewaltigen«, der sich 1949 unter dem Titel »Goethe, das deutsche Wunder« an die Deutschen wendete, endlich Zeitblom im *Doktor Faustus* auf fiktiver Ebene (was immer etwas anderes ist) spielen die Rolle deutscher Selbstkritik, die den »Urdeutschen« Luther mit einbezieht. Das Rollenspiel steht dem Spiel fiktiver Figuren auf der Ebene des Romans nahe und tatsächlich bestimmt die Struktur des Romans diese Äußerungen, natürlich auch da, wo sie Luther betreffen.

Die Struktur des Romans *Doktor Faustus* mit ihren heterogenen Linien, von denen einige aus der alten Maja-Konzeption und den Josephsromanen hinüberwirken, andere aus deutscher Selbstkritik stammen, kann an dieser Stelle nicht in allen Einzelheiten geklärt werden. Für unsere Zwecke genügt es, wenn wir uns an eine frühe Notiz halten (Anfang 1943). Nach Wiederholung der alten Aufzeichnung aus einem Notizbuch über den syphilitischen Künstler als Teufelsbündler zeichnet sich Thomas Mann »Gedanken moralischer Vertiefung« auf, die sich (im Laufe der Jahre) mit dem herumgetragenen Stoff verbunden hätten: »Es handelt sich um das Verlangen aus dem Bürgerlichen, Mäßigen, Klassischen, Apollinischen, Nüchternen, Fleißigen und Getreuen hinüber ins Rauschhaft-Gelöste, Kühne, Dionysische, Geniale, Überbürgerliche, ja Übermenschliche — vor allem subjektiv, als Erlebnis und trunkene Steigerung des Selbst, ohne Rücksicht auf die Teilnahme-Fähigkeit der Mitwelt. Nur einige Liebhaber und Gläubige des absoluten Geistes und des anarchischen Ich können folgen oder geben vor es zu tun.«[36] Man braucht nur auf den kleinen Herrn Friedemann, Thomas Buddenbrook, Gustav von Aschenbach, Hans Castorp und Josephs Versuchung durch Mut-em-enet hinzuweisen, um darzutun, daß der beschriebene Gegensatz in mannigfachen Abschattungen und Variationen als Grundmotiv in Thomas Manns Werk wirksam ist, und es ist evident, schon in der Figurenkonstellation Zeitblom-

158

Leverkühn, wie sehr er den *Doktor Faustus* prägt. Für unseren Zusammenhang ist ein Zusatz wichtig, der mit gleicher Tinte und ganz ähnlicher Schrift, also wohl wenig später, hinzugefügt worden ist: »Widerspruch zur kultischen Tendenz«. Dieser Zusatz erklärt sich natürlich aus dem Umkreis der eben vollendeten Josephsromane. Adrians überbürgerliche Genialität sollte in Gegensatz treten zur gemeinsamen Ausübung eines religiösen Kultes. Dieser vertritt also das Geistig-Soziale, den Mitmenschen Zugewandte. In diesem Rahmen ist Zeitblom katholisch (was auch zugleich eine Anspielung auf Erasmus sein könnte), ohne ausübender Katholik zu sein, das Bekenntnis zum Kultus genügte. Adrians Luthertum auf der anderen Seite ist gekennzeichnet durch einsame Dämonie. Diese einsame Abgeschlossenheit, die Verinnerlichung, sollte einerseits dämonisch erscheinen, andererseits als typisch deutsch. Denn Deutschsein ist für Thomas Mann schon lange assoziiert mit Andersseinwollen, sich Abschließen, Protestieren (Teutoburger Wald, Reformation, Befreiungskriege, der Volksjubel 1914, Nationalsozialismus). Sich Abschließen, Verinnerlichung, Protestieren, das ist in Thomas Mann fest verbunden mit Luthertum.

Dem widerspricht nicht, wenn wir im *Zauberberg* ähnliche Ideen von dem Jesuiten Naphta zu hören bekommen: Religion habe mit Vernunft, Sittlichkeit, ja selbst mit dem Leben nichts zu tun. Vernunft, Sittlichkeit und Leben setzt Naphta gleich mit der »sogenannten Gesundheit« und diese mit »Erzphilisterei und Urbürgerlichkeit, als deren absolutes, und zwar absolut geniales Gegenteil die religiöse Welt zu bestimmen sei.« (III, 639) Naphta setzt sich damit von Settembrinis schöner Humanität ab. Trotz seiner Ordenszugehörigkeit wird er so zum Vertreter romantischer, einsamer, genialer Dämonie. (Ausdrücklich räumt Naphta im Anschluß an unsere Stelle auch die Möglichkeit lebensbürgerlicher, aber irreligiöser Genialität ein mit Anspielungen auf Goethe. Dadurch soll klar werden, daß seine religiöse Genialität die romantische bedeutet.) Seine Zugehörigkeit zur katholischen Kultgemeinschaft ist durch die kommunistischen Tendenzen in Frage gestellt, die sein Autor ihm beilegt. In der Wirklichkeit wäre seine Kombination von Kommunismus und Zugehörigkeit zum Jesuitenorden kaum vorstellbar.[36 a] In der Welt des *Zauberbergs* wird die Figur lebendig als Gegner Settembrinis. Naphtas Ordenszugehörigkeit umgibt ihn mit einer unheimlichen Aura, ihr struktureller Hauptzweck ist aber, den Kontrast zu dem humanitären Freimaurer Settembrini zu bilden, ein in fiktiver Deutlichkeit verwendbarer Kontrast, den weder ein »normaler« Jesuit, noch ein sozialistischer Literat geliefert hätte, denn beide Typen waren in der Wirklichkeit der zwanziger Jahre durch Herkunft oder Anpassung zu stark der bürgerlichen Welt verbunden. Dabei mußten aber die gemeinschaftbildenden Funktionen der Ordenszugehörigkeit wie auch der sozialistischen Bewegung im Falle Naphtas fortfallen; er bleibt Einzelgänger. Das konnte, gemäß dem Strukturschema des *Zauberbergs,* mit seiner Krankheit motiviert werden.

Man kann hier greifen, wie wenig der Aufbau der fiktiven Welt mit Realismus zu tun hat. Soviel Züge und Motive aus der Realität auch das Bild beleben mögen, die fiktive Welt entsteht aus Abschattung, Abblendung gewisser störender Elemente der Wirklichkeit, Aufstellung von Schemata und Gesetzen, in denen die fiktive Welt im begrenzten Rahmen des Werkes sich in Beziehungen aufbauen kann, überschaubar, verstehbar wird. Das Prinzip braucht nicht immer wie hier so leicht greifbar zu sein, es genügt, wenn es wirksam ist.

Auf die »Theologie« des *Doktor Faustus* werden wir unten in Kapitel 12 zu sprechen kommen. Für unseren Zweck ist hier der Gesichtspunkt wichtig, unter dem Thomas Mann 1943 in seiner Ausgabe von Luthers Briefen las. Er wollte in die Figur des Adrian etwas Lutherisches legen. Er suchte nach Beispielen von Luthers Teufelsglauben und nach verwendbaren sprachlichen Elementen. In den Notizen zum *Doktor Faustus* tauchen immer wieder einige sprachliche Wendungen aus Luthers Briefen auf, sie werden innerhalb dieser Aufzeichnungen mehrfach übertragen. Thomas Mann hatte vor allem Adrians Briefe im Auge. Dafür spricht, daß sich in seiner Ausgabe von Luthers Briefen [37] als Randbemerkung eine Vorstufe der Briefanrede an Serenus Zeitblom in Adrians Brief aus Leipzig findet (VI, 186).[38] Ergänzt werden solche sprachlichen Wendungen aus Luthers Briefen durch andere Quellen, natürlich aus dem Spiesschen Faustbuch, aus Grimmelshausens Simplicissimus, aus einer alten Ausgabe von Nebenschriften zum Faustbuch, Johann Scheible, *Die Sage vom Faust.*[39]

An grobianischen Ausdrücken fand Thomas Mann in einem Brief an Luthers Frau die Wendung »Daß sie der Teufel bescheiße, Amen«, nämlich die Pfaffen, die etwas am Kaiserhofe planen »und gehet mit Kräutern zu«. Auch der Ausdruck »weylinger Weise« findet sich hier.[40] All diese werden zu Kumpfschen Redewendungen (VI, 129 f). Aber der grobianischen Wendungen waren zu wenig, darum mußten sie aufgefüllt werden, vor allem aus dem Simplicissimus.

Es lohnt sich, einige der Briefe näher anzusehen, aus denen Thomas Mann sich Notizen machte. Eine solche Notiz lautet: »Über die gewaltige Macht der Dämonen. (Briefe II S. 50)«. Dies bezieht sich auf einen Passus, der in Thomas Manns Briefausgabe erscheint, und zwar als Teil eines Briefes an Luthers Freund Link vom 14. Juli 1528. Die Weimarer Luther Ausgabe scheidet den hier relevanten Teil allerdings aus und verweist ihn in die Tischreden, deren Authentizität unsicher ist.[41] Wahnsinn wird in diesem Text als Werk teuflischer Dämonen angesehen. Es findet sich tatsächlich ein massiver Glaube an reale Versuchungen des Satans, an Teufel, die den Menschen plagen mit Fieber, Pest, anderen schweren Krankheiten, Sturm, Feuersbrunst und Mißwachs. Dieser Glaube ist auf Bibelstellen begründet, die Luther anführt. Natürliche Begründungen, die Ärzte für all dies Unheil geben, will er nicht wahrhaben, »weil sie die gewaltige Macht und Kraft der Dämonen nicht kennen.«

Diese Stelle diente Thomas Mann wohl als Bestätigung der innerhalb der Struktur des *Faustus* gültigen Meinung, der Lutheraner habe es notwendig mit Dämonen zu tun, wenn er Theologe ist (vgl. VI, 130 f). Freilich räumt Luther ein, daß ein Teil der Krankheiten sich »nach Gottes Willen durch Kräuter und andere natürliche Heilmittel behandeln läßt.« Also ganz sicher ist er doch wieder nicht, ob die Dämonen so fest im realen Bereich verankert sind. Denn gleich danach meint er, daß Satan den Menschen den Verstand störe, wie er auch die Herzen mit bösen Listen fülle. Hier ist der Teufel also vom realen in den psychologischen Bereich eingetreten. Die folgende Stelle hat Thomas Mann ebenfalls angestrichen: »Summa er ist näher, als ein Mensch denken kann, und den Heiligsten am nächsten«. Das bezog Thomas Mann natürlich auch auf Adrian.

So wie der Brief in Thomas Manns Briefausgabe steht, also mit den Stücken, die die Weimarer Ausgabe ausgeschieden hat, enthält er übrigens auch eine dringende Warnung dagegen, »falsche Propheten« zu töten, sowie einen Rat, wie man Menschen trösten solle, die Anfechtungen unterliegen. Auch dieser Text wird von der Weimarer Ausgabe aus diesem Brief ausgeschieden und in die Tischreden verwiesen.[42] Thomas Mann hat diese letztere Stelle ebenfalls angestrichen. Sie beruht, wie immer es mit ihrer Authentizität bestellt sein mag, auf Luthers Theologie. Einsame Grübeleien betrachtet er als Teufelsversuchung: »... in den Gedanken zu verharren und mit ihnen zu disputieren, weil wir ja dann Gewißheit und Sieg durch unsre eigenen Gedanken und unsern eignen Rat suchen, was Satan wohl weiß.«[43] Die Einsamkeit solle man fliehen, rät er, und nicht versuchen, in seinen Gedanken »zu verharren oder mit ihnen zu kämpfen und sie überwinden zu wollen oder gar auf ihr Ende zu warten, das heißt sie bloß noch anreizen und stärken bis zur eigenen Vernichtung, und das kann keine Heilung bringen.« Dabei führt er sich selbst als Beispiel an. Was eben noch realer Dämonenglaube war, ist jetzt Erfahrung des eigenen Seelenlebens, durchaus neuzeitlich. Überhaupt findet man ja bei Luther und in seinem Umkreis — was ganz natürlich ist — erstaunlich Neuzeitliches neben massiv Mittelalterlichem, für unsere Begriffe unverbunden.

Wir können die Frage der Authentizität der Briefteile und ob sie mit Recht oder Unrecht ausgeschieden sind, beiseite lassen. Thomas Mann erschien der ganze Brief als ein authentischer. So wie er ihn las, hätte er lernen können, daß es mit dem Luthertum und der deutschen Dämonie im Sinne der *Doktor Faustus*-Fiktion nicht stimmt. Nicht nur gleitet Luthers Aberglaube in moderne Introspektion über, die man fast Psychologie nennen könnte, vielmehr widerrät Luther einsames

Grübeln und Abschließung, ja er muß nach seiner Theologie widerraten, sich auf die Kräfte und Möglichkeiten der Subjektivität einschließlich der Vernunft zu verlassen, statt auf Gott. Dies widerspricht der Struktur des *Doktor Faustus*, weil für diese Mißtrauen in die Vernunft gleichbedeutend ist mit Bekenntnis zur Dämonie. Thomas Mann ließ sich nicht die Struktur seiner Fiktion umstoßen. Nur den mittelalterlichen (ja übrigens auch antiken) Glauben an die reale Existenz von Dämonen vermerkt er in den Notizen. Aber man darf annehmen, daß die anderen Teile des »Briefes« auch auf ihn gewirkt haben, daß Thomas Manns alte Luthernähe (im Sinne von Sympathie, möglicher Identifizierung) gewissermaßen untergründig bestätigt wurde.

Auch ein anderes Zeugnis Luthers, daß er sich zugleich gesund und krank fühle, weil er vom Satan geplagt werde und darum die Einsamkeit fliehen müsse, notiert sich Thomas Mann.[44] Es kann natürlich kein Zweifel sein, daß Luther an die reale und die psychologische Existenz des Satans zugleich geglaubt hat.[45]

Es gibt also eine Doppelheit in der Rezeption der Lutherbriefe: Aufnahme in die Notizen finden Züge eines dämonischen, mittelalterlichen, einsam-genialen Lutherbildes, die Züge, die diesem Bild widersprechen, werden gesehen, aber vorläufig beiseite gelassen. Dafür spricht ein anderer Lutherbrief, der mit den vorher besprochenen Texten sich an einer Stelle berührt und der ebenfalls ein bedeutsames Dokument ist. Dieser Brief hat zu Notizen geführt, die an wichtigen Stellen verwendet wurden. Es ist der Brief Luthers an Melanchthon von der Feste Coburg nach Augsburg vom 30. Juni 1530. Thomas Mann notiert aus diesem Brief:

Was zwischen mir und dem Satan vorgeht.
Nach dem Wort des Dichters (Terenz): mit Vernunft albern handeln. Wie der Hebräer sagt: »Wer schwere Dinge sucht, dem wird es schwer.«[46]

Liest man diese drei Zitate ohne den Brief zu kennen, aber in Kenntnis des oben angegebenen Grundschemas der fiktiven Struktur des *Doktor Faustus*, so haben wir: Teufelsumgang, Abwertung der Vernunft, die Lebenslast des einsamen Genies. Der Brief Luthers sucht jedoch Melanchthon zu stärken, ihn davon abzubringen, sich aufzureiben durch Sorge um das allgemeine Wohl der Lutherischen, das er in Augsburg zu vertreten hatte. Die Wendung »wenn so heißen darf, was zwischen mir und dem Satan vorgeht« soll den Begriff »eigenes« (Leid) seiner Subjektivität entkleiden. Wie in dem zuletzt betrachteten Brief sucht Luther den traditionellen Teufelsglauben zu verwenden, um Sorgen, Zweifel, Anfechtungen dem bösen Prinzip zuzuordnen, weil sie den Menschen auf sich selber lenken, so daß er an sich und nicht an Gott denkt. Das ist ja Sünde, Abwendung von Gott. In dem ganzen Brief liegt Luther daran, Melanchthon vor Skrupeln zu bewahren, damit er sich von der Last alleiniger Verantwortung nicht niederdrükken lasse. Vielmehr sei es die Sache des Herrn und ihrer aller Sache, die er führe, er solle auf den Zuspruch seiner Freunde hören und nicht glauben, daß er mit seinem Verstand allein die Dinge leiten könne, die doch mindestens teilweise, seinem Einfluß entzogen waren. In diesem Sinne führt er Terenz an. Hinter diesem Zitat steht aber natürlich Luthers theologisches Mißtrauen in die Selbstherrlichkeit der Vernunft. Das Bibelzitat aus dem Buch der Sprüche (25, 27) »wer schwere Dinge sucht, dem wird es schwer«, dient Luther als Warnung, nicht als Ausdruck des Genie-Pathos. Luther führte den Vulgatatext und den ins Lateinische übersetzten hebräischen Text an. Deshalb steht in Thomas Manns Briefausgabe: »wie der Hebräer sagt«, was Thomas Mann mißverstand. Er glaubte, es handele sich um eine Stelle aus dem Hebräerbrief. So zitiert er die Stelle in einem Brief an Jonas Lesser vom 23. Januar 1945 [47], und zwar in Bezug auf seine eigene Arbeit an dem Vortrag »Deutschland und die Deutschen«, also im Sinne des Künstler-Pathos eines, dem die Leistung schwer wird. Im *Doktor Faustus* erscheint das Wort, irrig dem »Apostel« (Paulus) zugeschrieben, im gleichen Sinne des Pathos der Künstlerleistung (VI, 665), also nahezu den Sinn umkehrend, in dem Luther es anführte.

Die Wendung: »was zwischen mir und dem Satan vorgeht«, ist in Adrians Brief aus Leipzig zu finden (VI, 189). Sie ist dort zwar auch nur auf einer Ebene real zu verstehen, weil ja der Teufel im *Doktor Faustus* überhaupt zwischen realer und psychologischer Ebene schwebt. Die Wendung dient an der Stelle, an der sie verwandt wird, eher dazu, den realen Aspekt der Teufelsfigur zu betonen. Auch sonst hat der Brief einige sprachliche Wendungen, die aus Luthers Briefen stammen, auf die »historische Affinität zum Religiösen«, die Adrians »Reformationsdeutsch« bezweckt habe, macht Zeitblom den Leser sogar aufmerksam (VI, 194); auch wird Luther ja einmal im Vorbeigehen genannt (VI,189). Sehr wesentlich ist das »Betet für mich« (VI, 191), das sich in vielen Briefen in Thomas Manns Lutherausgabe findet und auf das Zeitblom den Leser ebenfalls hinweist (VI, 194).

Außerdem erscheint eine Briefstelle Luthers im Text, die Thomas Mann häufig selbst brieflich zitiert: »Bin .... überladen und übermengt mit Sachen«. Dies ist wohl aus dem Gedächtnis nach Luthers Brief vom 19. Januar 1536 an den Kanzler Müller in Mansfeld zitiert.[48] Luther entschuldigt sich mit Arbeitsüberlastung für seine etwas grimmige Ironie bei Müller, ab und zu brauche er so ein »Lustfreudlein« (d. i. so einen scherzhaften Brief). Die Briefstelle erscheint, ausführlicher zitiert, auch in den Notizen und nicht selten in Briefen der Zeit nach 1944 wie auch eine andere Klage über Arbeitsüberlastung in einem Brief Luthers vom 26. März 1542.[49] Thomas Mann illustriert in den betreffenden Briefstellen seine eigene Arbeitsüberlastung, infolge Anforderungen von außen, aus der »Welt«.[50] Er identifiziert sich also sogar damals sehr weitgehend mit Luther.

In dem zuletzt genannten Brief vom 26. März 1542 an Jakob Probst in Bremen hebt Thomas Mann durch Anstreichungen und Ausrufezeichen am Rand und Unterstreichungen im Text Luthers Klagen über Deutschland hervor, das vom Worte Gottes lasse, wo Adel und Städte sich befehdeten und die Türken drohten. »Deutschland ist gewesen und wird nie wieder werden, was es war«. Luther wolle alles gehen und laufen lassen, wie es will, nachdem er gebetet: »Herr, dein Wille geschehe.«[51] Das Gebet ist bei Thomas Mann nicht durch Unterstreichung hervorgehoben. Von dieser Briefstelle spricht Thomas Mann in einem Brief an Viktor Polzer vom 30. Mai 1944.[52] Er zitiert die Klage über Arbeitsüberlastung. »Ein zutreffendes Bild meines Daseins, — so wenig ich sonst mit Luthern gemeinsam habe, mit den ›Fällen und Schreibereien‹ stimmt es. Und auch mit dem äußerst pessimistischen Blick stimmt es leider, den er danach in Welt und Zeit tut, in die Zukunft Deutschlands und des Türkenkrieg-Europa ....« Die Klagen über den Niedergang Deutschlands zitiert Thomas Mann nicht ausdrücklich nach, sie waren ihm wohl zu intim die seinen, trotz der Distanzierung von Luther.

Das gilt auch von einem Brief vom 14. August 1541, in dem Luther Zweifel ausdrückt, ob es nicht eine Versuchung Gottes sei, mit unterlegenen Kräften die Türken anzugreifen »und wir doch mit Sünden beladen unbußfertig« seien und er es darum nicht gerne sehe, wenn man gute Leute »vergeblich auf der Fleischbank opfert«.[53] Am Rand ist vermerkt: »19. IV. 44«. Das bezieht sich zweifellos auf Thomas Manns eigene Bedenken, ob nicht viele gute Amerikaner in der bevorstehenden Invasionsschlacht geopfert werden würden, obwohl, wie er manchmal meinte, es auch Tendenzen in Amerika gäbe, die den bekämpften sehr ähnlich seien.[54]

Eine gewisse Identifizierung mit Luther läßt sich also sogar während der Arbeit am *Doktor Faustus* nachweisen. Auf diese »Luthernähe« fällt ein wenig Licht durch eine Äußerung aus der Schweizer Emigrationszeit, auch wenn Luther nicht beim Namen genannt wird. Am 23. Februar 1937 schreibt Thomas Mann an Pierre-Paul Sagave, nach der Feststellung, er habe zwar kein direktes Verhältnis zur Kirche: »Dagegen habe ich mich Zeit meines Lebens als Protestant insofern gefühlt, als ich den Protestantismus als das Grundelement der deutschen Kultur selbst empfinde und auch Goethe und Nietzsche wesentlich als Protestanten sehe.«[55] Diese Briefäußerung ist weniger deshalb wichtig, weil sie noch 1937 den nationalen Protestantismus präsentiert, sondern weil Thomas Mann sich hier offensichtlich einbezieht, was er immer tut, wenn er von deutscher Kultur vertreten durch Goethe und Nietzsche spricht.

Thomas Manns Lutherkritik holt sich ihr Material außer von Nietzsche aus den üblichen Arsenalen. Immer wieder aber stößt man auf das eigentliche Motiv, der deutschen Selbstkritik, der gegen Luther gewendeten Luthernähe.

Der Hauptvorwurf, den die Romantiker gegen Luther erhoben, findet sein Echo auch gelegentlich bei Thomas Mann: Luther habe die konfessionelle Einheit Europas gesprengt (X, 375), er sei aus der Kirche nur ausgetreten, um eine Gegenkirche zu errichten (X, 376). Hardenbergs Schrift »Die Christenheit oder Europa« mit der romantischen Auffassung der Glaubensspaltung wird noch mit positivem Akzent in einem Artikel zum 60. Geburtstag Ricarda Huchs (1924) erwähnt im Rahmen einer Betrachtung ihrer *Blütezeit der Romantik* (X, 435).

Die Lutherkritik orientiert sich gerne an den historischen Wirkungen der Reformation, insbesondere den Religionskriegen. Auch diese Kritik betrifft den Kern von Luthers Werk natürlich nicht, folgt aber aus der Anschauung von Luthers Werk als nationaler Tat. Innerhalb der Verklärung der Reformation in den *Betrachtungen,* werden die schlimmen Folgen für Deutschland genannt (XII, 514), aber ausdrücklich sollen sie keinen Einfluß auf das Urteil über das Ereignis der Reformation an sich haben. Dagegen wird der Dreißigjährige Krieg Luther entschieden zur Last gelegt in den scharfen Angriffen auf Luthers gänzlich mißverstandenes Werk, in »Deutschland und die Deutschen« (XI, 1142) unter Berufung auf Erasmus, der alles Unglück vorhergesehen habe.

Luther hingegen sei kein Pazifist gewesen, »er war voll deutscher Bejahung tragischen Schicksals« (XI, 1142). Hier sieht man deutlich die Selbstidentifizierung. Denn gerade das war Thomas Manns Position, in seinen Kriegsaufsätzen und in den *Betrachtungen,* wo er von dem »Menschenstolz eines Volkes« spricht, das »frei zu wollen sich entschließt, was das Verhängnis ihm zu wollen auferlegt.[56]« Es wird wieder deutlich, wie sehr es sich um Kritik nicht eigentlich Luthers, sondern dessen handelt, was Thomas Mann für deutsch hielt. Er denkt an die Situation von 1914 und seine eigene Bejahung des deutschen »Schicksals«, wenn er angibt, Luther habe das Blut, das da fließen würde, bereitwillig auf seinen Hals genommen (XI, 1142; X, 376 und an anderen Stellen).

Die Herkunft dieses falschen Zitats können wir verfolgen. Stefan Zweig läßt in seinem Erasmus-Buch Luther darüber jubeln, daß Thomas Münzer und zehntausende Bauern hingeschlachtet wurden. Luther, schreibt Stefan Zweig, »rühmt sich mit heller Stimme, ›daß ihr Blut auf seinem Halse ist«.[57] Möglicherweise durch Vermittlung geht dieses Zitat zurück auf eine in den Tischreden überlieferte Äußerung: »Ich, M. L., habe im auffrur alle baurn erschlagen, dann ich hab sie heissen tod schlagen, all ir blut ist uf meinem hals. Aber ich weis es uf unsern Herrgott, der hatt mir das zureden befohlen.[58]« Die Stelle ist eher reuig und wird als Beispiel gebraucht für die Wirkung öffentlicher Rede. Seine Haltung im Bauernkrieg wird dann von Luther mit den bekannten, ziemlich fragwürdigen Gedanken seiner Staatslehre weiter begründet. In *Leiden an Deutschland* zitiert Thomas Mann nach Stefan Zweig eine Voraussage des Erasmus, der »furchtbare Wirrnisse« aus der Reformation entstehen sehe (XII, 750). Es ist das gleiche Zitat, das dann auch in »Deutschland und die Deutschen« erscheint (XI, 1142). Gleich darauf (in *Leiden an Deutschland*) folgt die Behauptung, Luther, »der gemütsstarke und bildgewaltige Grobian zu Wittenberg« habe die furchtbaren Wirrnisse gern »auf seinen Hals« genommen. Es liegt nahe zu vermuten, daß Thomas Mann die schon im falschen Sinne von Stefan Zweig zitierte Wendung nun auch noch allgemein auf die deutschen Religionskriege anwendet, womit Luthers historisches Wort *(wenn* es historisch ist, was bei den Tischreden immer zweifelhaft ist) in einen ganz falschen Zusammenhang gerät.

Differenzierter erscheint die »historische« Lutherkritik in einem Brief an Kerényi, der 1946 geschrieben wurde.[59] Luther erscheint da wieder in der schon bekannten Reihe der großen Deutschen: Luther, Goethe, Bismarck, Nietzsche. Goethe sei wie die anderen »zwar eine ungeheure Zierde des Deutschtums, aber, als prägende Macht auch ein Verhängnis« gewesen. Das ist wieder eine geschichtsphilosophische Aussage, die sich diskutieren ließe. Mir scheint allerdings hier eine Überschätzung jener »prägenden Macht« im Spiele. Luthers Größe, die Kehrseite seiner manchmal unangenehmen Rechthaberei, war, daß er an dem festhielt, was er für den wahren Glauben ansah, zeitweise in der bestimmten Erwartung, daß er mit dem Feuertod oder als Opfer des Bauernaufstandes dafür einzustehen habe. Man kann nicht sagen, daß dies gerade in Deutschland eine prägende Kraft gehabt hat, wo Rechthaberei nach wie vor in Blüte steht, aber vor der Macht zu verstummen pflegt. Prägende Kraft hatte Luthers Gebrauch der deutschen Sprache, aber darin kann wohl niemand ein Verhängnis erblicken.

Eine andere Sache ist das Bedenken gegen sklavische Bewunderung des großen Mannes, um die es auch in *Lotte in Weimar* geht, auf die Thomas Mann in dem angeführten Brief anspielt. Aber solch eine Bewunderung gälte dem falschen Luther, dem nationalen Helden voll tragischen Bewußtseins. Luther hat sich übrigens den Kult seiner Person ausdrücklich verboten: »Wie käme denn ich armer stinkender Madensack dazu, daß man die Kinder Christi soll mit meinem heillosen Namen nennen?«[60] Er beruft sich dabei auf 1. Kor. 3. Ein solches Sich-Beziehen auf das Evangelium ist typisch für Luther und muß dem Bild des großen Individuums, das sich zu seinem Verhängnis bekannt haben soll, entgegengehalten werden.

6. Die Konstellation Luther — Erasmus

Eine bestimmte Form der Lutherkritik, deren fiktiver Charakter leicht greifbar ist, geschieht durch die Gegenüberstellung von Luther und Erasmus. Sie ist getragen von dem Gegensatz: Luther, der volkstümliche Bauer, und Erasmus, der feinsinnige, zarte Humanist. Wir finden das Spiel mit diesen Gegensätzen schon in den *Betrachtungen* begonnen, der nationalen Rolle des Schreibers wegen aber nicht durchgeführt: »Der deutsche Humanist, dessen edelbürgerliches Bild von Holbein ich so liebe, verhielt sich zur Reformation, wie Goethe sich zur Revolution verhielt: *ruhige Bildung* werde durch das Luthertum zurückgedrängt...« (XII, 499). Der gleiche Gedanke wurde 1949 wiederholt (IX, 767). Man kann hier unterschwellig Nietzsches Grobian-Kritik erkennen. Die Erwähnung eines der Holbein-Bildnisse in der Stelle aus den *Betrachtungen* ist bemerkenswert. Lutherbüste und Holbein-Bildnis versinnlichten später den Gegensatz.

Die Konstellation Luther — Erasmus — Goethe kann auch variiert werden: In »Goethe und Tolstoi« findet sich Goethe mit Erasmus zusammengestellt unter dem Gesichtspunkt »edelbürgerlichen Quietismus, humanistischer Friedensliebe«, mit Luther unter dem Gesichtspunkt des Formats, der »Verkörperung großen Deutschtums« (IX, 134 f). Gelegentlich kann Thomas Mann, um dem Freund Bertram politisch zu widersprechen, sich schon 1926 auf die Seite des Erasmus schlagen. Die Proteste der Nationalisten gegen Deutschlands Eintritt in den Völkerbund nennt er »Protestantismus« (in Anführungszeichen) und fährt fort: ».... so wissen Sie ja, daß ich etwas mehr Erasmus als Luther bin ....«[61] In *Leiden an Deutschland* erklärte er die »Antithetik« Erasmus und Luther als irreführend, weil nicht notwendig. Dies ist wohl als Kritik an Stefan Zweig zu verstehen (XII, 747). Dem Sinne nach wird sie in »Deutschland und die Deutschen« wiederholt (XI, 1133):[62] Goethe sei darüber hinaus. Solche Spiele mit Antithesen liebte Thomas Mann und sie waren offenbar auch der Ausgangspunkt der geplanten Novelle »Erasmus und Luther«.

Das bereitliegende Schema wurde in die deutsche Problematik hereingezogen, wie sie sich für Thomas Mann im Exil seit 1933 stellte. Eine Identifikation mit Erasmus läßt sich im November 1933 in einem Brief an Stefan Zweig erkennen, der an seinem Buch über Erasmus arbeitete: ».... Ihre Arbeit ist wohl das Glücklichste, was man sich jetzt zur Beschäftigung aussuchen könnte: Sie schreiben damit gewissermaßen den Mythus unserer Existenz (denn alles immer wiederkehrend Typische ist mythisch) und auch die Rechtfertigung der scheinbaren Zweideutigkeit, unter der wir leiden ....«[63] Mit letzterer Bemerkung ist die Zurückhaltung von direkten Angriffen gegen die nationalsozialistische Macht gemeint. Der gemeinte Mythos ist die »höhere«, aber intelligentere Schwäche gegen die kraftvoll sich behauptende Primitivität. So stellte Stefan Zweig den Gegensatz dar, betonte auch kräftig den deutschen Volksmann Luther. Thomas Mann wurde durch Stefan Zweigs Erasmus-Buch in seinem eigenen antithetischen Spiel bestärkt.[64] Auswirkungen der Erasmus — Luther Konstellation werden wir noch in den Notizen zum geplanten Lutherspiel wiederfinden.

Eine Folge des Spiels mit dem Erasmus-Luther-Gegensatz ist die Behauptung in »Die drei Gewaltigen«, Luther habe keine Fühlung mit dem Humanismus gehabt (X, 375), er sei vielmehr »desto gemütstiefer versenkt in deutsche Mystik« (X, 376) gewesen. Schon Settembrini hatte dringlich vor den »Elementen der Ruheseligkeit und hypnotischen Versenkung« gewarnt, die nicht europäisch seien, er wollte sogar in Luthers Physiognomie Asiatisches sehen (III, 714). Hier zeigt sich das Lutherbild beherrscht von einer anderen Konstellation, von der der Erasmus-Luther-Gegensatz im Grunde nur ein Teil ist: der Gegensatz von West und Ost, bei Thomas Mann: elegante, leicht formulierbare Rede gegen problematische »Tiefe«. Man braucht kaum auf die Tatsachen hinzuweisen, daß Luther nur ganz vorübergehend mit Tauler und der *Theologia Deutsch* in Berührung gekommen ist, daß er Meister Eckhart gar nicht kannte, denn es ist offensichtlich, daß nur der Zwang der Konstellationen die Behauptung der gemütstiefen Versenkung hervortreibt. Im *Doktor Faustus* wird die Ost-West-Konstellation der *Betrachtungen* und des *Zauberbergs* als rein deutsches Phänomen gefaßt, als problematisches Sich-Verschließen vor der »Welt«, also dem Westen, eine innere Situation, die der äußeren, der politischen, in beiden Weltkriegen entspricht: Abschließung, aus der das deutsche Wesen nach dem »Durchbruch« verlangt. Erasmus ist in dieser Sicht Prototyp des Westens, klassischer Bildung und Redekunst, eleganter Ironie. Philologie und klassische Studien werden zu Zeichen westlicher Weltzugewandtheit, die, durch den Zwang der Konstellation, Luther ermangeln müssen.

Für Zeitblom liegt Erasmus' Blickwinkel sehr nahe, ist er doch selber eine Erasmus-Gestalt: »Noch ärger war dem Weisen von Rotterdam der Haß, den Luther und die Seinen den klassischen Studien zuzogen, von denen Luther persönlich wenig genug besaß . . . .« (VI, 119).[65] Eine Anspielung in *Der Erwählte* gibt das Küchenlatein eines deutschen Augustinermönches wieder, der von sinnlichen Anfechtungen geplagt ist. Unmittelbar darauf schießt der Erzähler, der Mönch Clemens, ironische Pfeile gegen Rom ab, die wohl Erasmus' Ironie kopieren sollen (VII, 11 f). Anachronistische Scherze gehören zum Reiz des *Erwählten*. Dieser hier vermag sein Objekt Luther nicht zu erreichen. Vielmehr scheint es so, daß Thomas Mann von der Antithese Erasmus — Luther zeitweise so fasziniert war, daß er beeinflußt durch Nietzsches Bauerntölpel-Vorstellung und Stefan Zweigs streng antithetische Gegenüberstellung, seine beiden humanistischen Erzähler, Zeitblom und Clemens den Iren, veranlaßt, Luther oder seinen mittelalterlichen Vertreter, den sinnlichen Augustinermönch als ungebildet aufzufassen, obwohl der Lateiner Zeitblom so eine Behauptung hätte nachprüfen müssen. Keine Frage ist natürlich, daß Erasmus Luther im Philologischen überlegen war, daß Germanismen in Luthers Latein vorkommen, daß Luther des Erasmus dankbarer Schüler im Griechischen gewesen ist. Natürlich war Luther kein Humanist, aber er kannte die sprachlichen Errungenschaften, die Quellenkritik der Humanisten und hat sie für seine Zwecke benutzt.

Thomas Mann selber kannte während der Niederschrift des Anfangs des *Erwählten* und des *Doktor Faustus* von Luther selbst, soviel ich weiß, nur die Briefe, die er in einer Auswahl las, in der die lateinischen Briefe übersetzt waren,[66] und, nach Ausweis der *Entstehung des Doktor Faustus* (XI. 169), »Luthers Kommentar zur Apokalypse«.[67] In der Behauptung, Luther habe dem Humanismus ferngestanden, treffen wir auf die Kehrseite von Thomas Manns großer Kunst, Situationen und Konstellationen aus kleinen Einzelheiten zu einem fiktiven Ganzen zusammenschießen zu lassen, die zum hohen ästhetischen Vergnügen des Romanlesers den Eindruck wohlgerundeter Ganzheit erwecken. Die Behauptung von Luthers mangelnder Fühlung mit dem Humanismus wird allerdings, soweit ich sehe, nur in »Die drei Gewaltigen« direkt vorgebracht, der eine der beiden anderen Belege ist die Ansicht eines fiktiven Erzählers, die im *Erwählten* eine scherzhafte Anspielung des hinter dem Erzähler Clemens stehenden Autors. Zeitblom weiß übrigens von Hutten, Melanchthon und anderen, die »aus dem humanistischen ins reformatorische Lager übergegangen waren«, und in der Rede »Humaniora und Humanismus« (1936) sprach Thomas Mann selbst von dem »Bündnis zwischen dem jungen Protestantismus und dem Humanismus ... Gerade Protestanten waren es, die den Unterricht der alten Sprachen in Deutschland neu organisierten, das Griechische eigentlich erst einführten.« (X, 341) Die deutsche Selbstkritik, die am Erasmus-Gegensatz orientiert, nur noch das Antirömische, Antieuropäische (XI, 1133) in Luther sah, verrannte sich trotzdem in die ausdrückliche Behauptung, Luther sei »dem Humanismus seiner Tage, auch dem deutschen, vollkommen fremd gewesen« (X, 376).

Das Lutherbild Thomas Manns hatte selten eine direkte Beziehung zur historischen Wirklichkeit. Es speiste sich aus den konventionellen Entstellungen und denen Nietzsches und gewann endlich eine fiktive Lebendigkeit als »der stiernackige Gottesbarbar« (X, 376), dem Gegensatz zu dem feinsinnigen Humanisten.

Im Sommer 1947 las Thomas Mann in dem niederländischen Seebad Noordwijk Johan Huizingas Erasmus-Biographie (X, 514). Die Art der Anstreichungen in seinem Exemplar weist auf wiederholte Lektüre hin. Thomas Manns lebhaftes Interesse für Erasmus blieb in den folgenden Jahren erhalten. 1950 las er eine Auswahl von Schriften des

Erasmus. Auch eine Auswahl von Briefen befindet sich in seiner Bibliothek.[68] Alle diese Bände weisen Benutzungsspuren auf. Die Erasmus-Studien gehören offenbar in den wieder eröffneten Rahmen des alten Planes, eine Reihe von Novellen oder Charakterbildern aus der Reformationszeit zu verfassen, ein Plan, in dessen Mittelpunkt die Gestalten Erasmus und Luther standen, abwechselnd oder gegeneinander. Die Studien der Welt des Reformationszeitalters, die sich später ganz auf Luther verlagerten, waren zuerst Erasmus-Studien.

Die Benutzungsspuren und Randbemerkungen in den eben genannten Büchern lassen ein Bedürfnis erkennen, Beziehungen zwischen Thomas Manns eigener Welt und der des Erasmus aufzuspüren. Darüber hinaus fällt aber ein besonders lebhaftes Interesse für das Verhältnis Erasmus-Luther auf. Huizingas Darstellung sieht dieses Verhältnis verständlicherweise aus dem Blickwinkel des Erasmus, woran sein Bemühen um kritische Objektivität auch gegenüber den Schwächen des Humanisten nicht viel ändert. Wer Luther schon als streitlustigen und groben Bauern kannte, wird von Huizinga nicht korrigiert. Möglicherweise lernte Thomas Mann, wie stark christlich orientiert Erasmus war, wie sehr auch er sich eine Glaubenserneuerung wünschte. Aber auf den theologischen Unterschied zwischen den beiden Großen geht die Biographie nur wenig ein. Huizinga spricht Erasmus eine »mystische Einsicht«[68a] ab, die Grundlage jedes Glaubens sei. Bei Luther nimmt er diese Einsicht offenbar an, ohne sie näher zu bezeichnen. Zwar weist Huizinga darauf hin, daß es in der Schrift des Erasmus *De libero arbitrio* und Luthers Gegenschrift *De servo arbitrio* um den theologischen Kernpunkt der Reformation geht, kann sich aber nicht enthalten, Luthers Schrift ein »Zurückfallen in rohere Glaubensformen« zu nennen.[68b] So wurde Thomas Manns Luther-Fiktion des Gottesbarbaren von seinen Erasmus-Studien eher gestützt als differenziert.

7. Der bürgerliche Luther, Zacharias Werner, die im Gemüt lebende Fiktion

Neben dieser Vorstellung steht als eine andere Fiktion die des bürgerlichen Luther von »Wein, Weib und Gesang«. Naphta bringt sie gelegentlich vor (III, 815), und wir finden sie natürlich auch in »Die drei Gewaltigen« (X, 375), diesem Sammelpunkt von fiktiven oder entstellenden Zügen in Thomas Manns Lutherbild. In *Doktor Faustus* zitiert die »Luther-Karikatur« (XI, 192), Ehrenfried Kumpf, das bekannte Verspaar, bevor er seine Semmel in die Ecke wirft (VI, 132). »Wer nicht liebt Wein, Weib und Gesang, / der bleibt ein Narr sein Lebelang« wurde aller Wahrscheinlichkeit von Johann Heinrich Voß nach älteren, auch biblischen Vorbildern gedichtet. Er ist wohl der Verfasser der Verse »Devise an einen Poeten«, die 1775 im *Wandsbeker*

Boten erschienen. Die scherzhafte Berufung auf eine Autorität, wie hier: »sagt Doktor Martin Luther«, war seit dem Humanismus üblich.[69]

Thomas Mann sind etliche falsche Luthervorstellungen, darunter auch die bekannten Verse, in Zacharias Werners einstmals berühmtem Drama *Martin Luther* begegnet, das er 1899 gelesen haben muß.[70] Dort fand er die populär-idealistische Vorstellung, Luther habe gelehrt, der Himmel könne nicht mit Ablaßgeld erkauft, er müsse durch den Willen errungen werden, ferner »des freien Geistes Recht, an sich zu glauben«. »Kraft, Freiheit, Friede« sei Luthers »Segen« gewesen.[71] Luther ist musikalisch und ein nationales Pathos durchzieht das Werk. Ein unerfreuliches Gemisch von kitschiger Religiosität, falscher Mystik und Sinnlichkeit wird als Liebeshandlung zwischen Katharina von Bora und Luther dargeboten. »Doch wüßt' ich gern, ob Liebe Sünde sei«, ist eine durchaus typische Frage der Wernerschen Katharina.[72] Das deutsche Bürgertum und echte deutsche Tugend werden gefeiert. Man darf so einen »Einfluß« nicht überschätzen. Sicher hat Thomas Mann den geringen Wert dieses Machwerks erkannt und von ihm für *Fiorenza* nur gelernt, wie man es nicht machen soll. Bemerkenswert ist aber, daß das Drama im 19. Jahrhundert großen Erfolg hatte und noch gegen Ende des Jahrhunderts als Reclam-Heftchen Verbreitung fand. Das zeigt, was für eine verdrehte Vorstellung von Luther dem Publikum auch damals noch zumutbar war, und daß tatsächlich viele von den Entstellungen in Thomas Manns Lutherbild auf Einflüsse aus seiner Jugendzeit zurückgehen.

Werner entschuldigt sich für die Freiheit von der Geschichte, die er sich genommen habe, im Prolog mit dem Vers: »Was im Gemüte lebt, das ist gewesen . . .« das heißt, was als lebensvolle Fiktion vom Künstler konzipiert wurde, habe im Kunstwerk das gleiche Recht wie wirklich Geschehenes. Es war dieser Vers, den Thomas Mann sich notierte. Ihn bewegte offenbar der Ausdruck des Rechtes eines Künstlers auf seine Fiktion, die er vor der Wirklichkeit der Geschichte nicht rechtfertigen muß. Dieses Recht ist natürlich unbestreitbar.

Es wäre billige Konstruktion, von dieser mehr zufälligen Notizbucheintragung des Vierundzwanzigjährigen eine Linie zu ziehen, die das Lutherbild des Siebzigjährigen determinierte. Bei aller gebotenen Vorsicht darf man aber doch davon ausgehen, daß Werners Drama nur paradigmatisch für weithin übliche Verfälschungen des Lutherbildes im 19. Jahrhundert steht und daß — ein anderes Beispiel — Nietzsche vom historischen Luther so gut wie nichts wußte. Unter diesem Gesichtspunkt ist in der Tat bemerkenswert, daß eine frühe Beschäftigung Thomas Manns mit dem Lutherstoff sich mit dem Recht des Künstlers auf Fiktion assoziierte und daß sich Thomas Manns Lutherbild vor etwa 1950 als fiktiv erweist. Es war der Luther, der in Thomas Manns »Gemüte lebte«, den er selbst kritisch angriff: Luther, der

Bürger, der musikalische, weltfremde Deutsche, der allerdings Größe erreichte, weil er die Erleichterungen der Existenz verschmähte, seinen eigenen einsamen Weg in Freiheit von vorgezeichneten Bahnen suchte und sich unmittelbar Gott gegenüber wußte, nämlich dem Prinzip der Allseitigkeit, der Unbestimmtheit, der Entgrenzung. Dieses deutsche Wesen war durch zwei nationale Katastrophen widerlegt, es mußte falsch sein, man mußte es verurteilen und die Weltfremdheit, die Provinzialität war der Ansatzpunkt. Mit anderen Worten: Das Motiv für die Anklagen gegen Luther war Thomas Manns eigene Verbundenheit mit Deutschland, die ihn zwang, die katastrophale Politik des Deutschen Reiches aus dem deutschen Wesen zu erklären und zwar aus dem deutschen Wesen, wie es ihm »im Gemüte« lebte. Diese Fiktion erwies sich als so kräftig, daß sie die Konzeption des *Doktor Faustus* mitbestimmte und alle Ansätze zur Konfrontation mit dem historischen Luther sowohl als mit moderner Theologie überlagerte.

8. *Luther, die Bauern und der Staat*

Die Betrachtung eines weit verbreiteten Komplexes der Lutherkritik führt aus dem Bereich der Fiktion heraus. Es sind zwei Klagen, die untereinander zusammenhängen: Luthers Stellungnahme gegen die Bauernbewegung und seine Auslegung von Römer 13, 1—7, volkstümlich bekannt durch den Anfang: »Jedermann sei untertan der Obrigkeit, die Gewalt über ihn hat.«

Beginnen wir mit der letzteren, so kann man auch hier wieder ein starkes Element deutscher Selbstkritik feststellen, wie wir sie schon kennen. In den *Betrachtungen* war der »unpolitische« Luther gelobt worden (XII, 513, 519); »seine antipolitische Devotheit, dies Produkt musikalisch-deutscher Innerlichkeit und Unweltlichkeit« (XI, 1136) wird ihm als Repräsentanten deutschen Wesens in »Deutschland und die Deutschen« zum Vorwurf gemacht.[73] Das Wort »Devotheit«, das mit der eigenen Haltung des Schreibers der *Betrachtungen* nichts zu tun hat, »die unterwürfige Haltung der Deutschen vor den Fürsten und aller staatlichen Obrigkeit« (XI, 1136) stammt natürlich aus Erfahrungen aus Thomas Manns deutscher Umwelt, Erfahrungen, die er auf Luther projiziert. Luther war durchaus nicht devot. Deshalb bleibt die historische Überlegung berechtigt, welche Gefahren in dem Zweckbündnis von Fürsten und Reformation steckten und wie weit Luther zu dem deutschen Nationalübel beigetragen hat, durch seine Auslegung von Römer 13, seine Lehre von den zwei Schwertern, seine Schrift von weltlicher Obrigkeit und sein praktisches Verhalten in Konflikten religiös-politischer Art (ob er zum Beispiel den Anfängen des Prinzips huius regio, eius religio, das seiner Lehre widerspricht, auch im Falle lutherischer Fürsten genügend sich widersetzt hat). Es sei nur obenhin angemerkt, daß die strikte Trennung von Staat und Kirche, das Ideal des Liberalismus, ja auch aus Luthers Lehre von den zwei Schwertern abgeleitet werden könnte. Man muß außerdem berücksichtigen, daß die Schrift »Von weltlicher Obrigkeit...« jeder *totalen* Staatsmacht widerspricht, und daß nicht alle politischen Entwicklungen in Deutschland, die zur Untertänigkeitsgewohnheit der Deutschen geführt haben, Luther zur Last zu legen sind. Auch hat es ja gegen die nationalsozialistische Gewaltherrschaft immerhin einige Beispiele von Durchbrechung der Untertänigkeitsgewohnheit gegeben und nicht zuletzt auf lutherischer Seite. Thomas Mann hat Pastor Niemöller seine Achtung bewiesen (XII, 910—918).

Überhaupt war Martin Luther weder unfehlbar noch Kirchenvater, noch hat er gelehrt, daß er so anzusehen sei, obwohl er seine Theologie für richtig hielt. Luthers Bindung an den nach seiner Theologie verstandenen Wortlaut der Bibel wäre ein Ansatzpunkt der Kritik auch seiner historischen Wirkungen. Wie sich historische Wirkungen überhaupt aus der einen oder anderen Interpretation ergeben können, ist eine Frage, die in jedem Falle viel schwieriger zu beantworten ist, als es in Deutschland meist angenommen wird, wo man in der Nachfolge von Hegels Geschichtsphilosophie mit schnellgezogenen Linien und kühnen Spekulationen schnell bei der Hand zu sein pflegt. Thomas Mann hat ganz sicher unter dem Eindruck solcher akademischen Gewohnheiten gestanden. Um beurteilen zu können, wie weit Luthers Theologie das Verhältnis der Deutschen zum Staat beeinflußt hat, muß man aber zuerst von Fiktionen absehen und die Quellen studieren.

Die Klage über Luthers harte Schrift »Wider die mörderischen und räuberischen Rotten der Bauern« ist weitverbreitet und Luther selbst war sehr bald nicht mehr wohl bei dem Gedanken an diese Tat.[74] Ihr Ton ist böse, daran kann kein Zweifel sein, auch wird man Luther den Vorwurf nicht ersparen können, daß sein Verständnis für die Lage der Gedrückten und das biblische Liebesgebot ihm diesen Ton nicht hätten gestatten dürfen. Ob Luther »ein gut Teil Verantwortung« für den Ausgang des Bauernkrieges trug ebenso wie für die »Konsequenzen« des Sieges der Fürsten, nämlich daß die deutsche Geschichte »eine glücklichere Wendung, die Wendung zur Freiheit« (XI, 1134) verfehlt habe, ist eine wichtige historische Frage, die in diesem Rahmen nicht erörtert werden kann.[75] Ich kann nur einige Hinweise auf die Probleme geben: Konnte politische Freiheit in Deutschland durch einen anhaltenden Erfolg der Bauern gewährleistet werden? (Theokratische Tendenzen in der Bauernbewegung machen das zweifelhaft.) Auch wäre die Nachwirkung von Luthers Schriften in politischer Hinsicht zu erwägen, ob sie etwa hemmend auf nachfolgende politische Entscheidungen gewirkt haben. Endlich aber muß Klarheit herrschen über den Begriff Freiheit, insbesondere über das Verhältnis bürgerlicher Freiheit des 19. und 20. Jahrhunderts zu dem, was der Bauernaufstand »evangelisch inspiriert, wie er war« (XI, 1134) bezweckte.

Thomas Mann läßt in »Deutschland und die Deutschen« Luthers Haß auf den Bauernaufstand aus dem Gefühl entspringen, er sei »eine wüste Kompromittierung seines Werkes« gewesen, das nur die unpolitische »geistliche Befreiung« im Auge gehabt habe. Das ist sicher ein Teil der Wahrheit, aber nicht der einzige Grund für Luthers Zorn. Luther glaubte das Böse unter den Menschen nur notdürftig durch Recht und Gesetz eingedämmt und war überzeugt, Aufruhr treffe zumeist Unschuldige und vergrößere das Übel. Für ihn enthielt Römer 13 eine klare Verhaltensvorschrift und ihm graute vor dem Prophetentum Thomas Münzers, der sich auf persönliche Eingebungen Gottes berief, die Luther eher als teuflische ansah. Aus den Elementen »evangelisch inspiriert«, »geistliche Befreiung«, »Wendung zur Freiheit« (im Sinne des Liberalismus) und Luther, der schimpfende Grobian, läßt Thomas Mann den folgenden Satz entstehen, dessen rhythmischer Zauber das komplizierte Spiel auf verschiedenen historischen Ebenen überdeckt, so daß der Wunschgedanke von der glücklicheren Wendung der deutschen Geschichte zur Freiheit die Achse bildet und Luthers Fluch auf die Bauernrotten vor den Hintergrund von 1848 gerät: »So haßte Luther den Bauernaufstand, der, evangelisch inspiriert, wie er war, wenn er gesiegt hätte, der ganzen deutschen Geschichte eine glücklichere Wendung, die Wendung zur Freiheit hätte geben können, in dem aber Luther nichts als eine wüste Kompromittierung seines Werkes, der geistlichen Befreiung sah und den er darum bespie und verfluchte, wie nur er es konnte.« (XII, 1134) Die Dinge liegen zweifellos nicht so einfach, wie Thomas Mann sie sieht, dennoch kann man sagen, daß er in seiner Wendung gegen den Luther der Bauernkriegsschrift sich auf den historischen Luther bezieht.

Der in »Deutschland und die Deutschen« folgende Absatz über Tilman Riemenschneider verweist uns auf die Quelle von Thomas Manns Kenntnissen der Schrift »Wider die mörderischen und räuberischen Rotten der Bauern«. Es ist Karl Heinrich Stein, *Tilman Riemenschneider im deutschen Bauernkrieg: Geschichte einer geistigen Haltung*, Wien, 1937. Die Lektüre dieses Buches liegt wahrscheinlich der Tagebuchnotiz zugrunde, die in der *Entstehung des Doktor Faustus* zitiert wird (XI, 163). Das Buch ist heute noch in Thomas Manns Bibliothek in Zürich vorhanden. Es hat auch Namen für den *Doktor Faustus* geliefert. Die Widmung des Verfassers, datiert Wien, 4. November 1936, bezeugt, daß er es an Thomas Mann schickte »in Verehrung für sein Werk und seine geistige Haltung«. Untertitel, Widmung und Erscheinungsdatum machen den Hintergrund dieses Buches deutlich, die Bekümmernis über das widerstandslose Verhalten der großen Masse des deutschen Bürgertums gegenüber dem Nationalsozialismus. Es zeigte in Riemenschneider eine andere »geistige Haltung« eines deutschen Bürgers. Der Verfasser bemüht sich um gerechte Beurteilung der Haltung Luthers, aber aus dem Ansatz des Buches folgt, daß Luther sich auf der Seite der belasteten »Ordnungsmächte" findet. Stein stellt Thomas Münzers Meinung von Luther dar. Er führt dessen Wort von dem »geistlosen, sanftlebenden Fleisch zu Wittenberg« an und spricht aus Münzers Blickwinkel von dem »Stehenbleiben der lutherischen Reformation in den Bedürfnissen einer bürgerlichen Ordnung« (Stein, S. 61). Thomas Mann hat beide Stellen im Text unterstrichen.

1934 erwog er einige Monate lang, sich an ein zweites Buch über Deutschland, »eine Bekenntnis- und Kampfschrift von der Art der ›Betrachtungen‹ zu machen...«.[76] Viel von seinen damaligen Gedanken ist wohl in den *Doktor Faustus* eingegangen, einiges ist in den (später redigierten) Tagebuchauszügen *Leiden an Deutschland* enthalten, die Bemerkungen über Luther vor allem im Anschluß an Stefan Zweigs Erasmus-Buch.

Wie Luther Repräsentant des deutschen Wesens in den *Betrachtungen* war, so wird er es nach 1933 wieder, nur mit anderen Vorzeichen.[77] Das Riemenschneider-Buch von Stein war einer der Anlässe, daß sich Luther und das Luthertum in Thomas Manns Bewußtsein erneut mit dem Problem Deutschland und die Deutschen verknüpfte.

9. Ricarda Huch und Kuno Fiedler

Thomas Manns Kenntnisse über Luther müssen vor und noch einige Jahre nach dem *Doktor Faustus* gering gewesen sein, das beweisen seine Luther-Äußerungen bis 1949. Eindrücke und Vorurteile aus der Jugend, vor allem Nietzsche, vielleicht ergänzt durch Troeltsch, sicher durch Stefan Zweigs Erasmus-Buch, das Buch von K. H. Stein über Riemenschneider, die Insel-Ausgabe von Luthers Briefen von 1909 haben wir als Quellen kennengelernt. 1937 erschien das Werk von Ricarda Huch, *Das Zeitalter der Glaubensspaltung*. Golo Mann, der das Buch damals in *Maß und Wert* besprach, erinnert sich, sein Vater habe das Buch gelesen und das zwiespältige Lutherbild darin habe ihn beschäftigt. Es habe der Auffassung seines Vaters nahegestanden.[78]

Das Buch erschien im Atlantis Verlag »Berlin und Zürich«, war also auch für die Verbreitung in Deutschland bestimmt. Ricarda Huch emigrierte 1933 nicht, trat aber aus der Preußischen Akademie der Künste aus. Ihr Buch hat Elemente mutigen Widerstandes gegen die nationalsozialistische Herrschaft. So heißt es in der Darstellung der Inquisitionsgerichte: »Denn der verderbliche Grundsatz war aufgestellt worden, daß das als Recht zu betrachten sei, was der Kirche nütze« (S. 157), eine klare Anspielung auf den nationalsozialistischen Grundsatz, Recht sei, was dem Volk nütze. Noch deutlicher zu ihren deutschen Zeitgenossen spricht Ricarda Huch bei der Besprechung des Augsburger Interims. Melanchthon habe gemeint, die Evangelischen müßten sich dem Kaiser unterwerfen, damit wenigstens evangelische Pfarrer im Amt blieben. »Es ist der Grund, der bei Umwälzungen oder Vergewaltigungen immer von denen vorgeschützt wird, die bequemes Sichfügen dem Widerstand und seinen für sie schädlichen Folgen vorziehen. Sie verkennen, daß eine Regierung, die stark genug ist, sich gewaltsam einem Volke aufzudrängen, erst recht nicht durch die allmähliche Wirkung einzelner beeinflußt wird, daß vielmehr ziemlich schnell diese einzelnen umgewandelt werden.« (S. 306) Dieser Satz hat kaum etwas mit den Zuständen von 1548 zu tun, er bezieht sich deutlich genug auf das deutsche Bürgertum unter der Regierung Hitlers. Thomas Mann, der auf Zeichen des Widerstands in Deutschland geradezu lauerte, muß einer solchen Haltung der Verfasserin wegen, die er ja auch persönlich kannte, ihrem Buch wohlwollend gegenübergestanden haben.

Ricarda Huch folgt in ihrer Darstellung dem historischen Geschehen. Insofern ist ihr Luther der historische. Von intensivem Quellenstudium über Luthers Persönlichkeit und Lehre zeugt ihr Buch leider nicht. Die Schrift »Von der Freiheit eines Christenmenschen« wird liberal verstanden und überhaupt oberflächlich behandelt (S. 151). »Es ist etwas Großes, daß er den Einzelnen auf sein Gewissen stellte, ihm damit Verantwortlichkeit auflegte und Freiheit schenkte.« (S. 179) Dies klingt sehr nach autonomer Ethik und Unmittelbarkeit des einzelnen zu Gott, was Luthers Lehre widerspricht. Freiheit und Ordnung (S. 175), Obrigkeit und Bibel (S. 178) können als Schlagworte Luthers Verhältnis zum Staat nur kennzeichnen, wenn diese Begriffe auf der Grundlage seiner pessimistischen Anthropologie, seiner Theologie überhaupt geklärt sind. Der Kern der Theologie Luthers, die Rechtfertigung durch den Glauben wird kurz dargestellt (S. 176), aber diese Darstellung ist seltsam beziehungslos. »Freiheit war der Kern ihres Glaubens« heißt es von den Evangelischen an anderer Stelle (S. 278) wieder, so daß das liberale Mißverständnis der lutherischen Lehre im Leser weiterwirken konnte. Luthers Lehre vom unfreien Willen wird mit sichtlichem Mißbehagen erwähnt (S. 187). Romantische Sentimentalisierung beherrscht die poetische Ausmalung von Luthers Frühlingserlebnissen auf der Wartburg (S. 170). Reste der romantischen Auffassung der Reformation, wie wir sie in Hardenbergs (Novalis) Schrift *Die Christenheit oder Europa* finden, begegnen uns in Ricarda Huchs Darstellung der Anfechtungen Luthers: die alte schöne gläubige Einheitswelt sei ersetzt worden durch Predigergezänk (S. 262). Luther ist als deutsche nationale Figur gesehen (S. 169 u. a.). Dies alles kam Thomas Manns Ansicht sehr entgegen. Ricarda Huchs Darstellung des Verhältnisses Luther — Erasmus kommt der Wahrheit näher als Stefan Zweigs Antithetik. Aber Thomas Manns fiktive Konstellation kann

doch auch Nahrung ziehen aus Wendungen wie der, daß Erasmus'
»Ironie und sein eleganter Witz empfindlicher verletzten als Luthers
ungestümer Angriff« (S. 185), und, als Erasmus-Zitat: »wo das Luthertum herrscht, ist Untergang der schönen Wissenschaften« (S. 180). Von
Melanchthon berichtet die Verfasserin, er habe Luthers schöpferische
Kraft und seine mächtige Persönlichkeit bewundert, aber »das grobe
unflätige Schimpfen, das Luther in die Polemik eingeführt hatte, waren
ihm widerwärtig.« (S. 287) Es scheint, daß wir hier eine unterstützende
Quelle für Thomas Manns Lutherbild von 1945—1949 vor uns haben.

Natürlich gibt es auch historisch wahre Züge in Ricarda Huchs
Lutherbild. Sie läßt keinen Zweifel daran, eine wie starke Persönlichkeit er gewesen ist, ihre Kritik an seiner Neigung zur Rechthaberei
und seinem Verhalten im Bauernkrieg sind berechtigt, sie gehen nicht
aus einer einseitigen Charakterzeichnung hervor. Ein etwas grotesker
Irrtum Ricarda Huchs gehört zum Thema, weil er vermuten läßt, wie
sehr Thomas Mann umlernen mußte, als er den historischen Luther
und die Umstände seiner Heirat kennenlernte. Im Zusammenhang mit
Vorwürfen gegen Luther wegen seiner Haltung im Bauernkrieg schreibt
sie: »Um öffentlich kundzutun, wie gleichgültig ihm die gegen ihn
gerichteten Angriffe wären, heiratete er mitten im Wüten des Krieges
und der Rache Katharina von Bora, eine Nonne .... Auch die ihm
wohlwollten, begriffen nicht, wie er ein Fest feiern mochte, während
Deutschland trauerte; es war, als wolle er zeigen, daß er nicht zu dem
trauernden Volk, sondern zu den feiernden Siegern gehörte ...«
(S. 216). 1955 lernte Thomas Mann aus den Luther-Biographien von
Köstlin und Bainton, daß es anders war.

Die Wiederentdeckung der paulinisch-augustinisch-lutherischen Theologie geschah zum großen Teil innerhalb der modernen Theologie,
die im Widerspruch zur liberalen Theologie und zum Kulturprotestantismus, angeregt durch Kierkegaard, die paulinische Theologie wieder
von Verkrustungen befreite. Thomas Mann hatte persönliche Berüh-
rungen mit Paul Tillich und Reinhold Niebuhr in seiner amerikanischen Zeit (siehe unten). Daß es zu einem Verständnis nicht kam, lag
zu einem großen Teil an den Voraussetzungen in Thomas Mann, die
zu den geschilderten Verzeichnungen des Lutherbildes führten. Zu
einem — vielleicht kleineren Teil — trug auch Thomas Manns »Haus-
theologe« Kuno Fiedler dazu bei. Er war der junge Theologe, den
Thomas Mann zur Taufe seiner Tochter Elisabeth holte.[79] Im großenteils autobiographischen *Gesang vom Kindchen* wird der Umstand so
dargestellt, daß dies geschehen sei, weil man nicht wissen könne, »was
einem die Lutherkirche ins Haus schickt, wenn man es ihr überläßt;
wohl gar einen öligen Tölpel, welcher mir alles ins Komische zöge«
(VIII, 1090), ein deutliches Zeichen für Thomas Manns Kirchenfremd-
heit, die man wahrscheinlich der damaligen verbürgerlichten Luther-

kirche eher zur Last legen muß als ihm. Kuno Fiedler blieb dem Hause Mann verbunden, besonders als er aus dem Gefängnis dem Hitlerregime entkam und in der Schweiz Zuflucht fand.[80] 1939 erschien in Bern sein Buch *Glaube, Gnade und Erlösung nach dem Jesus der Synoptiker.* Die verhältnismäßig kurze Schrift sucht dem paulinischen Christentum ein ethisches gegenüberzustellen, das sich auf den Jesus der drei synoptischen Evangelien bezieht. Leidenschaftlich bekämpft er die moderne Theologie, die er als eng pharisäisch und orthodox ansieht, weil sie Glaube, Gnade und Erlösung paulinisch versteht. Wenn er gegen »moderne Dogmatik-Ungetüme« (S. 48) argumentiert, so meint er sicherlich Karl Barth. Seine Auffassung kam natürlich Thomas Manns eigenen Auffassungen entgegen, sowohl seiner frühen, dem ethischen Protestantismus, wie seiner späteren Religiosität der Allseitigkeit und Unbestimmtheit, seinem religiösen Humanismus. Fiedlers Position, Religion sei «in ihrem tiefsten Wesen ein bis zum letzten gesteigerter Gehorsam» mag Einfluß gehabt haben auf die Formulierung Thomas Manns in dem Vortrag »Joseph und seine Brüder« (1942), er verstehe unter Religion »*Aufmerksamkeit* und *Gehorsam*« (XI, 667),[81] was dort freilich im Sinne der Joseph-Theologie des Religionsfortschritts verstanden wird. Fiedler beruft sich auf die Reformation, deren Werk er fortsetze, während seine theologischen Gegner geistig von den Pharisäern und Schriftgelehrten abstammten. Zu erkennen, daß die Reformatoren nicht gut von Paulus getrennt werden können, daran hinderte ihn vielleicht seine theologische Ausbildung, die er (geboren 1895) noch vor der Verbreitung der modernen protestantischen Theologie genoß. Die tapfere Haltung Fiedlers, mit der er dem Nationalsozialismus Widerstand leistete und damit bewies, daß er sich nicht dem Weg der meisten deutschen Bürger anpaßte, unterscheidet ihn von den anpassungswilligen liberalen Theologen. Es muß eine ganze Anzahl liberaler Theologen gegeben haben, die sich Hitler widersetzten. Das widerspricht den heute üblichen Vereinfachungen der Geschichte des Kirchenkampfes. Denn die Reste der liberalen Theologie assoziierte man bald mit der Bewegung der Deutschen Christen, mit deren Hilfe Hitler versuchte, die lutherische Kirche zu sprengen und zum nationalsozialistischen Weiheinstitut umzugestalten, während sich die Bekenntniskirche an Karl Barth orientierte. Allerdings hatte ja der liberale Theologe Troeltsch gegen die Meinung der Mehrheit des deutschen Bürgertums die Weimarer Republik unterstützt (was Thomas Mann auch wußte), und die Theologen der neuen Richtung neigten vielfach dazu, auch politisch antiliberal zu sein. So war selbst Martin Niemöller bis zur Kirchenwahl 1933 Nationalsozialist. Kuno Fiedlers liberale Theologie ist somit individuell. Wahrscheinlich hat seine Verfolgung durch die Nationalsozialisten einerseits, seine ethische, und das bedeutet letztlich liberale Theologie andererseits Thomas Manns theologische Orientierung mitbestimmt. Denn ihm mußte diese liberale

Theologie wie auf dem Wege nach seinem eigenen anti-nationalsozialistischen Ziel des religiösen Humanismus erscheinen.

Thomas Manns Brief an Kuno Fiedler über sein *Glaube, Gnade und Erlösung*, den er auch in *Maß und Wert* veröffentlichte, bezeugt klar genug, daß Thomas Mann nicht wußte, worum es in der modernen Theologie geht. Denn »*Barbarei* der Orthodoxie« und »*Mittelmäßigkeit*« (X, 770) kann man Karl Barth und der sogenannten dialektischen Theologie wohl nur vorwerfen, wenn man nichts von ihr weiß, womit natürlich nicht gesagt ist, daß moderne Theologie der Kritik überhaupt enthoben sei. Fiedler mag auch in manchem diskutierbare Ansichten vorbringen; dies können Theologen besser entscheiden. Fest steht aber, daß er es sich mit der Kennzeichnung seiner Gegner zu leicht gemacht hat und daß Thomas Mann ihm auf diesem Wege folgt. Fiedler das Recht zur »Verachtung derer, die es sich leicht machen oder leicht machen lassen« (X, 770) zu geben, ist eine ziemlich grobe Verkennung der Tatsachen, denn leichter ist die Verkündigung eines moralischen Evangeliums, weil die Leute das von ihrem Pfarrer im Grunde noch heute erwarten, während die Theologie der Rechtfertigung durch den Glauben ihrer eigenen Verkündigung große Schwierigkeiten entgegenstellt. Thomas Mann sah »Orthodoxie« mit Fiedlers Augen und verstand darunter ein Buchstabenchristentum bürgerlich angepaßter Bequemlichkeit. Wenn Fiedlers Schrift ihn an Luther, Lessing und Tolstoi erinnerte, dann sieht er ihn als Protestanten gegen die etablierte Kirche. Übrigens nähert sich sein Hinweis auf das Verständnis des Mythos am Ende seines Briefes in einer Hinsicht der Theologie etwa Paul Tillichs, denn dieser bemüht sich um das Verständnis der Glaubenssymbole, die er nicht als buchstäblich und dennoch als verpflichtend sieht. Thomas Manns leise Korrektur Fiedlers: es sei mit der bloßen Ablehnung einer religiösen Aussage als mythisch bedingt nicht getan, geht aber nicht sehr weit auf diesem Wege, denn mit der Berufung auf Nietzsche und »Religionspolitik« kommt man moderner Theologie nicht wirklich nahe, was ja auch Thomas Manns Absicht nicht war.[82]

10. Thomas Manns Berührung mit Reinhold Niebuhr und Paul Tillich

Reinhold Niebuhr hatte in *The Nation* Thomas Manns amerikanische Sammlung politischer Essays besprochen, eine Besprechung, mit der Mann sehr zufrieden war.[83] Niebuhr empfindet, daß in diesen Essays der Protagonist des gemeinsamen Elementes der klassischen und christlichen Tradition spreche, eines Elementes, das die europäische Kultur seit jeher (»for ages«) beeinflußt (»informed«) habe. Niebuhr erkennt in Thomas Mann die Würde eines Patriziers und eines großen Humanisten. Er kritisiert an ihm, daß seine frühere Politikfeindlichkeit aus romantischer Tradition gekommen sei, der er verhaftet bleibe. Was wäre aus der Demokratie in der nichtdeutschen Welt geworden, fragt er, wenn nur Rousseau und nicht John Locke deren Tradition (Niebuhr: »our tradition«) beeinflußt hätte. Niebuhr spricht hier also weit weniger als Theologe denn als Amerikaner. Die Abwertung der Aufklärung (Locke) ist tatsächlich ein Hauptübel in der deutschen Bildung. Thomas Manns »Humanismus« bestand außer in der Ausrichtung nach Goethe in der bewußten Selbstkorrektur seiner romantischen Grundneigung, und Niebuhr hat ein gewisses Recht, hier Zweifel anzumelden. Für unseren Zusammenhang ist wichtig, daß Niebuhr die gemeinsame Grundlage von klassischer und christlicher Tradition beruft, Manns humanistische Haltung lobt und selbst vom humanistischen, aufklärerischen, antiromantischen Standpunkt zu sprechen scheint. Auf Thomas Mann mußte Niebuhr wie ein moderner liberaler Theologe wirken.

Nachdem Niebuhr die englische Übersetzung der Radioreden nach Deutschland kritisiert hatte[84], schrieb Thomas Mann ihm am 19. Februar 1943 einen erklärenden Brief über seine eigene Wendung zur Demokratie, der voller Hochachtung für Niebuhr ist.[85] Im Frühjahr 1943 las er »viel in Niebuhrs Buch ›Nature and Destiny of Man‹« (XI, 162).

In einem Brief an Erich Kahler aus dieser Zeit (18. Mai 1943) will er seinem Freunde Hoffnung machen, daß Kahlers Bücher mit ihrer kulturellen Überschau auf Wirkung in Amerika rechnen könnten. Niebuhrs Buch beweise, daß die Zeit, durch das Kriegsgeschehen angeregt, »zusammensehende« und »aufs Ganze gehende« Bücher hervorbringe.[86] Man möchte aus dieser Äußerung schließen, daß Thomas Mann die Hauptabsicht des Buches verstanden habe, nämlich die Gegenüberstellung der klassischen Menschenauffassung, die den Menschen der Teilnahme am Geiste grundsätzlich für fähig und daher Selbstperfektion für möglich hält, mit der biblischen Ansicht, die den Menschen prinzipiell für unvollkommen, zwar von Gott abhängig, aber eigenmächtig sich von ihm abkehrend (»sündig«) auffaßt, so daß er der Rechtfertigung durch die Gnade bedarf. Hätte Thomas Mann diese Absicht von Niebuhrs Buch tatsächlich aufgenommen, so müssen wir annehmen, daß dieser Einfluß zunächst folgenlos blieb, denn vom Gesichtspunkt Niebuhrs aus hätte Thomas Manns »religiöser Humanismus« ihm selbst als eine zu einfache Vereinigung prinzipiell getrennter Elemente vorkommen müssen.

Vielleicht ist er nur in Niebuhrs Behandlung der Romantik und Nietzsches eingedrungen, Themen, die Thomas Mann immer und besonders während der Arbeit am *Doktor Faustus* faszinierten. Niebuhrs Romantik-Darstellung krankt übrigens daran, daß er Romantik als rousseauschen Vitalismus versteht und ihre ästhetizistische Seite nicht sieht, die einiges mit der Relativierung von Lebenswerten und daher mit der paulinischen Tradition zu tun hat. Jedenfalls muß dieser Aspekt von Niebuhrs Kulturanalyse dem deutsch Gebildeten ein Anstoß sein. Anläßlich von Nietzsches Wahrheitsbegriff streift Niebuhr nur diesen Zusammenhang.[87] Ob Thomas Mann bis zu Niebuhrs Diskussion von Renaissance und Reformation und ihren Wahrheiten und Täuschungen über die Bestimmung des Menschen vorgedrungen ist, bleibt fraglich. Dort hätte er eine kritische Sicht von Luthers Werk gefunden, die wesentlich besser fundiert ist als seine eigene Position. Luthers Staatslehre, seine Lehren über politisches und soziales Verhalten, seine Fixierung auf den Bibeltext (»bibliolatry«) werden in erwägenswerter Weise angegriffen,[88] aber seine eigentliche Bedeutung mit Recht in der Freilegung der biblischen Lehre von Sünde und Gnade gesehen, der paulinischen Tradition, die verdeckt war von der »katholischen Synthesis« zwischen der biblischen Ansicht gebrochener, erlösungsbedürftiger Menschlichkeit und der klassisch-griechischen von der Möglichkeit der Selbstvervollkommnung.

Es ist denkbar, daß Niebuhrs Ansicht vom Wesen des Menschen als Freiheit und die Aufgeschlossenheit seiner Theologie für die sozialen und politischen Umwälzungen der Zeit sich in Thomas Mann vordrängten und Niebuhrs Kritik des immer noch modernen Renaissance-Humanismus im Hintergrund ließen. Aber es ist ebenso denkbar, daß die Berührung mit Niebuhrs und Tillichs Gedanken bereits eine leise Änderung in Thomas Manns Ansicht christlicher und protestantischer Theologie bewirkten, die sich erst nach der *Doktor Faustus*-Periode voll auswirkte. Vielleicht hat die beginnende Auseinandersetzung mit moderner Theologie mitgeholfen, das Motiv der Gnade hervorzurufen, das schon in *Doktor Faustus*, auch am Ende der Rede »Deutschland und die Deutschen« sich andeutete. Damit wäre der erste Schritt zu einem besseren Verständnis auch Luthers getan worden, noch während des Höhepunktes der selbstkritischen Auseinandersetzung mit der nationalen Lutherfiktion.

Eine Bekanntschaft Thomas Manns mit Paul Tillich im ersten Jahr der amerikanischen Emigration, 1938, muß seine Neigung gefördert haben, sich den prinzipiellen Unterschied von Humanismus und paulinischem Christentum zu verdecken. Im Thomas Mann Archiv Zürich befindet sich ein Brief Tillichs an Thomas Mann vom 12. Oktober 1938. Das ist die Zeit nach dem Münchener Abkommen, einem Tiefpunkt der Hoffnungen der anti-nationalsozialistischen Emigration. Tillich arbeitete damals mit Thomas Mann bei der Formulierung von »Thesen« zusammen, die, soviel kann man dem Brief entnehmen, mit dem Kampf gegen den Faschismus in aller Welt zusammenhängen. Tillich hoffte durch die »kommende Periode der Faszisierung der Welt« in kleinen Gruppen christliche, humanistische und sozialistische Prinzipien hindurchzuretten. Auf diesem Hintergrund muß man seine Einladung an Thomas Mann sehen, auf der Tagung einer religiös-sozialistischen Gruppe zu sprechen, die hauptsächlich auf Studenten wirken wollte, und in deren Führung Tillich sich mit Reinhold Niebuhr teilte.[88a] Die Einigung über ein Thema mit Thomas Mann war Tillich von der Gruppe überlassen worden. Er schreibt: »Ich persönlich würde mir denken, daß Ihr Thema etwa in der Richtung von Christentum und Humanismus liegen sollte, wobei die sozialistische Linie als ein Versuch gezeichnet werden könnte, die Prinzipien, in denen Christentum und Humanismus übereinstimmen, in einer bestimmten Situation zu verwirklichen.« Diese Äußerung ist überraschend, weil sie von einem modernen Theologen kommt, von dem man gerade strikte Unterscheidung von humanistischem und christlichem Weltaspekt erwarten möchte. Nun hat freilich Tillich sich als Religionsphilosoph wohl überhaupt mehr um Integration der Religion in das moderne kulturelle Gefüge als um strikte Trennungen bemüht. Vor allem aber muß man seine Äußerung auf dem Hintergrund der Zeit sehen. Die nationalsozialistische »Theorie«, soweit man davon sprechen konnte, hatte das humanistische Grundmotiv der Selbstvervollkommnung des Menschen in biologische und völkische Bahnen lenken wollen. Es ist verständlich, daß ein Christ, der aus sozialer Verantwortung skeptisch gegen das etablierte Bürgertum in der Kirche sein mußte, Anschluß an Thomas Mann suchte, der sich seit langem als Vertreter des »alten« Humanismus gab. Dieser Humanismus goethischer Herkunft wollte bestimmt nicht die Perfektion des Menschen auf nationale und rassische Ideologien beschränken. Obwohl jeder Humanismus prinzipiell optimistisch sein muß, war Thomas Manns Spielart noch durch einen Schuß Schopenhauer-Skepsis temperiert; er strebte vor allem keine Perversion der Wahrheit an.

Gegen Schluß des Briefes erwähnt Tillich ein zurückliegendes Gespräch mit Thomas Mann über »neuen Kollektivismus und Mythos« als auch mögliche Themenrichtung. Es muß sich hier um Gedankengänge gehandelt haben, die aus dem Umkreis der Josephsromane stammten und mit dem religiösen Kultus als sozialem Akt zusammenhängen, also mit Traditionen, die Thomas Mann eher mit dem katholischen Kultus assoziierte: offenbar waren sie auf die kulturelle Wirklichkeit bezogen. Später, 1943, schlug sich ein solcher Gedanke nieder in der schon erwähnten Notiz zum *Doktor Faustus*, wo die Einsamkeit des Genies empfunden wird als »Widerspruch zur kultischen Tendenz". Zur Struktur des Romanteils *Joseph der Ernährer* gehört die fiktive Vereinigung von »neuem Kollektivismus und Mythos«. Thomas Mann war also sicher geneigt, auf Tillichs Gedankengänge einzugehen. Wir stellen aber fest, wie Vorstellungen aus Thomas Manns fiktiver Welt in den Bereich der Wirklichkeit zu dringen suchen.

So begreiflich das Suchen nach Verständigung zwischen Christen und Humanisten 1938 sein mochte, so muß es Thomas Mann doch weiterhin in seinen alten, aus der liberalen Theologie stammenden Vorstellungen bestärkt haben. Als er sich 1943 Notizen für *Doktor Faustus* anlegte, informierte er sich über Theologie zunächst aus *Meyers kleinem Lexikon,* wie aus seinen Exzerpten zu erkennen ist. Der Ausdruck »kulturbejahend« kommt, wie schon erwähnt, in der Charakterisierung der Theologie Ritschls in einem der herangezogenen Lexikonartikel vor. Zur Ergänzung seiner Kenntnisse wendet er sich an Paul Tillich, wie aus der *Entstehung des Doktor Faustus* hervorgeht (XI, 160, 169). Den Ausdruck »kulturbejahend« muß Thomas Mann auch in seiner Anfrage an Paul Tillich verwendet haben. Denn Paul Tillich antwortet auf diesen Passus in seinem erhaltenen Brief: »Auf Ihre Frage nach dem Kulturbejahenden der liberalen Theologie kann ich nur sagen, daß sie in der Tat eine weitgehende Anpassung an die Ideale der bürgerlichen Gesellschaft war.«[89] Leider sind Thomas Manns Briefe an Tillich zur Zeit nicht auffindbar. Wir kennen aber Tillichs ausführliche Antwort, können aus den Exzerpten in den *Doktor Faustus*-Notizen einige Schlüsse ziehen und schließlich liegt uns die Verarbeitung im Text des Romans selbst vor Augen. Aus alledem geht hervor, daß Thomas Manns Neigung zur Einteilung der Theologie nach den Gesichtspunkten: fortschrittlich-liberal-kulturfreundlich-gut und rückschrittlich-orthodox-kulturfeindlich-dämonisch-schlecht während der Abfassung des *Doktor Faustus* entweder überhaupt vorherrschte oder von der Struktur des Romans in den Vordergrund seines Bewußtseins gedrängt wurde.

Tillichs Bericht über sein Theologiestudium in Halle, den Thomas Mann erbeten hatte, enthält eine Würdigung seines Lehrers Martin Kähler, den er der »konservativen Vermittlungs-Theologie« zuordnet. Thomas Mann hat diese Würdigung im *Doktor Faustus* zur Gestaltung der Figur Ehrenfried Kumpfs verwendet,[90] für den übrigens, wie aus der Handschrift des *Doktor Faustus* hervorgeht, auch der Vorname Martin erwogen wurde, wahrscheinlich, weil Thomas Mann von der Übereinstimmung des Vornamens Kählers mit dem Luthers fasziniert wurde. Er übernimmt Tillichs Darstellung, Kähler sei zuerst für deutsche klassische Dichtung und Philosophie begeistert gewesen, dann durch die Erweckungsbewegung ergriffen worden und habe »die Paulinische Botschaft von Sünde und Rechtfertigung dem ästhetischen Humanismus des großen ›Heiden‹ Goethe, wie er ihn nannte« gegenübergestellt. Thomas Mann läßt Zeitblom dies leise mißbilligend ausdrücken: »die paulinische Botschaft von Sünde und Rechtfertigung hatte ihn dem ästhetischen Humanismus abwendig gemacht« (VI, 130). Zeitblom-Mann übernimmt die Kennzeichnung der paulinischen Theologie wörtlich von Tillich, wohl weil sie ihm noch wenig geläufig war. (Ein sicherer Beweis ist dies allein freilich nicht, denn auch die Formulierung »ästhetischer Humanismus« für die deutsche klassische Dichtung wurde übernommen, weil sie so treffend ist.) Auch Tillichs Bekenntnis zu Kähler wird in den Faustus-Text übertragen, mit einem bezeichnenden Zusatz.

Tillich: Ihm verdanken ich und meine Freunde die Einsicht, daß auch unser *Denken* gebrochen ist und der »Rechtfertigung« bedarf und daß darum Dogmatismus die intellektuelle Form des Pharisäismus ist.

Zeitblom-Mann: Kumpf hatte sich überzeugt, daß auch unser Denken gebrochen ist und der Rechtfertigung bedarf, und eben hierauf beruhte sein Liberalismus, denn es führte ihn dazu, im Dogmatismus die intellektuelle Form des Pharisäertums zu sehen. (VI, 130)

Aus den Exzerpten nach Tillichs Brief in den *Doktor Faustus*-Notizen geht hervor, daß Thomas Mann gerade an der Wendung Kählers gegen Goethe und die deutsche Klassik Anstoß nahm. In den Notizen findet sich, in Klammern gesetzt, an dieser Stelle eine Erwägung, die man sich wohl als Kommentar Zeitbloms würde zu denken haben, wäre sie in den Text aufgenommen worden. Es ist ironisches Mitgefühl mit den Studenten, die durch die Entwicklung ihres Lehrers gehindert seien, die »herrliche Zeit« seines jugendlichen Klassizismus mitzumachen. Daran anschließend stehen zwei für uns wichtige Sätze in den *Faustus*-Notizen, die sich immer noch auf Tillichs Darstellung Martin Kählers beziehen: »Er ist also antidogmatisch u[nd] *insofern liberal.* Aber anticartesisch ist er doch, gegen die Selbstgewißheit des Bewußtseins.« Auf Descartes kommt Zeitblom gleich im Anschluß an die oben zitierte Stelle des *Doktor Faustus* zu sprechen (VI, 130). Gleich danach nimmt die Beschreibung Kumpfs übrigens »liberale« Züge auf, die aus dem Lexikon-Artikel über Ritschl stammen. Sowohl die Stelle aus den Notizen wie die aus dem *Doktor Faustus* beleuchten schlagartig die Schwierigkeiten, die Thomas Mann hatte, moderne Theologie zu verstehen, wenn sie sich gleichweit von der alten Orthodoxie des Buchstabenglaubens und der bürgerlichen Kulturanpassung zu halten sucht. Mißtrauen gegen Selbstgewißheit, Teilnahme am absoluten Geist, Perfektibilität sind allerdings Wesenszüge sowohl der lutherischen (auf Paulus zurückgehenden) wie der modernen Theologie, die nicht liberal genannt werden kann, auch dann nicht, wenn ein Theologe formulierte Dogmen oder buchstäbliche Auslegungen als falsche Sicherungen mißachtet.

So erklären sich wesentliche Teile der theologischen Verwirrung im *Doktor Faustus*. Daß unser imperfektes Denken nicht zum Absoluten aufsteigen kann, daß es der Rechtfertigung bedarf — solche Ansichten hatte Thomas Mann vielleicht bei Niebuhr gefunden, den er wohl für liberal hielt. Die Einsicht, unser Denken sei »gebrochen«, geht jedoch auf die paulinische Tradition zurück. Die liberale Theologie ist vielmehr dadurch gekennzeichnet, daß sie wegen ihrer Anerkennung moderner Bibelkritik an der buchstäblichen Wahrheit des Evangeliums zweifelte, aber autonome ethische Positionen zu halten suchte und sich dabei der deutschen idealistischen Tradition und dem ästhetischen Humanismus als Kulturprotestantismus anpassen wollte, was ganz im Sinne Zeitbloms wäre. Aber Zeitblom ist hier durch die Regie des hinter ihm stehenden Thomas Mann an der Entfaltung gehindert, denn Thomas Mann benutzt Tillichs Beschreibung der Hallenser Theologie des Übergangs (von der liberalen zur modernen, sogenannten dialektischen): »eine Mischung von konservativer Vermittlungstheologie und [liberalem] Ritschlianismus«, um im Leser Verwirrung über den Aspekt konservativ-liberal in der Theologie zu stiften, weil er so die Lehre Kumpfs auf seine Ansicht der Lehre Luthers beziehen kann, die er ja zweideutig als fortschrittlich-reaktionär beurteilt. Dabei mag ihm zu Hilfe gekommen sein, daß Kuno Fiedler, der im Grunde liberale Theologe, ebenfalls im Dogmatismus die intellektuelle Form des Pharisäertums sah.[91]

Verwirrend ist es auch, wenn Zeitblom die liberale Theologie (mit Hilfe von Tillichs Brief) kritisiert, weil sie »das Religiöse zur Funktion der menschlichen Humanität« herabsetze und » das Ekstatische und Paradoxe, das dem religiösen Genius wesentlich ist, zu einer ethischen Fortschrittlichkeit« verwässere. Denn gleich darauf konstatiert er eine »Infiltration des theologischen Denkens durch irrationale Strömungen der Philosophie, in deren Bereich ja längst das Untheoretische, das Vitale, der Wille oder Trieb, kurz ebenfalls das Dämonische zum Hauptthema der Theologie geworden war.« (VI, 122; vgl. 324) Zeitblom streift dann »ein Aufleben des Studiums der katholisch-mittelalterlichen Philosophie, eine Hinwendung zum Neu-Thomismus und zur Neu-Scholastik« (VI, 122 f), was ja wohl nur katholische Theologie betreffen kann und mit dem Irrationalismus nichts zu tun hat. Vielmehr gehört diese Behauptung nur als Beispiel antiliberaler Theologie zur Sache. Der Gesichtspunkt der durch Irrationalismus gefährdeten liberalen Theologie überwiegt, denn Zeitblom erklärt sie in Gefahr »zur Dämonologie zu werden« (VI, 123). Es ist an dieser Stelle nicht mehr recht einzusehen, warum der in Renaissance und Aufklärung beheimatete Zeitblom vorher die liberale Theologie mit Tillichschen Argumenten als »hölzernes Eisen« kritisiert hatte. Er müßte sie vielmehr von seinem Standpunkt aus loben, sei es nun ihrer Anpassungswilligkeit an die Kultur wegen, sei es, weil sie verpflichtenden Gottesglauben mit Sicherheit zersetzt. Aber die Verwirrung dient dazu, im Leser Mißtrauen gegen die Theologie überhaupt zu erwecken, die das »Sacrificium intellectus« verlange (VI, 111);[92] er soll Zeitbloms Mißtrauen (VI, 120) teilen.

Zeitbloms Abneigung gegen die Theologie, seine Verwirrung über ihre modernen Aspekte ist sicher stärker als die Thomas Manns. Dennoch spiegelt sie nur leicht karikiert die des Autors. Das kann man an einem Kommentar zu Tillichs Brief in den *Faustus*-Notizen ablesen. Tillich kritisiert die liberale Theologie, es sind Stellen, die, wie schon erwähnt, Quellenwert für den *Doktor Faustus* erhalten.[93] Tillich fügt aber mit Bezug auf den mehrfach erwähnten Begriff »kulturbejahend« hinzu, daß seiner Ansicht nach Theologen wie Kähler und die Gruppe, der er, Tillich, als Student angehört habe, viel leidenschaftlicher der Kultur zugewandt gewesen seien als die »nüchtern konventionelle Ritschl'sche Bürgerlichkeit«. Tillich konnte nicht ahnen, daß er mit dem Wort »nüchtern« an das Strukturschema des *Doktor Faustus* rührte und daß er ungewollt die moderne Theologie auf das Gebiet des Dämonischen schob. Thomas Mann war dieser Vorgang ganz selbstverständlich, so sehr lebte er in seinem fiktiven Schema. Freilich wundert er sich, wie der entschieden anti-nationalsozialistische Tillich auf die problematische Seite der *Faustus*-Struktur geraten konnte. Dies können wir ablesen aus der Notiz, die sich auf die oben dargestellte Stelle aus dem Tillich-Brief stützt: »Die konservativen Theologen nach dieser Auffassung viel leidenschaftlicher der Kultur zugewandt, als die nüchtern konventionelle liberale Bürgerlichkeit. — Aber die Ekstatiker und Dämoniker Anti-Nazi!«[94]

Tillichs Informationen über dialektische Theologie gehen, wie Tillichs Text wahrscheinlich macht, auf eine Anfrage Thomas Manns zurück, die von einem der exzerpierten Lexikonartikel angeregt war, wo von der »Theologie der Krise« die Rede war. Tillich trifft den Verfasser des Lexikonartikels, ohne von ihm zu wissen, wenn er schreibt (Unterstreichungen Thomas Manns kursiv gesetzt): »Vielleicht kann man die *sogenannte dialektische, in Wirklichkeit paradoxale und später supra-naturalistische Theologie von Barth als den Ausdruck der Katastrophen-Erfahrung* nach dem ersten Weltkrieg deuten, für solche, die in der liberalen Tradition aufgewachsen waren...«. Exzerpte finden sich nicht nach diesem Teil des Tillich-Briefes, weil Tillich schon vorher ausgeschlossen hatte, daß die dialektische Theologie für den Studiengang eines Studenten vor dem ersten Weltkrieg in Frage kommt.

So verfehlte Thomas Mann die Kenntnis moderner Theologie. Die Unterstreichung in der oben wiedergegebenen Stelle des Tillich-Briefes beleuchtet noch einmal dieses Verfehlen. Thomas Manns Anfrage an Tillich enthielt außerdem, wohl auf der Grundlage der Lutherbriefe, eine Bitte um Auskunft über massive Orthodoxie in der Theologie des 19. Jahrhunderts. Tillich antwortete, daß damals selbst die orthodoxe Theologie Himmel und Hölle symbolisch genommen habe. Diese Auskunft wird im *Doktor Faustus* in der Darstellung Kumpfs verwendet, aber Zeitblom bezweifelt die Möglichkeit, daß ein Theologe Himmel und Hölle symbolisch nehmen könne: »Nach meiner Meinung kann Theologie überhaupt nicht modern sein...« (VI, 131).

Aus diesem Zusammenhang des Tillich-Briefes stammen übrigens auch die Ausdrücke »retten« und »preisgeben«. Die Orthodoxie habe alle Elemente der biblischen Religion zu »retten« gesucht, und moderne Theologen wie Barth hätten das Historische der Kritik »preisgegeben«. Zeitblom benutzt diese Redewendungen, um grundsätzlichen Zweifel an der Theologie vorzubringen. Die Begriffe »Rettung«

und »Preisgabe« hätten etwas Fristendes, »die Theologie hat damit ihr Leben gefristet« (VI, 121). Von Zeitbloms humanistischem Standpunkt aus ist das eine treffende Kritik. Mit Recht kann der Humanist die historische Bibelkritik als sein Werk in Anspruch nehmen. Für ihn muß die Theologie unzeitgemäß sein. Für unseren Zusammenhang ist nur wichtig, daß der humanistische Standpunkt Zeitbloms die Auffassung oder besser das Verfehlen der Theologie im *Doktor Faustus* bestimmt. Der Autor wird von dem Standpunkt seines fiktiven Erzählers offenbar weitgehend selbst beeinflußt.

Dennoch offenbart dieses an der Quellenlage orientierte Bild von Thomas Manns Auffassung der Theologie nicht die ganze Wahrheit. Eine Andeutung der Richtung, in der wir forschen müssen, findet sich sogar in Zeitbloms Ausführungen über die Theologie. Wie viele humanistisch Inklinierte macht er sich Schleiermachers berühmteste Definition der Religion zu eigen, die ja mit humanistischer Perfektibilität nicht in Widerspruch geraten kann. Wie weit Thomas Mann Zeitbloms Neigung für die vage Theologie in Schleiermachers *Reden über die Religion an die Gebildeten unter ihren Verächtern* teilt, ist nicht mit Sicherheit zu sagen. Man kann aber konstatieren, daß die Formulierung »Sinn und Geschmack für das Unendliche«, die Zeitblom zitiert (VI, 120), Thomas Manns eigenen Neigungen zu einer Religion der Unbestimmtheit sehr nahe steht. Diese Neigung geht aus persönlichen metaphysischen Voraussetzungen hervor, die wir betrachten müssen. Sie muß untergründig dazu beigetragen haben, daß er sich vor der modernen Theologie verschloß und einen vagen religiösen Humanismus vertrat, während auf der anderen Seite gerade seine Affinität zur Romantik ihn wenigstens mit einigen Fasern an die metaphysische Grundannahme der paulinisch-augustinisch-lutherischen Theologie band. Diese Bindung kann am besten geklärt werden, wenn wir Thomas Manns persönliche Weltanschauung betrachten.

11. Dynamische Metaphysik, Religiosität und romantisches Erbe

»Eine bestimmte Weltanschauung ist wie eine Lockenperücke. Ist sie fertig, so ist man sehr stolz, aber auch sehr steif: man darf den Kopf nicht wenden etc.« So steht es im zweiten Notizbuch Thomas Manns. Die Aufzeichnung steht unter Notizen für die *Buddenbrooks* und stammt wahrscheinlich aus dem Jahre 1897. Im ersten Abschnitt haben wir frühe Zeugnisse einer Weltanschauung betrachtet, auf die es dann später deutlichere Hinweise gibt: in »Süßer Schlaf« (1909; XI, 333—339) und an mehreren Stellen der *Betrachtungen* (z. B. XII, 230, 502). Ich nannte diese Weltanschauung »dynamische Metaphysik«. Sie erkennt keine Festlegungen, Konventionen, Lebenswerte an, sondern läßt sie nur als Beziehungen gelten. Der Zweifel an absoluten moralischen oder metaphysischen Setzungen kündet sich schon 1893 an, in dem frühen Aufsatz »Heinrich Heine der ›Gute‹« aus dem einzigen erhaltenen Heft des *Frühlingssturms* (XI, 711—713). Thomas Mann war achtzehn Jahre alt, als er die Begriffe »gut« und »schlecht« für »soziale Aushängeschilder ohne jede philosophische Bedeutung«, also für bloße konventionelle Festlegungen erklärte, die ebenso wenig absolut gelten wie »oben« und »unten« im Raum.

Der »psychologische« Zweifel an Lebenswerten und Konventionen hängt für Thomas Mann zusammen mit seiner Leistung als Schriftsteller. Das ästhetische Spiel ist ein Situationen-Erfinden, ein In-Beziehung-Setzen, der Erzähler hält die erzählte Welt in der Schwebe, was der Schlegel-Kreis mit dem Wort Ironie bezeichnete. Eine Kunst, die derartig zu bürgerlichen Festlegungen in Opposition steht, könnte in Gefahr sein, in Zynismus und Frivolität zu geraten. Der Schriftsteller, der Lebenswerte nur relativ anerkennt, könnte versucht sein, zu denken, es sei prinzipiell gleichgültig, was er produziere, und beginnen, Literatur als Ware auf den Markt zu werfen, wobei er sich nur danach richtete, was die lesenden bürgerlichen Schichten wünschen. Dies war Thomas Manns Fall nicht. Seine Ungebundenheit erfuhr eine Korrektur, die er manchmal moralisch nannte. Aber Moral ist an Lebenswerten ausgerichtet. Innerhalb der dynamischen Metaphysik ist sie nur »eine Korrektur und Disziplinierung des Freien und Möglichen zum Begrenzten und Wirklichen« (XI, 338), wie es in »Süßer Schlaf« (1909) formuliert steht und zwar mit Bezug auf die Selbstzucht, die nötig ist, das ästhetische Spiel zu realisieren und ins Werk zu setzen. Diese Moral, bedingt und relativ wie sie ist, bedarf innerhalb der dynamischen Metaphysik trotzdem »eines Korrektivs, einer Richtigstellung, einer unaufhörlichen, nie ganz zu überhörenden Mahnung zur Einkehr und Abkehr ...« (XI, 338). Als Namen für dieses Korrektiv nennt er Weisheit, Religiosität, Vornehmheit, die in unserem Text mehr durch ihr Gegenteil als durch sich selbst bezeichnet werden. Religiosität ist der umfassendste Name, der hier nicht allein genannt wird, um nicht den Eindruck einer Festlegung auf einen dogmatischen Standpunkt zu erwecken. Religiosität verband Thomas Mann mit den Begriffen Ehrfurcht und Gewissenhaftigkeit: »Ehrfurcht und Zweifel, letzte Gewissenhaftigkeit und letzte Ungebundenheit« (XII, 230), so formuliert er das Wesen der dynamischen Metaphysik, die er an dieser Stelle der *Betrachtungen* am Beispiel Tolstois entwickelt und »ästhetizistische Weltanschauung« nennt. Es ist diese dynamische Metaphysik auf der Grundlage einer solchen Religiosität, die in den *Betrachtungen* gegen politische Festlegungen verteidigt wird, ein Kampf, der dann sehr bald gegen die völkische Richtung nur zum Teil mit anderen Mitteln fortgesetzt werden mußte.

Religiöse Motive spielen in Thomas Manns Werk eine große Rolle. Religiöse Bedeutung haben: Das Meer, als elementare Gewalt, die

Musik, als überwältigende Kunst der Beziehungen und der Gedanke des Todes, der das Einzelleben als bestimmte Form aufhebt, aber gerade dadurch seinen Wert konstituiert.

Der religiöse Horizont der *Buddenbrooks* wurde im ersten Abschnitt behandelt. In *Fiorenza* ist das religiöse Motiv, das in der novellistischen Vorstudie *Gladius Dei* noch deutlicher war, von Nietzsches Psychologie des Willens zur Macht überdeckt. In *Königliche Hoheit* lernt Klaus Heinrich, von seiner strengen Moral bloßer Form abzusehen und christliche Liebe an die Gräfin Löwenjoul zu wenden, während Überbein, der christliche Liebe nicht hat, trotz seiner humanistischen Bildung jämmerlich zugrundegeht. Hans Castorp zeigt schon früh geistliche Neigung. Die religiöse Motivik rückt in der Tetralogie *Joseph und seine Brüder* in die zentrale Position. In *Doktor Faustus* wird die Beziehung von Ästhetizismus und Religiosität zum Hauptmotiv. Das religiöse Motiv der Gnade ist gewissermaßen als Komplement des *Doktor Faustus* Thema des Romans *Der Erwählte*. Eine Interpretation der Erscheinungsweise des Religiösen in Thomas Manns Werk würde den Rahmen dieses Aufsatzes sprengen.

Freilich bleiben Thomas Manns Äußerungen über das Religiöse stets unbestimmt, denn es handelt sich ja nicht um ein Bekenntnis zu einer vorgeprägten Glaubensform. Andererseits werden manche Äußerungen vorgeprägter Glaubensformen wie Luthers »Was ist das?« zum ersten Glaubensartikel in *Buddenbrooks*, die Jerusalemsabende der Konsulin, Pastor Wislizenus' motivische Predigten in *Königliche Hoheit*, überständige Religionsformen wie Opferung des Söhnchens Labans im *Joseph*, die Gestalt des Theologieprofessor Kumpf im *Doktor Faustus*, die Empfänger des Rosenwunders in *Der Erwählte* manchmal kritisch, manchmal mit gütigem Humor, stets aber aus ironischer Distanz behandelt. Es ist verständlich, daß Interpreten, die sich verbindlichen Glaubensformen verpflichtet fühlen, dieser Spott empfindlich macht und es liegt dann nahe, die vagen persönlichen Äußerungen Thomas Manns über das Religiöse im Sinne einer unverbindlichen Diesseitsreligion zu verstehen, zumal viele Äußerungen Thomas Manns in diese Richtung zu weisen scheinen.[95]

Die vagen Äußerungen über Gottesglauben und Religiosität sind im Falle Thomas Manns eher ein Zeichen für die Scheu vor allen Festlegungen. Im Grunde ist diese Scheu lutherisches Erbe. Luther griff auf die paulinische Tradition des Christentums zurück, weil er empfand, daß der Glaube, das Verhältnis des Menschen zu Gott, nicht durch Festlegungen, Regelungen des sakramentalen Heilsweges gestört werden dürfte, weil der große und unbekannte Gott dann hinter den menschlich zurechtgemachten Verstellungen verschwände. Freilich wollte Luther, daß der Gläubige das Evangelium und die Mittlerschaft Christi als den Weg annimmt, auf dem die Gnade Gottes den Gläubigen erreicht. Aber er konnte nicht hindern, daß immer wieder dieser Kern seiner Theologie verdeckt wurde durch die Ansicht, er habe ein unmittelbares Verhältnis des Menschen zu Gott hergestellt. Menschliche Einrichtungen, bürgerliche Lebenswerte als sekundär zu betrachten, liegt aber durchaus auf der Traditionslinie, die von Paulus über Luther zur Romantik und von da zu Thomas Mann führt, auch wenn dies nur ein Teil dieser theologischen Tradition ist. Eben deshalb ist die Romantik eine protestantische Bewegung. Freilich geriet sie sehr schnell auf Abwege. Das romantische freie Schweben führte schon im Schlegel-Kreis zur Forderung nach einer neuen Mythologie, von da zu einer Kunstreligion, wie sie schon bei Wackenroder vorgebildet war und von da zu den mannigfachen Konversionen, weil manche Romantiker dazu neigten, in der alten Kirche die neue Kunstreligion zu finden.

Bei Thomas Mann finden sich nur Spuren der Kunstreligion. Seine dynamische Metaphysik und die mit ihr verbundene ironische Kunst des ästhetischen Spiels ist in vielem die Verwirklichung dessen, was im Schlegel-Kreis gefordert wurde. Auch die beiden Philosophen, denen er eine wesentliche Mithilfe an der Ausgestaltung seiner Weltanschauung (auf der festgehaltenen Grundlage der dynamischen Metaphysik) gestattete, Nietzsche und Schopenhauer, nehmen Anteil an der lutherisch-romantischen Traditionslinie durch ihren Zweifel an der philosophischen Rechtfertigung einer geordneten Welt.

Thomas Manns eigener Protestantismus mußte seine Affinität zur Romantik verstärken. Das gilt auch dann noch, wenn ihm in seiner Jugend nur ein verdünnter, verbürgerlichter Aufguß von Luthers Theologie nahegebracht worden ist. Auch das verbürgerlichte Luthertum wollte nicht absehen von Luthers Protest gegen die katholische Ansicht der Kirche als einer dauernden Ordnung, die den wahren und einzigen Heilsweg durch ihre Sakramente verwaltet und sichert. Der lutherisch Erzogene neigt zu Widerspruch gegen die Heiligsprechung jeder Art von menschlicher Ordnung.

Die untergründige Beziehung auf einen Teil der paulinisch-lutherischen Tradition ist ihren Trägern nicht oder kaum noch oder falsch bewußt. Die Theologie des Paulus, die »Erlösung«, die Botschaft der Freiheit von der Tyrannei der Gesetzesforderungen und von der »Sünde«, von den »fleischlichen« Werten und vergötzten Ordnungen der Welt, sinkt ab zu dem vagen Empfinden: Lebenswerten, insbesondere bürgerlichen, käme kein Ewigkeitswert zu. Das liberale Mißverständnis, Luther habe die unmittelbare Beziehung des Menschen zu Gott hergestellt, hat vermutlich hierin seinen Ursprung.

Der Zusammenhang der romantischen Abkehr von der Tageswelt mit der paulinisch-lutherischen Tradition ist im allgemeinen Bewußtsein weitgehend verdeckt von der katholischen Richtung, die die Romantik nahm. Weniger ist Nietzsches Antichristentum geeignet, seine protestantischen Ursprünge vergessen zu lassen.

Thomas Mann bringt seine vage Religiosität, besonders nach den

Betrachtungen, immer wieder in Zusammenhang mit dem Menschen, mit Humanität. Aber das sollte nicht dazu führen, die teilweise Herkunft dieser Religiosität aus der paulinisch-lutherischen Tradition abzuleugnen. Ein Nebeneinander von — manchmal romantisch verfärbten — Elementen der paulinisch-lutherischen und der humanistischen Renaissance-Tradition läßt sich in den meisten dieser vagen Äußerungen nachweisen, manchmal aus dem Kontext, zum Beispiel, wenn Religiosität als Gegengewicht im Sinne der dynamischen Metaphysik angewendet wird. Ganz im Sinne humanistischer Tradition von der Teilhabe des Menschen an einem Geist (der im Grunde Gott überflüssig macht) ist diese Stelle aus dem »Fragment über das Religiöse« (1931): Der Gedanke einer möglichen Beziehung von göttlicher Schöpfung zu menschlicher Kunst erinnere ihn daran, »daß der Mensch ein Wesen ist, welches am Geiste teilhat, und daß das Religiöse in ihm, in seiner Zweiheit aus Natur und Geist beschlossen liegt. Die Stellung des Menschen im Kosmos, sein Anfang, seine Herkunft, sein Ziel, das ist das große Geheimnis, und das religiöse Problem ist das humane Problem, die Frage des Menschen nach sich selbst.« (XI, 424) Die Scheu vor der Heiligung menschlicher oder kosmischer »Ordnungen« kommt nur in dem Wort »Geheimnis« zum Ausdruck. Der Glaube des Menschen an einen ungebrochenen, keiner Rechtfertigung bedürftigen Geist, mit dessen Hilfe er an einer vollkommenen kosmischen Ordnung teilnimmt, ist das Wesen des Humanismus. In dem gleichen Text findet sich auch folgender Satz: »Der Gegensatz des Religiösen und des Ethischen, der Welt der Pflichten also, ist mein persönlichstes geistiges Erlebnis; daß er nicht endgültig sein möchte, bleibt mir vorderhand nur eine Vermutung.« (XI, 424) Hier ist greifbar, welche Funktion das Religiöse für Thomas Manns persönliche Weltanschauung, die dynamische Metaphysik, hatte. Die Berufung auf das Religiöse drückt den metaphysischen Hintergrund des Stilmittels der Ironie aus, die Dichter und Leser anhält, menschliche Ordnungen, die Welt ethischer Pflichten, als nicht ganz ernst, nicht endgültig, nicht heilig anzusehen. Der Gegensatz von Ethik und Religion ist paulinisch-lutherischer Herkunft. Die Schlußwendung Thomas Manns zeigt sein Bedürfnis an, diese paulinisch-lutherisch-romantische Tradition mit Humanismus zu überdekken, ein Bedürfnis, das dann in der zuerst zitierten, im Text später folgenden Wendung erneut zum Ausdruck kommt.

Das »Fragment über das Religiöse«, das übrigens eine erbetene Äußerung für ein Sammelwerk: *Dichterglaube* ist, beginnt mit dem Ausdruck einer Tendenz zur Zurückhaltung von religiösen Bekenntnissen — einer Zurückhaltung, die Thomas Mann später einmal auf seine, wie er sagt, »protestantisch-humanistische Tradition« zurückführt —,[96] um dann mit einer ersten Definition zu beginnen: »Was aber ist denn das Religiöse? Der Gedanke an den Tod.« (XI, 423) Dies ist natürlich das romantische Motiv, das im *Zauberberg* eine halb-parodistische Gestaltung gefunden hatte. Der romantische Todesgedanke dient gerade in diesem Roman dazu, Lebenswerte als sekundär hinzustellen, er ist das stumme, dauernd anwesende Gegenargument gegen Settembrinis Humanismus, er begründet Hans Castorps »Vorbehalt«, die Ironie.

Im *Zauberberg* gibt es eine eigentümliche Stelle, wo Hans Castorp Settembrini über das Verhältnis der Freimaurerei zum Gottesglauben befragt. Nach seiner, Hans Castorps, Vorstellung ist das Verhältnis von »Politik und Nichtpolitik« ausgedrückt durch die berühmte Antwort Jesus' an die Pharisäer: »So gebet dem Kaiser, was des Kaisers ist und Gott, was Gottes ist!« (Markus 12, 17 mit Parallelstellen bei Matthäus und Lukas). Hans Castorp fährt bezeichnenderweise fort: »Gibt es Gott, so gibt es auch diesen Unterschied.« (III, 712) Er will sagen, er könne sich Gott nur vorstellen als das ganz andere, das mit weltlich-sekundären Werten und Ordnungen nicht vermischt werden darf. Das ist zweifellos lutherische Tradition. Luthers in manchem so fragwürdige Staatslehre beruht auf der strikten Unterscheidung der »zwei Schwerter«, des weltlichen und des geistlichen Bereiches, und neben Römer 13 beruft er sich immer wieder auf die Zinsgroschenepisode aus dem Evangelium. Settembrini erklärt auf Hans Castorps Frage die Metaphysik für böse und beruft sich mit Stolz auf den Atheismus der französischen und italienischen Logen.[97] Dies hält Hans Castorp zu Settembrinis Überraschung für katholisch. »Es kam mir ... so vor, als ob Atheismus etwas kolossal Katholisches sei und als ob man Gott nur streiche, um desto besser katholisch sein zu können.« (III, 713) Für Hans Castorp ist die katholische Kirche eine sichtbare Kirche, die Gott greifbar und verfügbar an ihrer Spitze hält. Ersetzt man Gott und Symbole des Göttlichen durch Begriffe wie Vernunft, Tugend, Humanität, so bleibt der Anspruch eindeutiger, bestätigter Unfehlbarkeit bestehen, wie er den Jakobinismus beherrschte. Dagegen kann der protestantisch Erzogene, wenn er der Kirche entgleitet, viel eher die Frage nach der Existenz Gottes im Ungewissen lassen, denn für ihn gibt es die hierarchische Ordnung nicht, an deren Spitze Gott seinen Ort hätte.[98] Für unseren Zusammenhang ist festzustellen: die angeführte *Zauberberg*-Stelle verrät, daß Thomas Mann einen, wenn auch unklaren, Begriff davon hatte, woher seine Art von Religiosität kam, die er als Mahnung gegen eindeutige Festlegung empfand. Der »Vorbehalt« Hans Castorps, die Ironie als Stilmittel, die dynamische Metaphysik als ihr Hintergrund, die romantische Negierung der Tageswelt, leidenschaftliche Kulturkritik aus Widerspruch gegen moralistische Festlegungen, der Protest gegen das Engagement der Literatur im Dienste einer vereindeutigenden Phraseologie, dies alles, was zum Kern von Thomas Manns Weltanschauung und Bildung gehört, geht zurück auf Luthers Theologie, die zu Begriffen wie »deus absconditus« und »unsichtbare Kirche« zu greifen gezwungen war, und weiter auf Paulus, auf sein Auftreten gegen die Rechtfertigung durch des Gesetzes Werke. Thomas Mann waren diese Zusammenhänge wohl nur undeutlich bewußt. Aber daß er eine gewisse Vorstellung von der Verschiedenheit der Kirchenbegriffe im Protestantismus und im Katholizismus hatte, darf man wohl annehmen.

Neben vielen Zeugnissen, in denen Luthers Lehre in Thomas Manns fiktiven und nicht-fiktiven Äußerungen entstellt erscheint, gibt es auch solche, aus denen man Vertrautheit mit dem Luthertum erschließen würde, wären die anderen nicht. Settembrini fragt Hans Castorp einmal, um ihn von seinen Besuchen moribunder Patienten zurückzuhalten: »Sie suchen Rechtfertigung durch gute Werke?« (III, 428). In den *Buddenbrooks* darf Christian die Arbeitsethik seines Bruders mit dem Wort in Frage stellen: »... sitze nicht zu Gericht, denn ein Verdienst ist nicht dabei« (I, 579). Die Arbeitsethik soll freilich nicht überhaupt widerlegt werden, der Erzähler will vielmehr beiden Brüdern Gerechtigkeit widerfahren lassen. Poetische Gerechtigkeit, also Nicht-Engagement des Erzählers, bleibt das Prinzip des Erzählers Thomas Mann, mag er auch die existentielle Ausweitung dieses Prinzips auf die politische Haltung des Künstlers als Staatsbürger zurücknehmen. Ein ganz beiläufiger und humorvoller Erzählerkommentar im *Joseph* fügt an die Feststellung einer Ungerechtigkeit die Bemerkung an: »... aber was ist unsere Gerechtigkeit« (V, 1548). Menschliche Gerechtigkeit wird hier auf dem Hintergrund einer göttlichen verstanden, ein Verständnis, das von humanistischer Selbstperfektion weit entfernt ist.

Das Bild von Thomas Manns Religiosität wäre sehr unvollständig ohne das Motiv der Liebe. Tonio Krögers Liebe zu den Gewöhnlichen ist schon weit entfernt von humanistischer Geistesfreundschaft. Auf *Königliche Hoheit* wurde schon verwiesen. Das Kapitel »Menschlichkeit« der *Betrachtungen* wendet sich gegen phrasenhafte allgemeine Menschenliebe. Diese erscheint dem Schreiber besonders verächtlich, wenn einer schön zu sagen versteht »Ich liebe Gott«, aber »unterdessen seinen Bruder hasset« (XII, 478). Dabei beruft er sich ausdrücklich auf das Neue Testament.[99] Die sehr persönliche Anspielung ist offenbar.

Das Bekenntnis Hans Castorps zu »Güte und Liebe« im *Zauberberg* (III, 686) ist eine der bekanntesten Stellen im fiktiven Werk Thomas Manns. Mit diesem Bekenntnis identifizierte sich der Autor, indem er — gegen das Zeugnis der Struktur des *Zauberbergs*, die ein »Ergebnis« nicht zuläßt — den bekannten, hervorgehobenen Satz aus Hans Castorps Traum »Ergebnissatz« des Romans nennt, und zwar unter dem Gesichtspunkt der »Selbstüberwindung« seiner ästhetischen Neigung zum romantischen Kult des Todes. Dies geschieht ausdrücklich unter dem religiösen Gesichtspunkt (XI, 423f). Es handelt sich in Hans Castorps Traum weit weniger um eine abstrakte ethische Forderung als um eine Anerkenntnis der Hilfsbedürftigkeit des Menschen, dessen Vernunft schon vor dem Tode »albern dasteht«. Aber Liebe kann selbst noch »in stillem Hinblick auf das Blutmahl«, also im Bewußtsein der ungeistigen Möglichkeiten des Menschen stärker sein als der Tod (III, 686). Liebe ist hier also eher als christliches denn als humanistisches Motiv genommen, da sie nicht dem Stolz auf die gemeinsame Teilnahme aller Menschen an der Vernunft, an der Möglichkeit der Selbstvervollkommnung, entspringt, sondern dem Bewußtsein der Fragwürdigkeit des Menschseins. Der Christ müßte allerdings die Beziehung auf einen lebendigen Gott vermissen, die im Begriff »Homo Dei« (III, 685) nur schwach angedeutet ist. Das Motiv der christlichen Liebe wird nur so weit übernommen, wie es die dynamische Metaphysik nicht stört, keine prinzipielle Festlegung verlangt.

Liebe muß von Adrian Leverkühns Weg ausdrücklich ausgeschlossen werden, damit die einsame Genialität sich darstellen kann. Dennoch sollte auch Adrian ja nicht von Liebesbedürfnis frei sein. Schon verhältnismäßig bald erscheint unter den *Faustus*-Notizen die folgende:

Quelle der Intoxikation ist schließlich die Liebe, wenn auch die vergiftete, von Satan mit Zulassung Gottes.[100] Sein Teufelsbündnis, das ihn von Gott u[nd] dem Heil scheidet, hat also doch mit Liebe zu tun, — was er gegen den Teufel ausspielt. Wie er ja auch den Fluch um seines Werkes willen auf sich genommen hat, — und auch Werk hat mit Liebe zu tun.

Diese Notiz ist durch mehrere (nachträgliche) Unterstreichungen im Text und eine rote Anstreichung am Rand besonders hervorgehoben. Sie spiegelt die ursprüngliche Intention, die im Text von Theodor Adornos Auffassung des »Werkes« als einer Unmöglichkeit für den modernen Künstler überlagert wird.[101]

In abgeschwächter Form wurden die Gedanken der genannten Notiz im *Doktor Faustus* verwendet (VI, 204—206). In diesem Zusammenhang spricht Zeitblom von »Liebesläuterung« im Hinblick auf Adrians Verhältnis zu seiner Dirne, weil ein »Moment der Wahl«, eine »Fixierung der Begierde auf ein bestimmtes und individuelles Ziel« (VI, 204) stattgefunden habe. Dies ist wiederum das Gegenteil der humanistischen allgemeinen Menschenliebe.[102] Zeitbloms eigene Liebe zu Adrian hat ein »unvernünftiges« Element; sie ist aus humanistischer Menschenliebe nicht zu erklären (der Humanist verhält sich zu einem kranken Umgetriebenen eher wie Erasmus zu Hutten). Auf Adrians weitere Liebesversuche braucht hier nur hingewiesen zu werden. Die Idee, ihn »seinen kleinen Neffen« lieben zu lassen, den der Teufel tötet, folgt in den Notizen gleich nach der oben zitierten Aufzeichnung.

Ein bewegendes Zeugnis für die nicht-humanistische, aus dem Christlichen stammende Liebe in Thomas Manns Weltsicht, und zwar auf nichtfiktiver Ebene, ist in einem Brief an Kuno Fiedler vom 13. November 1953 enthalten. Nach all den bitteren, aus verwundeter Liebe stammenden Äußerungen über die Deutschen aus den Jahren der Emigration hatte Thomas Mann zu einer Haltung ruhiger Anschauung gefunden. »Diese Volksgeschichte hat ihr Unglückseliges und ihr Großes, — wir haben von Ersterem freilich mehr erlebt.« Eine Betrachtung aller Geschichte müsse aber zu der melancholischen Frage »wozu« führen. Mephistopheles' Wort: »Ich liebte mir dafür das Ewig-Leere« kommt ihm in den Sinn. Aber gegen diese nihilistische Konsequenz sträubt sich der Briefschreiber. Mephistopheles »behält doch nicht recht gegen die Veranstaltung. Denn am Nichts ist nichts zu lieben, wohl aber immer etwas am leidvoll-irrsäligen Sein.«[103]

12. Vordergründige und hintergründige Luthertradition im »Doktor Faustus«

Das negative Lutherbild Thomas Manns, wie es ihn in der Periode der deutschen Selbstkritik, besonders in der Zeit von 1933—1949 bestimmte, beherrscht auch das Zeitbloms im *Doktor Faustus*. Wir finden die meisten Fiktionen hier versammelt, besonders auffällig in der Darstellung des Professors Kumpf, die der Autor selbst eine Luther-Karikatur nennt (XI, 192). Einige historische Daten und Namen, darunter Luthers Bezeichnungen für Crotus Rubianus: »Dr. Kröte, des Cardinals zu Mainz Tellerlecker«, die Thomas Mann von D. F. Strauß hatte, und die belegt sind, geben die Illusion exakter historischer Kenntnisse (VI, 118 f),[104] die Serenus Zeitblom aber auf den wirklichen Luther auszudehnen keine Gelegenheit bekommt.

Das Strukturschema des Romanes, Nüchternheit gegen Genialität, verwirklicht sich zunächst im Verhältnis Zeitbloms zu Adrian. Zeitblom ist eine Art von Erasmus-Figur im Sinne der Luther — Erasmus Konstellation. Er begegnet seiner Zeit mit Resignation, nicht mit entschiedenem Widerstand. Wohl auch der Anspielung auf Erasmus wegen ist Zeitblom nomineller Katholik. Es ist Zeitblom, der Lutherkritik übt. Adrian wählt das Studium lutherischer Theologie. Sein Stolz erlaubt nicht, »seinen Lehrer preiszugeben« (VI, 133). Das bezieht sich sogar auf Kumpf, dessen bürgerliches Semmelwerfen er doch mit einem Lachanfall quittiert. Adrian nimmt in wichtigen Äußerungen eine altertümliche Sprache an, die auf die Lutherzeit hindeuten soll, Adrian kann sagen: »Mein Luthertum« (VI, 176). Dies alles sind Anzeichen, daß Adrian Luther näherstehen soll als Zeitblom, und zwar derselbe Adrian, der geradezu die Verkörperung umfassender Ironie ist: »Man hatte in seiner Gegenwart stets das Gefühl, daß alle Ideen und Gesichtspunkte, die um ihn herum laut wurden, in ihm versammelt waren, und daß er, ironisch zuhörend, es den einzelnen menschlichen Verfassungen überließ, sie zu äußern und zu vertreten.« (VI, 574f)

195

Daß eine Hindeutung auf die Luther-Erasmus-Konstellation im Verhältnis Leverkühns zu Zeitblom von Thomas Mann beabsichtigt war, ist an dem folgenden kleinen Zug zu erkennen. Das Gymnasium, das beide bildet, wird einmal als »in der zweiten Hälfte des fünfzehnten Jahrhunderts gegründet« bezeichnet, es habe »noch bis vor kurzem den Namen ›Schule‹ der Brüder vom gemeinen Leben geführt« (VI, 16). Als Quelle dieses Zuges besitzen wir unter dem Material für den *Doktor Faustus* (im Thomas Mann Archiv Zürich) eine Buchbesprechung von Werner Kaegi über Albert Hyma, *The Youth of Erasmus* (1930) und desselben Verfassers *The Christian Renaissance* (1924). Die Besprechung erschien in der *Neuen Zürcher Zeitung* vom 28. Februar 1932 (1. Sonntagsausgabe, Nr. 369, Blatt 3). Von dem Einfluß der Brüder vom Gemeinsamen Leben auf die Bildung des Erasmus in seiner Studentenzeit ist dort die Rede. Die Lateinschule Luthers, die von den Brüdern eingerichtet und betrieben wurde, wird einmal erwähnt. Der alte Name des Kaisersaschener Gymnasiums hat innerhalb des *Doktor Faustus* nur den Sinn, eine entfernte aber erkennbare mythische Wiederholung der Luther-Erasmus-Konstellation in Leverkühn-Zeitblom anzudeuten. Der neue Name, Bonifatius-Gymnasium, soll wohl den gemeinsamen deutschen und christlichen Grund unterstreichen.

Die theologische Motivschicht des Doktor Faustus ist bestimmt von zwei Faktoren:

1. Die dynamische Metaphysik mußte in einem Werk, das so sehr fiktive Spiegelungen der eigenen Existenz aufnehmen sollte, ihren Ausdruck finden. Sie fand ihn durch das Zeitblom-Leverkühn Verhältnis. Dem humanistischen Zeitblom wird der theologische Musiker gegenübergestellt. Diese Gegenüberstellung wird ganz im Sinne der dynamischen Metaphysik kompliziert, variiert und teilweise verwischt, was der lebendigen Vergegenwärtigung der Figuren zugute kommt. Der vernunftgläubige, aber gegenüber Adrian beschränktere Serenus erhält aus dem religiösen Horizont der dynamischen Metaphysik die Liebe zu seinem Freunde, die Liebe zu dem Gegenteil seiner eigenen Existenz. Adrian, der Ästhetizist, erhält die überlegene Intelligenz. Sein Verhältnis zur Theologie entspringt trotz seiner Abkehr von ihr und seiner Hinwendung zum Teufel einer starken Affinität zum Religiösen und verhindert seinen Verfall an zynischen Nihilismus.[105]

2. Der Autor des Romans wußte zu wenig von moderner Theologie, um sich diese zunutze zu machen. Er empfand wohl das Unbefriedigende der liberalen Theologie, hatte sein Theologieverständnis aber nicht von ihrem Boden lösen können.

Diese beiden Faktoren erklären das Für und Wider in den theologischen Interpretationen des *Doktor Faustus*. Hält man sich an den Wortlaut und wiegt ihn mit der theologischen Waage, dann kommt die mangelnde Kenntnis des Autors zum Vorschein und verlockt zu ungerechter Abwertung. Hält man sich an die intendierte Konzeption, so kann man sehr wohl einen theologischen Gehalt voller Bedeutung finden, muß aber sich etwas im Vagen halten, da man sich ja auf den Wortlaut nur gelegentlich beziehen kann. Das bleibt aber natürlich ein Mangel, den man den Interpretatoren der ersten Gruppe zugeben muß, zumal ja unzählige Realien, die in das Buch hineingearbeitet wurden, dazu verlocken, Wirklichkeiten unserer Zeit als Maßstab zu benutzen.

Die theologischen Kenntnisse Thomas Manns in der Zeit der *Faustus*-Niederschrift sind zumeist oben in dem einen oder anderen Zusammenhang behandelt worden, soweit sie mir bekannt wurden. Das theologische Interesse war in Thomas Mann lebendig, während die *Faustus*-Konzeption festgelegt wurde. Es begnügte sich aber (abgesehen von dem Tillich-Brief) mit Zufallsfunden. Dafür zeugt auch eine Notiz mit einer noch nicht betrachteten theologischen Information. Aus der Einleitung von Robert Petsch zum Faustbuch von 1587 notiert er dessen Erklärung der attritio cordis, der Höllenangst, die nach der katholischen Lehre zur Zeit Luthers zur Seligkeit führen könne, während Luther die contritio gefordert habe, die Zerknirschung über die Sünde, die durch den Glauben, nämlich die Aneignung des Wortes Gottes erweckt werde.[106] Auch aus einem etwas späteren Abschnitt von Petschs Vorrede notiert sich Thomas Mann, daß zum Verständnis des Kapitels im Faustbuch, das den Bekehrungsversuch des alten Nachbarn behandelt, die Begriffe attritio und contritio beitragen.[107] Faust gelangt nur zur attritio, nicht zur contritio, die der Teufel verhindert.

Diese beiden Begriffe stammen aus den 95 Thesen, was Petsch aber nicht anzeigt. Im *Doktor Faustus* erscheint der Begriff contritio in einer Anspielung auf Luther, die man leicht übersieht. In Adrians Brief an Kretzschmar begründet er sein Theologiestudium. Er habe nicht nur nach der höchsten Wissenschaft gegriffen, sondern er habe sich ihr unterstellt. »... weil ich mich demütigen, mich beugen, mich disziplinieren, den Dünkel meiner Kälte bestrafen wollte, kurz, aus contritio. Mich verlangte nach dem härenen Kleid, dem Stachelgürtel darunter. Ich tat, was Frühere taten, wenn sie ans Tor pochten eines Klosters von strenger Observanz.« (VI, 175) Da Thomas Mann den Begriff contritio nach Petsch mit Luther assoziiert, dürfte ziemlich sicher sein, daß auch das folgende eine Lutheranspielung ist. Luthers »einsame Nöte und Gewissenskämpfe im Kloster« haben schon dem Schreiber der *Betrachtungen* Eindruck gemacht (XII, 572). Auch hier wird die Disziplinierung sowohl wie die »contritio« als Auseinandersetzung des einsamen Genies mit sich selbst gesehen. Petschs Belehrung hinderte den Autor des *Doktor Faustus* nicht, den Begriff contritio in einem subjektivistischen Sinne anzuwenden, wie es dem Strukturschema des Romans, nicht aber Luthers Theologie entspricht. Auch war gerade die Unterstellung unter die Klosterdisziplin dem späteren Luther (natürlich noch nicht ausdrücklich zur Zeit der 95

Thesen) als ein schlimmes Verfehlen des wahren Heilsweges erschienen, als äußerer Bußakt, von Angst um die Seligkeit getrieben, also gerade nicht als contritio. Jede weitergehende Interpretation theologischer Begriffe verläßt sofort den Boden der Intention des Werkes und wird sinnlos. Man darf die Theologie im *Doktor Faustus* nicht beim Wort nehmen wollen. Man kann sie kennzeichnen als irrendes Suchen nach der Theologie der Rechtfertigung durch Gnade, die aber verfehlt wird. Sie ist auch nicht in sich stimmig, weil sie, wie das Beispiel zeigt, mit Begriffen fremder Herkunft arbeitet, hauptsächlich dann, wenn eine Anspielung auf die deutsche Wirklichkeit erzielt werden soll, wie hier auf Luther.

Ins Komische gewendet erscheint Petschs Information wieder im Teufelsgespräch, wo der Teufel in Schleppfuß' Gestalt die »Attritionslehre« im modernen Vorlesungston als »wissenschaftlich überholt« bezeichnet. Da Luther sie verworfen hat und Thomas Mann das auch wußte, haben wir eine humorvolle Vermischung der Zeitebenen vor uns. Diesmal wird Petschs Information etwas genauer verwendet: »Als notwendig erwiesen ist die contritio, die eigentliche und wahre protestantische Zerknirschung über die Sünde, die nicht bloß Angstbuße nach der Kirchenordnung, sondern innere, religiöse Umkehr bedeutet, — und ob du deren fähig bist, das frage dich selbst, dein Stolz wird die Antwort nicht schuldig bleiben.« (VI, 328) Das Extravagante seines Lebens werde ihn hindern, sich zur contritio herbeizulassen, denn in das »mittelmäßig Heilsame« werde er nicht zurückfinden (VI, 329). Mag sich der Text zunächst enger an Petschs Erklärung halten, den eigentlichen Kern der protestantischen Lehre läßt er wieder fort, nämlich die Funktion des Glaubens, des Wortes Gottes, wozu noch käme, was der Gläubige als erlösende Wirkung des Opfers Jesu, von »Christi Blut« empfindet. Eigenartigerweise ist in den Notizen einmal davon die Rede. Dieser Teil ist durch den Vermerk »Zum Besuch« ausdrücklich für das Teufelsgespräch bestimmt. Adrian, heißt es, habe es zu grob gemacht. »Selbst die unendliche Güte u[nd] das Blut des Erlösers reicht nicht aus, obgleich man Gott auf den ungeheuren Wert dieses Blutes hinweisen möchte.« Es folgt ein Hinweis auf die frühere Notiz. Obwohl der oben zitierte Gedanke durch mehrere Unterstreichungen hervorgehoben, also ernstlich erwogen wurde, ist er dann doch verworfen worden, als ungeeignet innerhalb der Struktur. Der Gedanke, Gott auf den Wert des Blutes Christi hinzuweisen, hätte jedem Christen sehr fremdartig erscheinen müssen.

Adrians denkbare Umkehr wird im Text des Romans rein subjektivistisch verstanden und soll endlich gar »ins Mittelmäßige« erfolgen, was nichts weiter ist als Nietzsches Verachtung der Herde. Allerdings ist es der Teufel, der spricht.

Adrian wirft dem Teufel »eine gewisse Seichtheit« seiner Theologie vor und behauptet, es gebe eine »stolze Zerknirschung«, eine »contritio ohne jede Hoffnung und als völliger Unglaube an die Möglichkeit der Gnade«. Er neigt eher der Theologie des Paradoxalen zu, strebt also in die Richtung der modernen Theologie, von der sein Autor nur die gröbsten Umrisse kannte, nicht viel mehr als die Beziehung auf das Paradoxe. Der alltäglich-mäßige Sünder sei der Gnade nur wenig interessant. »Die Mittelmäßigkeit führt überhaupt kein theologisches Leben. Eine Sündhaftigkeit, so heillos, daß sie ihren Mann von Grund aus am Heile verzweifeln läßt, ist der wahrhaft theologische Weg zum Heil.« (VI, 329) Es handelt sich immer noch um eine extrem subjektivistische »contritio«, einen eigenen Weg, der jedenfalls nicht christlich-theologisch sein kann. Im Hintergrund wirkt Thomas Manns alte Vorstellung mit, »widerstehe nicht dem Bösen« sei eine Aufforderung des Evangeliums.[108] Der Teufel wendet ein, es gehöre naive Rückhaltlosigkeit zu einem solchen theologischen Weg, die bewußte Spekulation schließe die Gnade aus, während Adrian gerade dies für die höchste Steigerung sowohl der gnadenweckendenHeillosigkeit wie der »dramatisch-theologischen Existenz« erklärt (VI, 330).

Dieser Text ist schon in einer verhältnismäßig frühen Notiz vorformuliert, die niedergeschrieben wurde im Anschluß an die Lektüre des alten Faustbuches und zwar des Bekehrungsversuches durch den alten Nachbarn und der Aufforderung der Studenten an Faust, Gottes Verzeihung anzurufen. An Petschs Erklärung des Bekehrungsversuches in seiner Einleitung hatte er sich natürlich erinnert.[109]

Die angeführte »dramatisch-theologische« Spekulation ist ein Strukturelement. Sie wurde schon in Adrians Brief an Kretzschmar vorbereitet, wo er Abtrünnigkeit als einen »Akt des Glaubens« bezeichnet (VI, 176), und er kommt auf sie zurück in seiner letzten Ansprache, in der er diese theologische Dramatik »einen verruchten Wettstreit ... mit der Güte droben« nennt (VI, 666).

Innerhalb der *Faustus*-Konzeption ist diese ganze fragwürdige Theologie, diese sich überschlagende, ästhetizistische Subjektivität, ein durch Selbstkritik verzerrter Ausdruck der dynamischen Metaphysik des Autors, die zwar wie in seinem eigenen Falle, durch eine Beziehung auf den religiösen Bereich vor zynischem Nihilismus bewahrt wird, aber im Gegensatz zu ihm des Elementes der Liebe entbehrt. Dieses ist Zeitblom zugeteilt, der darum »die unvermeidliche Anerkennung der Heillosigkeit« (bezogen auf Deutschland und seinen Weg, wofür aber auch Adrians Schicksal als Symbol eintreten kann) nicht gleichsetzen will mit der Verleugnung der Liebe; Zeitblom hat viel Deutsches geliebt und sein Leben gilt der Liebe Adrians trotz dessen geheimnisvoller Sündhaftigkeit. Liebe ist ihm »wer weiß, nur ein Abglanz der Gnade« (VI, 600).

Wird hier eine andere theologische Möglichkeit angedeutet, die ihren schönsten Ausdruck in der sprachlichen Gestaltung des Schlusses von

Adrians Hauptwerk finden sollte, so ist diese Möglichkeit Adrian abgeschnitten durch seine Verachtung der »Mittelmäßigkeit«, die seine auf das Paradoxe zustrebende Theologie auf bürgerliches Maß zurückfallen läßt, gerade weil er es vermeiden will.

Dies kann man außer an den schon betrachteten Stellen erkennen an der Umkehrung des »Gedankens der Rettung« zur »Versuchung« in der Kantate »Doktor Fausti Weheklag« (VI, 650). Der Doktor Faustus der Kantate empfindet die »Rettung«, gemeint ist wohl der Glaube, als Versuchung, »weil er die Positivität der Welt, die Lüge ihrer Gottseligkeit, von ganzer Seele verachtet.« Der »fromm bemühte« Bekehrungsversuch des Nachbarn aus dem Faustbuch (das freilich naiv und beschränkt genug ist) gibt Anlaß, »nein« zu sagen »gegen falsche und matte Gottesbürgerlichkeit«.

Die »Rettung«, die verweigert wird, wäre eine zu einem humanistischen Glauben an eine durch Gott zum Positiven gerechtfertigte Welt, Gott als Garant des Bürgers, daß alles gut ist. Was Adrian hier mit Recht verweigert, ist Konsul Buddenbrooks Christentum, das seine Geschäfte beschützt und verklärt, die liberale Theologie, die unter dem Zeichen der Kultur einen Kompromiß mit der Bürgerlichkeit schloß; aber auch Thomas Manns eigener religiöser Humanismus steht der hier verachteten »Positivität der Welt«, der »Lüge ihrer Gottseligkeit«, der falschen und matten »Gottesbürgerlichkeit« nicht allzu ferne. Unbelehrt darüber, daß moderne Theologie gerade aus dem Protest »gegen falsche und matte Gottesbürgerlichkeit« entstanden ist, ohne dabei zur vitalistischen Dämonologie zu werden, sucht Thomas Mann (denn hierfür kann man Zeitblom nicht verantwortlich machen) mit Begriffen wie „Heillosigkeit", »Klage Gottes über das Verlorengehen seiner Welt« (VI, 650), auf eigene Hand eine theologische Position für den *Doktor Faustus,* von der aus, ganz im Sinne der paulinisch-lutherischen Tradition, »aus tiefster Heillosigkeit« (was im Sinne des Vorhergehenden verstanden werden muß als Verweigerung des »gottesbürgerlichen« Kompromisses) ohne »Vertröstung, Versöhnung, Verklärung« (VI, 651), also ohne die Garantien einer sichtbaren Kirche, einer gottseligen Ordnung, das »Wunder« entsteht, von dem er sagt, es gehe über den Glauben. Kuno Fiedler hatte unter »Glaube« die Erwartung der helfenden Nähe Gottes verstanden, den Glaubensbegriff der modernen Theologie, wie er ihn verstand, als dogmatisch abgelehnt. In diesem Sinne ist wohl die Wendung »das Wunder, das über den Glauben geht« zu verstehen, die »Transzendenz der Verzweiflung«, »die Hoffnung jenseits der Hoffnungslosigkeit« (VI, 651), versinnlicht durch den letzten Ton der Kantate, dem Thomas Mann einen seiner schönsten Sätze widmet: »Aber der nachschwingend im Schweigen hängende Ton, der nicht mehr ist, dem nur die Seele noch nachlauscht, und der Ausklang der Trauer war, ist es nicht mehr, wandelt den Sinn, steht als ein Licht in der Nacht.« (VI, 651)

Gemeint ist die Gnade Gottes. So erklärt Thomas Mann die Stelle in einem Brief an Albrecht Goes.[110] In einer ersten Fassung dieser Stelle, schreibt Thomas Mann in der *Entstehung des Doktor Faustus*, sei er »zu optimistisch, zu gutmütig und direkt gewesen,« er habe »zu viel Licht angezündet, den Trost zu dick aufgetragen« (XI, 294).[111] Bei dieser Gelegenheit sagt er ausdrücklich, daß es »nach all der Finsternis um die Hoffnung, die Gnade« gehe. Aus den Notizen ist erkenntlich, daß die Intention der Stelle durch die Textänderung nicht berührt worden ist. Das hohe g eines Cellos war von Anfang an als Ausklang der Kantate vorgesehen. »Es ist die höchste und letzte Trauer, Verzweiflung erreicht, welche in sich die *Transzendenz zu neuer Hoffnung* jenseits der Hoffnungslosigkeit, des Nichts trägt. Das fragend Negative steht als Allegorie der Hoffnung.«

Musik, Nacht, Seele, der Umkreis der Romantik klingt an. Thomas Manns Gestaltung des Kantatenschlusses stellt den religiösen Horizont der dynamischen Metaphysik dem Leser vor Augen. Adrian, der sich der »Welt« entzogen,[112] den bürgerlichen Sicherungen und Werten entsagt, sich dem totalen Ästhetizismus in die Arme geworfen hatte, der eine gottselige Welt verschmäht, komponiert den Ausdruck der »unendlichen« Klage über die verlorene Welt. Zeitblom findet darin eine außerweltliche, transzendente Hoffnung auf Rechtfertigung durch Gnade.

Ganz am Schluß wird das Gnadenmotiv auch von Leverkühn aufgenommen. Adrian wünscht sich für sein Werk, vielleicht auch für sich selbst am Ende seiner Abschiedsrede: »vielleicht kann gut sein aus Gnade, was in Schlechtigkeit geschaffen wurde, ich weiß es nicht. Vielleicht auch siehet Gott an, daß ich das Schwere gesucht und mir's habe sauer werden lassen, vielleicht, vielleicht wird mir's angerechnet ...« (VI, 666)[113] Für Paulus und Luther bedeutete Christus und das Evangelium eine Zusicherung der Gnade für den, der durch Gott zum Glauben findet. Adrian fehlt jede Sicherheit, was ausgedrückt wird durch seine dramatisch-theologische »Spekulation«. Adrians vertrackte Theologie soll die Erreichbarkeit der Gnade als möglich und zugleich unmöglich hinstellen, also romantisch in der Schwebe lassen.

Romantischer Herkunft ist auch die kunsttheoretische Überlagerung der *Faustus*-Struktur, die im wesentlichen von Adorno herrührt. Das avantgardistische Genie gerät in Ausweglosigkeit, weil alle Kunstmittel schon einmal angewendet und daher für avantgardistische Auffassung verbraucht und verboten sind. Der romantische Ästhetizismus entstand aus dem Bedürfnis, das klassische ruhige Bilden zu übertreffen, wozu immer neue Kunstreize dienlich waren, die aus der Auflösung geltender Ordnungen gewonnen werden konnten. Daß diese Entwicklung zuende sein muß, wenn alle Ordnungen aufgelöst sind, ist eine zwingende Notwendigkeit, freilich nur so lange die romantischen Voraussetzungen gelten. In seiner Schlußansprache kommt Adrian auf die Lage des Künstlers zu sprechen, dem seine Kunst zu schwer geworden sei (weil sie sowohl bequeme Konventionen wie ihre bloße Parodie verschmäht), »so daß Gottes armer Mensch nicht mehr aus noch ein weiß in seiner Not« (VI, 662). Für diese Not der Zeit, der modernen (das heißt: nachromantischen, ästhetizistischen) Kunstepoche gelte das Wort »Seid nüchtern und wachet!«[114] Statt aber »klug zu sorgen, was vonnöten auf Erden, damit es dort besser werde, und besonnen dazu zu tun, daß unter den Menschen solche Ordnung sich herstelle, die dem schönen Werk wieder Lebensgrund und ein redlich Hineinpassen bereiten, läuft wohl der Mensch hinter die Schul und bricht aus in höllische Trunkenheit.« (VI, 662) Hier wird Adrians romantisch-ästhetizistischer Stolz, »die Positivität der Welt, die Lüge ihrer Gottseligkeit« zu verachten, der Durchbruch durch bürgerliche und kunstübliche Konventionen, an humanitär engagierter Aktivität (Kunst?) gemessen und verurteilt. Andererseits sorgen die Wendung »Gottes armer Mensch«, die doch eine Zugehörigkeit des Menschen zu Gott ausdrückt, und die dem Faustbuch nachzitierte Stelle aus dem Neuen Testament dafür, daß die religiöse, nicht-humanistische Motivik mitschwingt; man könnte auch sagen: sie bleibt als Horizont anwesend und wirkt dadurch korrigierend. Ein Gebet um Gnade ist des Humanisten Zeitblom letztes Wort im Roman.[115]

13. Das Fortleben des Motivs der Gnade

»Extreme Sündhaftigkeit, extreme Buße, nur diese Abfolge schafft Heiligkeit« (XI, 242), notiert sich Thomas Mann in seinem Tagebuch, nachdem er für den *Faustus* zum erstenmal mit dem Stoff der Gregoriuslegende in Berührung gekommen war. Die Idee zu dem Roman *Der Erwählte* führt er selbst auf diese erste Begegnung zurück. Dessen Thema ist bei aller Scherzhaftigkeit des Stils »Gottes unermeßliche und unberechenbare Gnade« (VII, 47). An einzelnen Stellen sieht es so aus, als ob die dramatische Theologie des *Doktor Faustus* ausdrücklich richtiggestellt werden sollte: »... an sich selbst mag der Mensch verzweifeln, nicht aber an Gott und seiner Gnadenfülle« (VII, 179) und: »... Handlungen, welche auf Grund eines ganz einsamen und persönlichen Glaubens geschehen, fallen leicht ins Närrische.«(VII, 202) *Der Erwählte* spielt in mittelalterlich-katholischer Sphäre, der erwähnte Lutherscherz am Anfang (VII, 11) paßt sich dem anachronistisch an und schlägt eine Verbindung zu Zeitblom, zeigt aber auch, wie das negative Lutherbild mit seinen Fiktionen noch wirksam ist.

Das Motiv der Gnade erscheint auch in späten Ansprachen. In »Meine Zeit« (1950) möchte Thomas Mann sein Werk verstanden wissen als dem »bangen Bedürfnis nach Gutmachung, Reinigung und Rechtfertigung entsprungen« (XI, 302 f). Dieser Prozeß könne nicht zur Ruhe kommen, mit anderen Worten: wenn das Schreiben als Rechtfertigungsversuch angesehen werden kann, dann nicht in dem Sinne eines Aufstiegs zur Vollkommenheit, also nicht als Selbstperfektion, sondern als Unzulänglichkeit bis zuletzt. Verzweiflung bliebe am Ende übrig (Thomas Mann zitiert den Epilog zu Shakespeares *Sturm*), wäre nicht der Gedanke an die Gnade, »bei der allein es steht, das Schuldiggebliebene als beglichen anzurechnen«. Hier kann man nicht mehr von einer Mischung humanistischer mit Motiven der paulinisch-lutherischen Tradition sprechen.

Lehrreich ist der Vergleich zweier Ansprachen vor Studenten. In Zürich, 1947, leitet er eine Lesung des *Doktor Faustus* mit Worten ein, in denen er den Verlust der »sittlichen und geistigen Autorität« beklagt (X, 368) und seinen neuen, d. h. nichtoptimistischen Humanismus empfiehlt, unter Berufung auf die geistige Natur des Menschen (X, 370). Die Formulierung soll im Sinne der dynamischen Metaphysik einen nicht-einseitigen Standpunkt bezeichnen, Religiosität soll den Humanismus korrigieren, der Humanismus eine eventuelle Neigung zum Dogmatismus. Religion sei darum »Ehrfurcht vor dem Geheimnis, das der Mensch ist« (X, 370). Aber der gute Wille des Redners und die Kunst der Formulierung dürfen uns nicht täuschen: Die Distanzierung vom optimistischen Vernunftglauben betrifft in dieser Formulierung nur oberflächlichen, naiven Optimismus, den »Zivilisationsliteraten«, Settembrini. Nicht erkannt ist, daß die Berufung auf die höhere geistige Natur des Menschen den Glauben an seine Selbstperfektion zumindestens nahelegt und damit doch optimistisch ist. Ganz anders klingt die Ansprache vor Hamburger Studenten aus dem Jahre 1953. »Gnade ist es, was wir alle brauchen.« Jedem einzelnen möchte er zurufen, »daß Gnade mit ihm sei« (X, 400).

Das soll nicht heißen, daß Thomas Mann am Ende seines Lebens sich ohne Vorbehalte zum Christentum bekannt hätte. Noch ein Jahr zuvor in dem Salzburger Vortrag »Der Künstler und die Gesellschaft« findet er die Formulierung: »Geradeheraus: ich habe nicht viel Glauben, glaube aber auch nicht sehr an den Glauben, sondern weit mehr an die Güte, die ohne Glauben bestehen und geradezu das Produkt des Zweifels sein kann« (X, 398). Der Begriff »Glauben« steht für ihn noch immer dem Dogmatismus nahe. Der Satz drückt dennoch sehr glücklich eine Position aus, die Thomas Mann im Grunde immer einnehmen wollte: sie liegt gleichweit entfernt von Dogmatismus und Selbstperfektion. Er bedeutet allerdings nicht den endgültigen Abschied von den liebgewordenen humanistischen Vorstellungen. In »Lob der Vergänglichkeit« (1952), das als eine Art von Glaubensbekenntnis die Vergänglichkeit preist, gerade weil sie dem Menschenwesen ein Geheimnis läßt, keine endgültigen Formeln über seinen Sinn und Wert gestattet, ist von »Selbstvervollkommnung« die Rede, von dem »Fortschreiten zu seinen [des Menschen] höchsten Möglichkeiten« (was allerdings weniger ist), so daß er »dem Vergänglichen das Unvergängliche abringen« kann (X, 385).[116] Ob die letztere Wendung Kunstwerke oder menschliche Perfektibilität meint, bleibt unsicher.

Ein Abrücken von humanistischen Vorstellungen zugunsten des religiösen Motivs der Gnade ist in den letzten fünf Jahren von Thomas Manns Leben festzustellen, ohne daß die humanistischen Vorstellungen verdrängt würden.

14. Lutherstudien

Auch noch während der Periode des am schärfsten negativ gefaßten Lutherbildes muß doch eine geheime Anziehung geblieben sein, wie man sie auf fiktiver Ebene am Gegensatz zwischen Zeitbloms Lutherkritik und Leverkühns größerer Luthernähe beobachten kann. Eine fortwirkende Anziehungskraft der Gestalt Luthers auf Thomas Mann ist natürlich der einzig mögliche Grund für den Plan des Lutherschauspiels und die Studien dafür. Sein Interesse rührt wohl von der Assoziation Luther-Deutschtum her, die ja auch die scharfe Kritik als Selbstkritik des deutsch gebliebenen Thomas Mann hervorgerufen hatte. Zwar führt es zu einem schiefen Bild, die Innerlichkeit der deutschen Romantik in Luther hineinsehen zu wollen, aber daß umgekehrt die Romantik im besonderen und deutsche Bildung im allgemeinen Luther tief verpflichtet ist, war auch während der heftigen Lutherkritik keine Frage für ihn. Man kann eine Art von Gegnerschaft gegen die eigene Zeitblomsche Verurteilung Luthers in Thomas Mann annehmen, etwa ebenso wie er »nie ohne Blick war« für die »Komik« seiner Rolle als »Wanderredner der Demokratie« (X, 397), eine Rolle, die ihm andererseits doch ernst war als ethische Verpflichtung, gegenüber dem Bösen des Nationalsozialismus nicht zu schweigen. Aber dieser Analogieschluß darf nicht über die klare Aussage der Quellen hinwegtäuschen: Thomas Manns Auseinandersetzung mit dem Luthertum seiner Herkunft, respektabel als ethische Leistung an sich, drehte sich sachlich im Teufelskreis nationaler Mythen, statt diese aufzulösen. Die Fiktionen, wie sie besonders in dem Artikel von 1949 »Die drei Gewaltigen« gehäuft erscheinen, hatten dem Lutherbild in ihm selbst zu einer falschen Lebendigkeit verholfen. Im September 1949 verteidigte er in einem Brief an Albrecht Goes die Lutherdarstellung in diesem Aufsatz, überzeugt, seine theologischen Kritiker würden ihm keinen unwahren Zug darin nachweisen können.[117] Das ist eine einigermaßen entwaffnende Ansicht, wenn man die Quellen von Thomas Manns Lutherbild so betrachtet, wie es hier geschehen ist. Die einzige Erklärung für diese bestimmt wahrhaftig gemeinte Briefäußerung ist die Lebendigkeit des fiktiven Lutherbildes in Thomas Manns Bewußtsein.

Diese Lebendigkeit ist wohl auch für sein erwachendes Bedürfnis verantwortlich, Luther auf der fiktiven Ebene seiner Welt agieren zu lassen. Zunächst muß ihm vorgeschwebt haben, den alten Plan einer Novelle wiederaufzunehmen. 1925 waren ja die Themen »Philipp II.« und »Luther und Erasmus« fallengelassen worden, als der Plan des *Joseph* sich zu dem eines großen Romans auszuwachsen begann. Während der fünfziger Jahre ist in Briefen Thomas Manns außer von dem Plan eines Achilleis-Romans mehrfach von seiner Absicht die Rede, den alten Stoff einer historischen Erzählung aus der Reformationszeit wiederaufzunehmen. Eine Reihe von Gestalten schweben ihm vor, unter ihnen fast immer Erasmus und Luther. Am 7. Juni 1954 schreibt er an seine Tochter Erika nach Abschluß des Krull-Fragmentes, er denke, noch ohne klare Konzeption, an eine »Charaktergalerie aus der Reformationsepoche, Momentbilder von Luther, Erasmus, Karl V., Leo X., Zwingli, Münzer, Tilman Riemenschneider, und wie da das Verbindende der Zeitgenossenschaft und die völlige Verschiedenheit der persönlichen Stand- und Blickpunkte, des individuellen Schicksals, bis zur Komik gegeneinanderstehen.«[118] Man bemerkt, wie hier die strukturelle Wirkung der Luther-Erasmus-Konstellation ausgeweitet werden soll. Die »völlige Verschiedenheit der persönlichen Stand- und Blickpunkte« unter Zeitgenossen war damals überdies Thomas Manns eigene Erfahrung, als er sich dem westlichen Antikommunismus entzog, der unter dem Eindruck des Korea-Krieges militant geworden war.

Vermutlich bald nach dem Erscheinen, 1950, las Thomas Mann über Luther und die Reformation in Gerhard Ritters Buch *Die Neugestaltung Europas im 16. Jahrhundert,* einer Neubearbeitung eines Abschnittes der Propyläen-Weltgeschichte von 1941. In Ritters Darstellung fehlen traditionelle Vorstellungen nicht, so ist ihm Luther einerseits ein »Volksmann«, andererseits »ein religiöser Genius von unerhörter Innerlichkeit und Innigkeit des Glaubenslebens« (Ritter S. 75; von Thomas Mann angestrichen). Luthers »doppelte Wirkung« wird auf »Tiefsinn« einerseits und auf die »laute Derbheit seiner Polemik« zurückgeführt (Ritter, S. 84). Auch ist an manchen Stellen die Neuartigkeit der Lehren Luthers wohl überbetont. Während diese Formulierungen Thomas Manns Vorstellungen entgegenkamen, gibt es andere, die mitgeholfen haben dürften, das falsche Lutherbild richtigzustellen. So betont Ritter, Luther habe vor seinem öffentlichen Auftreten nicht mit sinnlichen Anfechtungen gerungen, sondern was ihn als Erbsünde quälte, »war der natürliche Selbstbehauptungsdrang der Kreatur im Angesicht der göttlichen Majestät. Nicht unerfüllbar, sondern belanglos bis zur Lächerlichkeit erschien ihm alle asketische Bußpflicht — belanglos angesichts der wahrhaft unerfüllbaren Forderung, denselben furchtbaren Gott, dessen Zorn kein menschliches Opfer zu rühren vermochte, von ganzer Seele zu lieben, auf ihn sein ganzes Vertrauen zu setzen« (Ritter S. 75). Diese Stelle (und noch zwei andere, zugehörige auf der gleichen Seite) hat Thomas Mann im Text unterstrichen. Es ist möglich, daß diese Unterstreichungen seine erste voll bewußte Kenntnisnahme des Ansatzpunktes von Luthers Theologie bezeichnen. Im Gegensatz zu der von Ritter genährten Vorstellung des religiösen Genies steht seine Darstellung, daß es Luthers Lehramt war, was ihn vorwärts trieb. Thomas Mann hat, wie Benutzungsspuren beweisen, den Abschnitt über die Reformation (S. 57—195) in Ritters Buch gelesen und noch den Anfang des folgenden Abschnittes, »Wiederbelebung und Aktivierung des Katholizismus« (S. 199—202 Anstreichungen; S. 206 ein Buchzeichen). Natürlich interessierte sich Thomas Mann auch für den historischen, vor allem den sozialen und wirtschaftlichen Hintergrund des Reformationszeitalters. Unterstreichungen bezeugen besonders lebhaftes Interesse für die unterschiedlichen Auffassungen Luthers, Zwinglis und Karlstadts über den Nicht-Zusammenhang (Luther) oder Zusammenhang religiöser und sozialer Reform. Luthers Ablehnung des Bauernkrieges erklärt Ritter ganz aus theologischen Gründen, weil Luther Irdisches und Göttliches teuflisch miteinander vermischt, »den Satan ganz unmittelbar am Werk« gesehen habe. Thomas Mann unterstreicht diese Wendung und fügt am Rand hinzu: »Wieder einmal« (S. 113). Ein Ausrufezeichen erhält Ritters Feststellung, daß Luthers Lehre, den Christen stehe kein sittliches Widerstandsrecht zu, außer einem passiven in geistlichen Dingen, zu einer zuverlässigen Stütze der Obrigkeit wurde (S. 114). Er unterstreicht Ritters Formulierung: [Luthers] »harte Lehre vom unbedingten Untertanengehorsam« (S. 120). Thomas Mann interessierte sich in der Lektüre Ritters auch für andere Gestalten der Reformation, natürlich Erasmus, dann auch Zwingli, Martin Butzer, Melanchthon und Karl V. Aber sein Hauptinteresse galt Luther, es reichte über Luthers Tod nicht weit hinaus. Aus der Art der Anstreichungen halte ich es für wahrscheinlich, daß er Ritters Buch vor der Lutherbiographie von Meißinger las, deren Lektüre den eigentlichen Wendepunkt von den Lutherfiktionen zum wirklichen Luther darstellt.

Thomas Manns Interesse für die Geschichte der Reformationszeit wird auch belegt durch Anstreichungen im Nachwort zu einer Übersetzung von Sonetten der Vittoria Colonna von Hans Mühlestein,[118a] die er gegen Ende des Jahres 1950 las, wie aus einem Brief Thomas Manns an Hans Mühlestein vom 21. Dezember 1950 hervorgeht. Italienische Bestrebungen zur Kirchenreform interessieren ihn, besonders des Kanzelredners Ochino Flucht durch Europa, die ihn auch nach Wittenberg geführt habe, »wo er vor der sturen Verstocktheit Luthers erschauerte« (Mühlestein S. 95, von Thomas Mann unterstrichen). Man hat den Eindruck, daß Thomas Mann noch besonders dazu neigt, negative Züge Luthers und der Reformation zu registrieren.

Am 31. 3. 1953 berichtet Thomas Mann an Albrecht Goes, er lese viel »über Luther und seine Zeit«,[119] und zwar im Zusammenhang mit einem noch nebelhaften Novellenplan. Diese Lektüre bezieht sich 1953 mit sehr großer Wahrscheinlichkeit auf das Buch von Karl August Meißinger, *Der katholische Luther* (München, 1952). Das Buch lieferte Thomas Mann nicht nur biographische Informationen, sondern handelte auch über den politischen und sozialen Horizont der Zeit. Dieser Hintergrund sind die großen Weltveränderungen des Zeitalters der Entdeckungen, das kopernikanische Weltbild und die wirtschaftlichen Folgen der Orientierung Europas nach dem Atlantik, die wiederum soziale Folgen hatten.

Bei der Anlage des Notizenkonvoluts zum Lutherschauspiel, die sicher in das Frühjar 1955 datiert werden kann, mußte er schon eine gewisse Verfügung über Meißingers Inhalte gehabt haben, weil Informationen vom Anfang und vom Ende des Buches bunt darin abwechseln. Es ist wahrscheinlich, daß er damals, von seinen Anstreichungen geleitet, in dem Buch blätterte und sich notierte, was ihm früher schon aufgefallen war.

Daß Thomas Mann Meißingers *Der katholische Luther* nicht später als 1953 las, ist auch aus einer Reihe von inneren Gründen wahrscheinlich, die sich zum Teil aus dem Befund der Anstreichungen ergeben. Diese Gründe hängen mit der Lebendigkeit der alten Lutherfiktionen zusammen und sind auch wichtig, wenn man die Entstehung der Intention verfolgen will:

1. Thomas Mann versieht, wie schon einmal in anderem Zusammenhang bemerkt, Meißingers Fazit seiner Argumentation gegen Denifles Ansicht vom sinnlichen Luther mit der Randbemerkung »Nietzsche nicht«, d. h. Nietzsche habe nicht die Verkehrtheit dieser Vorstellung empfunden (Meißinger S. 94). Ob die Randbemerkung nun einen Zweifel an Nietzsche oder einen an Meißinger ausdrücken soll, auf jeden Fall beweist sie, daß die alte von Nietzsche stammende Fiktion noch sehr wirksam ist.

2. Nicht ganz eindeutig ist eine andere Randbemerkung. Sie gehört zu den folgenden beiden Sätzen bei Meißinger (S. 21): »Alles was heutzutage ein armseliger Genieglaube etwa mit Goethe anstellt, hat bei Luther schon im 16. Jahrhundert überall seine Entsprechungen. Und so ist es ein erfreuliches Zeichen, daß es heute wieder Lutheraner gibt, die vor diesem Unwesen warnen.« Thomas Mann setzt an den Rand: »So, so«. Ich vermute, dies bezieht sich auf Jugenderfahrungen mit dem Lutherkult, die sowohl zu Thomas Manns national-heroischem Lutherbild in den *Betrachtungen* wie zu dem Bedürfnis beitrugen, den Heros von seinem Sockel zu stürzen. Die Vorstellung vom Lutherkult der Lutheraner war so eingewurzelt, daß Meißingers Bemerkung schwer zu glauben schien. Die Randbemerkung kann sich natürlich auch auf den ersten Satz mit seinem Hieb gegen den Goethekult beziehen. Auf jeden Fall drückt sie skeptisches Interesse aus, das man eher an den Beginn der Lutherstudien setzen möchte.

3. Die Art der Anstreichungen einer Stelle, die sich wenig später als die zuerst genannte Randbemerkung findet und sich auf eine der beliebtesten Lutherfiktionen bezieht, sieht nach entschiedenem Interesse, wahrscheinlich Zustimmung aus. Es handelt sich auch hier um die apologetische Argumentation gegen die Sinnlichkeit des jungen Luther. Meißinger schreibt: »Es gibt auch einen Luther, der nach dem Herzen gewisser Leute ›gemütlich‹ von Wein, Weib und Gesang gedichtet haben soll, und leider ist es kein geringerer als Goethe, der hier den Reigen eröffnet. In seinem »Götz« findet sich jene Szene, wo der Bruder Martin auftritt, der die Ritter um ›ihre Weiber‹ beneidet. Das kann nur Luther auf der Reise nach Augsburg sein und ist vollendeter Unfug.« (S. 98) Thomas Mann streicht die Stelle am Rand an, setzt ein Ausrufezeichen dazu und unterstreicht die letzten Wörter: »und ist vollendeter Unfug«. Besonders diese Unterstreichung ist wohl so zu werten, daß ihm Meißinger als Zerstörer von Legenden interessant wird.

Es wird am besten gleich hier angemerkt, daß noch weitere ähnliche Stellen angestrichen sind, so S. 121, wo von den Spannungen die Rede ist, deren Luthers gewaltige Natur bedürfe und die »Beharren und Behagen« ausschlösse und auf S. 217, wo Meißinger von Luthers Anfechtungen schreibt, die bewiesen, daß Luthers Glaubensgewißheit nicht im Sinne einer sorglosen »securitas« zu verstehen sei. »Luther war nicht der gemütliche, wohlbeleibte Generalsuperintendent, den das 19. Jahrhundert an der Wand hängen hatte.« Thomas Mann streicht auch diese Stelle an und vermerkt am Rand: »auch«. Dies kann bedeuten, daß die neue Vorstellung von Elementen der alten temperiert werden sollte, die Randbemerkung kann aber auch von dem zähen Leben der Fiktion des bürgerlichen Luthers zeugen.

Auf jeden Fall kann man die Art dieser Randbemerkungen und Anstreichungen am besten so verstehen, daß sein altes Lutherbild mit seinen Fiktionen noch sehr lebendig war, als Thomas Mann Meißinger las, daß er zwar die Tendenz hatte, an manchen Zügen dieses alten Bildes festzuhalten, daß er sich aber für Eingriffe in seine alten Lutherfiktionen offenhielt und bereit war, unhaltbare Positionen aufzugeben. Reste der alten Fiktionen sind übrigens noch in den Exzerpten wirksam.

4. Es gibt fünf Quellen für die Notizen zum Lutherschauspiel: Von Karl August Meißinger ist Thomas Mann auf die alte Biographie von Köstlin aufmerksam gemacht worden, was durch zwei Anstreichungen (S. 3 und 9) wahrscheinlich gemacht wird. Abgesehen von der Briefausgabe, die er schon besaß, ist die eine der beiden anderen Schriften, die in der Fischerbücherei erschienene Auswahl von Texten, zuerst im Februar 1955 veröffentlicht. Die Biographie von Bainton (deutsche Übersetzung 1952) dürfte er sich auf Grund der Empfehlung im Anhang des Fischerbuches angeschafft haben. Der Titel ist dort (unter anderen)

unterstrichen. Nur die Biographie von Meißinger konnte die zeitlich erste Quelle sein. Wie wir noch sehen werden, ist sie in jedem Sinne die erste.

Die bisher genannten Zitate aus Meißingers Buch lassen schon erkennen, wie sehr dieses Werk darum bemüht ist, man kann beinahe sagen, seine Mission darin sieht, Fiktionen und Legenden beiseite zu räumen und zu der Realität der komplexen Natur Luthers vorzustoßen. Diese Absicht richtet sich nicht nur gegen die katholischen polemischen Darstellungen, sondern gilt auch für die lutherischen Legenden. Meißingers Buch hat keine einhellige zustimmende Aufnahme bei den Theologen gefunden, es hat auch zweifellos Schwächen, besonders dann, wenn es über den Bereich der Lutherforschung hinausdringt. Wir können diese Kritik auf sich beruhen lassen. Was man als formale Schwäche tadeln könnte, Meißingers dauernde Vorgriffe und apologetische Abschweifungen sind eher ein Vorteil angesichts des leider fragmentarischen Charakters dieses Alterswerkes; sie geben ihm einen persönlichen Charakter. Unter den Voraussetzungen, die wir in den vorangegangenen Kapiteln betrachtet haben, müssen wir es als einen Glücksfall betrachten, daß Thomas Manns Lektüre von Meißingers Buch am Anfang seines neuen Lutherinteresses stand, und wir müssen es sehr bedauern, daß kein Werk aus dieser neuen Blickrichtung entstand.

Man wüßte gern, mit welchem Gefühl Thomas Mann sich selbst in Meißingers Buch erwähnt fand, die Stelle anstrich und mit einem Ausrufezeichen versah. Meißinger erwähnt die 1933 erschienene Lutherbiographie von Rudolf Thiel, » in der uns Luther als deutscher Führer vorgestellt wird«. Als Reaktion auf dieses Lutherbild versteht er es, »daß neuestens Thomas Mann für die deutsche Mißentwicklung Luther verantwortlich macht, ein tiefgründiger Historiker mehr« (Meißinger S. 5). Es sieht so aus, als habe Thomas Mann dieser Ironie eine gewisse Berechtigung zuerkannt. Freilich hat Meißinger, wie damals kaum jemand, das selbstkritische Element in der Rede »Deutschland und die Deutschen« nicht beachtet, das doch in klaren Worten im Text steht.

Am Schluß einer Darstellung der gescheiterten Pläne zur Änderung der deutschen Reichsverfassung kommt Meißinger zu dem Schluß: »... daß hier die Wurzeln des deutschen Übels liegen und nicht bei Luther, wie Thomas Mann jetzt wieder behauptet. Es mutet eigen an, diesen Ungläubigen hier im Schlepptau einer langverjährten katholischen Ideologie zu sehen.« (S. 192) Thomas Mann strich die Stelle an. Proteste am Rand fehlen.

Meißinger hat sich nicht nur auf theologischem Gebiet betätigt. In Thomas Manns Bibliothek befindet sich von ihm das Buch: *Helena: Schillers Anteil am Faust* (Frankfurt a. M. 1935). Es enthält viele Anstreichungen und einige Randbemerkungen, die vielleicht anläßlich der

Vorbereitung des Schiller-Vortrages entstanden. Zu der Anziehungskraft von Meißingers Lutherdarstellung auf Thomas Mann hat sicher sein Bekenntnis beigetragen, er hätte in Luthers Nähe ebensowenig existieren können wie Erasmus (S. 6 angestrichen). Meißinger, der auch ein Buch über Erasmus schrieb, hat große Sympathien für den Humanisten, ohne dessen Grenzen zu verkennen. Seine Gegenüberstellungen von Luther und Erasmus erregen Thomas Manns lebhaftes Interesse, nach den Anstreichungen zu schließen. Anläßlich der 95 Thesen setzt er Luther, den Schriftsteller, ab von seinem »Vorläufer« Erasmus mit seinem urbanen Humor und feinätzenden Witz: »bei Luther hochgefährlicher Ernst und noch unheimlichere Ironie, die bereits zukünftige Maßlosigkeiten ahnen läßt.« (S. 151) Solche Formulierungen zerstören das Bild des Gottesbarbaren, erlauben aber, die von dieser Fiktion intendierte Lutherkritik auf höherer und obendrein realistischer Ebene wiederzufinden.

Auch Meißingers Ergriffenheit von den dramatischen Akzenten in Luthers Leben mußte auf den Dichter wirken. So gleich im Anfang, wo Meißinger die Ereignisse von 1525 zusammenbringt. Luther habe immer wieder aus seinem Leben erzählt, als Selbstdarstellung seines gespannten Kampfes gegen Rom, darunter auch, wie er »zuletzt gar eine entwichene Nonne zum Weib nahm mitten in der Katastrophe des Bauernkrieges, die auch seine persönliche Katastrophe war.« (S. 2; von Thomas Mann unterstrichen) So wurden gleich im Anfang mehrere Interessenrichtungen Thomas Manns durch Meißingers Buch erregt. Denn er kannte ja durch Nietzsche den Plan Wagners, eine musikalische Komödie über die Hochzeit Luthers zu schreiben.[120] Da Wagners Idee in die *Meistersinger* überging, was Nietzsche vermerkte, ist zu vermuten, daß Thomas Mann das Thema deutsches Bürgertum, deutsches Bürgerhaus vorgeschwebt hat, vielleicht als Karikatur.[121] Dafür ergaben sich nun aus den Quellen wenig Anhaltspunkte, bei Meißinger schon deshalb nicht, weil seine Darstellung nicht bis 1525 gelangt. Meißinger bot dafür neuen Stoff für die Gegenüberstellung von Luther und Erasmus. Noch interessanter wurde aber das Verhältnis des geistlichen Luther zu seiner Umwelt, Meißingers Darstellung der historischen Situation, der politischen und sozialen Verhältnisse am Beginn der Reformation. Dabei überrascht es Thomas Mann wohl (Ausrufezeichen am Rand), als Meißinger meint, Luthers Reformation sei nur ein Teilvorgang eines größeren Umbruchs gewesen und »der Gesamtzustand der Welt sähe ohne Luther nicht viel anders aus, als er aussieht«. (S. 70) Das ist gegen protestantische Überschätzung Luthers gesagt. Andererseits meint Meißinger im Anschluß daran — ohne den Widerspruch zu klären — Luther und die nach dem tridentinischen Konzil reformierte katholische Kirche hätten den Beginn der Aufklärung verzögert, was ungefähr Nietzsches Gedanken entspricht (S. 71). Hier kamen Thomas Mann vertraute Gedanken entgegen. Diese etwas zweifelhafte Geschichtsphilosophie wurde durch den Wunsch Meißingers hervorgetrieben, die evangelische und katholische Kirche möglichst zusammen zu sehen.

In einem Werk über die Anfänge von Luthers Theologie von der Qualität Meißingers werden wir eine Darstellung des eigentlichen und anfänglichen Kerns dieser Theologie erwarten dürfen, der **Lehre von Sünde und Gnade.** Thomas Manns wieder hervorgetretenem Nachkriegspessimismus oder wenigstens seiner immer vorhandenen grundsätzlichen Skepsis entspricht es, wenn Meißinger, zur Erklärung von Luthers Empfinden für die »Tragik der Individuation, die das Individuum zur Selbsterhaltung und damit zur Selbstsucht zwingt«, auf die Unmöglichkeit hinweist, die für den einzelnen, besonders in Kriegssituationen, bestanden hat, Schuld zu vermeiden. Er fährt fort: »Ein Gewissen wie das Luthers braucht nicht so eine grauenhafte Praxis, um die Atmosphäre von unerträglicher, weil unentwirrbarer Schuld und Mitschuld zu empfinden, in die der Mensch hineingeboren wird und bis an seine Ende zu leben hat.« (S. 116) Die Stelle hat Thomas Mann mit einem Ausrufezeichen versehen.

Meißingers Darstellung der Theologie Luthers ist nicht systematisch, sondern, der Aufgabe seiner Biographie gemäß, genetisch, immer unterbrochen von meist sehr interessanten Vorgriffen, Erläuterungen und Abschweifungen. Diese Methode muß für Thomas Mann sehr anregend gewesen sein, denn auf diese Weise kommt es zur Darstellung lebendiger Situationen, zu überraschenden Gesichtspunkten; nimmt man dazu Meißingers Wechsel von Kritik seines Gegenstandes und sympathisierender Nähe zu ihm, so kann man spüren, wie sehr diese Darstellungsweise Thomas Manns eigener Betrachtungsweise geistiger Phänomene nahekam. Auch spürt man in den Anstreichungen, wie Thomas Mann Meißinger im Hinblick auf die lebendige Gestalt Luthers las, so auf S. 206, wo Meißinger von Widersprüchlichkeiten im dogmatischen Sinne in Luthers Schrift über den Kirchenbann spricht. Thomas Mann war offenbar am meisten beeindruckt von Meißingers Feststellung, Luther habe damals unter einer ungeheuerlichen Spannung gelebt, und die späteren Schwärmer hätten kein Recht, sich auf diese Periode Luthers zu berufen.

Viele Einzelheiten, die zur Vergegenwärtigung des Stoffes nutzbar waren, erhielten Striche am Rand. Manche finden sich später irgendwo in den Notizen, so ein Bericht über Luthers Augen, der die Phantasie zu entzünden geeignet ist: »blinzelnd und zwitzerlnd wie ein Stern, daß die nit wohl mögen angesehen werden« (S. 15).

Die von Meißinger mit Einschränkungen empfohlene ausführliche Biographie Luthers von Julius Köstlin, las Thomas Mann in der Erstausgabe von 1875, die er antiquarisch beschaffte. Der erste umfangreiche Band reicht bis 1525 und weist viele Benutzungsspuren in den meisten Kapiteln auf, beginnend mit Luthers Romreise, die nach den späteren Zeugnissen dargestellt ist, deren Wert Meißinger bezweifelt. Es gibt auch einige Randbemerkungen. Das Prinzip des Rückgangs auf die Quellen bei der Übersetzung des Neuen Testamentes (Köstlin, S. 490) kommentiert Thomas Mann mit: »Humanismus". Offenbar sieht er jetzt die Gemeinsamkeiten zwischen Humanismus und Reformation in der wissenschaftlichen Methode. In ähnlichem Sinne kann man wohl auch eine Randbemerkung zu Köstlins Darstellung der Schrift Luthers gegen Erasmus, *De servo arbitrio*, verstehen. Dem »Geheimnis« der Frage, ob Gott den Tod eines Sünders wolle, solle man nicht nachgrübeln, damit man nicht in Abgründe stürze (Köstlin, S. 701). Thomas Mann will hier sogar eine theologische Gemeinsamkeit sehen. Er vermerkt: »So auch Erasmus«. (Die Intensität der Benutzung gerade dieses Teils in Köstlins Darstellung zeigt, daß sich Thomas Mann über die Grundlagen von Luthers Theologie unterrichten will.) Bemerkenswert ist ferner eine, wo von der mangelhaften Bewaffnung der Bauern im Bauernkrieg die Rede ist: »Weiß L(uther) das nicht?« (Köstlin I, 750) Der Bauernkrieg und Luthers Verhältnis zu ihm beschäftigte Thomas Mann während der neuen Lutherstudien fortdauernd. Seine Kritik an Luthers Haltung bleibt bestehen, er scheint aber jetzt nach einer psychologischen Erklärung der Bauernkriegsschrift zu suchen.[122]

Köstlins erster Band lieferte Thomas Mann eine Fülle von biographischen Informationen, von denen einige, hauptsächlich die Umstände von Luthers Heirat, in die Exzerpte übergingen. Es lohnt sich aber nicht für uns, ausführlich auf diese Einzelheiten einzugehen, da sie die Konzeption von Thomas Manns Lutherbild nur insofern beeinflussen, als er jetzt dem historischen Luther begegnet, der weder ein unmöglicher Mönch, noch besonders sinnlich, noch primitiv, noch devot war, weder Heiliger noch nationaler Held.

Der zweite Band Köstlins zeigt Thomas Mann an dem Verhältnis zwischen Luther und Zwingli, besonders an ihrer theologischen Diskussion, interessiert.[123] Einige Seiten über das Verhältnis von Luther und Melanchthon zeigen Anstreichungen (Köstlin II, 450—552), besonders ist Luthers Anerkennung von Melanchthons wissenschaftlicher Überlegenheit hervorgehoben, und zwar interessiert Thomas Mann charakteristischerweise eine kleine Szene besonders: Luther habe allein am Tisch sitzend mit Kreide darauf geschrieben: »Sachen und Worte: Philippus (d. i. Melanchthon): Worte ohne Sache: Erasmus; Sache ohne Worte: Martin Luther; weder Sache noch Worte: Carlstadt.« Melanchthon sei zufällig dazugekommen und habe protestiert. (Köstlin 452; im Text unterstrichen).

Köstlins Kapitel »Persönliches und Häusliches« weist, wie zu erwarten, Benutzungsspuren auf. Einige Randbemerkungen sind erwähnenswert. Als Köstlin erzählt, Luther habe einmal seinem Sohn Hans die Versöhnung verweigert und dazu geäußert, er wolle lieber einen toten, denn einen ungezogenen Sohn haben, schreibt Thomas Mann an den Rand: »Friedrich Wilhelm I.« (Köstlin, S. 477). Hier war Gelegenheit zu einem historischen Durchblick unter nationalem oder national-kritischem Vorzeichen. Das gleiche gilt für die Randbemerkung »Bismarck«, als Köstlin von Luthers Reizbarkeit und seiner Neigung zum Zorn erzählt (Köstlin, S. 503). Eine andere Randbemerkung zieht eine Parallele zu »Tolstoi« (Köstlin, S. 488), als von Luthers Frau die Rede ist, die gesagt haben soll, Luther hätte reich werden können, wäre er wie andere Leute gesinnt gewesen. Er habe sich für seine Bücher nichts bezahlen lassen. Interesse finden noch die Verhandlungen in Regensburg 1541, wo noch einmal vergeblich eine Einigung mit der alten Kirche versucht wurde. Luther zeigte sich anläßlich dieser Verhandlungen (denen er als Geächteter wie üblich fernblieb) zwar fest, aber nicht so grob unversöhnlich, wie Thomas Mann es nach seinen Vorurteilen hätte annehmen müssen. Wenig später (S. 553) findet sich ein Buchzeichen. So weit dürfte Thomas Mann in der Lektüre gekommen sein. Vermutlich liegt die Lektüre des zweiten Bandes oder von Teilen daraus nach der Aufzeichnung der vorhandenen Exzerpte zum Lutherschauspiel.

Mit sehr großer Wahrscheinlichkeit hat Thomas Mann den ersten Band der Biographie von Köstlin wenigstens zum Teil im Jahre 1954 gelesen. Man möchte meinen, daß die folgenden Sätze in einem Brief an Emil Preetorius aus dem September des gleichen Jahres auf den Lutherstoff zu beziehen seien, denn es trennen uns nur noch sieben Monate von der Anlage des Notizenkonvolutes zum Lutherschauspiel, die von der Arbeit an dem »Versuch über Schiller« ausgefüllt waren. Der Gedanke erscheint in mehreren Briefen der Zeit.[124] Thomas Mann bezieht sich auf den Druck des *Krull*, von dem er im Grunde wisse, daß er ihn nicht zu Ende führen werde. »Ich möchte auch eigentlich ganz anderes machen, Würdigeres, meinen Jahren Angemesseneres, aber die Kraft es anzugreifen versagt sich . . .«[125]

Im Jahre 1954 erschienen zwei Vorträge von Ernst Barnikol im Druck, die Thomas Mann, man möchte annehmen, im gleiche Jahre oder Anfang 1955, in einem ihm übersandten Sonderdruck las und mit Anstreichungen versah. Die Vorträge wurden in der Martin Luther Universität in Halle gehalten und tragen den Titel »Luther in evangelischer Sicht«.[126] Den Umständen entsprechend wendet Barnikol sich in erster Linie an Hörer, die Luther in marxistischer Sicht kennengelernt hatten. In dem Bemühen, zu zeigen, daß evangelisches Bekenntnis keine Heldenverehrung Luthers verlange, erwähnt er fragwürdige Seiten in Gestalt und Wirkung Luthers: seinen mittelalterlichen Aberglauben, er bedauert das Scheitern des Bauernkrieges, wobei er sich auf eine Äußerung schon Alexander von Humboldts beruft, er sagt (mit

Recht in dieser Formulierung), Luther sei nie Humanist gewesen. Der Siegeszug des Humanismus sei durch Luther und seine Reformation unterbrochen worden.[127] Thomas Manns Interesse wird, wenn seine Anstreichungen als Gradmesser dienen können, gerade durch diese Darstellung der negativen Seiten geweckt, die in vielem seinen eigenen einseitigen oder fiktiven Vorstellungen näherkam. Eine Korrektur erhält das in seiner Jugend begründete falsche Lutherbild durch die Bemerkung Barnikols, Luther habe das Moralische zuletzt, zunächst aber gar nicht interessiert. Die Stelle ist angestrichen und der Begriff »das Moralische« unterstrichen (Barnikol, S. 620). Das sieht so aus, als habe er sich ein Stichwort unterstrichen, um es für eine anzulegende Notizensammlung leicht wiederfinden zu können.

Mehrere Anstreichungen verraten hauptsächlich sachliches, historisches Interesse. Der Unterschied zwischen der Vernunfttheologie des Erasmus und Luthers Skepsis gegen eine Überschätzung der Vernunft gehört dazu. Die menschliche Vernunft, meint Barnikol, Luther interpretierend, reiche nicht weiter als bestenfalls zum anständigen Verhalten, Regieren, Haushalten und zu den Künsten. Luther sei dies nicht genug. Thomas Mann muß schon bei der Lektüre von Meißingers Buch der Gedanke gekommen sein, daß Luthers Theologie dem Pessimismus Schopenhauers, der allgemeinen Skepsis seiner Jugend näher stand und daß Luther eben nicht als deutscher Gottesbarbar die mittelalterlich-christliche Moral neu formulierte. Hier fand er diese Ansicht bestätigt. Den religiösen Humanismus, den Vernunftglauben, hatte Thomas Mann als »Wanderredner« während und nach der nationalsozialistischen Beherrschung Deutschlands, dessen Macht- und Trieblehren entgegengestellt. Seine politische Aktivität war getragen von der Hoffnung, die Menschheit werde nach Vernichtung des Faschismus verständigungsbereit sein, politische, nationale und ideologische Gegensätze würden hintangestellt werden um der Arbeit an der gemeinsamen Zukunft willen (vgl. XII, 932—939; 962—968 u. a.). Ein solcher Vernunftglaube mußte höchst zweifelhaft werden angesichts der politischen Entwicklung der Nachkriegszeit, die von Mißtrauen und Atomrüstung gekennzeichnet war. Der Skeptizismus, der das Grundmotiv der dynamischen Metaphysik bildet, war unter dem gepredigten Vernunftglauben immer latent vorhanden, er zeigte sich oft genug in den Formulierungen an, mit denen Thomas Mann eben diesen Glauben umschreibt. Er tritt gegen Ende von Thomas Manns Leben großartig hervor in seinem Tschechow-Aufsatz (IX, 843—869), der ein kaum verhülltes autobiographisches Bekenntnis ist. Eben diese Situation konnte dazu beitragen, daß die Schale des Reformators auf der Erasmus-Luther-Waage wieder mehr Gewicht annahm.

Für diesen Gedankengang spricht, daß Thomas Mann zwei Strophen aus Luthers Choralbearbeitung des 130. Psalms angestrichen hat. (»Aus tiefer Not . . .«)

214

Bei dir gilt nichts denn Gnad und Gunst
die Sünden zu vergeben,
es ist doch unser Tun umsunst
auch in dem besten Leben.
Vor dir niemand sich rühmen kann,
des muß dich fürchten jedermann
und deiner Gnaden leben.

Darum auf Gott will hoffen ich,
auf mein Verdienst nicht bauen;
auf ihn mein Herz soll lassen sich
und seiner Güte trauen,
die mir zusagt sein wertes Wort;
das ist mein Trost und treuer Hort,
des will ich allzeit harren.

Der lutherische Choral verliert für den lutherisch Erzogenen von künstlerischer Empfänglichkeit seine geheime Anziehungskraft auch dann nicht, wenn er seiner Kirche fremd geworden ist. Es muß Thomas Mann berührt haben, wie diese Strophen bei aller Zeitfremdheit des Wortlauts doch dem etwas zu sagen haben, dem Bescheidenheit im Hinblick auf die Möglichkeiten des Menschen durch die Ereignisse nahegelegt worden ist.

Barnikol entwickelt den Gedanken, Luther sei mit den schärfsten Religionskritikern der Vergangenheit und Gegenwart »formalwissenschaftlich einig« (Barnikol, S. 643), weil er gesagt habe, das Trauen und Glauben des Herzens mache sowohl Gott als Abgott. In diesem Zusammenhang erwähnt Barnikol Gorki, der den »sinnlosen Humanismus und faustischen Symbolismus Thomas Manns« vorweggenommen habe (Barnikol, S. 644). Vielleicht war dies der Anlaß für den Theologen, Thomas Mann einen Sonderdruck zu schicken. Gerade diese Stelle mußte dem Dichter die Möglichkeit eines »ganz anderen« Lutherbildes vor Augen führen, selbst wenn man Barnikols Argumentation hier nicht ganz klar und nicht ganz überzeugend fände.

Barnikol kommt auch auf die Ereignisse des Jahres 1525 zu sprechen, auf den Bauernkrieg, Luthers Entscheidung für die seiner Ansicht nach bedrohte Obrigkeit, was zum Verlust der Volksgunst und zur Obrigkeit- und Bürgermeisterkirche führte. Diese Erwähnung und die im folgenden zitierte Stelle sind am Rand angestrichen und mit Ausrufezeichen versehen, das folgende Zitat überdies großenteils im Text unterstrichen: »Demgegenüber stehen Luthers beide große Taten der Jahre 1525 und 1529, der Rückgang auf das Persönlich-Menschliche im christlichen Sinne durch seine Heirat und durch die Begründung des Pfarrhauses und dann der Rückgang auf das Allgemein-Christliche im menschlichen Sinne durch seinen Katechismus.« (Barnikol,

S. 639) Letzteres, Barnikols Spezialität, findet weitaus weniger Interesse bei Thomas Mann. Barnikols Formulierung erweckt, vielleicht wider seinen Willen, die sentimentale Vorstellung von Luthers Familienidyll, wie sie das 19. Jahrhundert liebte. Die »Gründung des deutschen Pfarrhauses«, wenn man sie als geplante Aktion auffaßt, ist eine historische Fiktion, wovon sich Thomas Mann mit Hilfe von Köstlin (am Ende des ersten Bandes) und Bainton bald überzeugen sollte. Die faszinierende Kraft dieser Fiktion zeigt sich noch hier in der Art der Anstreichung.

Von Barnikols Vorträgen ist nichts in die Notizen eingegangen. Dennoch darf man annehmen, daß Thomas Manns Interesse am Lutherstoff durch die Lektüre der Vorträge weiter wuchs. Vielleicht spielt auch die Vorstellung eine Rolle, daß ihm etwas zu seinen Plänen Gehöriges wie magisch angezogen ins Haus kam, es gehörte zu seinem »Zauber- und Inkantationskreis«.[128]

Im Februar 1955 erschien die kleine Auswahl von Luthers reformatorischen Hauptschriften von Karl Gerhard Steck unter dem Titel *Luther* in der Fischer-Bücherei. Aus dieser kleinen Sammlung stammt der erste Teil der Exzerpte, die sich Thomas Mann unter dem Titel »Luther« anlegte. Der Zeitpunkt des Anfangs der Niederschrift der Exzerpte läßt sich ziemlich genau datieren. Mitte Februar 1955 genas Thomas Mann von einer Virus-Infektion. Am 10. März schrieb er an Hans Reisiger, er wolle versuchen, ein aufführbares Stück, »Luthers Hochzeit« zu schreiben und lese und entwerfe viel dafür.[129] Sehr ähnlich ist eine andere Briefstelle: Am 16. März antwortet er auf eine Anfrage von Agnes Meyer, von der Fortsetzung des *Krull* stände nichts auf dem Papier. Er habe jetzt anderes im Kopf, »nämlich ein aufführbares Stück: ›Luthers Hochzeit‹, wofür ich viel lese und notiere, ohne etwa sicher zu sein, daß ich es zustande bringe.«[130] Es standen ihm bis zum 7. Mai, als er in Stuttgart eintraf, ungefähr zwei Monate zur Verfügung, ferner ein Teil des Sommers nach den Schillerreden in Stuttgart und Weimar und dem Besuch in Lübeck, soweit er nicht durch Reisen, Feiern zum 80. Geburtstag und viel Korrespondenz in Anspruch genommen wurde.[131] Während seiner letzten Wochen im Kantonsspital in Zürich beschäftigte er sich mit Mozart.[132] Es existieren im Zürcher Thomas Mann Archiv 47 Blätter Exzerpte, von denen die ersten zwölf sich nur auf die Luthertexte der Steckschen Auswahl beziehen. Die übrigen enthalten Informationen aus Meißinger, Köstlin, und der Biographie von Bainton, die Thomas Mann wahrscheinlich erst 1955 las, da sie von Steck im Anhang empfohlen wurde, und aus seiner Ausgabe von Luthers Briefen.

Die Exzerpte aus den hauptsächlichen Reformationsschriften nach der Auswahl von Steck zeigen, wie Thomas Mann den Kern von Luthers Theologie erfaßt. Aus dem Anfang der Römerbriefvorlesung exzerpiert er den zentralen Gedanken der Gerechtigkeit, die nicht aus uns, sondern ganz und gar von außen komme, also Luthers Unterschied zwischen Selbstgerechtigkeit (Werkgerechtigkeit) und Rechtfertigung durch die Gnade Gottes, Thomas Mann setzt hinzu: »Immer wiederkehrender Gedanke«. Man kann aus den Anstreichungen und Exzerpten ersehen, wie Thomas Mann durch den Kernpunkt der lutherischen Theologie beschäftigt wird, besonders durch alle Formulierungen, die der autonomen Moral widersprechen: der Gegensatz zwischen der Theologie der Gerechtigkeit (Selbstgerechtigkeit) und der des Kreuzes (Leidens), und die Liebe Gottes, die sich den Sündern, nicht den (Selbst-)Gerechten zuwendet, aus der Heidelberger Disputation. So sehr interessiert ihn dieser Hauptpunkt, daß die Schrift an den christlichen Adel ohne Exzerpte bleibt. Aus der Schrift »Von der Freiheit eines Christenmenschen«, von der Thomas Mann vorher, wie beinahe alle Welt, nicht viel mehr als den Titel kannte, exzerpiert er Luthers Ansicht der Gebote, die nur dazu geordnet seien, »daß der Mensch darinnen sehe sein Unvermögen« (Steck, 79). Thomas Mann unterstreicht dies rot in seinem Exzerpt. Solche Unterstreichungen pflegte er beim Wiederdurchlesen seiner Exzerpte zu machen. Während des Exzerpierens hatte er schon ein Ausrufezeichen hinter das Wort »nur« gesetzt. An diesem Zeichen kann man deutlich die Schwierigkeiten erkennen, die jeder hat, der unter dem Einfluß der liberalen Theologie nicht zwischen protestantischem Christentum und autonomer Moral zu unterscheiden gelernt hat. Luthers anthropologischer Pessimismus, daß kein Mensch von Natur Christ oder fromm sei, vielmehr alle Welt böse und unter Tausenden kaum ein rechter Christ (aus »Von weltlicher Obrigkeit...« Steck, S. 147ff) vermerkt Thomas Mann und setzt hinzu: »Tiefster Schopenhauerscher Pessimismus in Dingen des Menschengeschlechts«. Auch dieser Satz, wie die meisten der hier präsentierten Exzerpte und Kommentare Thomas Manns, ist rot unterstrichen.

Diese Notizen stehen im Zusammenhang mit dem zweiten wichtigen Thema dieser Exzerpte, dem rätselhaften Verhältnis zwischen dem Umwälzenden der »neuen« Lehre und Luthers entschiedenem Widerspruch gegen »Aufruhr und Empörung«. Thomas Mann stellt mehrfach fest, daß Luther nicht devot gegenüber den Fürsten, einschließlich seines Kurfürsten, gewesen sei. Er registriert bei Luther ein »Vergnügen an solchen Drohungen, die der geistl[ichen] Tyrannei Angst machen.« Das bezieht sich auf den Anfang der »Treuen Vermahnung zu allen Christen, sich zu hüten vor Aufruhr und Empörung« (Steck, S. 102 f). Luthers Schrift über das Recht der christlichen Versammlung und Gemeine erhält den Kommentar: »Das untilgbar Revolutionäre, das er will und nicht will, predigt und leugnet. Gegen [von hier ab aus Luthers Text, Steck, S. 132] Menschengesetz, Recht, altes Herkommen, Brauch, Gewohnheit etc.« Luthers Verwendung von Johannes 10, 4:

»Meine Schafe kennen meine Stimme« in derselben Schrift (Steck, S. 133) kommentiert er: »Die Schafe sollen urteilen, Demokratie.« Eine Stelle aus der Schrift »Von weltlicher Obrigkeit, wie weit man ihr Gehorsam schuldig sei« (Steck, S. 164 f) erhält den Zusatz: »und weiter über die Fürsten her, daß es ganz nach Aufruhr aussieht.« Und: »Demokratische Kritik und Überwachung der Macht.« Andererseits exzerpiert Thomas Mann natürlich auch Luthers grundsätzliche Absage an allen Aufruhr (Steck, S. 106 f in »Eine treue Vermahnung...«) und dessen Ansicht, es sei ein Werk der Liebe, Feinde zu zwingen, wenn das Land in Gefahr sei (nach »Von weltlicher Obrigkeit...« Steck, S. 169 f), was er mit der Überschrift: »Anti-Pazifismus« versieht. Als Motiv für Luthers Aufruhrfeindlichkeit finden wir noch das gleiche wie in »Deutschland und die Deutschen« (XI, 1134), nur bedeutend freundlicher und verständnisvoller ausgedrückt: »Besorgnis um sein Werk, das er vor Kompromittierung zu schützen wünscht. Die anderen freuen sich einfach dran, habens nicht gemacht u[nd] gehen leichtsinnig damit um, namentlich die jungen Leut, nicht trocken hinter den Ohren. Er ist 1521: 38 Jahre alt.« Die Jahreszahl bezieht sich auf einen Erfurter Studentenaufstand, der in den Anmerkungen genannt ist. Von Luther lernt er jetzt auch dessen Auslegung des neutestamentlichen Gebotes »Ihr sollt dem Übel nicht widerstehen« als Verzicht auf persönliche Rache. Thomas Mann hatte, wie wir gesehen haben, von Nietzsche beeinflußt, eine Absage an moralische Verhärtung in dem Wort gesehen, eine Bedeutung, die übrigens nicht abwegig ist.

Eine ähnliche Korrektur alter Ansichten ist seine Reaktion auf die Schrift »An die Ratsherren aller Städte deutschen Landes, daß sie christliche Schulen aufrichten und halten sollen«. Aus Stecks Einleitung vermerkt er die Vorwürfe der Humanisten gegen die »einbrechende Barbarei« und die Bildungsfeindlichkeit von prophetischen Geistern wie Karlstadt. Thomas Mann kommentiert Luthers Schrift: »Luther will sein Werk auch gegen diesen Vorwurf sichern. Legt sich gewaltig für Schulen und Sprachen ins Zeug, weil ›die hohen Schulen schwach werden u[nd] die Klöster abnehmen‹.« Man erkennt, wie das Bild des ungebildeten rohen Luther in dem ironischen Klang dieser Formulierung nachwirkt.

Ein Nachklang sehr alter Vorstellungen aus der Zeit der *Fiorenza*-Konzeption findet sich einmal, als Thomas Mann sich notiert, wie Luther staatliche Ketzerverfolgungen ablehnt. »Gottes Wort soll hier streiten« (Steck, S. 163). Thomas Mann exzerpiert diesen Satz und setzt hinter »Gottes Wort« in Klammern »ich«. Hier fließt die subjektivistische Lutherauffassung zusammen mit der alten, von Nietzsche beeinflußten Konzeption der Savonarola-Gestalt: der Prior habe das asketische Ideal benutzt, um Macht zu gewinnen. Luther wollte sich wirklich Gottes Wort unterstellen. Da es ihm aber selten gegeben war, eine andere Auslegung als die seine anzuerkennen, waren die Feinde seiner Theologie für ihn die Feinde des Gotteswortes. Auf diese Weise kommen Zeugnisse zustande, die Thomas Mann im Sinne prophetischen Selbstbewußtseins verstand. Dies mag eine gewisse psychologische Berechtigung haben, führt aber leicht zu theologischen Mißverständnissen. Im zweiten Teil des Notizenkonvolutes findet sich eine Aufzeichnung, die verrät, daß Thomas Mann Selbstidentifikationen Luthers mit Jesus zu bemerken glaubte, im Sinne des mythischen »Spurengehens«. Mindestens eine davon, als Luther seine Umgebung »mein Kapernaum« nennt, war aber von Luther wohl scherzhaft gemeint.[135 a]

15. Umrisse des Schauspiels

Der zweite größere Teil der Exzerpte befaßt sich unter der Überschrift »Die Heirat« näher mit Gestalt und Charakter Luthers und erkundet mögliche Motive für das Schauspiel. Als Quelle dienen Meißinger, Köstlin, wozu noch die deutsche Übersetzung der amerikanischen Biographie von Roland H. Bainton kommt.[133] Gegen Ende wird Luthers Freundeskreis wohl im Hinblick auf mögliche Personen durchforscht. Dazu dient seine Briefausgabe von 1909. Auch einige Exzerpte zur Flucht der Nonnen finden sich aus dieser Ausgabe. Diesen Komplex können wir als für das Lutherbild unwesentlich beiseite lassen. Ebenso die näheren Umstände der Heirat, wie Luther die geflohenen Nonnen unterzubringen suchte, was ihm mit Katharina von Bora nicht gelang, und wie er sie schließlich, nicht aus Liebe, heiratete.

»Auch die Begründung des ›protestantischen Pfarrhauses‹ war unvorhergesehen u[nd] ungewollt. Sie ergab sich, wurde herbeigeführt.« Gemeint ist offenbar, daß Luther nicht das Motiv hatte, die bürgerliche Idylle des 19. Jahrhunderts zu begründen. Vielmehr war seine Ehe eine Demonstration. Daß der Mönch die Nonne heiratete, war unerhört, trotz vieler schon vorgekommener Ehen von Pfarrern der neuen Richtung. Thomas Mann kommentiert: »Es ist ein Akt religiösen Aufruhrs, der ja gut, notwendig, evangelisch ist im Gegensatz zum politischen. Aber dann wieder kommt ihm die Idee ungeistig und seiner erwählten Person unwürdig vor.« Im Hintergrund ist der eben beendete Bauernkrieg und Luthers harte Schrift, wegen der ihm Thomas Mann jetzt Reue zubilligt. Luther litt unter einer Depression aus diesem Anlaß (nach Bainton S. 241f). Thomas Manns Kommentar ist: »Der Bauernkrieg als Produkt seiner Lehre im Wirklichen; das Grauen vor dem Wirklichen«. — »Verwirrung und innerer Widerspruch« ist die Folgerung Thomas Manns aus einer Reihe von Notizen zu dem Problem von Luthers Stellung gegen den Aufruhr, den er doch mitverschuldete durch seinen Angriff auf die Autoritäten.

Wichtig für die äußere Handlung sollte der Umstand werden, daß

Katharina eigentlich den Nürnberger Patriziersohn Hieronymus Baumgärtner liebte, der sie aber aus Familienrücksichten nicht heiratete.
Baumgärtner wird zu einer Art von Gegenfigur. Vieles von der
Luther-Erasmus-Konstellation findet sich jetzt wieder. Baumgärtner
sollte Luther treu und ehrfurchtsvoll ergeben sein, aber als Persönlichkeit weit geringeres Format haben. Er sollte, im Gegensatz zu Luther,
ein Gefühl für die weltweiten Veränderungen der Renaissance besitzen, für die Umwälzungen des wissenschaftlichen Weltbildes durch
die Astronomie, er lebt »schon in einem weiteren Horizont«. Er weiß
auch von der Erweiterung der Weltkenntnis durch die spanischen und
portugiesischen Entdeckungen. Die Quelle dafür ist Meißinger, der
auch Luthers und Melanchthons Ablehnung des kopernikanischen Weltbildes aus biblizistischen Gründen erwähnt (Meißinger, S. 419).
Einen Moment erhellt sich für uns das Dunkel, in dem Thomas Manns
Lutherschauspiel für immer bleiben muß: »Baumgärtner spricht der
Käthe von all diesen Dingen, während er Luther damit verschont.«
Er sollte also Zartheit besitzen im Gegensatz zu Luther. Denn Luther
wäre zwar — von Katharina aus gesehen — »die stärkere, intensi-
vere Persönlichkeit« gewesen, »aber in seiner Besessenheit und seinem
Zornmut, der dabei immer von Liebe spricht, enger, beschränkter, ins
Religiöse eingeschlossener, sozusagen provinzieller (Eisleben, Wittenberg) als der Sohn des großen, reichen, kundigen Nürnberg, der von
ganz anderen Veränderungen der Welt weiß, als Luther sie getrieben
betreibt, unwissend in Vielem und in Vielem altweltlich, mittelalter-
lich, ohne Welt und reaktionär. Mit Melanchthon lehnt er Kopernikus
ab.« Man erkennt hier übrigens noch die Nachwirkung der Motivik
aus *Doktor Faustus,* wo Adrian seine geniale Größe auch durch Welt-
losigkeit und Mangel an Liebe erkauft.

Starke Nachwirkungen der alten Luthervorstellungen finden sich
auch, als Thomas Mann im Anschluß an eine Erwägung Meißingers
(S. 155) niederschreibt: »Ein Heiliger ist das nicht, sondern ein Dämon. Aber die Mischung des [für: von] Dämon und Gewalt, seiner
Wut und volkstümlich schlauen Rohheit mit dem Lyrischen, Poetischen,
Kindlichen, dem ›Vom Himmel hoch, da komm ich her‹, dem Lieben, Biederen, Treuherzigen, worin er Trost, Stillung, Ruhe vor sich
selbst findet.«

Immer noch wirkt die Fiktion des primitiven und zugleich bürger-
lich-idyllischen Luther nach. Man sollte solche Zeugnisse jedoch nicht
überschätzen. Es handelt sich um einen Versuch, den aggressiven, starken, rechthaberischen Luther und den sensiblen Sprachkünstler mit dem
empfindlichen Gewissen zusammenzusehen, ein Versuch, bei dem trotz
neuer Kenntnisse die alten Vorstellungen wieder einfließen. In anderen, früheren und späteren Notizen kommt mehr Einsicht in die
komplexe Natur Luthers zum Vorschein. Es sind meistens Gedanken
Meißingers, die Thomas Mann fortführt. So zitiert Meißinger einen

Brief Luthers aus Augsburg, in dem er berichtet, wie dort »jedermann begehre den Herostratus zu sehen, der einen solchen Brand entfacht habe«. Meißinger (S. 209) kommentiert die Briefstelle und Thomas Mann exzerpiert (dabei unwesentlich kürzend): »Was denkt er sich bei dem bösen Namen? Ist es humanistische Ironie? Oder zeigt sich einen Augenblick eine echte Zwiespältigkeit, Folge der ungeheuren Spannung, in der er damals lebte?« Diese Erwägungen beziehen sich auf den antiken Herostratus, der, um sich einen Namen zu machen, den Tempel der Artemis in Ephesos in Brand steckt. Dies kann man aus einer Anmerkung Meißingers lernen. Der Herausgeber Hiltbrunner möchte, etwas künstlich, die Briefstelle eher auf den vergeblichen Versuch der Epheser beziehen, Herostratus totzuschweigen. Luther habe sagen wollen, man könne ihn ebensowenig ignorieren, weil seine Sache nun so offenkundig sei. Thomas Mann folgt dagegen Meißingers Anregung, die Stelle ironisch zu betrachten. Sein verstehender Kommentar lautet so: »Mag sich wohl bitter über das Bild monolithischer männlich biederer u[nd] unerschütterlich geschlossener Festigkeit lustig machen, das die Welt sich von ihm macht, während er seine Zweifel und Ängste, Anfechtungen, Ohnmächte, seine Sensibilität, Zartheit u[nd] das Gefühl für die Fragwürdigkeit seines Tuns *kennt*.« Der erste Teil ist rot unterstrichen (bis: lustig machen), der zweite Teil hat eine rote Wellenlinie am Rand. Sollte dieses Zeichen späteren Zweifel an der Formulierung ausdrücken oder sie besonders hervorheben?

Meißinger sucht in bewegten Worten in Luthers seelischen Zustand zur Zeit der 95 Thesen einzudringen. War er ein tumber Parzival? Diesen Vergleich stellt Meißinger (S. 131) an, möchte aber Parzivals Gefährlichkeit, als er den roten Ritter tötet, in den Vergleich einbeziehen (S. 155 f). Thomas Mann erwägt, ob Luther unter dem Bild »Unschuld eines Parsifal« gesehen werden könne, wobei er Wolframs Helden wagnerisch schreibt. Er findet den Vergleich fragwürdig, gibt aber zu, daß Luther seinen Ruhm nicht erwartet hätte. In diesem Zusammenhang notiert er: »Alles ist sehr gemischt u[nd] verwickelt.« Als Gegengewicht gegen die Gewaltsamkeit in Luthers Natur ist es auch gemeint, wenn er den Gedanken aufzeichnet, Luther habe ein friedliches Ideal von einem feinen reinen, frommen christlichen Leben gehabt.

Auch Kritik an Meißinger kommt vor. Schon erwähnt wurde, wie er ihm den Parzival (Parsifal)-Vergleich nicht recht abnehmen wollte. In der Argumentation gegen Denifles Ansicht vom sinnlichen Luther, auf die schon mehrfach hingewiesen wurde, weist Meißinger auf Luthers kulturelle Leistungen hin (S. 95), »die beste Bibelübersetzung der Weltliteratur«, die Gründung einer neuen Kirche, die sich als sehr festgegründet erwies, und unter anderem die Matthäuspassion hervorbrachte, und erklärt, wenn dieser Mann ein verlogener Gauner gewesen sein solle, sei dies eine »Zumutung, die jedem historischen

Augenmaß widerstrebt«. Mit vollem Recht setzt Thomas Mann in seinen Notizen hinzu: »Dieses ›Augenmaß‹ kann aber sehr täuschen«. Tatsächlich ist ein Schluß von der geschichtlichen Wirkung auf die Persönlichkeit des Urhebers, mehr noch die Umkehrung dieses Verhältnisses, eine Rechnung mit zu vielen Unbekannten. Dies war ja ein Grund für das schiefe und falsche alte Lutherbild Thomas Manns gewesen. Ob er das hier sieht, ist nicht ganz klar, aber sehr wohl möglich.

Das neue Lutherbild, wie es im Schauspiel erscheinen sollte, hatte sich noch nicht geklärt. Es sollte aber eine komplexe Natur dargestellt werden, ein verwickelter Charakter voller Widersprüche und Spannungen. »Zu den Widersprüchen, deren er sich mehr oder weniger bewußt ist, gehört auch sein negatives Verhältnis zum Früh-Kapitalismus, dem er offenkundig feind war.« Gemeint ist, daß er den »Wucher« bekämpft, aber in seiner Lehre von der Würde der Arbeit den wirtschaftlichen Unternehmungsgeist anstachelt. Durch die Einziehung von geistlichen Gütern infolge der Reformation kam auch mehr Kapital in Umlauf. Diese Überlegungen sind Exzerpte aus Baintons Buch (S. 210 f). An verschiedenen Stellen finden sich Notizen, die Luthers »Anfechtungen« betreffen. Sie hinterlassen das Bild einer schwierigen, komplexen, moralisch sensiblen Natur.

Von Bainton (S. 292 ff) übernimmt Thomas Mann Nachrichten über Luthers Beschäftigung mit der Umgestaltung des katholischen Meßkanons zu einer deutschen Messe, Bemühungen, auf die das evangelische Oratorium und damit die Matthäuspassion zurückgehen. In diesem Zusammenhang erleben wir eine zweite kurze Erhellung des Dunkels, in dem wir uns bewegen: »Während des Stückes beschäftigt ihn dieses Problem zusammen mit der Heirat; ist wichtiger als sie.« Hier konnte der musikalische Luther, eine Lieblingsvorstellung Thomas Manns, die auch Ernst Bertram betont hatte,[134] als durchgehendes Grundmotiv verbunden werden mit seiner Sorge um den rechten Gottesdienst.

Eine Notiz besagt, daß Luther seinen früheren Freund Karlstadt, der zu Luthers Mißfallen sich als schwärmerischer Prophet auf der Seite der Bauern am Aufstand beteiligt hatte, am Hochzeitsabend als Flüchtigen in sein Haus aufnehme. Dieser — soweit ich sehe — unhistorische Zug hätte Gelegenheit zu einer düster-dramatischen Szene gegeben. Die Notiz vervollständigt den Eindruck, daß die problematischen, düster-tragischen und melancholischen Töne in diesem Drama wohl überwogen hätten, wegen des Bauernkrieges im Hintergrund, wegen Luthers Charakter und wegen des resignativen Liebesmotivs im Verhältnis zwischen Katharina und Hieronymus Baumgärtner und seines ehrfurchtsvoll-rücksichtnehmenden Benehmens gegenüber Luther.

Die Fiktion des sinnlichen und primitiven Gottesbarbaren, der eine entwichene Nonne heiratet, zusammen mit Wagners Komödienidee hatte möglicherweise dafür gesorgt, daß der Stoff seinem Autor zuerst in einem komischen Lichte erschien. Man müßte dann einen Wechsel der Intention von Komödie zu ernstem Schauspiel annehmen. Wenn es einen solchen Wechsel gegeben hat, wäre er kennzeichnend für das entschlossene Verlassen der alten Fiktionen.

Andererseits haben wir gesehen, daß die alten Fiktionen nicht völlig verschwanden, sondern nachwirkten. Wir können nicht genau wissen, ob das von Meißinger (in erster Linie), Bainton und Köstlin gewonnene Bild des komplexen Charakters Luther von den alten Fiktionen wieder überlagert worden wäre. Ich halte diese Möglichkeit für unwahrscheinlich. Wir dürfen nicht vergessen: die alten Fiktionen boten ein falsches Lutherbild, aber es entstand aus wahrhaftigen Motiven. Der puritanische Protestantismus war die Vorstellung, mit der Thomas Mann in seiner Herkunft ein Gegengewicht gegen die ästhetizistische Schönheitswelt zu finden glaubte. Den nationalen Helden sah er in Luther, weil er sich ihn als Sprachschöpfer und Romkämpfer nicht anders vorstellen konnte. Objekt der Deutschlandkritik wurde der »Gottesbarbar«, weil Thomas Mann Luther mit dem innerlichen, weltfremden Deutschland, mit einem Teil seiner selbst identifizierte und weil er nationale Selbstkritik für nötig und heilsam hielt. Man kann Thomas Manns auf mangelhafte Kenntnis gestützte nationale Selbstkritik aus Anlaß Luthers leichtfertig nennen. Dann verkennt man aber, daß er, wenn auch fälschlicherweise, Luther zu besitzen glaubte. Thomas Mann war kein Gelehrter. Auch liegt in der Suggestion einer fiktiven Welt ein Element der Täuschung. Das war es, was ihm die Hochstaplerfigur so interessant machte. Aber es wäre sehr ungerecht, wollte man das starke Element von Wahrhaftigkeit in Thomas Manns Werk verkennen. Diese Wahrhaftigkeit ist in dem neuen Lutherbild wirksam. Sie wirken zu sehen, ist eine freilich geringe Entschädigung für eine Merkwürdigkeit der Literaturgeschichte, die wir der Dunkelheit lassen müssen, aus der sie nicht befreit wurde.

ANMERKUNGEN
Zu Abschnitt I

1 Siehe Hans Bürgin, *Das Werk Thomas Manns,* Frankfurt, 1959, Titel V, 1—9. Die Gedichte jetzt VIII, 1102—1104. Von Nr. 3 ist gegenwärtig kein Text erreichbar. — Vgl. zu den frühen Dichtungen Wolfgang F. Michael, »Über die Jugenddichtung Thomas Manns«, *Monatshefte* XXXVII (1945), 409—416; Arthur Eloesser, *Thomas Mann,* Berlin, 1925, S. 36—47, dem noch beide Hefte vorlagen. Viele Informationen Eloessers aus der Jugendzeit stammen offensichtlich von Thomas Mann, so daß, was dieses Buch an sachlichen Auskünften bietet, etwa dem Quellenwart eines Interviews ähnlich ist. — Beide Hefte des *Frühlingssturm* lagen auch Alfons Hermann [d. i. Stolterfoht] vor: »Aus Thomas Manns Schülerzeit: Eine Erinnerung zu seinem 50. Geburtstag am 6. Juni«, Niedersachsen XXX erster Halbband, S. 355 f.

2 Notizbuch 2, S. 22 f. (Alle Notizbücher befinden sich im Thomas Mann Archiv der E.T.H., Zürich) Eine Vorstufe zu dieser Notizbucheintragung findet sich schon 1896 in *Der Wille zum Glück:* »Ich war bis vor einer Woche am Meer. Du weißt, ich habe es den Bergen immer vorgezogen.« — Der Gedanke wird auch in »Süßer Schlaf« von 1904 wiederholt (XI, 336) im Zusammenhang mit der weiter unten zitierten Stelle.

3 Das Meersymbol fand Thomas Mann auch bei Kielland und Lie. Siehe Walter Grüters, *Der Einfluß der norwegischen Literatur auf Thomas Manns Buddenbrooks,* Bonner Dissertation, Düsseldorf, 1961, S. 103 f. Aber seine eigenen Jugend-Erfahrungen, in dem besprochenen Gedicht schon literarisch verarbeitet, gingen vorher. Er fand also manches von seiner eigenen Ansicht bei Kielland und Lie wieder. Sehr viele scheinbare literarische Vorbilder erweisen sich auf diese Weise als bestätigende, erweiternde Einflüsse, aber letzten Endes als sekundäre.

4 Vgl. Karl Schlechta, *Der Fall Nietzsche,* München 1958, S. 80. In jeder der Abhandlungen, aus denen Schlechtas Buch besteht, wird dieser Punkt behandelt.

5 Lebhaftes Interesse des jungen Thomas Mann für Napoleon ist übrigens auch aus den frühen Notizbüchern erkennbar.

6 An Polizeipräsident von der Heydte, *Jahrbuch der deutschen Schillergesellschaft* VII (1963), 197 (30. 4. 1913).

7 Notizbuch 9, S. 9 f. Das Notizbuch ist am Anfang mit 1906 datiert. Auf S. 8 findet sich eine Eintragung, die zu Thomas Manns Brief an Kurt Martens vom 16. 4. 1906 gehört. *(Briefe 1889—1936, S. 65).*

8 Darauf hat T. J. Reed aufmerksam gemacht: »Thomas Mann, Heine, Schiller: The Mechanics of Self-Interpretation«, *Neophilologus* XXXXVII (1963), 41—50. Mein Kommentar dazu in der gleichen Zeitschrift XXXXVIII (1964), 51—56 wird zum Teil in der hier vorgelegten Abhandlung wieder verarbeitet. — Für die dort angekündigte Untersuchung »Ästhetizismus, Humanismus und Politik im Werk Thomas Manns« bitte ich den Leser die hier vorgelegte Studie zunächst als Abschlagszahlung anzusehen.

9 Aphorismus 257. — Darauf hat R. A. Nicholls aufmerksam gemacht. *Nietzsche in the Early Works of Thomas Mann,* University of Cali-

fornia Publications in Modern Philology Nr. 45, Berkeley, 1955, S. 7 bis 10. — Das Zitat auch in *Zur Genealogie der Moral*, Abh. 3 Nr. 14, *Nietzsches Werke*, hrsg. von K. Schlechta, Bd. II, München, 1955, S. 866.

10 *Briefe 1937—1947*, Frankfurt, 1963, S. 504 f.

11 Vgl. Hans Wysling, »Die Technik der Montage: Zu Thomas Manns *Erwähltem*.« *Euphorion*, LVII (1963), 180.

12 Thomas Mann trat nach Vorbereitung durch ein privates Progymnasium 1889 in die Untertertia ein und wurde nicht versetzt. 1891 gelangte er in die Obertertia, wo Dr. Baethcke sein Klassenlehrer wurde, 1892 in die Untersekunda, die er ebenfalls zweimal durchlief. Ostern 1894 wurde er mit der Reife für Obersekunda entlassen. Diese Angaben nach den Klassenlisten des Katharineums im Archiv der Hansestadt Lübeck.

13 2. Notizbuch S. 22. Die Aufzeichnung beginnt in der 3. Person und wird dann in der ersten fortgesetzt. Allerdings sind beide Teile für Thomas Buddenbrook verwendet worden (I, 671 f.). Der Anfang in der Er-Form und diese Tatsache drückt wohl eine gewisse Reserve gegen die niedergeschriebene Meinung aus. Thomas Mann war ja — nicht einmal in Nietzsches Sinne — kein »ausschließlicher« Psychologe, vor allem nicht seit den *Buddenbrooks*, die 1897 begonnen wurden. Diese Erwägungen schwächen aber kaum die Bedeutung der Begriffe »von Geburt und Bildung« ab. Vgl. auch die später gelegentlich wiederholte Äußerung in »Lebensabriß«: »... unsere Substanz zu verändern, etwas anderes aus uns zu machen, als wir sind, ist keine Bildungsmacht imstande« (XI, 109).

14 Ebenda.

15 Die Begründung unten in Kapitel 5.

16 Diese Mitteilung danke ich der Freundlichkeit Hans Bürgins. Die im einzelnen vagen oder ungenauen Angaben der Biographien über Thomas Manns Jugendzeit einschließlich der von Klaus Schröter (in Rowohlts Monographien, Reinbek, 1964) werden in hoffentlich nicht zu ferner Zukunft durch Hans Bürgins geplantes Buch über die Lübecker Jugendzeit ersetzt werden. Vgl. Hans Bürgin und Hans Otto Mayer, *Thomas Mann, Chronik seines Lebens*, Frankfurt, 1965. Dieses Buch lag mir noch nicht vor.

17 Heinz Kindermann, *Hermann Bahr*, Graz-Köln, 1954, S. 41.

18 Auf den Bahr-Einfluß hat Klaus Schröter aufmerksam gemacht. *Thomas Mann*, Rowohlts Monographien, Reinbek, 1964, S. 31 f.

19 1. Notizbuch S. 29. Die Datierung ergibt sich aus einer wenige Seiten vorher erscheinenden Eintragung, die wahrscheinlich auf das im Wintersemester 1894—1895 gehörte Kolleg zurückgeht.

20 *Briefe 1889—1936*, Frankfurt, 1961, S. 79, 11. Januar 1910.

21 »Gabriele Reuter«, *Der Tag*, Berlin 14. und 17. Februar 1904. Nicht in Gesammelte Werke, 1960.

22 Auf den Bourget-Einfluß hat Klaus Schröter aufmerksam gemacht (*Thomas Mann*, Rowohlt, 1964, S. 31 f., 36—39, 42 f.), aber diesen Einfluß in Entdeckerfreude sehr übertrieben. Sein Versuch, den Nietzsche-Einfluß erst im Jahre 1896 zu datieren, ist nicht haltbar. Nietzsche-Lektüre hat den Bourget-Einfluß fast von Anfang an ergänzt und relativiert. Vgl. den Brief an Henry H. Remak vom 21. 7. 1954, der

voraussichtlich in *Briefe 1948—1955* aufgenommen werden wird. Die Paul Bourget betreffende Stelle bezieht sich auf Tonio Kröger, VIII, 320.

23 1. Notizbuch, S. 24.

24 »Ein nationaler Dichter«, in der Rubrik: »Aus dem Geistes- und Kulturleben unserer Tage«, in *Das Zwanzigste Jahrhundert*, 6. Jahrgang, 2. Halbband, Heft 9, Juni 1896. (Die Artikel Thomas Manns aus dem *Zwanzigsten Jahrhundert* waren mir in Abschriften zugänglich.) — Der Anfang der angezogenen Buchkritik Thomas Manns zitiert bei Klaus Schröter, *Thomas Mann*, Rowohlt, 1964, S. 42.

25 Siehe die in Anmerkung 3 genannte Dissertation von Walter Grüters.

26 *Das Zwanzigste Jahrhundert*, 7. Jahrgang Heft 1, Oktober 1896.

27 Blätter zum 3. Notizbuch gehörig S. VII.

28 Ebenda S. XXX.

29 ungedruckt, Yale University Library.

30 Notizbuch 9, S. 61. Vgl. XII, 75. — Vgl. auch *Briefe 1937—1947*, S. 409, an Anna Jacobson, 19. 1. 1945, wo er von Brandes' erquicklicher Klarheit spricht, aber zugleich den Eindruck von zwei persönlichen Begegnungen zusammenfaßt: »Er hatte viel von einem geistreichen alten Weib mit boshaftem Klatschmaul.«

31 Siehe oben Anmerkung 26.

32 Z. B. *Jenseits von Gut und Böse*, Aph. 9, 13, 22, 23, 51, 186, 211, 259. Über die Rezeption von *Jenseits* siehe unten, Kapitel 5. Nietzsche versteht die Formel weniger als hohen Bewußtseinsgrad — so müßte sie eigentlich innerhalb seiner Philosophie verstanden werden —, sondern will sie auch als allgemeines, sogar physiologisches Lebensgesetz anerkannt wissen. Es ist dies eine der deutlichsten Schwächen seiner Philosophie, nämlich sein Bedürfnis, durch Introspektion gewonnenen Ansichten naturwissenschaftliches Gesicht und Gewicht zu geben. In gewissem Sinne kann man sagen, daß Thomas Mann Nietzsche besser als dieser sich selbst versteht.

33 Z. B. Thomas Manns Antwort auf eine Rundfrage in *Kritik der Kritik* 1905, Heft 2, S. 108 f., wo es unter anderem heißt: » . . . ich glaube, daß kein moderner schaffender Künstler das Kritische als etwas seinem eigenen Wesen Entgegengesetztes empfinden kann.

34 *Das Zwanzigste Jahrhundert*, 6. Jahrg., 2. Halbband, Heft 9, Juni 1896.

35 Klaus Schröter (*Thomas Mann*, Reinbek, 1964) gebührt das Verdienst, diese Artikel im *Zwanzigsten Jahrhundert* entdeckt, wie auch auf Thomas Manns Bourget-Lektüre hingewiesen zu haben. Vgl. oben Anmerkung 22. Man kann Thomas Mann nicht — das dürfte aus meinen durchaus lückenhaften Angaben klar geworden sein — »Zögling Bourgets« (Schröter, S. 39) nennen. Der Beginn des Nietzsche-Einflusses ist schon aus dem 1. Notizbuch auf 1895 oder früher zu datieren, man kann nicht wegen des Vorkommens der Formel »Wille zur Macht« im Oktoberartikel 1896 die Nietzschelektüre erst damals beginnen lassen (Schröter, S. 40 u. 42), um Bourgets alleinigen Einfluß zu retten. Man kann auch nicht behaupten, daß der folgende Satz »klipp und klar« den jungen Thomas Mann bloßstelle: » . . . denn die Deutschen sind, als das jüngste und gesündeste Kulturvolk Europas, wie keine andere Nation berufen, die Träger von Vaterlandsliebe, Religion und Familiensinn zu sein und zu bleiben« (Schröter, S. 42), wenn der nächste

Satz, nach Absatz, fortfährt: »Dieser Gedanke ist, kurz gefaßt, das Resultat eines von Anfang bis zu Ende glänzend geschriebenen Buches von Karl Weiß.« — Vgl. jedoch die folgende Anmerkung.

36 Dafür sprechen auch die naiven Behauptungen, die der Rezensent aus Weiß' Betrachtungen über das Niederwalddenkmal zitiert. In Deutschland seien die besten Männer »edel, klar und kräftig«, die Frauen »fromm und voll Tugend«, die Kinder »in Zucht und Ordnung«. Am Schluß behauptet er, gleiche Frömmigkeit bei Weiß und Bourgets altem Katholiken zu finden. Ich kann mich nicht überzeugen, daß derselbe, der ein Jahr später das »Bilderbuch für artige Kinder« mit verfassen sollte (Viktor Mann, *Wir waren fünf*, Konstanz, 1964, S. 51—59), diesen borniertem Patriotismus ernst genommen haben soll. — Andererseits ist die Ironie, die ich annehme, letztlich nicht zu beweisen, und manche der Buchbesprechungen Thomas Manns im *Zwanzigsten Jahrhundert* sind sicher nichts anderes als braves Ausfüllen der verlangten Rolle. — Es ist nicht ausgeschlossen, daß Thomas Mann damals die antisemitischen Tendenzen experimentierend geteilt hat. Dies wäre dann der Fall, wenn der ungezeichnete Artikel »Eine merkwürdige Musikgeschichte« Thomas Mann zum Verfasser hätte *(Das Zwanzigste Jahrhundert*, Februar 1896), wie manche Wendungen des Aufsatzes nahelegen. Ein distanziertes und trotzdem begeisterungsfähiges Verhältnis zu Wagner kommt in einigen Stellen am Anfang zum Ausdruck. Andere Stellen sind wieder auf so, im Falle Thomas Manns, unglaubliche Weise borniert antisemitisch, daß daraus zwei Schlüsse möglich sind: entweder ist Thomas Mann seine Rolle zu schwer gefallen, die Maske wollte nicht sitzen, oder ein anderer Rezensent hat eine Buchkritik Thomas Manns, die von der Redaktion oder von den »Hintermännern« als ungenügend im Sinne der Haupttendenz des Blattes angesehen wurde, für seine eigene ausgenutzt. Dieser Deutung neige ich zu. Heinrich Mann schied im Sommer 1896 endgültig aus der Redaktion des Blattes aus. Die beiden Artikel, in denen ich ein raffiniertes Spiel mit der Tendenz des Blattes zu erkennen glaube, sind nach dem Ausscheiden Heinrich Manns aus der Leitung des Blattes erschienen. Außerdem ist es natürlich möglich, daß Thomas Mann gar nichts mit der Kritik »Eine merkwürdige Musikgeschichte« zu tun hat. — Wie weit er sich auch immer auf die Tendenz des Blattes eingelassen haben mag, ich halte daran fest, daß er es nicht identifizierend, sondern in einer Rolle tat, die er teilweise zynisch mitmachend, teilweise auch, in der oben im Text beschriebenen Weise, gewissermaßen gegen sein Publikum spielte. Dafür spricht auch, daß er später seine Mitarbeit am *Zwanzigsten Jahrhundert* konsequent verschwieg.

37 Paul Scherrer, »Bruchstücke der Buddenbrooks-Urhandschrift und Zeugnisse zu ihrer Entstehung 1897—1901«, *Neue Rundschau*, LXIX (1958), S. 258 f.

38 Auf S. 26—27 des Notizheftes 1 findet sich eine Aufzeichnung über Perceval, Parzival, Parsifal, Chrestien de Troyes, die auf das gehörte Kolleg von Wilhelm Hertz über Höfische Epik zurückgehen dürfte.

39 Die Reihenfolge der Zitate aus Aphorismen (oder, in den meisten Fällen, der kurzen »Sprüche« aus dem vierten Hauptstück von *Jenseits...*) im Notizbuch ist die folgende: 1. Notizbuch, S. 51: Aphorismus 7, 142,

145; S. 52: Aphorismus 153, 161, 175. Auf S. 53 und 54 finden sich Paul-Heyse-Zitate, darauf folgt eine neue Gruppe von Nietzsche-Zitaten. S. 55: Aphorismus 65, 108; S. 56: Aphorismus 120, 141. Daraus kann man schließen: 1. Die Zitate stammen aus direkter Nietzsche-Lektüre, sie sind nicht aus sekundärer Quelle. 2. Thomas Mann blätterte auch zurück. Dies läßt die Vermutung möglich erscheinen, daß er das Ganze schon kannte und Angestrichenes notierte.

40   1. Notizbuch S. 68. Band II *(Menschliches, Allzumenschliches I)* der Großoktavausgabe, der sich jetzt in Thomas Manns Bibliothek befindet, trägt die Jahreszahl 1900, der Band III *(Menschliches, Allzumenschliches II)* 1906. Möglicherweise gingen die zuerst angeschafften verloren und wurden ersetzt. Bei dem starken Interesse für »Psychologie« ist nicht anzunehmen, daß Thomas Mann sich *Menschliches, Allzumenschliches* so lange entgehen ließ.

41   *Briefe 1889—1936*, S. 25—29; dazu an Heinrich Mann, 25.—27. 3. 1901, in: Alfred Kantorowicz, *Heinrich und Thomas Mann*, Berlin, 1956, S. 74—76.

42   2. Notizbuch, S. 15. Das Zitat diene als Beispiel für die Schreibweise Thomas Manns, die er auch nach der Orthographiereform festhielt, wenn auch nicht immer konsequent. Ich halte es nicht für nötig, diese Schreibweise in allen Zitaten getreu einzuhalten.

43   2. Notizbuch, S. 23 f.

44   2. Notizbuch, S. 24.

45   Blätter zum 3. Notizbuch gehörig, S. XXXII.

46   Wenn die am 15. Mai 1895 brieflich erwähnte Novelle »Walter Weiler« wirklich etwas mit *Der Bajazzo* zu tun hat *(Briefe 1889—1936*, S. 6 und Anmerkung dazu), dann wäre diese Vorform (?) der Erzählung eine frühe Frucht des Nietzsche-Einflusses.

47   Siehe oben Anmerkung 9.

48   1. Notizbuch, S. 55; *Jenseits*, Aphorismus 108.

49   1. Notizbuch, S. 78 f. — Paul Bourget, *La Terre promise*, Paris, 1892, S. 307. Das Nietzschezitat, *Also sprach Zarathustra*, Teil IV, »Das trunkene Lied«, Nr. 1, *Nietzsches Werke*, hrsg. von Karl Schlechta, II, München, 1955, 552. — In Thomas Manns Nietzsche Ausgabe, Band II, Leipzig (Naumann), 1904, ist der *Zarathustra* ohne Benutzungsspuren. Er wird den *Zarathustra* vor 1904 in einer anderen Ausgabe gelesen haben.

50   12. Notizbuch, S. 18.

51   1. Notizbuch, S. 52, *Jenseits*, Aphorismus 153.

52   In zwei Bonner Arbeiten ist die Vielschichtigkeit in Thomas Manns Werk oder sein ästhetischer Perspektivismus zur Grundlage der Interpretation gemacht worden, in beiden Arbeiten wird die große Bedeutung von Nietzsches Werk für das Thomas Manns hervorgehoben: Helmut Koopmann, *Die Entwicklung des ›intellektualen Romans‹ bei Thomas Mann*, Bonn, 1962; und Heinz Peter Pütz, *Kunst und Künstlerexistenz bei Nietzsche und Thomas Mann*, Bonn, 1963. Koopmanns Verdienst ist, daß er auch die *Buddenbrooks* als vielschichtiges Werk betrachten will. Koopmanns Ansicht ist ein Fortschritt gegen die immer wieder nachgesprochene Behauptung, die *Buddenbrooks* seien ein Erzählwerk alter, einschichtiger Art.

53 *Briefe 1937—1947*, S. 487, 3. 4. 1946. — Vgl. IX, 706 f.

54 1. Notizbuch, S. 68. Es handelt sich dabei um eine Einzelausgabe. Der erste Band in Thomas Manns Nietzsche-Ausgabe erschien erst 1899.

55 »Ostmarkklänge: Gedichte von Theodor Hutter«, *Das Zwanzigste Jahrhundert*, 6. Jahrgang, 1. Halbband, Nr. 3, Dezember 1895, S. 282—284. Anfang und Schluß sind wert, hier zitiert zu werden: »Unter den Lyrikern gibt es neuerdings einige Leute, die es lieben, ihre Stimmungen und Gefühle ›mit sich durchgehen zu lassen‹. Man nennt das ›Dionysische Kunst‹, und Dehmels ›Tagloni gleia glühlala‹, das allmählich zu lustiger Popularität zu gelangen scheint, ist das lehrreichste Beispiel dafür. Nun ist ganz sicher Der kein Künstler, kein Kenner, der nicht zugleich über seinen Gefühlen steht, sie nicht zu meistern vermag, sondern in ohnmächtig unartikulierten Lauten nur sich Luft zu machen sucht. Es handelt sich darum, ungreifbare Nebel in den Zustand der Kunst zu ver›dichten‹, nicht sie irr zerflattern zu lassen. Es handelt sich darum, das scheinbar Unsägliche in strenge Form zu bannen, nicht in bacchantischem Geheul nur die eigene Unfähigkeit darzutun.«
Es folgt die eigentliche Besprechung des Lyrikbandes, die ich nicht ernstnehme. Einmal nennt er ein Liebesgedicht »Kitsch«, führt zwei ganz schwache patriotische Strophen fast ohne Kommentar an, lobt sonst aber in den höchsten Tönen und endet: »Das Buch wird den Beifall finden, den es verdient. Theodor Hutter ist einer von denen, die dafür sorgen, daß im Reiche der Dichtkunst die lichte Majestät Apollos herrsche, und die sich nicht anschließen dem wankenden Zug lallender Thyrsusschwinger.« (Schreibweise modernisiert)

56 Nietzsches Werke, *Der Wille zur Macht*, 3. und 4. Buch, 2. Auflage, Leipzig, Kröner, 1922, S. 19 in Aphorismus 495. In der Ausgabe von Schlechta III, 424.

57 »Vorrede« in *Jenseits von Gut und Böse. Nietzsches Werke*, hrsg. von Karl Schlechta, II, 556.

58 Die Stelle in Thomas Manns Nietzsche-Ausgabe ist oben, Anmerkung 56, angegeben. — Vor dem Wort »Wahrheit« hat Thomas Mann irrtümlich ein weiteres »mit« eingesetzt, weil das erste »mit« eine Zeile höher stand. Also auch: Macht hat mit Wahrheit gar nichts zu tun« kann als Formulierung Thomas Manns gelten.

59 Das »hochgelegene Vorstadtzimmer« (XII, 72) paßt, nach freundlicher Mitteilung Hans Bürgins, am besten auf Thomas Manns Wohnung Feilitzschstr. 5, 3. Etage, die er seit Juni 1899 bewohnte.

60 *Briefe 1889—1936*, S. 15; 30. 5. 1900. Abgesandt wurde das Buch erst im August 1900 (Paul Scherrer, Bruchstücke der Buddenbrooks — Urhandschrift und Zeugnisse zu ihrer Entstehung 1897—1901«, *Neue Rundschau*, LXIX [1958], 271) wahrscheinlich weil er nach der Beendigung noch Verbesserungen vornahm, die zur Ausscheidung der erhaltenen Blätter der Urhandschrift führten. »Die Anfänge des Romans sind noch nicht präsentabel« schrieb er in der zuerst erwähnten Mitteilung an Kurt Martens. Man kann also nicht vom Absendetermin ausgehen.

61 Arthur Schopenhauer *Sämtliche Werke*, hrsg. von Julius Frauenstädt, Bd. III, Leipzig, 1877, S. 583.

62 Vgl. aus späterer Zeit (1938) IX, 560—563.

63 Dieser Gedanke wird in der zur Zeit der Niederschrift noch nicht vorliegenden Dissertation von Manfred Dierks über den Mythos bei Thomas Mann behandelt werden. Manfred Dierks hat mich freundlicherweise über die Entwicklung seiner Gedanken auf dem laufenden gehalten.

64 *Schopenhauers Werke*, hrsg. von J. Frauenstädt, Leipzig, 1877, II, 219 (*Welt als Wille und Vorstellung*, I, § 36); vgl. ebenfalls III, 446 f (II, Kapitel 31). Die in Thomas Manns Bibliothek im Zürcher Archiv befindliche Ausgabe ist von 1922. Ihre Benutzungsspuren lassen also keine sicheren Rückschlüsse auf Thomas Manns frühe Schopenhauer-Rezeption zu, obwohl man annehmen darf, daß in der späteren ein Wiedererkennen der früheren stattfindet.

65 Vgl. § 51 des 1. Bandes der *Welt als Wille und Vorstellung*, Schopenhauers *Sämtliche Werke*, hrsg. von J. Frauenstädt, II, 286.

66 Schopenhauer-Einfluß auf die Figur Savonarolas und auf den Gedanken, der Literat sei Heiliger (der in den Notizen zum Literaturessay vorkommt) sieht Manfred Dierks, wohl mit Recht. Siehe oben Anmerkung 63.

67 Darauf hat Hans M. Wolff aufmerksam gemacht. Hans M. Wolff, *Thomas Mann*, Bern, 1957, S. 11 f. — Das Buch hat weiterhin das Verdienst, auf den Nihilismus in Thomas Manns Weltanschauung hingewiesen zu haben, den es auch mit dem Nietzsche-Einfluß zusammen sieht. — Neben dem Goethe-Einfluß kommt in *Gefallen* auch Einfluß Paul Bourgets (Klaus Schröter, *Thomas Mann*, 1964, S. 35 f.) und Iwan Turgenjews in Frage (T. J. Reed, »Mann and Turgenev — A First Love«, *German Life and Letters*, XVII [1964], 313—318).

68 Wie schon oben angedeutet, sind die Erzähler und Leser gemeinsamen Erfahrungen (das ist, was immer irreführend »Wirklichkeit« in der Erzählung genannt wird) als Verständigungsmittel nicht ausgeschaltet. Die Struktur bestimmt die Grenze, bis zu der Erfahrungen aus der nicht-fiktiven Welt Gültigkeit haben. — Anregende Interpretationen zum Thema *Wirklichkeit und Kunstcharakter* bietet das so benannte Buch von Walther Killy, München, 1963.

69 Die Schwäche der Erzählung offenbart sich auch an der peinlich primitiven Symbolik des zerbrochenen Glases an der Fontana Trevi (III, 60). — Eigenartig ist Paolos Lob Berninis als eines großen Dekorateurs. Ist das Selbstironie? Ist Nietzsche der Feind Berninis? Nietzsche mochte Bernini nicht. Ob die Bezeichnung »Dekorateur« auch eine Wagner-Anspielung enthält? Blitzt hier der Gedanke der Scharlatanerie der Kunst auf? Leider ist die Anspielung nicht voll verständlich.

70 Vgl. Roger A. Nicholls, *Nietzsche in the Early Works of Thomas Mann*, Berkeley, 1955, S. 13 f. Nicholls sieht keine parodische Absicht.

71 *Luischen* wurde erst nachträglich (1900) veröffentlicht. Die Erzählung existierte aber schon, während das »Bilderbuch für artige Kinder« in Italien verfaßt wurde (vermutlich Herbst 1897). Vgl. Viktor Mann, *Wir waren fünf*, Konstanz, 1964, S. 55.

72 Im 1. Notizbuch findet sich ein französisches Zitat mit der Übersetzung: »Alles für entdeckt halten, ist ein tiefer [so — von Thomas Mann? — übersetzt; französisch: profonde] Irrtum. Das ist den Horizont für die Grenze der Welt halten« mit der Bemerkung: »Avis an die Naturalisten«.

73 Nietzsche, *Zur Genealogie der Moral,* 3. Abh., Aph. 6, *Werke* hrsg. von Schlechta, II, 847. — Vgl. R. Nicholls, *Nietzsche in the Early Works of Thomas Mann,* 1955, S. 10—12. Unter den Stellen, die er anführt, dürfte nur die oben angegebene relevant sein; Stellen aus dem Nachlaß konnte Thomas Mann 1896—1897 gar nicht kennen. — *Zur Genealogie der Moral,* mindestens die 3. Abhandlung, dürfte Thomas Mann damals gelesen haben. Das kann man schon an der Struktur der Friedemann-Erzählung erkennen. Freilich weiß man nicht genau, wann *Der kleine Herr Friedemann* geschrieben wurde. Vielleicht ist die am 29. 11. 1894 genannte Novelle »Der kleine Herr Professor« ein Vorläufer *(Briefe 1889—1936,* S. 5, vgl. die Vermutung der Herausgeberin Erika Mann S. 438). So früher Nietzsche-Einfluß ist möglich, aber zweifelhaft. Die endgültige Fassung ist jedenfalls in der vorliegenden Form von Nietzsche beeinflußt und, zumindestens indirekt, von Schopenhauer, natürlich unter der grundlegenden Einschränkung der Auswahl, die für alle »Einflüsse« gilt. *Die Genealogie der Moral* steht in Thomas Manns Nietzsche-Ausgabe in einem Band, der 1899 erschien. Die Benutzungsspuren sind verhältnismäßig spärlich und gehen wohl auf eine erneute Lektüre für den Savonarola-Stoff zurück. In dem mit Besitzervermerk von 1896 versehenen Band, der die *Morgenröte* enthält, findet sich in früher Schrift zu dem Ausdruck »idealisierte Geschlechtsliebe« in Aphorismus 503 eine Randbemerkung, die beginnt: »Als ein Produkt des Christentums! Als ein Produkt des asketischen Ideals . . . « Zwar traue ich mich nicht, die Schrift von 1896 und die von 1899 zu unterscheiden, möchte die Randbemerkung aber doch als Anzeichen werten, daß Thomas Mann bei der Lektüre der *Morgenröte* 1896 »Was bedeuten asketische Ideale« schon kannte. Dafür scheint mir auch zu sprechen, daß die von Thomas Mann oft genannte Abhandlung, aus der er auch oft zitiert, keine stärkeren Benutzungsspuren in dem erst 1899 erschienenen Band seiner Ausgabe aufweist.

74 1. Notizbuch, S. 24. Die ganze Notiz ist oben in Kapitel 3 zitiert.

75 1. Notizbuch, S. 52, *Jenseits,* Aph. 161. Einen gewissen Einfluß mag der Aphorismus, nach dem *Friedemann,* auf die ganze Gruppe der Außenseiter gehabt haben, auf den Bajazzo und vor allem auch auf Christian Buddenbrook. Vgl. I, 264—266.

76 Aphorismus 9.

77 Schopenhauer-Einfluß soll ja so früh nicht in Frage kommen. Sehr merkwürdig ist die Affinität der Hauptstrukturlinie zu Schopenhauers Willenslehre, besonders im Zusammenhang mit dem Selbstmord Friedemanns.

78 Die Vorstellung des bösen Gewissens als Selbstpeinigung im Gegensatz zu dem Gewissen des souveränen Individuums ist möglicherweise von Nietzsches zweiter Abhandlung in *Zur Genealogie der Moral* beeinflußt: »›Schuld‹, ›Schlechtes Gewissen‹ und Verwandtes«.

79 *Briefe 1889—1936,* S. 6. Vgl. die zugehörige Anmerkung Erika Manns.

80 Die Beschreibung weist übrigens an einigen Stellen Ähnlichkeit mit der von Settembrinis Verhalten auf.

81 2. Notizbuch, S. 18 f. In der Auslassung nur ein unpassendes »wie gesagt«.

82 Es ist für uns gleichgültig, ob die Befangenheit, die der junge Thomas

Mann im Vergleich mit seinem Hauswirt bei sich feststellt, wirklich von seinen metaphysischen Einsichten kommt. Man könnte das Verhältnis auch umkehren. Fest steht, daß er beides als zusammengehörig empfindet.

82a R. Nicholls, *Nietzsche in the Eearly Works of Thomas Mann*, 1955, S. 13, macht auf *Menschliches, Allzumenschliches*, Aph. 50 aufmerksam.

83 3. Notizbuch, S. 31. Die Datierung 1898 wird gesichert durch XI, 155, wo Thomas Mann berichtet, er habe die Novelle in der Schwabinger Marktstraße geschrieben, in Verbindung mit einem ungedruckten Brief vom 12. Oktober 1898 an Korfiz Holm, datiert Schwabing, Marktstraße 5.

84 Holstentor und Puppenbrücke sind VIII, 155 beschrieben, auch die übrige Topographie kann zutreffen und würde auf eine Straße vor dem Burgtor weisen, wo Thomas Mann und Hanno Buddenbrook nach dem Tode ihrer Väter wohnten. Freilich wurden in Wirklichkeit auf dem Wege zwei (heute drei) Brücken überschritten, die auf eine reduziert werden, um der symbolischen Bedeutung des Flusses willen. Die Statuen an der Lübecker Puppenbrücke sind zum Teil Allegorien, zum Teil antike Götter. — Vgl. auch *Buddenbrooks* I, 170 »die aufgeschlagenen Kragen ihrer Überzieher« mit VIII, 154.

85 Darauf hat Henry Hatfield aufmerksam gemacht, »Charon and ›Der Kleiderschrank‹«, *Modern Language Notes*, LXV (1950), S. 100—102.

86 *Briefe 1889—1936*, S. 25, 13. 2. 1901 an Heinrich Mann.

87 Ebenda, S. 27, 7. 3. 1901.

88 3. Notizbuch, S. 28. Vgl. I, 140.

89 Sehr seltsam ist die Darstellung Hans M. Wolffs (*Thomas Mann*, Bern, 1957, S. 25 f.), der, auf Grund einer persönlichen Mitteilung des Dichters, von dem ursprünglich geplanten Hanno-Künstlerroman spricht und hinzufügt, mehrere Kapitel von Hannos weiterem Werdegang seien während der Vorarbeiten entstanden. Vielleicht ist das ein Mißverständnis und Thomas Mann meinte nur Züge der Handlung, wie Hannos Konfirmation, die dann nicht aufgenommen wurden. Vgl. auch Arthur Eloesser, *Thomas Mann*, Berlin, 1925, S. 85.

90 Scherrer, »Bruchstücke der Buddenbrooks Urhandschrift«, *Neue Rundschau*, LXIX (1958), S. 268.

91 Paul Scherrer, »Aus Thomas Manns Vorarbeiten zu den Buddenbrooks«, *Blätter der Thomas Mann Gesellschaft*, Nr. 2 (1959), S. 14.

92 Scherrer, »Bruchstücke . . .« S. 258 f.

93 Scherrer, »Bruchstücke . . .« S. 263. Das Datum scheint später hinzugesetzt zu sein, aber wohl aus lebhafter Erinnerung, so daß seine Geltung kaum zweifelhaft ist.

94 1. Notizbuch, S. 22.

95 Blätter zum 3. Notizbuch, S. I. S. IV enthält das Gedicht »Weihnacht«, datiert »23. XII. 98«.

96 *Briefe 1889—1936*, S. 26, 13. 2. 1901 an Heinrich Mann.

97 Siehe oben Anmerkungen 24 und 34.

98 2. Notizbuch, S. 48 f.

99 Scherrer, *Blätter der Thomas Mann Gesellschaft*, Nr. 2, S. 9—16.

100 2. Notizbuch, S. 51—52.

101 Blätter zum 3. Notizbuch gehörig, S. X—XI. Im Roman ist diese Notiz verwendet in der unten zitierten Stelle I, 612. Vgl. auch I, 472.

102 2. Notizbuch, S. 12, abgedruckt bei: Klaus Schröter, *Thomas Mann,* S. 47. — Im Roman I, 29 und I, 41 (auch Pastor Wunderlich ist beteiligt). Bei Eckermann, *Gespräche mit Goethe,* unter dem 9. Dezember 1824, 5. Juli 1827 (Anfang), 7. April 1829; »Großheit«: 30. März 1824.

103 2. Notizbuch S. 1. »Züge für Christian« ist verbessert aus: »Krankheitszüge«. — Vgl. Paul Scherrer, »Bruchstücke...«, *NR* LXIX (1958), 259 f.

104 Übrigens hatte die Morbidität Thomas Buddenbrooks kein Vorbild in dem Senator Mann. Siehe Viktor Mann, *Wir waren fünf,* Konstanz, 1949, S. 17. Des Senator Manns Tod war nicht schmutzig (siehe unten). Auch sonst ist nachweisbar, wie die Strukturlinie die Auswahl der realen Fakten aus den Quellen bestimmt, obwohl vieles aus der wirklichen Familiengeschichte übernommen wird, weil es teils paßte, teils weil es sich für die sprachliche Vergegenwärtigung anbot. Siehe Julia Mann, »Tante Elisabeth« *Sinn und Form* XV (1963), 482—496 und den Kommentar von Ulrich Dietzel, »Tony Buddenbrook — Elisabeth Mann« ebenda S. 497—502 mit zurückhaltend marxistischer Tendenz.

105 Scherrer, *Blätter der Thomas Mann Gesellschaft* Nr. 2 (1959), S. 5.

106 3. Notizbuch, S. 19.

107 Die verblüffende aber trügerische Konsequenz so mancher marxistischen Deutung Thomas Manns beruht nicht darauf, daß der Marxist das Verhältnis der fiktiven Struktur zur Wirklichkeit im Auge hätte, sondern darauf, daß er eine fiktive Struktur in die andere übersetzt. Der Marxismus reduziert die vieldeutige Wirklichkeit auf strukturelle Leitlinien, die er für wissenschaftliche Wahrheit hält.

108 Paul Scherrer, *Blätter der Thomas Mann Gesellschaft,* Nr. 2, S. 5 und 14.

109 Paul Scherrer, »Bruchstücke...«, *NR,* LXIX, 268.

110 Vgl. *Briefe 1889—1936,* S. 27; 7. 3. 1901 an Heinrich Mann.

111 Paul Scherrer, »Bruchstücke...« *NR* LXIX, 260 f.

112 Wir wissen aus dem Bericht der Schwester Thomas Manns (siehe oben Anmerkung 104), daß diese Züge aus der Wirklichkeit der Familiengeschichte stammen. Vgl. auch P. Scherrer, *Blätter der Thomas Mann Gesellschaft,* Nr. 2, S. 20, 22 f. — Dies spricht natürlich nicht gegen ihre bewußte Verwendung für die Verwirklichung der parallelen Strukturlinie. Ein gewisses Übergewicht Tonys (Antoniens) in den frühen Plänen spricht dafür, daß ihre Figur eng mit der Intention zusammenhängt. Die Struktur ist ja die Intention, die sich in das fertige Werk als Orientierungssystem erstreckt. Es ist übrigens bemerkenswert, daß man bei Tonys »Vorbild« in der Familiengeschichte nicht von einem erzwungenen Liebesverzicht sprechen kann, infolgedessen auch nicht von einer Mithilfe des Pastors bei dem Druck, der auf sie ausgeübt wird.

113 Blätter zum 3. Notizbuch, S. XVI; abgedruckt von Scherrer, *Blätter der Thomas Mann Gesellschaft,* Nr. 2, S. 17.

114 Vor allem George, aber auch Rilke, dessen *Aufzeichnungen des Malte Laurids Brigge* freilich auf der Linie der Hanno-Darstellung in den *Buddenbrooks* liegen.

115 Daß wir heute diese Wilhelminische Zeit mit Bedenken betrachten, muß außer Ansatz bleiben. Für Lübeck handelte es sich zweifellos um einen notwendigen Anschluß an die moderne Entwicklung.

116 Allerdings hat er eine Vorlesung über deutsche Geschichte nach 1813 an der Technischen Hochschule in München im Sommersemester 1895 gehört.

117 In der historischen Wirklichkeit war die Oktoberrevolte 1848 in Lübeck nicht eindeutig demokratisch; wahrscheinlich hat Thomas Mann das gewußt, wie die Forderung nach »ständischem Prinzip« beweist, die auch von der Volksmenge erhoben wird (Zuruf: »Prinzip« I, 188).

118 Damit soll nicht gesagt werden, *Die Buddenbrooks* seien als Raumroman in Wolfgang Kaysers Sinne aufzufassen *(Das sprachliche Kunstwerk,* 2. Auflage, Bern, 1951, S. 362—367). Geschehensroman, Figurenroman, Raumroman, alle drei Typen, die letztere freilich am wenigsten, scheinen mir auf die *Buddenbrooks,* wie auf jeden guten Roman anwendbar zu sein.

119 Der Begriff wird hier vermieden, weil er den Eindruck erweckt, als sei die bloße Wiederholung schon ein strukturelles Moment.

120 Im Falle *Fiorenza* steht eine Arbeit von Egon Eilers in Aussicht, zum *Joseph* eine des Verfassers.

121 9. Notizbuch, S. 58 [1910]; auch in den Notizen zum Essay »Geist und Kunst«; Leo Tolstoi, *Gegen die moderne Kunst,* deutsch Berlin, 1898. Im gleichen Jahr erschien die Übersetzung der zugehörigen Schrift Tolstois, *Was ist Kunst.*

122 Vgl. auch VIII, 370: In der Derleth-Satire *Beim Propheten* äußert sich der Novellist, ein kaum verschleiertes Selbstporträt, über den seltsamen Propheten, er besitze alle Vorbedingungen des Genies. »Was fehlt? Vielleicht das Menschliche? Ein wenig Gefühl, Sehnsucht, Liebe?«

123 *Briefe 1889—1936,* S. 26.

124 Dieser doppelte Aspekt des *Tod in Venedig* wurde von André von Gronicka beschrieben »Myth plus Psychology«, *Germanic Review,* XXXI (1956) 191—205. Weitere Literatur wird unten in den Anmerkungen zu Abschnitt 2 genannt.

125 Ich habe in einem Aufsatz »Hans Castorps Vision« *(Rice Institute Pamphlet,* XLVII [1960], Nr. 1, S. 1—37) die übliche Interpretation angegriffen, die von Thomas Manns Selbstverständnis ausgehende Auffassung, Hans Castorps Vision im Schnee und seine Selbstverpflichtung, dem Tode keine Herrschaft einzuräumen über seine Gedanken, sei Höhepunkt und Ergebnis des Romans. Meine Interpretation behauptet demgegenüber, wie ich einräume zu einseitig, die Kurve des Romans sei fallend; das heißt in unserer Terminologie: ich habe die erste Strukturlinie zu stark betont. Obwohl Modifikationen meiner Auffassung nötig sind, halte ich an diesen Ergebnissen der genannten Arbeit fest: 1. Innerhalb der Struktur des Romanes gibt es kein Ergebnis. Dies würde das Strukturelement des ironischen Vorbehaltes ausschalten. 2. Das Gedicht Holgers im Abschnitt »Fragwürdigstes« (III, 921—923) ist eine Parodie der Vision. 3. Hans Castorp verfällt dem Romantischen mehr und mehr, die Vision trägt aber klassische Züge. 4. Auch die Persönlichkeit Mynher Peeperkorns ist kein Bildungsergebnis.

126 Die Titel werden nicht genannt, sind aber leicht zu erkennen. Ich werde

auf das Thema Thomas Manns Humanismus ausführlicher in meiner Studie über die Josephsromane zu sprechen kommen.

127 In Thomas Manns Bibliothek befindet sich D. S. Mereschkowski, *Tolstoi und Dostojewski*, Leipzig, 1903, mit Anstreichungen (darunter S. 115, wo vom »dritten und letzten Reich des Geistes« die Rede ist. Ausrufezeichen am Rand.) und von demselben *Gogol*, München, 1911, mit mehreren Anstreichungen und Randbemerkungen: »Tolstoi«. Anstreichungen und Randbemerkungen sind nicht zu datieren und sicher sind beide Bücher eine Hauptquelle für den Essay »Goethe und Tolstoi«. Dennoch halte ich es für sicher, daß Thomas Mann *Tolstoi und Dostojewski* schon früh las, auch wenn die Indikationen, die dafür sprechen, ungenauer Erinnerung Thomas Manns entstammen. Am 26. 3. 1914 schreibt er an Eliasberg: Ich finde bestätigt, was ich seit 10 Jahren weiß, daß Mereschkowski der tiefste europäische Kritiker seit Nietzsche ist.« (Ich danke die Briefstelle der Freundlichkeit des Thomas Mann Archivs bei der Deutschen Akademie der Wissenschaften zu Berlin.) Aus dem Briefwechsel mit Eliasberg ist zu vermuten, daß er das Gogol-Buch 1914 gelesen hat. In *Pariser Rechenschaft* (1926) verlegt er seine Kenntnis von Mereschkowskis *Tolstoi und Dostojewski* in seine »zwanzig Jahre« (XI, 94), was zwar recht ungenaue Erinnerung ist, aber auf eine Lektüre bald nach Erscheinung der Übersetzung 1903 schließen läßt. — In Thomas Manns Ausgabe von Ibsens *Sämtlichen Werken* zeigt der Band 5 [1899], der *Kaiser und Galiläer* enthält, keine Benutzungsspuren. Vielleicht liegt dem Vergleich Heine-Ibsen X, 839 (1908) eine Erinnerung an dieses Drama zugrunde. Belege für frühe Lektüre konnte ich nicht finden, halte es aber dennoch für wahrscheinlich, daß Thomas Mann das Drama im Zusammenhang mit seinen Savonarola-Plänen etwa 1899, also zur Zeit des Erscheinens, in seiner Ibsen-Ausgabe las, vielleicht auch in einer Einzelausgabe schon vorher.

128 Hierüber mehr unten im Abschnitt »Thomas Manns Lutherbild«.

129 Über das Verhältnis von *Mario und der Zauberer* zu diesem Motiv folgt unten eine Bemerkung im Anschluß an die Besprechung der *Krull*-Intention des Rollenspiels.

130 Dazu siehe unten »Selbstinterpretationen zum *Tod in Venedig*« in Abschnitt II.

131 Darüber mehr unten in dem Kapitel »Selbstinterpretationen zum *Tod in Venedig*« des zweiten Abschnittes.

132 Blätter zum 3. Notizbuch, S. 3b und VII.

133 Thomas Mann an Kurt Martens, 30. 11. 1901, ungedruckt, Stadtbibliothek München. Martens berichtet in seiner Autobiographie *Schonungslose Lebenschronik*, Band II, 1924, S. 44, daß er von Manolescu zu seiner Erzählung angeregt worden sei.

134 *Nietzsches Werke* (Naumann) Band XV, Leipzig, 1901, S. 416; in der Ausgabe von Schlechta: III, 708.

135 Eine ähnliche Einleitung findet sich im 11. Notizbuch, S. 54—57, vor Ende 1916 geschrieben.

136 Vgl. *Thomas Mann an Ernst Bertram*, Pfullingen, 1960, S. 155, 28. 12. 1926.

137 Näheres hierzu und zu dem geplanten Lutherspiel unten in Abschnitt III, »Thomas Manns Lutherbild«.

Zu Abschnitt II

1 Jahrgang LXXVIII (1911), Nr. 31—32, S. 476—477. Die Handschrift
   und der Erstdruck sind im Thomas Mann, Archiv der Technischen Hochschule Zürich. Den frühen Nachdruck konnte ich in der Sammlung
   Rauter in Säckingen vergleichen, wofür ich Consul Herbert Rauter
   herzlich danke. — Die Identifikation des Erstdrucks nach Inge Jens,
   Thomas Mann an Ernst Bertram, Pfullingen 1960, S. 204. Erstdruck
   und Nachdruck stimmen überein.

2 Verbessert aus: habe ich stets seine großen Erzählungen am meisten
   geliebt.

3 Die beiden ersten Drucke werden von mir in der Folge »Zeitschriftendruck« genannt. — X, 841, 2. Absatz Zeile 2 hat in der Handschrift ein überflüssiges »nicht« vor »in der Unüberbietbarkeit«, das im
   Zeitschriftendruck getilgt ist. X, 842, Absatz 2 Zeile 4 hat in der Handschrift »Styl«, der Zeitschriftendruck modernisiert: Stil. Altertümliche
   Schreibweise findet sich häufig bei Thomas Mann.

4 X, 841, Zeile 4 »Wirkungen«; Handschrift und Zeitschriftendruck haben
   »Mittel«. Zeile 11 »hellsichtig«, Handschrift und Zeitschriftendruck
   »hellseherisch«. X, 842, Zeile 2 »nicht« ist in der Handschrift unterstrichen und im Zeitschriftendruck gesperrt, X, 842, Absatz 2, Zeile 9
   »könnte das anders sein«: Zeitschriftendruck und Handschrift »es anders sein«.

5 Als »Aufsatz« wird hier der in den Gesammelten Werken vorliegende
   Text bezeichnet. Die Münchener Rede von 1933 war aus diesem gekürzt
   worden. Vgl. XI, 785—787.

6 Vgl. XII, 108 mit IX, 410 f.; XII, 76 f. mit IX, 422 f.; ferner, ohne
   wörtliche Übereintimmungen: XII, 109 und IX, 401, 404.

7 Vgl. X, 227—229 mit IX, 366—368. Übrigens war der Aufsatz »Ibsen
   und Wagner« fünf Jahre vor »Leiden und Größe Richard Wagners«,
   1928 in *Die Forderung des Tages* aufgenommen worden.

8 Vgl. den oben abgedruckten Text mit IX, 375. Der geringe Formulie-
   rungsunterschied: »Aber das ist die Wirkung des ›Ringes‹!« und »Aber
   damit ist die Wirkung des ›Ringes‹ bestimmt« (IX, 375) kennzeichnet
   einen Unterschied im Stil, der in »Leiden und Größe . . .« distanzierter
   sein will.

9 Im Thomas Mann Archiv Zürich.

10 Vgl. dazu neuerdings: W. Kohlschmidt, »Zur Polemik Georges und
   seines Kreises« in *Formenwandel*, Festschrift für Paul Böckmann, Hamburg, 1964, S. 471—482 (natürlich ohne Bezug auf Thomas Manns
   unveröffentlichtes Urteil sieht K. den Sachverhalt sehr ähnlich an).

11 Das früheste mir bekannte Zeugnis des Beginnes der Arbeit am *Zauberberg* ist der Brief vom 24. Juli 1913 an Ernst Bertram. Dazu siehe meinen kleinen Beitrag in *Deutsche Vierteljahresschrift für Literaturwissenschaft und Geistesgeschichte* XXXVIII (1964), 267—272, bes. 268. —
   Einige Blätter einer frühen Handschrift des *Zauberbergs*, vermutlich
   beim Wiederbeginn der Arbeit nach dem 1. Weltkrieg ausgeschiedene
   und ersetzte Blätter, zeigen, daß Settembrini schon früh zur Konzeption gehörte. Allerdings sind Teile des Romans 1915 geschrieben
   worden. Diese Handschrift ist in der Yale University Library.

12 Vgl. unten Kapitel 4 dieses Abschnittes »Selbstinterpretationen zum *Tod in Venedig*«.

13 *Thomas Mann an Ernst Bertram*, S. 9 f. Der unten erwähnte Brief an Hülsen ist ungedruckt und im Privatbesitz.

14 Siehe unten, Kapitel 2 dieses Abschnittes »Erste Berührung mit dem Mythos und Erwin Rohdes *Psyche*«. Dort auch Literaturhinweise.

15 Werner Vordtriede, »Richard Wagners Tod in Venedig«, *Euphorion*, LII (1958), 378—396.

16 André von Gronicka, »Myth plus Psychology«, *Germanic Review*, XXXI (1956), 191—205. — Bernt Richter, »Der Mythos-Begriff Thomas Manns und das Menschenbild der Josephsromane«, *Euphorion* LIV (1960), 411—433 macht auf frühe Äußerungen Thomas Manns in »Der französische Einfluß« (1904) und »Versuch über das Theater« (1908, geschrieben 1907) aufmerksam, die Wagners Motivtechnik mit dem Metaphysischen, mit einer »symbolischen Gehobenheit des Moments« (XI, 838) und mit kirchlichem Ritus (X, 53 f.) in Verbindung brachten. Freilich betrachtet Thomas Mann, besonders in dem »Versuch über das Theater«, Wagners theatralische Wirkungen auch mit einiger Skepsis. Richter weist auf die (»mythische«) Wiederholung Savonarolas durch den Mönch Hieronymus in *Gladius Dei* hin, übergeht aber seltsamerweise den *Tod in Venedig*. Wichtig ist sein Hinweis auf Schopenhauers negative Bewertung der Individuation, die an Thomas Manns Mythusbegriff mitgewirkt hat, worauf dieser selbst in »Freud und die Zukunft« hinweist.

17 Siehe unten Kapitel 4. Hauptzeugnis im Brief an Carl Maria Weber vom 4. 7. 1920, *Briefe 1889—1936*, S. 176 f. mit dem Zitat aus dem *Gesang vom Kindchen*.

18 Hans Wysling, »Die Technik der Montage. Zu Thomas Manns *Erwähltem*«, *Euphorion* LVII (1963), 156—199; bes. S. 193—196. Vgl. aber dort S. 184—186, wo die neuen künstlerischen Möglichkeiten des Mythos behandelt werden. — Wysling führt auch die Empfindlichkeit an, mit der Thomas Mann den zweiten Satz in Heinrich Manns Zola-Essay aufnahm: »Sache derer, die früh vertrocknen sollen, ist es, schon zu Anfang ihrer zwanzig Jahre bewußt und weltgerecht hinzutreten.« Thomas Manns Empfindlichkeit ist ein wichtiges Zeugnis, daß er »vertrocknen« als Gefahr empfand, ohne daß diese Gefahr deshalb mit der Situation von 1911 identifiziert werden müßte. Eine Betroffenheit ergibt sich im Jahre 1916 viel eher durch den Selbstvergleich mit des Bruders Theatererfolgen und dem Ansehen, das dieser bei der literarischen Jugend genoß, vor allem aber wohl aus dem Gefühl, daß Heinrich Mann seine intime Kenntnis des Bruders ausnutzte. — Sehr interessant sind die Hinweise Wyslings auf die existentielle Bedeutung des *Krull*-Stoffes. Die immanente Selbstkritik, die hier gestaltet wird, zieht sich vom *Bajazzo* bis zu der Demetrius-Stelle im »Versuch über Schiller«, die Wysling anführt. Sie kann meines Erachtens nicht auf die Entstehungszeit der *Krull*-Konzeption eingeschränkt werden.

19 Zitiert bei Wysling, S. 194.

20 Der *Tod in Venedig* erschien zuerst in der *Neuen Rundschau* im Oktober und November 1912, dann auch als »Hundertdruck« im Hyperionverlag München.

21 Josef Hofmiller, »Thomas Manns ›Tod in Venedig‹«, *Süddeutsche Monatshefte,* X (1913), 218—232; wiederabgedruckt in *Merkur* IX (1955), 505—520; Franz H. Mautner, »Die griechischen Anklänge in Thomas Manns ›Tod in Venedig‹«, *Monatshefte* (Madison, Wisc.) XLIV (1952), 20—26; Fritz Martini in: *Das Wagnis der Sprache,* Stuttgart 1954, S. 176—224; André von Gronicka, »Myth plus Psychology: A Style Aanlysis of ›Death in Venice‹«, *Germanic Review,* XXXI (1956), 191 bis 205; William H. Rey, »Tragic Aspects of the Artist in Thomas Mann's Work«, *Modern Language Quaterly* (Seattle, Wash.) XIX (1958), 195—203; Wolfgang F. Michael, »Stoff und Idee im ›Tod in Venedig‹«, *Deutsche Vierteljahresschrift für Literaturwissenschaft und Geistesgeschichte* XXXIII (1959), 13—19.

22 Dazu siehe unten, Kapitel 4 dieses Abschnittes.

23 Von Mautner beschrieben (siehe Anmerkung 21).

24 Im Thomas Mann Archiv Zürich. — Vgl. Hans Wysling, »Die Technik der Montage: Zu Thomas Manns *Erwähltem*«, *Euphorion* LVII (1963), 185.

25 An Karl Kerényi, 20. 3. 1952; *Gespräch in Briefen,* Zürich, 1960, S. 177f.

26 Vgl. Thomas Manns Antwort auf eine Rundfrage der *Literarischen Welt,* dort erschienen 28. Juni 1929, S. 3: »Welches war das Lieblingsbuch Ihrer Knabenjahre?« Dort wird nach Märchenbüchern und vor Fritz Reuter und Schillers *Don Carlos* unsere Mythologie bei Namen genannt: »Sehr einflußreich war Friedrich Nösselts griechische und römische Mythologie mit schönen Auszügen aus Homer und Virgil. Dies Buch besitze ich noch.« Es handelt sich um Friedrich Nösselt, *Lehrbuch der griechischen und römischen Mythologie für höhere Töchterschulen und die Gebildeten des weiblichen Geschlechts.* Das Buch erschien in vielen Auflagen durch das 19. Jahrhundert. Das einzige Exemplar, das mir zugänglich war, ist 1865 in Leipzig erschienen. Kleine Differenzen zwischen dem Wortlaut des Buches und den Exzerpten daraus legen es nahe zu vermuten, daß Thomas Mann eine frühere Ausgabe benutzte. Daß das Buch Quelle für einige der Notizen im *Tod in Venedig* war, steht jedoch fest. Die in ›Kinderspiele‹ aus dem Gedächtnis angeführte Stelle »diamantenscharf schneidende Sichel« lautet in der Ausgabe von 1865 »diamantne, scharfschneidende Sichel« (S. 25). — Das Buch muß bei der Beschlagnahme des Münchener Hauses verlorengegangen sein, es befindet sich nicht mehr in Thomas Manns Bibliothek, wie sie im Zürcher Archiv aufgestellt ist.

27 *Geburt der Tragödie,* Nietzsche, *Werke,* hrsg. von Karl Schlechta, I (München 1954), 29.

28 X, 231; XII, 79, 106, 146 f., 407, 541, 856; *Briefe an Paul Amann,* Lübeck, 1959, S. 56, Anmerkung von H. Wegener S. 107; *Thomas Mann an Ernst Bertram,* Pfullingen, 1960, S. 46, Anmerkung von Inge Jens, S. 223; *Briefe 1937—1947,* S. 215. Diese Aufzählung dürfte kaum erschöpfend sein.

29 Rohdes *Psyche* als Quelle für Aschenbachs Traum von dem fremden Gott wurde, unabhängig von Archivmaterial, von Wolfgang F. Michael entdeckt. Siehe Anmerkung 21.

30 Mehrere andere Auflagen sind seitengleich. Nachweise aus diesem zweibändigen Werk werden im Text gegeben und durch Ps.« gekennzeichnet.

31 Den Ursprung der Stelle in der Odyssee sah Mautner zuerst. Siehe Anmerkung 21.

32 Darüber mehr im vierten Kapitel dieses Abschnittes.

33 W. F. Michael (siehe Anmerkung 21) zitiert einen der als Vorbild wichtigsten Abschnitte aus *Psyche*.

34 Andere Exzerpte, deren Quelle noch unklar ist, trugen zu Aschenbachs Traum bei. Am Ende einer Notiz heißt es, offensichtlich von Aschenbachs Traum: »Er gibt bei dem Erlebnis seinen ganzen Rest von Kraft, Rauschfähigkeit auf einmal her. Läuft rasend ab.« Das Wort »Erlebnis« bezeugt, wie die mythische Erfahrung Aschenbachs von Anfang an als lebendige gedacht war.

35 Siehe das nächste Kapitel.

36 In Thomas Manns Exemplar: *Homers Odyssee* in deutscher Übersetzung von Johann Heinrich Voss, herausgegeben von Hans Feigl, Wien, 1908, S. 196, ist der zitierte Vers angestrichen. Es heißt dort »herab« statt »hinab« (im Thomas Mann Archiv Zürich).

37 Angestrichen in Thomas Manns Nietzsche-Ausgabe, *Nietzsches Werke* (Naumann, Großoktav), Band IX, Leipzig 1903, S. 214. Notiz zu »Über Wahrheit und Lüge im außermoralischen Sinn« gehörig.

38 Der Vorläufer dieses Kapitels, »Note on Mann's *Der Tod in Venedig* and the *Odyssey*«, *PMLA*, LXXX (1965), kam zustande, weil ich in einem früheren Artikel in *PMLA* angegeben hatte, nicht zu wissen, woher der zitierte Vers stammte. Meine Homer-Übersetzung folgte dem ursprünglichen Voss-Text (siehe unten im Text). Meine Kollegen Ernst A. Philippson (University of Illinois), Hugo Schmidt (Bryn Mayr College) und Donald O. White (Amherst College) machten mich auf Buch VIII, Vers 249 als Quelle aufmerksam.

39 Auf diese Ausgabe machte mich auch Manfred Dierks aufmerksam.

40 *Homers Werke* von Johann Heinrich Voss (Altona, 1793) III, 164.

41 *Monatshefte* (Madison, Wisc.), L (1958), 256—257.

42 Alle Briefe an Hans von Hülsen sind unveröffentlicht und im Besitz von Miss Caroline Newton, der ich für die freundliche Erlaubnis zur Einsichtnahme herzlich danke.

43 *Briefe 1889—1936*, S. 177.

44 Ungedruckt, Privatbesitz, Sammlung Rauter.

45 Darunter an Bertram 16. 10. 1911. Der Kommentar der sehr verdienten Herausgeberin bezieht die Stelle zu Unrecht auf den *Krull*. *Thomas Mann an Ernst Bertram*, S. 10 und 204. Vgl. eine Stelle aus einem Brief an Alexander von Bernus: »Ich war leidlich tätig, habe einen größeren Aufsatz über Chamisso geschrieben (. . .) und eine Novelle gewagten, wenn nicht unmöglichen Gegenstandes ziemlich weit gefördert . . . « *Worte der Freundschaft für Alexander von Bernus*, Nürnberg. 1949; 24. 10. 1911.

46 9. Notizbuch, S. 67.

47 7. Notizbuch, S. 107—109. S. 110 finden sich Aufzeichnungen zum 7. Kapitel von *Tonio Kröger*. Am 16. 10. 1902 berichtet Thomas Mann aus Riva, wo es Sanatorien gab, von der Arbeit am *Tonio Kröger*, während der Rest des Novellenbandes, also auch *Tristan*, schon in Fahnendrucken vorhanden war. *Briefe 1889—1936*, S. 35 f. Der angeführte Gedanke wurde im *Zauberberg* III, 137 f. verwendet.

48 Einige Daten und Orte in Westdeutschland auf S. 65 des gleichen Notizbuches stimmen am besten zu einer Reise im Januar 1911. So dürfte die Notiz zwischen Januar und Juli 1911 einzugrenzen sein.

49 *Briefe 1889—1936*, S. 123.

50 *Briefe an Paul Amann*, Lübeck, 1959, S. 32.

51 *Briefe 1889—1936*, S. 177.

52 Gedruckt in *Germanic Review*, XXXVI, 195—196; dieser Druck muß verglichen werden mit Berichtigungen in der gleichen Zeitschrift XXXIX, 33—34.

53 Biedermann, *Goethes Gespräche*, Leipzig, 1909, II, 271—272. Das beteiligte Mädchen ist Philippine Lade. — Ich danke Hans Eichner für die freundliche Mitteilung seiner Identifikation dieser Quelle in seiner unveröffentlichten Londoner Dissertation »Thomas Mann's Relation to Goethe« (1949).

54 *Die Neue Rundschau* XXXVI, 611—616.

55 Am Anfang der Klammer zwei unleserliche Buchstaben. »u. a.«? — »Entwicklung zum Drama« bezieht sich 1905 wohl auf Thomas Manns eigene *Fiorenza*. Die »deutsche Novelle« vielleicht auf eine Äußerung Heinrich Manns während der Entstehung von Professor Unrat? Über dieses Werk finden sich einige Seiten vorher einige sehr kritische Bemerkungen. Das Wort »Gemeinsames«, das bald in unserer Notiz folgt, könnte sich sehr wohl auf Thomas und Heinrich Mann beziehen, trotz der Kritik.

56 7. Notizbuch, S. 153 f.

57 7. Notizbuch, S. 101.

58 7. Notizbuch, S. 156.

59 Thomas Mann hatte sich nach der Datierung des Notizbuches »1901« gerichtet (XI, 155), ohne zu bedenken, daß er es etwa vier Jahre benutzt hatte. Die Datierung 1905 ergibt sich aus mehreren Anzeichen. U. a. ist S. 153 von Thomas Mannns Schwiegervater die Rede, einige Seiten vorher von Heinrich Manns Professor Unrat, der 1905 erschienen war.

60 In dem unveröffentlichten Vortrag, den er in Princeton über sein eigenes Werk hielt (im Thomas Mann Archiv Zürich), bezeichnet er die *Trilogie der Leidenschaft* im Zusammenhang mit seinem Plan »Goethe in Marienbad« als Tod vor dem Tode.

61 An Auguste Hauschner, 28. 5. 1913. Ich habe den Brieftext aus dem Briefarchiv des Thomas Mann Archivs bei der Deutschen Akademie der Wissenschaften zu Berlin.

62 Teilweise abhängig von »Lebensabriß« erscheint das Bild auch in »Preface« zu *Stories of Three Decades*, New York, 1936, S. VII—VIII. Vgl. auch Thomas Mann an Franz H. Mautner (undatiert in *Monatshefte*, L, 256): » . . . doch wohl der fazettenreichste Kristall, der mir zusammengeschossen.« — Einmal erscheint das Bild auch für den *Zauberberg:* XI, 395.

63 *Goethes Werke*, Hamburger Ausgabe, IX (1955), 585.

64 Z. B. in *Doktor Faustus*, VI, 114—115. Vgl. ferner: XII, 57, 133; IX, 549—550, 735; II, 613. »Angeborene Verdienste« erscheint in den Belegen des Goethe-Wörterbuchs nur an der angegebenen Stelle aus *Dichtung und Wahrheit*, »natürliche Verdienste« überhaupt nicht. Ich danke

den drei Arbeitsstellen des Goethe-Wörterbuches für freundliche Auskünfte.

65 Hamburger Ausgabe, IX, 475.

66 Es ist möglich, daß Thomas Mann gewisse Wendungen der deutschen Übersetzung der Memoiren Manolescus schon wie eine Art von Goethe-Parodie erschienen, z. B. »Der prachtvolle, hufeisenförmige Hafen, den diese Stadt [Piräus] besitzt, die Reinlichkeit auf den Kais, die Schönheiten des Klimas und der Umgebung machen aus diesem Handelsplatz einen herrlichen Ort« (S. 25) oder: »Vor uns lag überwölbt vom blauen heiteren Himmel der klare See und in der Ferne die hohen Berge, deren Gipfel mit ewigem, glitzerndem Schnee bedeckt waren« (S. 124). Georges Manolescu (Fürst Lahovary), *Ein Fürst der Diebe, Memoiren*, Berlin [1905]. Auf Manolescu war Thomas Mann wahrscheinlich durch Kurt Martens aufmerksam geworden, siehe den Abschnitt I, Kapitel 20 und die zugehörige Anmerkung 133. Aus dem Jahre 1905, dem Erscheinungsjahr der Manolescu-Memoiren, findet sich eine Aufzeichnung zum Hochstapler im 7. Notizbuch. Mehrere andere dann 1906. Auf den Zusammenhang der Idee mit den Manolescu-Memoiren macht Thomas Mann im »Lebensabriß« aufmerksam: XI, 122.

67 *Briefe an Paul Amann*, Lübeck, 1959, S. 32; vgl. Herbert Wegeners Anmerkungen S. 94 f.

68 *Briefe 1889—1936*, S. 162 f.

69 *Briefe 1889—1936*, S. 176. Das gleiche hat Thomas Mann Otto Zareck erzählt: »Neben dem Werk«, *Die Neue Rundschau* XXXVI (1925), 621 f.

70 Die folgenden Beispiele sind aus Hans Eichners Dissertation (siehe oben Anmerkung 53) S. 137—138: *Wahlverwandtschaften:* »Er fragte nach mehreren Arbeitern; man versprach sie und stellte sie im Laufe des Tages. Aber auch diese sind ihm nicht genug, um seine Vorsätze schleunig ausgeführt zu sehen. Das Schaffen macht ihm keine Freude mehr; es soll alles schon fertig sein, und für wen?« (Hamburger Ausgabe, VI, 327—328).*Der Tod in Venedig:* » . . . da es ihm an kleinerem Gelde fehlte, ging er hinüber in das dem Dampferbrücke benachbarte Hotel, um dort zu wechseln und den Ruderer nach Gutdünken abzulohnen. Er wird in der Halle bedient, er kehrt zurück, er findet sein Reisegut auf einem Karren am Quai, und Gondel und Gondolier sind verschwunden« (VIII, 467). Der Wechsel vom epischen Präteritum zum Präsens ist nichts Ungewöhnliches, vgl. Käte Hamburger, *Die Logik der Dichtkunst*, Stuttgart, 1957, S. 49—72, aber die Verbindung dieses Phänomens mit kurzen Hauptsätzen, wie in unseren Beispielen, ist doch auffallend. Ein Beispiel für den aphoristischen Stil: »Der Haß ist parteiisch, aber Liebe ist es noch mehr. Auch Ottilie entfremdete sich einigermaßen von Charlotten und dem Hauptmann« (Hamburger Ausgabe, VI, 329). »Glück des Schriftstellers ist der Gedanke, der ganz Gefühl, ist das Gefühl, das ganz Gedanke zu werden vermag. Solch ein pulsender Gedanke, solch genaues Gefühl gehörte und gehorchte dem Einsamen damals . . . (VIII, 492). Eichner behandelt auch thematische Verwandtschaften zwischen beiden Werken. — Gemeinsamkeiten zwischen *Tod in Venedig* und *Wahlverwandtschaften* hat schon Hans Leppmann gesehen, *Thomas Mann*, Berlin, 1915, S. 136 f. — Der ganze Komplex

wurde auch von Richard Hinton Thomas mit gänzlich anderen, nämlich negativen, Resultaten untersucht: »›Die Wahlverwandtschaften‹ and Mann's ›Der Tod in Venedig‹«, *Publications of the English Goethe Society,* N. S. XXIV (1955), 101—130 und das Kapitel über den *Tod in Venedig* in seinem Buch *Thomas Mann:* The Mediation of Art, Oxford, 1956, S. 58—84.

71 Hamburger Ausgabe VI, 322.
72 *Briefe 1889—1936,* S. 176 f. Vgl. VIII, 1069.
73 *Die Neue Rundschau,* XXV (1914), 1474.
74 »Der Gedanke, der ganz Gefühl, das Gefühl, das ganz Gedanke zu werden vermag... das ist der Geist« (vgl. VIII, 492), »Gute Feldpost«. Siehe Hans Bürgin, *Das Werk Thomas Manns,* Frankfurt, 1959, Nr. V, 89.
75 *Briefe an Paul Amann,* S. 29.
76 Nach der Fertigstellung von *Königliche Hoheit* im Februar 1909 schreibt Thomas Mann an Heinrich, er bereite eine Novelle vor, »die sich ideal an ›K.H.‹ anschließen wird, aber doch eine andere Atmosphäre haben und, glaube ich, sozusagen schon etwas ›18. Jahrhundert‹ enthalten wird«. (25. 3. 1909, Kantorowicz, *Heinrich und Thomas Mann,* Berlin, 1956, S. 83), gemeint ist wohl der *Krull. Krull, Der Tod in Venedig* und wohl auch *Der Zauberberg* dürften unter die seit 1910 feststellbare Ansicht fallen, daß »die politische Geistigkeit des Zwanzigsten Jahrhunderts der wohlwollenden Expansivtätigkeit des achtzehnten verwandter sein wird als der düster-ungläubigen Brutalität des neunzehnten« (»Der alte Fontane«, Erstdruck in *Die Zukunft* LXXIII [1910], 20). Seine Vorstellung vom Kunstwerk des 20. Jahrhunderts formulierte Thomas Mann in »Über die Kunst Richard Wagners« (zitiert oben in Kapitel 1 dieses Abschnittes). Eine Notiz aus dem ersten Weltkrieg spricht von einer erwarteten »universalistischen Tendenz« des 20. Jahrhunderts 11. Notizbuch, S. 80) und in der 1918 verfaßten Vorrede der *Betrachtungen* spricht Thomas Mann von einem »Geist gesellschaftlicher Humanität«, den das 20. Jahrhundert erreiche, indem es Ironie, Skeptizismus und melancholischen Unglauben des 19. vergesse (XII, 26). — Übrigens entzieht sich nicht nur Krull, sondern auch Hans Castorp dem Militärdienst (III, 53), der »Brutalität«.
77 Der Text teilweise zitiert von Kurt Sontheimer, *Thomas Mann und die Deutschen,* München, 1961, S. 109 f.
78 30. 5. 1938; ungedruckt, Yale University Library.
79 *Briefe 1937—1947,* S. 353. Der Artikel von Lukács ist: »Preußentum in der deutschen Literatur«, *Internationale Literatur,* Moskau, Mai 1944 (nach Klaus W. Jonas, *Fifty Years of Thomas Mann Studies,* Minneapolis, 195, Nr. 1331).
80 Der Artikel von Lukács, »Auf der Suche nach dem Bürger«, erschien zuerst in *Internationale Literatur,* Moskau, 7. Juni 1945, (siehe Klaus Jonas, Nr. 1104). Wiederabgedruckt in Georg Lukács, *Thomas Mann,* Berlin, 1950.
81 Siehe den in Anmerkung 21 genannten Artikel (1913), S. 224 f.
82 *Briefe an Paul Amann,* S. 32.
83 Man darf die gelegentliche Briefstelle nicht pressen. Sonst wäre weiter zu fragen, in welchem Sinne Protestantismus, Nietzsches Wahrheit, Moral und Aschenbachs Schicksal hier verbunden sind.

84 *Briefe 1889—1936*, S. 93; 2. 4. 1912.

85 *Briefe 1889—1936*, S. 255; 25. 5. 1926.

86 Allerdings bietet die neuere Geschichte Beispiele genug, in denen fiktive Deutungen in die Wirklichkeit übersetzt wurden. Der Marxismus läßt sich so deuten mit allen seinen Folgen. Die klassenlose Gesellschaft z. B. beruht neben hegelschen und christlich-eschatologischen Vorstellungen auch auf dem romantischen goldenen Zeitalter. Ich weiß nicht, ob Marx Novalis kannte, indirekter Einfluß ist sicher. Auch viele von Hardenbergs Fragmenten ermöglichen erstaunliche Durchblicke zum Marxismus. — Der Nationalsozialismus (seine Vorliebe für das Wort »Weltanschauung« zeigt dies schon) beruht auf fiktiven literarischen Deutungen, was man neben vielem anderen daran sehen kann, wie das deutsche Volk gezwungen werden sollte, den Untergang der Nibelungen zu spielen. — Die Psychoanalyse hat viele literarische Züge in die Wirklichkeit übersetzen wollen, glücklicherweise ohne Gewalt.

Zu Abschnitt III

1 Ich verdanke diese und andere Mitteilungen aus Thomas Manns Frühzeit Hans Bürgin, von dem wir eine Darstellung der Lübecker Jahre Thomas Manns zu erwarten haben.

2 Soweit ich sehe, findet sich nichts dergleichen in den Quellen, deren gründliche Erforschung aber noch ansteht.

3 2. Notizbuch, S. 20.

4 Gustav Hillard (d. i. Steinbömer), *Wert der Dauer*, Hamburg, 1961, S. 141 f.

5 Text des Vortrages im Thomas Mann Archiv Zürich.

6 25. Dezember 1825; Eckermann, *Gespräche mit Goethe*, hrsg. von Houben, Leipzig, 1925, S. 184. Thomas Manns Behauptung (an Agnes Meyer 12. 1. 1943), Goethe habe dieses Schriftwort »gern wiederholt« (*Briefe 1937—1947*, Frankfurt, 1963, S. 290) ist sein Ausdruck für die Wichtigkeit, die er seinem Gebrauch durch Goethe beimißt.

7 *Briefe 1889—1936*, Frankfurt, 1961, S. 216.

8 Ungedruckt. Stadtbibliothek München. Für freundliche Hilfe der Handschriftenabteilung der Stadtbibliothek sei herzlich gedankt.

9 Kurt Martens, *Die Vollendung*, Berlin, 1902.

10 Übersetzt von Moritz Berduschek, Leipzig, 1868. Thomas Manns Exemplar im Thomas Mann Archiv Zürich. — Auf die im folgenden benutzten Randbemerkungen wies mich Egon Eilers hin, der mir freundlicherweise Einblick in seine noch unveröffentlichte Arbeit über Thomas Manns *Fiorenza* gewährte, wofür ich ihm herzlich danke.

11 24. 10. 1913. Ungedruckt. Stadtbibliothek München. Vgl. Kurt Martens, *Pia: Der Roman ihrer zwei Welten*, Berlin 1913 (Die alten Ideale II).

12 Vgl. *Briefe 1889—1936*, Frankfurt, 1961, S. 105, die Bestellung spanischer Bilder für das neue Haus. — Eine Eintragung im Notizbuch 9 aus dem Jahre 1917 notiert ein Buch von Ludwig Pfandl über spanische Kultur und Sitte des 16. und 17. Jahrhunderts. Das Interesse setzte sich also während der Abfassung der *Betrachtungen* fort. Eine Spanienreise fand im Mai 1923 statt. Dabei bezeichnet er Philipp II.

als seinen »alten Freund«. *Thomas Mann an Ernst Bertram,* Pfullingen, 1960, S. 119. Das Interesse rührt natürlich von Schillers *Don Carlos* her.

13 Vgl. Werner Kohlschmidts Arbeiten über das Reformationsbild in der deutschen Literatur. Noch C. F. Meyers Ansicht der Reformation ist von dem liberalen Mißverständnis beherrscht. Werner Kohlschmidt, »C. F. Meyer und die Reformation« *Die Sammlung* XV (1960), 126 bis 137; wiederabgedruckt in W. K., *Dichter, Tradition und Zeitgeist,* Bern 1965. Dort auch »Schiller und die Reformation«.

14 Thomas Mann erwähnt Ernst Troeltschs religionssoziologische Schriften in den *Betrachtungen eines Unpolitischen* (XII, 145). Es geht dort um die Beteiligung protestantischer Ethik an der Herausbildung des kapitalistischen Bürgertums. 1923, im Zusammenhang mit der Lösung von dem nationaldeutschen Aspekt der *Betrachtungen,* bespricht er einen Vortrag Troeltschs in der *Frankfurter Zeitung* (XII, 627—629). Trotzdem läßt sich das liberale und kulturprotestantische Mißverständnis Luthers und der Reformation, wie wir es bei Thomas Mann finden, kaum von dem differenzierten Lutherbild Troeltschs ableiten. Der Einfluß Troeltschs dürfte hauptsächlich in der später zu konstatierenden Neigung liegen, an liberaler Theologie als der kulturfreundlichen festzuhalten. — Größere Abschnitte aus Troeltschs »Protestantisches Christentum und Kirche in der Neuzeit« und »Die protestantische Ethik und der Geist des Kapitalismus«, zitiert bei Carl Jentsch, *Christentum und Kirche,* Leipzig, 1913, S. 252 ff., 289 ff., 297 ff. Thomas Mann zitiert einen längeren Abschnitt aus diesem Buch in *Betrachtungen* XII, 400 f.

15 2. Notizbuch, S. 43.

16 *Friedrich Nietzsches Gesammelte Briefe,* Band I, 3. Auflage, Berlin und Leipzig, 1902, S. 383. Von Thomas Mann zitiert: IX, 680.

17 Ebenda, Bd. II, Briefwechsel mit Erwin Rohde, 2. Auflage, Berlin und Leipzig, 1902, S. 494.

18 Ebenda, Bd. IV, Leipzig, 1908, S. 25.

19 *Zur Genealogie der Moral,* 3. Abh. Aph. 2.

20 Siehe H. Lehnert, »Thomas Manns Vorstudien zur Josephstetralogie«, *Jahrbuch der deutschen Schillergesellschaft* VII (1963), 493.

21 K. A. Meißinger, *Der katholische Luther,* München, 1952, S. 94.

22 *Menschliches, Allzumenschliches* I, Aphorismus 237.

23 Z. B. *Jenseits von Gut und Böse,* Aph. 247.

24 *Thomas Mann an Ernst Bertram,* Pfullingen, 1960, S. 142 (14. 6. 25); *Briefe 1889—1936,* S. 244 (26. 7. 25); Oskar Maurus Fontana, »Was arbeiten Sie? Gespräch mit Thomas Mann«, *Die literarische Welt,* Jahrgang II, 11. Juni 1926. Ich verdanke den Text einer Abschrift des Thomas Mann Archivs bei der Deutschen Akademie der Wissenschaften zu Berlin.

25 Für die Herkunft der verschiedenen Formen von Entstellungen des Lutherbildes, wie wir sie bei Nietzsche und auch bei Thomas Mann finden, siehe Heinrich Bornkamm, *Luther im Spiegel der deutschen Geistesgeschichte,* Heidelberg, 1955. Nietzsche ist auch Thomas Manns Quelle für die Berichtigung Pierre Paul Sagaves, *Briefe 1889—1936,* S. 382. Nietzsche, *Zur Genealogie der Moral,* 3. Abh. Aph. 9. *Werke,* hg. von K. Schlechta, II, 854. Es handelt sich um die Vernunft als »Frau

Klügelin, die karge Hur'«. Die Stelle zeigt, wie lebendig Nietzsche in Thomas Mann und wie groß seine Autorität für ihn war.

26 Ob diese Aufzeichnung (im Thomas Mann Archiv Zürich) wirklich zu dem Notizenmaterial des Essays gehört, an dem Thomas Mann von 1909 bis 1911 arbeitete, bleibt unklar, da sie ziemlich für sich steht. Vielleicht ist sie eine Aufzeichnung für einen der Kriegsaufsätze, allerdings sind die Ereignisse von 1914 nicht mitgenannt. Die *Betrachtungen* werden eröffnet mit ähnlichen Überlegungen im Anschluß an Dostojewski. Vgl. auch »Gedanken im Kriege«, *Die Neue Rundschau* XXV (1914), 1483 f.

27 *Briefe 1889—1936*, S. 165.

28 Unveröffentlicht, Yale University. Das Wort »Halsstarrigkeit« in diesem Zusammenhang stammt aus Nietzsches Urteil über die Reformation in Aphorismus 237 in *Menschliches, Allzumenschliches* I.

29 Die Wendung »der dämonisch Getriebene dumpfer deutscher Volksgewalten«: Stefan Zweig, *Triumph und Tragik des Erasmus von Rotterdam,* in der Ausgabe Frankfurt, 1950, S. 21. Vgl. unten 6. Kapitel und Anmerkung 64. Thomas Mann besaß die Erstausgabe, Wien, 1934, die sich im Zürcher Archiv befindet. Das Buch hat bibliophilen Wert und wohl deshalb finden sich keine Anstreichungen. Auf S. 89 der Erstausgabe findet sich die Randbemerkung Thomas Manns: »Hölderlin«. Sie bezieht sich auf des Erasmus Ausdruck »heiliger Sokrates«. Wegen der Seltenheit der Erstausgabe wird hier nach der Nachkriegsausgabe zitiert.

30 Einen Beleg bei Luther konnte ich mit Hilfe der verfügbaren Register nicht finden. Luther vergleicht den Papst an mehreren Stellen mit dem Teufel in den Tischreden, deren Überlieferung fragwürdig ist. Bei Nietzsche in: *Zur Genealogie der Moral,* Dritte Abhandlung, Aph. 22. — Die wichtigsten Nietzsche-Stellen über Luther sind zusammengestellt bei Bornkamm (siehe Anm. 25) S. 223—232. Vgl. ebenda S. 58 f. — In *Jenseits von Gut und Böse* (Aph. 50), das Thomas Mann schon früh las, findet sich ebenfalls der bäurische Luther.

31 Exzerpt unter den Notizen zum *Doktor Faustus* im Thomas Mann Archiv Zürich. Thomas Mann wollte Ritschl offenbar zum Lehrer Adrians machen, denn er unterstrich in seinem Exzerpt »gestorben 1889«, Ritschl kam also nicht mehr in Frage. Paul Tillich erwähnt den Ritschlianismus in einem Brief an Thomas Mann vom 25.3.1943. Jedoch war Thomas Manns Frage nach »dem Kulturbejahenden der liberalen Theologie« vorhergegangen, die in der Formulierung jedenfalls von unserem Exzerpt beeinflußt ist. Thomas Mann muß den Namen Ritschl als Hauptvertreter der liberalen Theologie gekannt haben. Als Verfasser des Lexikon-Artikels kommt nach dem Mitarbeiter-Verzeichnis am ehesten Religionsoberlehrer Dr. H. Kahlefeld, Leipzig, in Frage. Thomas Mann exzerpierte auch den Artikel »Theologie«, in dem die dialektische Theologie mit spürbarem Mißfallen der »Zeit der geistigen Krise nach dem Weltkrieg« zugeordnet wird.

32 Ungedruckt, Stadtbibliothek Lübeck.

33 München, 1915.

34 Notizen zum Literaturessay im Thomas Mann Archiv Zürich. — Spinozistisch in der Handschrift verschrieben: Sponozistisch.

35 *Thomas Mann an Ernst Bertram*, S. 82 und 239.

36 Thomas Mann Archiv Zürich.

36a Möglicherweise ist diese fiktive Kombination übrigens von Nietzsche inspiriert. In Thomas Manns Nietzsche-Ausgabe ist folgender Aphorismus angestrichen: »Der moderne Socialismus will die weltliche Nebenform des Jesuitismus schaffen: *Jeder* absolutes Werkzeug. Aber der Zweck, das Wozu? ist nicht aufgefunden bisher.« Thomas Manns Ausgabe war die Großoktavausgabe, die seit 1895 bei Naumann, dann bei Kröner erschien. (Später hat er auch die Musarion- und die Krönersche Taschenausgabe besessen, die aber nicht zugänglich sind.) Der Aphorismus steht in der erwähnten Ausgabe Bd. XVI (Leipzig, 1922), S. 196, es ist Aphorismus 757 des sogenannten »Willen zur Macht«. (In der Ausgabe von Karl Schlechta, *Nietzsches Werke*, III [München, 1956], S. 428.) Eine Möglichkeit, daß Thomas Mann den Aphorismus 1922 las und sich von ihm anregen ließ, die ursprüngliche Konzeption des zweiten Erziehers Hans Castorps zu erweitern, ergibt sich daraus, daß der zweite Erzieher im letzten Drittel der *Betrachtungen* lediglich ein »etwas anrüchiger Mystiker, Reaktionär und Advokat der Antivernunft« genannt wird (XII, 424). Zwar läßt sich die Anstreichung natürlich nicht datieren und einige andere Anstreichungen im gleichen Band hängen allerdings mit der Nietzscherede von 1947 zusammen. Aber Thomas Mann hat die erste Szene mit der (neuen) Figur 1922 geschrieben, das geht aus dem Brief an Bertram vom 2. Juni 1922 hervor *(Thomas Mann an Ernst Bertram*, Pfullingen, 1960. S. 109). In den (wohl ausgeschiedenen) Blättern einer alten *Zauberberg*-Handschrift, die in der Yale University Library liegt, ist von einem Professor »Kafka« die Rede (einmal verbessert aus Calzak), das ist der »verzweifelt geistreiche Reaktionär« (an Amann 25. 3. 1917; *Briefe an Paul Amann*, Lübeck, 1959, S. 53) der Vorkriegskonzeption. Im Januar 1922 hatte Thomas Mann Georg Lukács kennengelernt, der seinerseits von der »Schroffheit der damaligen Gegensätzlichkeit« berichtete. (Siehe Karl Kerényi, Zauberberg Figuren: Ein biographischer Versuch«, in: *Tessiner Schreibtisch* [Stuttgart, 1963] S. 125—141.) Thomas Mann muß den Professor Kafka bei der Umarbeitung aus den Vorkriegsteilen entfernt haben, die — wenn auch weniger umfangreich — in der Handlung bis zum Ende des jetzigen 5. Kapitels reichten, wobei er — unter dem Eindruck einer langsam wachsenden Berühmtheit namens Franz Kafka — die Figur umbenannte, um sie unter dem Namen Naphta im jetzigen 6. Kapitel einzuführen. (Ob Franz Kafkas erste Veröffentlichungen 1913 zur ursprünglichen Benennung der Figur beigetragen haben, ist eine entfernte Möglichkeit.) 1922 kann ihn Nietzsches Aphorismus angeregt haben, Jesuitismus und Sozialismus zu verbinden. Das Gespräch mit Lukács kam als Anregung aus der Wirklichkeit hinzu. Auch die chronologische Umkehrung dieser Reihenfolge ist möglich. — Zum Thema Naphta-Lukács siehe auch: Henry Hatfield, »Der Schneider Lukacek« in: »Drei Randglossen zu Thomas Manns *Zauberberg*«, *Euphorion*, LVI (1962), 365—372; dazu von demselben »Korrekturnote«, *Euphorion*, LVII (1963), S. 226. Der dort genannte Brief an Max Rychner jetzt *Briefe 1937—1947*, S. 579. Dazu ist ferner der bisher nur französisch veröffentlichte Brief an Pierre Paul Sagave vom

18. Februar 1952 zu nennen, in dem Thomas Mann Sagave bittet, Lukács nicht mit Naphta zu identifizieren, da dieser wohl nie auf den Gedanken gekommen sei, man könne in ihm das Modell zu Naphta sehen. Bild und Wirklichkeit seien sehr verschieden und die Kombination von Kommunismus und Jesuitismus, »die geistig ganz gut sein mag«, habe mit Lukács nichts zu tun. (Photokopie des Originals im Thomas Mann Archiv Zürich; die französische Übersetzung der Briefe an Sagave in *Cahiers du Sud* XLIII [1957], 373—386.)

37 *Martin Luthers Briefe*, hrsg. von Reinhard Buchwald, 2 Bände, Leipzig, 1909, in Thomas Manns Bibliothek im Archiv Zürich.

38 Ebenda, Bd. II S. 152. Luther schreibt an Anton Unruhe (der Name ging auch in den *Doktor Faustus* ein, wie mehrere andere aus der Luther-Briefausgabe): »Ehrbarer, Weiser, lieber gunstiger Herr und Freund!« Thomas Mann notiert: »Ehrbarer, weiser, lieber günstiger Herr Magister und Ballisticus.« Im Text VI, 186 ist »weiser« noch dazu durch »hochgelahrter« ersetzt. Es ist eine ausgesprochene Karikatur entstanden, deren Funktion im Roman das gewaltsam Scherzhafte des Adrianbriefes ist. Auch paßt »weise« nicht gut zu Zeitblom.

39 Stuttgart, 1847 = Das Kloster, weltlich und geistlich, 5.

40 Martin Luthers Briefe II, 84 f. Die Weimarer Luther Ausgabe, Briefwechsel V, 348 erklärt »bescheiße« als »betrüge«.

41 Weimarer Luther Ausgabe, Briefwechsel IV, 495—499.

42 Vielleicht zu Unrecht. Der Herausgeber macht selbst auf die Nachschrift eines Briefes an Link, vom 7. März 1529, aufmerksam (WLA Briefwechsel V, 28), worin Luther seine Briefe »de desperatione« noch nicht gedruckt haben will.

43 *Martin Luthers Briefe*, II, 51.

44 Von *Martin Luthers Briefe*, II, 56.

45 Eine andere solche Stelle, *Martins Luthers Briefe* II, 83, ein Trost- und Stärkungsbrief an den Kurfürsten Johann nach Augsburg, 20. Mai 1530, nennt den Teufel, der auch Luther mitzuspielen pflegt, »er ist ein trauriger saurer Geist, der nicht leiden kann, daß ein Herz fröhlich sei, oder Ruh hab, sonderlich in Gott«. Diese Stelle wird durch Kumpf karikiert: Da steht er im Eck... »der traurige saure Geist und mag nicht leiden, daß unser Herz fröhlich sei in Gott bei Mahl und Sang!« (VI, 132).

46 Thomas Mann Archiv Zürich. Die Zitate werden innerhalb der Notizen wiederholt, in einem Falle in erweiterter Fassung. Das erste der hier angeführten Zitate heißt dort: »Das eigene Leid — ›wenn so heißen darf...‹« u.s.f. Die Briefausgabe wurde also wieder zu Rate gezogen, der Brief kam Thomas Mann mindestens zweimal vor Augen. *Martin Luthers Briefe*, II, 88—90, die Zitate S. 88 (1) und 90 (2 und 3). Die Erklärung des »Dichters« stammt aus den Anmerkungen.

47 *Briefe 1937—1947*, S. 411.

48 *Martin Luthers Briefe* II, 139.

49 *Martin Luthers Briefe* II, 181.

50 Z. B.: 30. 5. 44, 9. 2. 46, *Briefe 1937—1947*, S. 368, 480; 9. 10. 51 *Briefe an Paul Amann*, Lübeck, 1959, S. 72, »das zitiere ich öfters«; 5. 6. 52 an Erich Kahler, wird voraussichtlich in *Briefe 1948—1955* aufgenommen werden.

51 *Martin Luthers Briefe* II, 181 f.

52 *Briefe 1937—1947*, S. 368.

53 *Martin Luthers Briefe* II, 178.

54 Vgl. *Briefe 1937—1947*, S. 356: Thomas Manns Sorge um den Sohn von Agnes Meyer, auch um seinen Sohn Klaus; 370 f.: als zeitlich naheliegende Andeutung der genannten Tendenzen.

55 Der deutsche Originalbrief im Thomas Mann Archiv Zürich. Eine französische Übersetzung der Briefe Thomas Manns an Sagave erschien 1957 in den *Cahiers du Sud* XLIII, Nr. 340, S. 373—386. Der Gedanke, Goethe und Nietzsche als Luthers Erben zu sehen, auch IX, 353 f. (1932), vgl. (ohne Nietzsche) X, 337 (1932).

56 »Brief an die Zeitung Svenska Dagbladet Stockholm«, *Neue Rundschau* XXVI (1915), 831. Vgl. X, 113.

57 Stefan Zweig, *Triumph und Tragik des Erasmus von Rotterdam*, Frankfurt, 1950, S. 138.

58 Weimarer Luther Ausgabe, Tischreden III, S. 75.

59 15. 9. 1946, *Briefe 1937—1947*, S. 507. Vgl. S. 581.

60 Luther in der »Treuen Vermahnung zu allen Christen, sich zu hüten vor Aufruhr und Empörung«. Zitiert bei K. A. Meißinger, *Der katholische Luther*, München, 1952, S. 21. Ich möchte bei dieser Gelegenheit anmerken, daß mir eine gründliche Kenntnis Luthers fehlt, wofür auch ein lebenslanges Studium nötig wäre. Wir sind aber so glücklich, von dem Theologen Kurt Aland eine Studie über das gleiche Thema erwarten zu können, von der eine schöne Ergänzung der vorliegenden zu erhoffen ist.

61 *Thomas Mann an Ernst Bertram*, S. 150 (4. 3. 26). Vgl. ferner mit anderem Akzent: *Briefe 1937—1947*, S. 462 (3. 12. 45).

62 Ähnlich in »Die drei Gewaltigen«, X, 382. — Vgl. mit etwas anderem Akzent: *Briefe 1937—1947*, S. 573 (1. 12. 47).

63 *Briefe 1889—1936*, S. 338 (8. 11. 33).

64 Stefan Zweig, *Triumph und Tragik des Erasmus von Rotterdam*, Frankfurt a. M. 1950, bes. S. 21 f., 121, 126, 129 ff., 154. Luther ist auch für Stefan Zweig eine nationale Figur, Erasmus guter Europäer. Luther »ein fast berstendes Stück Leben, Wucht und Wildheit eines ganzen Volkes« ist »gesund und übergesund« (S. 131) im Gegensatz zu Erasmus' schwacher Körperlichkeit (S. 64 ff.). Dieser Gegensatz entstammt dem Zwang der fiktiven Konstellation, denn in Wahrheit war Luther nicht so gesund. Auch spielt die Dekadenz-Fiktion hinein. Thomas Mann hat das Buch nach seinem ersten Erscheinen 1934 gelesen, vgl. Anm. 29 und XII, 688 f., 746, 747, 750, *(Leiden an Deutschland)*. Allerdings sind diese Tagebuchblätter später redigiert worden. Eine spätere aus Zweigs Erasmus Buch gespeiste Bemerkung: XI, 1142 (»Deutschland und die Deutschen«).

65 Die Quelle für diese Bemerkung, wie für historische Angaben im Kontext (vgl. unten Anm. 104), ist David Friedrich Strauß' Buch *Ulrich von Hutten*. Dort lautet die Formulierung etwas anders: sie wird der historischen Wahrheit gerecht: »Des Erasmus Klagen über den Haß, welchen Luther und dessen Anhänger den besseren Studien zugezogen, nehmen kein Ende. Dagegen bemüht er sich, zu zeigen, daß beiderlei Bestrebungen einander nichts angehen; versichert, daß ihm Luther persönlich

fremd sei und viel zu wenig klassische Studien habe, um zu den Humanisten gerechnet werden zu können.« (In der Ausgabe Leipzig, 1927, die Thomas Mann benutzte, S. 429, dort angestrichen und zum Teil unterstrichen.) Etwas später folgt wieder eine von Zeitblom benutzte Formulierung. »Einer um den andern ging aus dem humanistischen Lager in das reformatorische über.« (S. 430; vgl. die unten in meinem Text zitierte Stelle aus dem *Doktor Faustus.)*

66 Siehe oben Anm. 37. — Isolierte Lutherzitate, z. B. XII, 536, besagen nicht viel. Er kann sie nachzitiert oder z. B. von Bertram bekommen haben. Das genannte wird auch von diesem zitiert in seinem *Nietzsche,* Berlin, 1918, S. 68.

67 In Thomas Manns Bibliothek in Zürich nicht vorhanden. Um welche Schrift Luthers es sich handelt, ist nicht ganz klar. (Die Vorrede zur Apokalypse in englischer Übersetzung?)

68 Johan Huizinga, *Erasmus,* deutsch von Werner Kaegi, Basel, 1941. — *Erasmus,* Auswahl aus seinen Schriften von Anton Gail, Düsseldorf, 1948 (aus einem Brief von Anton Gail an Thomas Mann [im Archiv Zürich] geht hervor, daß Thomas Mann sich diese Ausgabe 1950 vom Verlag schicken ließ). — Erasmus von Rotterdam, *Briefe,* verdeutscht und herausgegeben von Walther Köhler, Wiesbaden, 1947, Sammlung Dieterich, Band 2. — Vgl. unten Anm. 117. — Ein Zeugnis für das Erasmus-Studium dieser Zeit: XII, 970 (1951).

68a Huizinga (übers. von Kaegi), S. 165; von Thomas Mann unterstrichen. Vgl. S. 159: [Erasmus] war weder Mystiker noch Realist, Luther war beides (ebenfalls von Thomas Mann unterstrichen).

68b Huizinga, S. 195.

69 Georg Büchmann, *Geflügelte Worte,* 30. Auflage, ergänzt von Werner Rust und Günther Haupt, Berlin, 1961, S. 128—130. Die Erklärung steht so schon in vielen Auflagen.

70 In Blättern, die zum 3. Notizheft gehören und 1899 zu datieren sind, wird die Reclam-Ausgabe zur Anschaffung vorgemerkt und ein Vers aus dem Prolog zitiert. Dieser ist in dem Reclam-Heft nicht enthalten, das heute noch in Thomas Manns Bibliothek steht und keine Benutzungsspuren (Anstreichungen) aufweist. Thomas Mann hat vermutlich das Drama in einer anderen, irgendwo entliehenen Ausgabe gelesen und — wohl im Zusammenhang mit seinen eigenen Savonarola-Plänen — es nachher angeschafft.

71 Zacharias Werner, *Martin Luther,* Berlin, 1807, S. 12 (I, 1), 48 (I, 2), 104 (II, 1), 208 (III, 2).

72 S. 273 (IV, 2).

73 Vgl. auch *Briefe 1937—1947,* S. 352 (21. 1. 1944), 418 (7. 3. 1945). Zum Übergang von der einen zur anderen Wertung vgl. XI, 854 f. (1923) mit einem Lutherzitat, das möglicherweise von Bertram beigebracht ist. Vgl. *Thomas Mann an Ernst Bertram,* S. 102, 31. 8. 1921. — Vgl. auch Werner Kohlschmidt, siehe unten Anm. 77.

74 Schon im Titel der nachfolgenden Schrift: »Sendbrief von dem harten Büchlein wider die Bauern« kommt dies zum Ausdruck, sowie in der oben im Zusammenhang mit Stefan Zweig zitierten Tischrede von 1533.

75 Vgl. Paul Althaus, *Luthers Haltung im Bauernkrieg,* Basel, o. J. [1953],

zuerst 1925 als Aufsatz im Luther Jahrbuch erschienen. Trotz Althaus'
national-bürgerlicher Reserven gegen Anklagen Luthers von demokra-
tischer Seite, die ein störendes Element bilden, muß man seiner Apologie insofern zustimmen, als Luthers anfängliche Ermahnungen der
Bauern *und* Herren sowohl aus seiner Auffassung vom Predigtamt
flossen, wie aus der strikten Trennung des Religiösen vom Politischen,
wie auch aus seiner an den Bibeltext gebundenen Theologie (»Ermahnung zum Frieden auf die zwölf Artikel der Bauernschaft in Schwa-
ben«). Auch sein Hinweis ist beachtenswert, daß zwischen Niederschrift
und Ausgabe der Schriften Luthers der Aufstand weiter ablief, so daß
die »Ermahnung zum Frieden« in einem Augenblick erschien, wo ver-
tragliche Regelungen kaum noch möglich waren und die Schrift »Wider
die räuberischen und mörderischen Rotten der Bauern«, als die Bauern
die ersten Niederlagen erlitten hatten. Luthers Wirkung auf die Ereignisse selbst darf wohl nicht überschätzt werden. Althaus stellt die
historische Situation dar, in der die zuletzt genannte Schrift geschrieben
wurde: Luther rechnete mit dem Sieg der Bauern in Thüringen, weil
Herren und Fürsten bereit zur Kapitulation schienen. Althaus' Diskussion dieser Schrift wie vor allem des nachfolgenden rechthaberischen
»Sendbrief von dem harten Büchlein wider die Bauern« wirkt jedoch allzu
apologetisch, gerade wenn man berücksichtigt, daß Althaus Recht und
»Amt« einer »ständischen Freiheitsbewegung« heute anerkennen will.
Warum wollte ein solches Recht zu Luthers Zeiten nicht gegolten haben,
wo doch das germanische Widerstandsrecht lebendiger war? Und wenn
Luther aus »Liebe« zu den von den Bauern in den Aufstand Gezwun-
genen die Fürsten zur Härte aufforderte, waren die Bauern nicht selbst
von dem Gefühl ihres Rechtes, von mißverstandener evangelischer
Freiheit, von prophetischen Predigern, von der Wucht der Bewegung
überhaupt »gezwungen«? — Die 3. Auflage der *Religion in Geschichte
und Gegenwart* bringt ein wesentlich skeptischeres Urteil über das
Verhältnis von Luthertum und Bauernkrieg von G. Franz (I, 930).

76 An Käte Hamburger, 8. 8. 1934, ungedruckt, Stadtbibliothek Lübeck.
    Vgl. *Briefe 1889—1936*, S. 357, 370, 371, 372.
77 Vgl. Werner Kohlschmidt, »Musikalität, Reformation und Deutsch-
    tum: Eine kritische Studie zu Thomas Manns Doktor Faustus«, *Zeit-
    wende* XXI (1950), 541—550, wiederabgedruckt in W. K., *Die ent-
    zweite Welt*, Gladbek, 1953, S. 98—112. Trotz enger Berührung dieses
    Aufsatzes, der zur Nachkriegsdiskussion um den *Doktor Faustus* gehört,
    mit der hier vorgelegten Arbeit kann ich Kohlschmidt in einem Punkt
    nicht folgen, nämlich wenn er von Thomas Mann einen Lösungsvor-
    schlag zur Problematik der deutschen Geschichte erwartet. Kohlschmidt
    hat seine Studie zuerst als Vorlesung in Kiel gehalten, wo ich zu seinen
    dankbaren Schülern zählte. Verständlich wird diese Erwartung aus der
    Nachkriegssituation des akademischen Lehrers, der zu Studenten sprach,
    die Lösungen in Literatur und Geschichte suchten.
78 Ich danke diese Information Golo Manns persönlicher Mitteilung.
79 *Briefe 1937—1947*, S. 633. Kommentar vermutlich von Erika Mann,
    da im wesentlichen identisch mit *Briefe 1889—1936*, S. 536.
80 *Briefe 1937—1947*, S. 424; 29. 9. 36 an Heinrich Mann.
81 Vgl. XI, 642, Thomas Mann an Kerényi 7. 10. 36, wo der Sache nach

die Aufmerksamkeitsdefinition auftritt. Fiedler hat möglicherweise den Begriff Gehorsam in Thomas Manns persönliche Religionsdefinition eingebracht.

82 Leider waren mir für die Darstellung des Verhältnisses Kuno Fiedlers zu Thomas Mann nur einige Briefe Manns an Fiedler zugänglich, nicht aber die erhaltenen Briefe Fiedlers an Mann, da Dr. Kuno Fiedler seine Erlaubnis zur Benutzung nicht geben zu können glaubte. Fiedler schrieb mir, er könne nicht glauben, daß er irgendeinen theologischen oder religiösen Einfluß auf Thomas Mann ausgeübt habe, eine Annahme, die Fiedlers Bescheidenheit ehrt, aber meines Erachtens nicht ganz zutrifft. Kuno Fiedler hat durch einige briefliche Auskünfte, die er mir trotz angegriffener Gesundheit gab, dazu beigetragen, das vorliegende Kapitel vor allzu schiefer Darstellung zu bewahren. Dennoch dürfte künftiger Forschung einige Korrektur vorbehalten bleiben. Ein großer Teil der auf Thomas Mann bezüglichen Dokumente im Besitz Fiedlers sind leider verloren. Sie wurden während der nationalsozialistischen Herrschaft vernichtet von einem »Vertrauensmann« Fiedlers, dem er sie vor der Flucht übergeben hatte.

83 *Briefe 1937—1947*, S. 286, 19. 12. 42. Reinhold Niebuhr, »Mann's Political Essays« *The Nation*, CLV, 28. 11. 1942, S. 582—584; wiederabgedruckt in *The Stature of Thomas Mann*, hrsg. von Charles Neider, New York, 1947, S. 191—194.

84 Vgl. *Briefe 1937—1947*, S. 299. Niebuhrs kurze Besprechung »Mann Speaks to Germany« *The Nation* CLVI, 13. Februar 1943, S. 244. Niebuhr verwundete Mann wohl weniger, weil er den Propagandaeffekt der Radioreden bezweifelte, als dadurch, daß er ihn naiv im Erfassen der politischen Realitäten nennt. Mann verkündige dem deutschen Volk (aus moralischen Gründen) einmal die Rache der Welt, dann aber erkläre er Hitlers Voraussage eines völligen deutschen Unterganges in der Niederlage als Lüge, nur Hitler und seine Leute ständen zwischen Deutschland und einem gerechten Frieden. Niebuhr meint, politisch real sei weder das eine noch das andere, und Thomas Manns Reden verräten wenig Verständnis für die Schwierigkeiten der Gegner Hitlers in Deutschland, die die deutsche Niederlage wünschen müßten. Da Thomas Mann ja nie richtig aufgehört hatte, sich als Deutscher zu fühlen, mußte ihm dieser Vorwurf ungerecht erscheinen. Freilich tut seine Ansicht, Niebuhr sei ihm böse, weil er ihm nicht geschrieben hätte (Briefe a. a. O.), wiederum Niebuhr Unrecht.

85 *Briefe 1937—1947*, S. 300—302.

86 Thomas Mann an Erich Kahler, 18. Mai 1943, Princeton University Library, ungedruckt.

87 Reinhold Niebuhr, *The Nature and Destiny of Man*, New York, 1953 (seitengleich mit früheren Ausgaben) Bd. I, S. 36.

88 Ebenda Bd. II, S. 152, 184—198 u. a.

88a Die Gruppe hieß »Fellowship of Socialist Christians« und hielt halbjährlich Tagungen ab. Ein regelmäßiger Teilnehmer dieser Tagungen war Eduard Heimann, jetzt Hamburg, der sich bestimmt erinnert, daß Thomas Mann niemals auf einer Tagung der »fellowship« gesprochen hat. Ich danke Eduard Heimann herzlich für seine freundlichen Auskünfte. Ebenfalls gilt mein Dank James L. Adams, Harvard Divinity

School, und Peter H. John, Providence, R. I., die mir halfen, diese Angelegenheit aufzuklären.

89   Tillich an Thomas Mann, 25. März 1943, Thomas Mann Archiv Zürich.

90   Gegenüberstellung von Teilen des Tillich-Briefes mit dem *Doktor-Faustus*-Text bei Gunilla Bergsten, *Thomas Manns Doktor Faustus: Untersuchungen zu den Quellen und zur Struktur des Romans*, Lund 1963 = Studia Litterarum Upsaliensia 3, S. 44—47. Die Verfasserin weist ganz richtig auf kleine Veränderungen Thomas Manns gegenüber Tillich hin, die zur Ironisierung Kumpfs dienen. Sie vernachlässigt allerdings dabei die Funktion des Zwischenerzählers Zeitblom.

91   Kuno Fiedler, *Glaube, Gnade und Erlösung nach dem Jesus der Synoptiker*, Bern 1939, vgl. bes. S. 16—32. Vielleicht geht auch der Satz des Faustus-Textes, der dem zuletzt zitierten vorhergeht, auf Fiedler zurück: »Man muß zum Theologen geboren sein, um solche geistigen Schicksale und Damaskus-Erlebnisse [wie Kähler-Kumpfs Ergriffensein durch die Erweckungsbewegung des 19. Jahrhunderts] recht würdigen zu können.« Von Paulus handelt Fiedler sozusagen als dem Urtheologen und Fälscher der Lehre des Jesus der Synoptiker, der *seine* Kenntnis der Lehre seines Meisters auf die Erscheinung von Damaskus zurückführt. Paulus als Verfälscher des Evangeliums war Thomas Mann auch von Nietzsche her bekannt: *Der Antichrist*, Aph. 41—42, 47 u. a.

92   Dies könnte eine Spur von Kuno Fiedler sein, der in *Glaube, Gnade und Erlösung* von dem sacrificium intellectus der orthodoxen, dogmatischen Theologie spricht (S. 27).

93   Lehrreich ist der Vergleich der Formulierungen in Tillichs Brief und in den Exzerpten: Tillich: »Uns fehlte in der liberalen Theologie die Tiefe und das Paradoxe; und ich glaube, die Weltgeschichte hat uns recht gegeben.« Thomas Mann im Anschluß an die bei Tillich erwähnte Studentengruppe (die in den Roman einging): »Solchen fehlt in der liberalen Theologie die *Tiefe* und das *Paradox*. Die Weltgeschichte gibt ihnen recht.« Der Wechsel zum Präsens schiebt Tillichs Ansicht in die Nähe des (1943) noch mächtigen Faschismus. Tillich meinte etwa, daß Ereignisse wie die Weltkriege und der Faschismus mit einer fortschrittsgläubigen bürgerlichen Kulturideologie nicht begriffen werden können und daß eine Theologie, die sich auf eine solche Ideologie stützt, den Opfern dieser schrecklichen Ereignisse nichts sagen kann. Auch hier wird das klaffende Mißverständnis offenbar.

94   Daran schließt sich noch das Exzerpt einer Information aus Tillichs Brief, die Thomas Mann kopfschüttelnd entgegengenommen haben mag: »Der Liberalismus übrigens nationalistisch. Später ›Deutsche Christen‹«. Ausschließlich kann die Gleichung liberale Theologie = Deutsche Christen freilich nicht gelten.

95   Die Debatte um Thomas Manns Religiosität ging in Deutschland von *Doktor Faustus* und der Rede »Deutschland und die Deutschen« aus. Hans Egon Holthusen, »Die Welt ohne Transzendenz«, *Merkur*, III (1949), 38—58 und 161—180. Auch als Einzeldruck, Hamburg, 1949. — Wilhelm Grenzmann, *Dichtung und Glaube*, 5. Auflage, Bonn, 1964, S. 36—81 (1. Aufl. 1950). Dagegen nahmen für Thomas Manns Religiosität Stellung: Ernst Steinbach, »Gottes armer Mensch: Die religiöse Frage im dichterischen Werk von Thomas Mann«, *Zeitschrift für Theo-*

logie und Kirche, L (1953), 207—241. — Eberhard Hilscher, »Thomas Manns Religiosität«, *Die Sammlung*, X (1955), 285—290. — Martin Doerne, »Thomas Mann und das protestantische Christentum«, *Die Sammlung*, XI (1956), 407—425. — Unabhängig von der Nachkriegs-debatte untersuchen religiöse Hintergründe: Pierre Paul Sagave, *Réalité sociale et idéologie religieuse dans les romans de Thomas Mann*, Paris, 1954 = Publications de la Faculté des Lettres de l'Université de Strasbourg, 124. Wie schon aus dem Titel zu entnehmen ist, neigt der Ver-fasser dazu, die fiktive Welt mit den Kategorien der Wirklichkeit zu vermischen. Das puritanische Element in Thomas Manns religiösem Hintergrund betont Fritz Kaufmann, *The World as Will and Represen-tation*, Boston, 1957. Seine Darstellung metaphysischer Strukturen in Thomas Manns Werk wirkt in Vielem spekulativ. Das gilt in noch höherem Grade von Anna Hellersberg-Wendriner, *Mystik der Gottes-ferne*, Bern, 1960. — Weitere Literatur kurz besprochen von Gunilla Bergsten in: *Thomas Manns Doktor Faustus*, Lund, 1963 (= Studia Litterarum Upsaliensia 3), S. 259—261.

96 *Briefe 1937—1947*, S. 330; 20. 8. 43.

97 Settembrini ist nicht immer so atheistisch. III, 430 zitiert er das Evan-gelium: »Laßt die Toten ihre Toten begraben«, nachdem er im gleichen Zusammenhang schon auf Luther angespielt hatte (III, 429; siehe unten im Text). Diese Stellen können freilich als humanistische Lust am Zi-tieren innerhalb der Struktur gerechtfertigt werden. Auch richtet sich Settembrinis Pädagogik gegen Castorps halb-geistliche Neigung. Den-noch dürfte der Autor hier seine Figur allzusehr überspielen.

98 Mit großem Triumph hatte der Schreiber der *Betrachtungen* Romain Rolland zitiert, der im *Jean Christoph* über den laizistischen Bourgeois der französischen Republik geschrieben hatte: »Ein unglaublicher Witz war es, daß sich diese Tausende von armen, unwissenden Tieren zu Herden zusammenschließen mußten, um »freiheitlich« zu denken. Aller-dings bestand ihre Gedankenfreiheit darin, die der anderen im Namen der Vernunft zu untersagen: denn sie glaubten an die Vernunft wie die Katholiken an die heilige Jungfrau...« (XII, 558). Dieses Zitat ist wahrscheinlich der Ursprung der angeführten Stelle aus dem Zauberberg.

99 Das Bibelzitat stammt nicht aus dem Johannesevangelium, wie Thomas Mann XII, 478, angibt, sondern aus dem 1. Johannesbrief, 2, 9, und 11. Die Wendung »ein Opferrauch, welcher nicht steigt« (ebenda) ist, soviel ich sehe, nicht biblisch. In »Weltfrieden«, Berliner Tageblatt, 27. De-zember 1917, gibt Thomas Mann Richard Dehmel als Quelle des Zi-tates an.

100 Verbessert aus: »von Satan an der Quelle des Lebens vergiftete zum Zweck des Seelenverderbs. Hat von Gott die Macht dazu«.

101 Siehe Bodo Heimann, »Thomas Manns ›Doktor Faustus‹ und die Musik-philosophie Adornos«, *Deutsche Vierteljahresschrift für Literaturwissen-schaft und Geistesgeschichte*, XXXVIII (1964), 248—266.

102 Das Motiv Sinnlichkeit-Liebe wird VI, 250 f. fortgesetzt, wobei im Gespräch Leverkühn-Zeitblom auch Humanismus und Christentum ins Spiel gebracht werden. Es handelt sich um Adrians Bedürfnis, die pau-linische Trennung von Fleisch und Geist zu modifizieren und zugleich das alttestamentarische Wort: »und sie werden sein ein Fleisch«

(1. Mose 2, 24; Thomas Mann zitiert ungenau: »Und sollen ...«) als naiv zu erweisen. Das letztere ist natürlich monistisch wie das Alte Testament; die Trennung dualistisch. Eine philosophische Basis kann das Gespräch also kaum haben; Adrian besteht darum auch darauf, als »Psycholog« zu sprechen, also im Sinne Nietzsches.

103 Der Brief wird voraussichtlich in den dritten Band der Briefe, herausgegeben von Erika Mann, aufgenommen werden. — Vgl. auch den Schluß von Felix Krulls Hymnus auf die Liebe: VII, 642 f.

104 David Friedrich Strauß, *Ulrich von Hutten* vgl. in der Ausgabe Leipzig, 1927, S. 492 ff. Dort wird auch des Crotus Grund gegen die Reformation angegeben, »die Furcht vor dem Einbrechen subjektiver revolutionärer Willkür in die objektiven Satzungen und Ordnungen der Kirche«. (494, am Rand in Thomas Manns Exemplar mehrere Anstreichungen S. 493—494.) Diese Formulierung, die geeignet ist, dem liberalen Mißverständnis der Reformation Vorschub zu leisten, ist mit geringen Änderungen in den *Doktor Faustus* eingegangen (VI, 119).

105 Daß Zeitblom von den für Adrian bestimmten Motivkomplexen jeweils etwas »abbekommt«, kann durch ein einfacheres Beispiel unterbaut werden: Während Nietzsches Biographie auf Adrians Leben gelegt wird, leistet Zeitblom des jungen Nietzsche Militärdienst bei der Feld-Artillerie in Naumburg.

106 *Das Volksbuch des Doctor Faust,* Zweite Auflage, hrsg. von Robert Petsch, Halle (Saale), 1911 = Neudrucke deutsche Literaturwerke des XVI. und XVII. Jahrhunderts, Nr. 7—8b, S. XXXI. Petschs Text von Thomas Mann weitgehend wörtlich kopiert.

107 Ebenda, S. XXXIV.

108 Vgl. oben Kapitel 1. Das Zitat kommt, wie dort gezeigt, noch 1954 vor.

109 Die Notiz wird etwas verändert innerhalb der Notizen übertragen, und zwar in den Aufzeichnungen zum Teufelsgespräch und zur Schlußansprache.

110 10. 1. 1949. Der Brief wird voraussichtlich von Erika Mann in den Band *Briefe 1947—1955* aufgenommen werden.

111 Diese Nachricht wird bestätigt von Adorno in »Zu einem Porträt Thomas Mann« *Neue Rundschau,* LXXIII (1962), 325 f.

112 Dies klarzustellen dient u. a. die Fitelberg-Episode (VI, 526—542). Wenn Adrian sich in seiner Abschiedsansprache anklagt, er habe sich mit dem Teufel verbunden, »weil ich in dieser Welt einen Ruhm erlangen wollen« (VI, 659), so spricht er in der Rolle des Doktor Faustus, die hier nur schwer an seine eigene anzupassen ist.

113 Vgl. an Agnes Meyer, 5. 1. 1943, *Briefe 1937—1947,* S. 288: »Der Auffassung, daß die Kunst nur eine ethische Erfüllung meines Lebens sei, habe ich schon in den »Betrachtungen« Ausdruck gegeben und sehe mein Werk noch heute ganz vorwiegend unter diesem Gesichtspunkt. Es ist eine Lebensangelegenheit. Daß es darüber hinaus, objektiv etwas taugen möge, ist eine Hoffnung, keine Behauptung von meiner Seite.« Am 25. 12. 43 schreibt er an dieselbe Briefempfängerin: »Es ist wohl so, daß ein schweres Kunstwerk, wie etwa Schlacht, Seesturm, Gefahr, Gott am nächsten bringt, indem es den Aufblick nach Segen, Hilfe, Gnade, eine religiöse Seelenverfassung erzeugt.« *Briefe 1937—1947,* S. 343.

114   1. Petrus 5, 8. Das Bibelwort beschließt den Text des Faustbuches in dem Druck von Spies. Thomas Mann exzerpierte es mit, als er die Schlußkapitel des Faustbuches abschrieb.

115   Unter den theologischen Quellen des *Doktor Faustus* wurde bisher nicht erwähnt: *Der Hexenhammer* von Jakob Sprenger und Heinrich Institoris, übersetzt von J. W. R. Schmidt, Berlin, 1906, 3 Bände, davon Band I ganz, Band II teilweise benutzt. Aus diesem oft zitierten, aber wenig bekannten Werk stammt der Stoff des Schleppfuß-Kapitels einschließlich dessen Theologie, unbekümmert darum, daß diese Theologie natürlich katholisch ist (auf freilich sehr primitive Art). Schleppfuß ist eine Teufelsgestalt, und so kann man zur paritätischen Befriedigung der Lutheraner darauf hinweisen, daß Thomas Manns Teufel nicht nur lutherische Quellen hat. Aus dem *Hexenhammer* stammen auch die Zitate aus der Patristik, die gelegentlich im *Faustus*-Text auftauchen.

116   Vgl. in *Krull*: VII, 542, 547.

117   An Albrecht Goes, 3. 9. 1949. Er nennt, offenbar sein Kind in Schutz nehmend, den ganzen Aufsatz sogar seinen besten Beitrag zum Goethejahr und meint, er hätte auch ein Kapitel aus den *Betrachtungen* sein können, wahrscheinlich, weil die Erwägungen über »deutsche Größe« ihn schon lange beschäftigten. Die Bewertungen sind aber andere geworden. — Der Brief wird voraussichtlich in *Briefe 1947—1955* aufgenommen werden. Albrecht Goes sei für freundliche Hilfe gedankt.

118   Zitiert von Erika Mann in *Das letzte Jahr*, Frankfurt, 1957, S. 10. Der Brief wird voraussichtlich in *Briefe 1948—1955* erscheinen, wie auch die folgenden, früheren, die ebenfalls Erwähnungen des Planes enthalten, ein Prosawerk mit dem Stoff der Reformationszeit zu schreiben: 21. 12. 1950 an Hans Mühlestein, 20. 5. 1951 an Erika Mann, 20. 3. 1952 an Ferdinand Lion (nur Erasmus-Novelle), 21. 10. 1953 an Rudolph Wahl. — Ferner deuten mehrere Briefe den Plan nur an als »etwas Würdigeres« gegenüber dem Krull (an Erich Kahler, 2. 1. 1954), was sich auch auf den Erasmus-Stoff und den Plan der Fortsetzung der Achilleis beziehen kann (an Kerényi 20. 3. 1952, 19. 1. 1954). Daß diese Pläne in den Kerényi-Briefen erscheinen, hängt wohl auch mit den Interessen des Briefempfängers zusammen. Immerhin waren noch Anfang 1954 die Pläne in der Schwebe. Alles spricht jedoch dafür, daß die Entscheidung für Luther schon im Frühjahr 1954 fiel. — Eine Anregung für den Gedanken, eine Reihe von Charakterbildern zu schreiben, war möglicherweise das Buch von Friedrich Gaupp, *Pioniere der Neuzeit in der Frührenaissance*, Bern, 1945, das Thomas Mann vom Verfasser im Herbst 1945 zugesandt wurde. Thomas Mann strich sich Stellen in einem Kapitel an, das Nicolaus Cusanus behandelte als zwischen Mittelalter und Neuzeit stehend.

118a Vittoria Colonna, *Ausgewählte Sonette*, mit deutschen Umdichtungen von Hans Mühlestein, Celerina, 1950.

119   Unveröffentlicht, im Besitz des Empfängers.

120   Siehe oben Anmerkung 19.

121   Ob Thomas Mann der Wortlaut oder Inhalt von Wagners Skizze bekannt war, ist fraglich. Sie wurde 1937 im Bayreuther Festspielführer veröffentlicht, zu einer Zeit also, als Thomas Mann keine Berührung mit Bayreuth hatte. Eine Möglichkeit, daß ihm ein Zürcher, der sich

durch die nationalsozialistischen Begleitumstände nicht vom Festspielbesuch abhalten ließ, doch ein Exemplar zur Kenntnis gebracht hat, ist schwer zu bestreiten. Frau Katja Mann und Professor Golo Mann halten diese Möglichkeit allerdings für ausgeschlossen, wie sie mir freundlicherweise mitteilten, und ihr Zeugnis hat natürlich stärkstes Gewicht. Ein Exemplar des Bayreuther Festspielführer 1937 befindet sich nicht in Thomas Manns Bibliothek im Zürcher Archiv. Kenntnis des Inhalts der Skizze könnte er auch aus der Wagnerbiographie von Ernest Newman, *The Life of Richard Wagner* erhalten haben, wo er Bd. IV, S. 160 wiedergegeben wird. Jedoch zeigt diese Seite keinerlei Anstreichungen, die man doch in diesem Falle hätte erwarten können. Der entsprechende Abschnitt des IV. Bandes hat überhaupt keine Benutzungsspuren. Wagners Skizze ist ein anderes Musterbeispiel für die gängigen Lutherfiktionen. Wie Ricarda Huch läßt er Luther auf die schöne Natur von der Wartburg zurückblicken, wie bei Zacharias Werner liegt die Schönheit einer Frau in Luthers Sinn. Der nationale Luther wird von Wagner für die deutsche Wiedergeburt aus Philosophie und Musik bemüht, und eine Musikskizze zu dem fröhlichen Thema »Wer nicht liebt Wein, Weib und Gesang...« komplementiert den Plan. (Diese Angaben nach Newman.)

122 Siehe oben Anmerkung 75.

123 Anstreichungen finden sich im 5. Kapitel des 6. Buches bei Köstlin II, 65—89. — Thomas Mann hatte auf das Marburger Religionsgespräch angespielt im ersten Vorspiel zu den Josephsromanen IV, 32 (auch 669) und im Brief an Bertram vom 28. 12. 1926, *Thomas Mann an Ernst Bertram*, S. 155.

124 Auch an Erich Kahler, 2. 1. 1954.

125 6. 9. 1954. *Blätter der Thomas Mann Gesellschaft* Nr. 4 (1963), S. 22; wird voraussichtlich in *Briefe 1948—1955* aufgenommen.

126 *Wissenschaftliche Zeitschrift der Martin Luther Universität, Halle-Wittenberg*, Gesellschafts- und sprachwissenschaftliche Reihe, III (1953 bis 1954), Heft 3 (1954), S. 611—652.

127 Letzteres hängt, wie mir scheint, davon ab, welche Bedeutung man den Wörtern »Siegeszug« und »unterbrechen« beimessen will. Als wissenschaftliche Bibelkritik hat sich der Humanismus eigenartigerweise gerade innerhalb des Protestantismus durchgesetzt und dabei Wirkungen erzielt, die den Reformatoren kaum sympathisch gewesen wären, hätten sie sie voraussehen können. Mehr als eine akademische Bewegung war der Humanismus nie bis zu Marx. Ob dieser Humanist war oder nicht, kann hier nicht diskutiert werden.

128 An Kerényi, *Gespräch in Briefen*, S. 123; 3. 12. 1945.

129 Der Brief wird voraussichtlich in *Briefe 1948—1955* aufgenommen.

130 Original in der Yale University Library. Der Brief wird voraussichtlich in *Briefe 1948—1955* gedruckt werden.

131 Vgl. Erika Mann, *Das letzte Jahr*, Frankfurt 1956.

132 An Erich Kahler, 5. 8. 1955, Original in der Princeton University Library. In *Briefe 1948—1955* vgl. an die Familie Michael Mann, 9. 8. 1955.

132a Von der neugewonnenen Kenntnis der Theologie Luthers, aber auch von fortwirkender Lutherkritik zeugen Anstreichungen und Randbemerkungen in der Paulus-Biographie von Ernest Renan: *Paulus: Sein Leben und seine Mission,* Deutsche Übertragung, Erich Franzen; Anmerkungen von Peter Meinhold und Heinrich Lammers, Berlin, 1935. Das Buch erschien noch in Deutschland im S. Fischer Verlag; Thomas Mann dürfte es damals bekommen haben, denn es ist wohl eines der letzten in Berlin publizierten Bücher des Verlages. Es ist jedoch offensichtlich, daß die Übereinstimmungen zwischen der Theologie des Paulus und der Luthers Thomas Mann erst nach den beschriebenen Studien auffallen konnten. Auch ist die Randbemerkung »Luther«, die sechsmal erscheint, in der deutschen Altersschrift geschrieben mit ihren charakteristischen lang ausgezogenen Großbuchstaben.

Diese Randbemerkungen betreffen Parallelen zwischen Luthers und Paulus' Leben, Werk und Theologie. Die letzteren beziehen sich zweimal auf die Lehre des Paulus, es sei unmöglich, alle Gesetzespflichten zu erfüllen (Renan, S. 227, S. 343). Auch manche Unterstreichungen sind offenbar durch Luther-Parallelen hervorgerufen, so Renans Vermutung, der äußere Vorgang der Damaskus-Vision sei vielleicht ein Gewitter gewesen (Renan S. 29). Die Theologie des Galater- und Römerbriefes findet Thomas Manns lebhaftes Interesse. Renan erkennt des Paulus Größe an, tadelt jedoch dessen Besessenheit im Gegensatz zu dem milden und überlegenen Jesus. Dieser, meint Renan, habe sich »lächelnd über sein Werk erheben« können (Thomas Mann streicht die Stelle an), bei Paulus dagegen fühlten wir niemals, »daß er die Nichtigkeit starrer Überzeugungen erkennt«. Dies unterstreicht Thomas Mann noch und schreibt wieder einmal »Luther« an den Rand. Diese, meiner Ansicht nach berechtigte, Lutherkritik behält Thomas Mann bei.

133 *Hier stehe ich: Das Leben Martin Luthers,* übersetzt von Hermann Dörries, Göttingen, 1952.
134 Im Kapitel »Ritter Tod und Teufel« seines *Nietzsche,* Berlin, 1918.

WERK-, SACH-, PERSONENREGISTER

Werkregister: Angeführt werden auch bloße Aufzeichnungen sowie nur geplante und verlorene Werke. Artikel und Kritiken Thomas Manns, deren Titel nicht von ihm stammen, erscheinen unter dem Titel, in dem sie in der zwölfbändigen Ausgabe von 1960 erscheinen, oder, wenn sie dort fehlen, unter dem des Erstdrucks.

Sachregister: Angeführt werden Begriffe, die nicht unmittelbar im Zentrum des Buches stehen. »Intention«, »Struktur«, »fiktiv«, »Religiosität« usw. rechnen zu diesem Bereich. Andererseits sind Begriffe nicht angeführt, wenn sie sehr allgemein sind oder zu wenig mit Thomas Manns Welt zu tun haben. Im Sachregister erscheinen Substantive. Das Stichwort »Biographie« kann sich also auch auf das Adjektiv »biographisch« beziehen. Auch ähnliche Sachverhalte werden unter einem Stichwort aufgeführt. »Kommentar des Autors« zum Beispiel erscheint im Register unter »Selbstverständnis«. Werke von Schriftstellern außer Thomas Mann erscheinen unter ihren Namen im Personenregister, Werke Thomas Manns im Werkregister.

Personenregister: Werke Thomas Manns siehe unter Werkregister.

Werkregister

Sachregister

Personenregister

Sprache und Literatur

W. Kohlhammer Stuttgart